W9-DDK-222

Diccionario de mujeres célebres

Diccionario de mujeres célebres

Prólogo de Victoria Camps

ESPASA CALPE

ESPASA DE BOLSILLO

Director Editorial: Javier de Juan y Peñalosa
Director de Diccionarios y Enciclopedias: Juan González Álvaro
Editora: Marisol Palés Castro
Equipo de Redacción: Myrna Rivera, Guillermo Mirecki
Revisión Histórica: Cristina Segura
Diseño de Colección: Víctor Parra
Ilustración cubierta: Berthe Morisot, *El espejo de vestir,* 1876,
Museo Thyssen Bornemisza, Madrid

Depósito legal: M. 9.346-1994
ISBN 84-239-9205-5

Impreso en España / Printed in Spain
Impresión: UNIGRAF, S. A.

Editorial Espasa Calpe, S. A.
Carretera de Irún, km. 12,200. 28049 Madrid

PRÓLOGO

MUJERES CON ATRIBUTOS

Las mujeres son un colectivo, como se dice ahora, un plural, ante todo. Por encima de las diferencias que se dan, obviamente, entre una y otra, está la diferencia genérica que las une a todas. Esa diferencia explica que se hagan diccionarios de mujeres notables. Explica, dicho de otra forma, que un diccionario de mujeres notables no se ajuste a los mismos criterios que seguiría un diccionario de hombres notables. Éste no sería, de entrada, un diccionario *de hombres:* sería un diccionario de historiadores, de políticos, de científicos, de inventores o de héroes de guerra. Nunca sólo de hombres que hayan destacado por esto o aquello. Se da por supuesto que son ellos los que sobresalen. El género no los distingue para nada: lo que son viene caracterizado y señalado por lo que hacen.

Con las mujeres ha sido distinto. Y sigue siéndolo, huelga repetirlo y explicarlo. Estamos, aún, en etapas muy previas: hacemos diccionarios de mujeres porque el mérito es sobresalir entre ellas, a pesar de ser una de ellas, o por el hecho de serlo. Una mujer que ha sido santa, escritora, reina, actriz, prostituta o, incluso, mujer objeto, cualquier cosa, pero de renombre, es decir, influyente o espectacular, es acreedora de una proyección pública y de una cierta inmortalidad. Un diccionario de mujeres célebres es una prueba más del habitual apartamiento de la mujer a tareas que no suscitan ningún interés social o cultural. Una prueba también de que las mujeres han tenido que reconocer lo que las hace similares como primera medida para poder presentarse como individualidades separadas.

Pero esta segunda fase es aún tan incipiente que apenas se nota. Un diccionario como éste no lo constata. Muy al contrario, pone de manifiesto dos circunstancias que concurren en el acceso de las mujeres a la notoriedad. La primera ya la he dicho: las mujeres que aquí aparecen son mujeres *y* famosas, ambas cosas a la vez. No son famosas como individuos: lo son como mujeres. Por otra parte, el diccionario pone de manifiesto que la fama les viene a las mujeres por circunstancias y logros muy dispares, poco homologables con los correspondientes masculinos. Así, Carmen Martín Gaite o Cristina Alberdi comparten la celebridad con Tita Cervera e Isabel Preysler. No es algo peculiar de este país. También Diana de Gales se codea con Virginia Woolf. La mujer hoy destaca tanto por ser una buena escritora, actriz o política como por tener un marido mecenas o una serie de divorcios de hombres públicos y célebres en su haber. Aquello de que «detrás de todo gran hombre hay una mujer» sigue valiendo, si no como prueba de la liberación de la mujer, por lo menos como ejemplo de una de sus funciones más específicas y apreciables.

Ambas características, el hecho de que lo excepcional y meritorio en la mujer sea hacer algo dada su triste condición de mujer, y el hecho de que ese hacer algo pueda consistir sencillamente en cumplir correcta o extravagantemente la función de «señora», indican que la diferencia discriminatoria no se amortigua y que la igualdad aún queda lejos. No podremos decir que somos iguales mientras no se cumplan, por lo menos, un par de objetivos.

El día en que no necesitemos distinguir entre hombres y mujeres profesionales podremos afirmar también que la igualdad de los sexos es una realidad. Mientras hagan falta cuotas de participación para que las mujeres ocupen espacios de responsabilidad, mientras exista la obsesión por lo *politically correct* —que no hace sino acallar la mala conciencia de quienes durante mucho tiempo han ignorado que hablaban en nombre de los dos géneros cuando pensaban sólo en uno de ellos—, seguiremos fabricando diccionarios y antologías de mujeres que han destacado no tanto por ser esto o lo otro como por el hecho de ser algo siendo mujeres. Hasta ahora, y en los países civilizados —en los otros ni siquiera se ha llegado a tal extremo—, las mujeres no consiguen ser mucho más que la garantía democrática de las decisiones y el poder masculino. «Reconocemos tu preparación y sabemos que tienes talento —vienen a decirnos—, pero es que, además, eres mujer y eso ahora es lo que vale.» Saber contar con algunas mujeres, las imprescindibles, es el sello legitimador de cualquier demócrata y progresista que se precie de serlo.

Por eso tienen que seguir editándose diccionarios como este. Como prueba de que la discriminación sigue actuando y cuesta mucho superarla. Pretenden ser otra cosa: pretenden ser la muestra de que también ha habido y hay mujeres valiosas, y ahí están todas con sus *curricula* que nada tienen que envidiar a sus colegas masculinos. Pero esa ufanía sólo se materializa haciendo catálogos «de género», esa expresión ambiguamente acariciada por los discursos feministas. En el fondo, todas las mujeres que aquí se encuentran valen porque son «mujeres con atributos», pero primero mujeres. El atributo y el género que lo sustenta, en este caso, no son desligables.

Si lo primero que hay que conseguir es que desaparezca la mujer como colectivo, el segundo objetivo es complementario del primero. La extraña mezcla que exhibe un diccionario de mujeres famosas, una proporción no despreciable de las cuales la forman las famosas consortes —señoras de un hombre famoso—, no es más que la expresión de un reparto de funciones descompensado. Otro paso hacia la igualdad, tan definitivo como el anterior, se habrá dado cuando existan, paralelamente y en la misma medida, *los* notables consortes. Cuando ningún señor se sienta disminuido por el hecho de ser él quien sigue a su mujer y no al revés. Un objetivo igualmente utópico, hoy por hoy, mientras la estructura familiar siga siendo la que es y la división del trabajo doméstico sea un mero eufemismo.

No debe haber una sola forma de emancipación de la mujer; lejos de mi intención defender lo contrario. Ni siquiera debe ser obligatorio emanciparse si no lo desea y prefiere vivir sujeta a las servidumbres familiares de toda la vida, a someterse a otras servidumbres teóricamente más dignas. Lo único que hay que exigir hasta conseguirlo es que la opción entre distintas sujeciones le sea dada a cualquier mujer del mismo modo que le es dada a un varón.

La mujer es diferente todavía, sin duda. Y esa diferencia es una carga que la distancia y la separa de los que se saben «iguales». Esa diferencia la obliga a reconocerse como miembro de un grupo que, si bien ha sido el cauce que ha canalizado y exteriorizado su descontento, la mantiene ahora cautiva de lo que la unifica y no de lo que la distingue. La mujer vive el malestar de la dualidad entre el ser persona y el ser mujer, el malestar de tener que desplazarse de continuo de la una a la otra, o de tener que renunciar a ser una cosa para seguir siendo la otra. Lo cual significa que carece de una subjetividad autónoma y diferenciada, incluso cuando tiene entrada en diccionarios de notables. El ejercicio de la autonomía requiere unas condiciones más sutiles y, en el fondo, más superficiales que el acceso formal a una educación, al mercado de trabajo o a la vida pública.

VICTORIA CAMPS.

A

ABRANTÈS, duquesa de (Laure Saint-Martin Permont). Escritora francesa (Montpellier, 1784-París, 1838). Casada con el general A. Junot, la duquesa de Abrantès es recordada, sobre todo, por haber sido una de las principales y más exitosas cronistas del París revolucionario: *Memorias históricas sobre la Revolución, el Directorio, el Consulado, el Imperio y la Restauración* (1831-35), y *Memorias sobre la Restauración, la revolución de 1830 y los primeros años del reinado de Luis Felipe* (1836). Publicó, además, *Historia de los salones de París bajo Luis XVI* (1837).

ABRIL, Victoria (Victoria Mérida, llamada). Actriz española (Madrid, 1959). Tras varias incursiones en la televisión, hizo su debut cinematográfico con Vicente Aranda en el papel protagonista del filme *Cambio de sexo* (1976). Con este mismo director colaboró también en *La muchacha de las bragas de oro* (1979), *Asesinato en el Comité Central* (1981), *Tiempo de silencio* (1985), *El Lute. Camina o revienta* (1987) y *Amantes* (1991). Otros filmes: *Máter amantísima* (1980), *La colmena* (1982), *Las bicicletas son para el verano* (1983), *Barrios altos* (1987), *Átame* (1989), *Tacones lejanos* (1991) y *Kika* (1993), estos tres últimos bajo la dirección de Pedro Almodóvar. Ha participado además en varios filmes extranjeros y en la serie de televisión *Los jinetes del alba* (1990), dirigida por V. Aranda.

ACCORAMBONI, Vittoria. V. **BRACCIANO, duquesa de.**

Victoria Abril y Marisa Paredes en *Tacones lejanos*

ACEVEDO, Ángela de. Dramaturga española (m. 1644). Hija de un noble de la corte de Isabel* de Borbón, primera esposa de Felipe IV, tuvo una esmerada educación y su producción incluye teatro y prosa. Entre sus obras destacan *El muerto disimulado*, *La Margarita del Tajo*, *Dicha y desdicha del juego* y *Devoción de la Virgen*, todas ellas representadas en el siglo XVII.

ACKERMANN, Louise. Poeta francesa (París, 1813-Niza, 1890). Comenzó a escribir poemas a los nueve años y a los catorce mostró una gran admiración por las obras de V. Hugo. Influida por la filosofía alemana y el pensamiento positivista francés, la poesía de Ackermann, marcada por un profundo pesimismo, suele vincularse a la corriente parnasiana: *Cuentos* (1850-1853), *Poesías filosóficas* (1871) y *Pensamientos de una solitaria* (1882).

ACOSTA DE SAMPER, Soledad. Escritora y periodista colombiana (Bogotá, 1831-íd., 1903). Considerada una de las figuras principales en la literatura de su país, Acosta de Samper sobresalió además por sus actividades periodísticas y feministas. Fundó varias revistas, entre ellas *La madre* (1878-1881) que llegó a influir notablemente en la vida social de su país y en la educación de la mujer colombiana. Escritora prolífica, fue autora de comedias, biografías y más de 45 novelas entre las que destacan *Los piratas en Cartagena* (1885) y *La holandesa en América* (1888).

ACTÉ. Liberta romana (s. I). Griega de origen asiático, el emperador Nerón la escogió como amante en detrimento de su esposa Octavia, a pesar de la oposición de Agripina* y Séneca. Posteriormente Popea* consiguió que la expulsaran de la corte imperial. La tradición cuenta que se convirtió al cristianismo por las enseñanzas de san Pablo.

ACUÑA, Dora. Poeta paraguaya (1900-1953). Influida por la uruguaya Delmira Agustini*, Acuña se dedicó principalmente al cultivo de la poesía erótica. Su voz lírica y personal proclama un amor natural, libre de prejuicios, que se manifiesta en obras como *Flor de caña* (1940) y *Luz en el abismo* (1954). Es considerada precursora, junto con Julio Correa, de la poesía paraguaya de los años 30 y 40.

ADA. Sátrapa de Caria (s. IV a. C.). Casada con su hermano Hyderico, sucedió, junto con él, a Artemisa II*. A la muerte de su marido (344 a. C.), quiso retener el poder, pero fue derrocada por su hermano Pexadoro, que estaba apoyado por los otros sátrapas de Asia. Ada pidió a Alejandro

Magno que intercediera a su favor para que le fuese devuelto el gobierno y, como recompensa, la sátrapa adoptó al rey de Macedonia.

ADAM, Juliette. Novelista francesa (Oise, 1836-Var, 1936) que escribió ocasionalmente bajo los seudónimos de *Lamber* y *La Messine*. Tras casarse en segundas nupcias con el senador republicano E. Adam, regentó en París uno de los salones literarios de mayor renombre, frecuentado por intelectuales de prestigio y por los republicanos de su época, y en 1879 fundó la revista *La Nouvelle Revue,* en la que defendió los ideales republicanos y nacionalistas. En *Idées antiproudhoniennes sur l'amour, la femme et le mariage* (1858) manifestó claramente su anticlericalismo y atacó las ideas antifeministas del pensador P.J. Proudhon. Entre sus numerosas novelas destacan *Païnne* (1883), elogio del amor pasional que resultó un escándalo en su época, y *Chrétienne* (1913), sobre su tardía reconversión al catolicismo.

ADDAMS, Jane. Socióloga y reformadora social estadounidense (Illinois, 1860-Chicago, 1935). En 1889 fundó la Hull House, primera organización de viviendas a bajo costo de EE.UU., y que Addams dirigió durante 46 años. Defensora del voto femenino y del pacifismo, presidió desde 1915 la Asociación Femenina Internacional para la Paz y la Libertad. En 1931 obtuvo el premio Nobel de la Paz.

ADELA de Champaña. Reina de Francia (m. París, 1206). Hija del conde Teobaldo IV de Champaña, se casó con el rey Luis VII de Francia. A la muerte de su marido (1180), quiso tener un papel político durante la minoridad de su hijo Felipe II Augusto, pero se enfrentó a la hostilidad del conde de Flandes, padrino del nuevo rey. Así se produjo una lucha entre las familias de la reina madre y del conde. El conde logró adelantarse consiguiendo que el rey se casara con su sobrina, Isabel* de Hainaut, pero la reina Adela obtuvo la anulación de este matrimonio. Al final, logró hacerse con la regencia, apartando al de Flandes y pacificando el país.

ADELAIDA, santa. Reina de Italia y emperatriz de Alemania (Castillo de Orb, h. 931-Monasterio de Seltz, Alsacia, 999). Hija de Rodolfo II de Borgoña, se casó en 947 con Lotario de Italia. Tras la muerte de éste (950), fue despojada de su dignidad y encerrada en un castillo por Berenguer II. Llamó en su ayuda a Otón el Grande, con quien contrajo nupcias en 951. De 991 a 995 fue regente durante la minoridad de su nieto Otón III, muerta su nuera Teófano*. Su vida fue recopilada por san Odilón, abad de Cluny.

ADELAIDA de Francia. Princesa francesa (Versalles, 1732-Trieste, 1800). Hija mayor de Luis XV, representó un importante papel político en los reinados de su padre y de su sobrino Luis XVI, librándose del acoso a la familia real durante la Revolución.

ADELAIDA de Orleans. Princesa francesa (París, 1777-1848). Era hermana de Luis Felipe I de Francia y ejerció en su época gran influencia política.

ADELAIDA de Saboya. Reina de Francia (m. en 1154). Hija de Humberto II, conde de Mauriena, se casó en 1114 con Luis VI, rey de Francia, con quien tuvo seis hijos y una hija. Muerto el monarca, contrajo segundas nupcias con el condestable Mateo Montmorency. Pasó sus últimos años en la abadía de Montmartre, que ella misma había fundado.

ADELIZA de Lovaina. Reina de Inglaterra (1100-abadía de Alost, 1151). Hija de Godofredo de Lovaina, fue la segunda esposa de Enrique I de Inglaterra. Organizó una rica corte en la Isla, protegiendo a trovadores y troveros provenientes del continente (Marcabrú, Ventadour, etcétera), siendo la más fiel consejera del rey. A la muerte de Enrique (1135), se casó con Guillermo de Albini y en 1150 se retiró a la abadía de Alost, donde murió.

ADNAN, Etel. Poeta e ilustradora libanesa (Beirut, 1925). Realizó estudios en las universidades de Berkeley y Harvard. Profesora del Dominican College en California (1959-1972), Adnan ha publicado en francés e inglés, aunque es más conocida por sus poemas en lengua árabe. Entre sus libros destacan *Fives Senses for One Death* (1971) y *Jebu et L'Express Beyrouth-Enfer* (1973), ambos en contra de la guerra de Vietnam, *Arab Apocalypse* (1980), ilustrado por la propia autora, y *Pablo Neruda is a Banana Tree* (1982).

AELDERS, Etta-Palm d'. Activista holandesa de la Revolución Francesa (Groninga, 1743-¿?) cuyo verdadero nombre era Etta Lubina Johanna Aelders. A los 19 años se casó con Ferdinand Palm, quien la abandonaría poco después. En 1768, tras algunos viajes, se radicó en París, y en 1791 fundó la Sociedad de Amigas de la Verdad, primer club integrado exclusivamente por mujeres que decepcionadas por los primeros pasos de la Revolución Francesa se erigieron portavoces de sus propias reivindicaciones de igualdad entre los sexos. En 1793 regresó a Holanda y dos años más tarde, convertido ese país en la República Bátava, fue detenida y acusada de orangista.

AGAR. Mujer cananea (s. XX a. C.). Una de las mujeres de

Abraham, del que había sido esclava y del cual tuvo a Ismael, padre del pueblo árabe o ismaelita. Agar e Ismael fueron arrojados de su casa por Abraham en virtud de un mandato divino y de los celos de Sara*, después del nacimiento de Isaac.

AGNESI PINOTTINI, Maria Gaetana. Matemática italiana (Milán, 1718-íd., 1799). Considerada una niña prodigio, Agnesi dominó desde niña varias lenguas romances, además del hebreo y el alemán, y estudió filosofía y matemáticas. En 1748 publicó *Istituzioni analitiche,* considerado el mejor tratado de cálculo diferencial hasta entonces aparecido, traducido al francés e inglés. En 1750 fue designada por el papa Benedicto XIV catedrática de matemáticas en la Universidad de Bolonia, sustituyendo a su padre. Fue la primera profesora universitaria de esta materia. A partir de 1752 ingresó en una orden religiosa de Milán, consagrándose a la beneficencia y a la religión.

AGOULT, condesa de. V. **FLAVIGNY, Marie de.**

ÁGREDA, sor María de Jesús de. Religiosa y escritora española (Ágreda, 1602-1665). Tomó el hábito de religiosa franciscana en el convento de Burgos a los dieciséis años y fue elegida abadesa, con dispensa de edad, del monasterio de la Inmaculada Concepción, de la villa de Ágreda, fundado por sus padres. Adquirió fama de santa por sus supuestas revelaciones de orden sobrenatural, y aunque la Inquisición la procesó, quedó libre de las acusaciones. Escribió numerosas obras de tipo ascético y místico, entre ellas las famosas *Cartas, o correspondencia privada con Felipe IV* (1643-1665), donde da consejos de tipo moral y político al monarca, y *La mística ciudad de Dios* (1670).

AGRIPINA la Mayor. Dama romana de la gens Claudia (s. I), esposa de Germánico y madre de Calígula y de Agripina* la Menor. Se distinguió en Roma por sus virtudes y como defensora de los derechos de sus hijos al mandato imperial romano. Tiberio, que le temía, la desterró el año 29 a la isla de Pandataria, donde se dejó morir de hambre el año 33.

AGRIPINA la Menor. Emperatriz romana (Agrippinensis, Colonia, 16-Roma, 59). Hija de Agripina* la Mayor y de Germánico, y madre de Nerón. Al enviudar por segunda vez, se casó con el emperador Claudio, su tío, y logró que éste adoptase a Nerón y le casase con su hija Octavia*, dejando a Británico, hijo de Claudio y Mesalina*, fuera de la opción al Imperio. Más tarde envenenó a Claudio, y facilitó a su hijo el acceso al trono. El principio del reinado de

Agripina la Menor

Nerón está dominado por el buen quehacer de Agripina, junto a Burro y Séneca. Nerón la hizo asesinar ahogándola.

AGUSTINA de Aragón. V. **ZARAGOZA Y DOMÉNECH, Agustina**.

AGUSTINI, Delmira. Poeta uruguaya (Montevideo, 1886-íd., 1914). Formó parte de la generación de 1900, a la que también pertenecieron Julio Herrera y Reissig, Leopoldo Lugones y Rubén Darío, y de la generación del Río de la Plata (1910-1920), dominada mayoritariamente por hombres. Sus influencias fundamentales provinieron de los simbolistas franceses y de F. Nietzsche. Los poemas de Agustini, marcadamente eróticos, están enriquecidos por imágenes biológicas y confesionales: «Otra estirpe», «Visión» y «El arroyo». En 1913 se casó con Enrique Reyes, negociante de ganado caballar, quien tras su divorcio un año más tarde, la mató violentamente y luego se suicidó.

AIDJA, AIXA o AYESHA. V. **A'ISHA.**

AIDO, Ama Ata. Escritora ghanesa (n. 1942). Aunque con una larga experiencia literaria, Aido es fiel ejemplo de las dificultades con las que se encuentran las mujeres escritoras africanas para ser reconocidas como tales. Activista política, llegó a presidir el Ministerio de Educación de su país a principios de los 80, trasladándose posteriormente a Zimbabwe, en donde preside el Grupo de Mujeres Escritoras. Entre sus publicaciones destacan la obra teatral *The Dilemma of a Ghost* (1965); su colección de poemas *Someone Talking to Sometime* (1985); y su novela *Changes* (1991), en la que incorpora elementos de narrativa oral.

A'ISHA. Mujer árabe (La Meca, h. 614-Medina, 678). Era hija de Abu Bakr y fue la segunda esposa de Mahoma. A la muerte del profeta tenía dieciocho años. Fue acérrima enemiga de Alí —quien había aconsejado al Profeta que la repudiase— sublevándose en su contra cuando fue electo califa. Cayó en poder de su enemigo tras la batalla del Camello (656) y éste mandó trasladarla a Medina.

A'ISHA BINT AHMAD IBN MUHAMMAD IBN QADIM. Escritora andalusí (Córdoba, s. IX). Perteneciente a una noble familia cordobesa, tuvo gran influencia política en la corte. Era hermana de Muhammad ibn Ahmad ibn Muhammad ibn Qadim ibn Ziyad, poeta sobresaliente, dedicándose también ella a la lírica. Trabajó además en la copia de libros, reuniendo una gran biblioteca.

A'ISHA BINT MUHAMMAD IBN AL-AHMAR. Reina de Granada (s. XV). Llamada A'isha la Horra o la Honesta, fue esposa de Abul Hasan y madre de Boabdil el Chico, a quien ayudó en todas sus luchas para obtener el trono de Granada. Fue el alma de la resistencia de la ciudad contra los Reyes Católicos y acompañó después a su hijo en el destierro a Fez, donde murió al poco tiempo. Las frases con que recriminó a Boabdil y su llanto al abandonar la ciudad han pasado a la historia.

AJMÁTOVA, Anna. Poeta soviética (Odessa, 1889-Moscú, 1966) cuyo verdadero nombre era Anna Andreïevna Gorenko. Influida por Derzhavin y Annenski, fundó junto a su primer marido N. Gumíliov la escuela acmeísta. Con un discurso preciso y una cuidada estructuración, Ajmátova logró traducir a lenguaje poético los aspectos más cotidianos del amor y su visión —dramática y valiente— de la realidad sociopolítica rusa. Considerada como la mejor poeta en lengua rusa del s. XX, su obra suele dividirse en dos períodos: uno introspectivo e intimista al que pertenecen *La tarde* (1912), *Rosario* (1914) y *Llantén* (1921); y otro cívico-social, influido por sus profundas desavenencias con el régimen soviético. Sus obras *Viento de guerra* (1942-1944) y *Poema sin héroe* (1963) son representativas de este segundo período. Llamada por muchos «la voz de Rusia», su obra fue censurada en la URSS entre 1921 y 1953.

AKAZOME EMON. Poeta japonesa (s. XI). Se le atribuye la primera parte del *Eigwa monogatari* o *Historia de esplendores*, narración novelada en cuarenta volúmenes y considerada una de las obras maestras del período Fujiwara.

AKERMAN, Chantal. Realizadora de cine belga (Bruselas, 1950). Cursó estudios en el Institut Supérieur des Arts du Spectacle et Techniques de Diffusion de Bruselas y en la Universidad Internacional de París. Akerman es considerada una de las realizadoras más representativas del cine independiente francés contemporáneo. Sus filmes, con un estilo postestructuralista y minimalista (contenido narrativo mínimo, silencios, lenguaje de la contemplación), se han centrado en una temática fundamentalmente femenina que Akerman examina desde una perspectiva novedosa: *Saute ma ville* (1968), *On Tour avec Pina Bausch** (1983), *Seven Woman-Seven Sin* (1987) y *Un jour Pina m'a demandé* (1988).

Olvido Gara, *Alaska*

ALASKA (Olvido Gara, llamada). Cantante y empresaria española de origen mexicano (n. 1965). Una de las protagonistas de la *movida* madrileña y del *pop* español, y figura clave de los grupos musicales *Kaka de luxe*, *Alaska y los Pegamoides*, *Dinarama* y *Fangoria*. De imagen carismática, Alaska ha trabajado en televisión, en revistas de moda, en la prensa dominical y en la película *Pepi, Luci, Bom y otras chicas del montón*, dirigida por Pedro Almodóvar. Su tema musical *Bailando* obtuvo un gran éxito nacional e internacional.

ALBA, XIII duquesa de (María del Pilar Teresa Cayetana de Silva y Álvarez de Toledo). Dama española del s. XVIII. Estuvo casada con don José Álvarez de Toledo, marqués de Villafranca, de quien quedó viuda sin sucesión en 1796. Fue popularísima en el Madrid de su tiempo, como personaje más sobresaliente del casticismo aristocrático, y Goya la inmortalizó en varios cuadros. Circuló la leyenda de que había sido envenenada, y en 1945 fue exhumado su cadáver comprobándose en el mismo alguna mutilación, pero el examen desmintió la versión popular del envenenamiento.

ALBERDI ALONSO, Cristina. Abogada española (Sevilla, 1946). Es la primera mujer en ser miembro del Consejo del Poder Judicial. Alberdi se ha dedicado fundamentalmente a la defensa de los derechos de la mujer y a la modificación de las leyes que la

La Duquesa de Alba, por Francisco de Goya

discriminan. Entre sus publicaciones destacan *Aborto: sí o no* (1975), *Análisis de la realidad jurídica en torno a la mujer* (1982) y *El discurso jurídico como superestructura ideológica* (1982). En 1993 fue nombrada ministra de Asuntos Sociales.

ALBERT I PARADÍS, Caterina. V. **CATALÀ, Víctor.**

ALBORNOZ, Aurora de. Poeta y crítica literaria española (Luarca, Asturias, 1926-Madrid, 1990). En 1936 se exilió con su familia en Puerto Rico y estudió Humanidades en la Universidad de Puerto Rico, siendo discípula allí de Pedro Salinas y Juan Ramón Jiménez y donde posteriormente trabajó como catedrática de lengua y literatura. Tras su regreso a España en 1970, obtuvo su doctorado en Filosofía y Letras en Salamanca y enseñó en la Universidad Autónoma de Madrid. Fue colaboradora de importantes revistas literarias hispanoamericanas. Entre sus publicaciones destacan los poemas recogidos en *Brazo de niebla* (1955), *Poemas para alcanzar un segundo* (1961) y *Palabras reunidas* (1983). Estudiosa de la generación del 27, dedicó notables ensayos a la obra de A. Machado, J. R. Jiménez y L. Felipe.

ALCOFORADO, sor Mariana. Monja y escritora epistolar portuguesa (Beja, Alentejo, 1640-íd., 1723). Fue la autora de unas apasionadas cartas de amor dirigidas a un conde francés, quien las publicó en su idioma con el título de *Lettres portugaises* (París, 1669), y que se han convertido en una de las obras maestras de la literatura universal.

ALCORTA, Gloria. Escritora argentina de origen francés (Bayona, 1915). Su primer libro de poemas, *La prison de l'enfant* (1935) fue publicado en francés con un prefacio de Jorge Luis Borges. Aunque sus obras de teatro *Visages* (1952) y *Le Seigneur de Saint Gor* (1955) fueran premiadas en París, fue, sin embargo, la colección de relatos *El hotel de la luna* (1958), en la que retrató la decadencia de la oligarquía bonaerense de la *belle époque*, la que logró consagrarla como una de las figuras argentinas de mayor renombre literario. Ha sido colaboradora en Buenos Aires del diario *La Nación* y de las revistas *Sur* y *Ficción*, y en París de *Le Figaro Littéraire*.

ALCOTT, Louisa May. Escritora estadounidense (Germantown, 1832-Boston, 1888). Miembro del círculo de trascendentalistas de Concord, Alcott publicó su primer libro cuando aún trabajaba como empleada doméstica. Su enorme popularidad se debe especialmente a sus libros infantiles *Mujercitas* (1868) y *Hombrecitos* (1871).

ALDECOA, Josefina R. Escritora española (León, 1926). Obtuvo su doctorado en la Facultad de Filosofía y Letras de la Universidad de Madrid, y a partir de los años 40 perteneció a diversos círculos literarios, entre ellos, los asociados a las revistas *Espadaña* y *Revista Española*. Entre sus novelas destacan *La enredadera* (1984), centrada en el deseo de dos mujeres por autoafirmarse, *Porque éramos jóvenes* (1986), *El vergel* (1988) e *Historia de una maestra* (1990).

ALEANDRO, Norma. Actriz y escritora argentina (Buenos Aires, 1941). Famosa en toda Hispanoamérica en sus múltiples facetas, como actriz de cine y teatro, autora dramática y presentadora de TV, siendo reconocida internacionalmente. Entre sus películas destacan *La Tregua* (1974), *Tobi* (1978), *La Historia Oficial* (1985), *Gaby, una historia real* (1985) y *Cien veces "no debo"* (1990).

ALEGRÍA, Claribel. Escritora salvadoreña de origen nicaragüense (Managua, 1924). Ha cultivado la narrativa, el ensayo y la poesía, convirtiéndose en una de las voces más representativas de la literatura centroamericana actual. Entre su poesía, caracterizada por la sobriedad y sencillez discursivas, destacan *Huésped de mi tiempo* (1961) y *Sobrevivo* (1978; premio Casa de las Américas). De su obra en prosa cabe mencionar su novela *Cenizas de Izalco* (1966) y su ensayo histórico-político *La encrucijada salvadoreña* (1980). Contraria a las dictaduras de El Salvador y Nicaragua, participó en el Primer Congreso de Intelectuales a Favor de la Independencia de los Pueblos de Nuestra América, celebrado en La Habana en 1981.

ALEJANDRA Feodorovna. Última emperatriz de Rusia (Darmstadt, 1872-Ekaterimburgo, 1918). Era hija del gran

Alejandra Feodorovna

duque Luis IV de Hesse. Casada con Nicolás II, su influencia en la corte moscovita fue inmensa, sobre todo por su especial aprecio a Rasputín. Sometida a cautiverio con el resto de la familia imperial, fue asesinada con ellos, el 16 de julio de 1918, por los revolucionarios rusos, por orden expresa de Lenin.

ALERAMO, Sibilla. Seudónimo de la escritora italiana Rina Cotino Faccio (Alejandría, 1876-Roma, 1960). La mayor parte de su obra se centra en la representación social de la mujer y en los múltiples obstáculos con que ésta se enfrenta a lo largo de su vida. Colaboradora asidua de publicaciones feministas y socialistas, Aleramo es reconocida sobre todo por su novela autobiográfica *Una mujer* (1906) en la que narra la violación que sufrió a la edad de 16 años.

ALLENDE, Isabel. Escritora chilena de origen peruano (Lima, 1942). A los 17 años inicia en Chile su carrera como periodista. Sobrina del presidente Salvador Allende, tras el golpe de Estado de 1973 se ve obligada a exiliarse en Venezuela. Su primera novela *La casa de los espíritus* (1982) logró consagrarla como una de las principales figuras dentro del panorama literario mundial. En su obra narrativa, aunque inscrita dentro del *realismo mágico* hispanoamericano, emerge una clara intencionalidad femenina. Ha publicado las novelas *De amor y de sombra* (1984) y *El plan infinito* (1991), y el libro de relatos *Los cuentos de Eva Luna* (1987).

ALMEIDA, Cristina. Política española (Badajoz, 1945). Estudió derecho en la Universidad de Madrid y está considerada como una de las figuras más carismáticas del ámbito político español. Destacada abogada laboralista y feminista, ha defendido ante los tribunales de justicia los derechos de la mujer, de los trabajadores y de los presos políticos. Almeida, militante del PCE por espacio de 18 años (1963-1981), fue fundadora de la coalición electoral Izquierda Unida en 1986, convirtiéndose en diputada por ésta en el Congreso de los Diputados hasta 1993 en que renuncia. Ha colaborado en numerosas revistas tratando problemas jurídicos, de la mujer, de los barrios y de las asociaciones de vecinos. Entre sus publicaciones figura el ensayo *La mujer y el mundo del trabajo* (1982).

ALONSO, Alicia. Bailarina cubana (La Habana, 1923). En 1948 fundó en Cuba, en colaboración con su marido y su cuñado, el Ballet de Alicia Alonso y fue primera figura en el American Ballet Theatre (1950-1953). Tras la subida al poder de Fidel Castro, reorganizó el Ballet Nacional de Cuba, del que fue directora hasta 1992, y en 1962 fundó la Escuela Nacional de Ballet de Cuba. Alonso ha conquistado los principales escenarios del mundo a lo largo de su extensa carrera logrando ser considerada como una de las figuras principales de la danza clásica contemporánea. En diciembre de 1992 fue presentada en la Universidad Complutense de Madrid la cátedra de ballet que lleva su nombre.

ALONSO PIMENTEL, María Josefa (condesa-duquesa de Benavente). Dama española (Madrid, 1752-íd., 1834). En 1774 casó con Pedro Téllez-Girón, IX duque de Osuna. María Josefa fue, junto a su gran amiga Teresa Pilar Cayetana de Silva, XIII duquesa de Alba*, la modelo de Francisco de Goya, un símbolo de la época. Aficionada a la literatura, tenía en su famosa Alameda de Canillejas («el Capricho»), en las afueras de Madrid, un teatrillo particular para el que componían piezas Iriarte, Moratín y don Ramón de la Cruz, entre otros. A ambas aristócratas les agradaba también la fiesta de los toros, partidaria la duquesa de Alba de *Costillares* y la condesa, de Pedro Romero. De la relación de Goya con María Josefa quedó, entre otras obras, el célebre grupo familiar, *Los duques de Osuna y sus hijos* (1789) que se exhibe en el Museo del Prado.

AL-SAMMAN, Ghada. Escritora y periodista siria (n. 1942). Considerada actualmente como una de las principales escritoras en lengua árabe, Al-Samman cultiva un estilo personalista y confesional que intenta escapar del pesimismo imperante en el discurso literario árabe actual. Entre sus publicaciones destacan la novela *Pesadillas en Beirut* (1976), basada en el Beirut de comienzos de la guerra civil, y las colecciones de poesía *¡Te declaro mi amor!* (1976) y *Yo testifico contra el viento* (1987).

ÁLVAREZ, Lilí (Elia María González-Álvarez y López-Chicheri, llamada). Deportista española (n. 1905). Fue campeona de tenis a los 13 años en Suiza, y en 1929 campeona de España y vencedora en dobles en el torneo de Roland Garros. Disputó tres torneos de Wimbledon (1926, 1927 y 1928) quedando finalista en cada uno de ellos, y durante los mismos años ocupó el segundo puesto en la clasificación mundial. En 1924 ganó el circuito de Cataluña en automóvil y en 1941 fue campeona de esquí. Es además la autora de varios libros, entre ellos *Feminismo y espiritualidad.*

ALVEAR, Carmen Fernández Segade de. Educadora española (Pontevedra, 1932). Estudió Ciencias de la Información, Ciencias Políticas, medios audiovisuales y asistencia técnica y sanitaria. De 1978 a 1982 fue secretaria general de la Confederación Católica de Padres de Alumnos (CONCAPA), de tendencia conservadora, y desde 1983 ocupa la presidencia de dicho organismo. Es miembro de diversas organizaciones relacionadas con la educación y ha publicado numerosos artículos en periódicos y revistas en torno a la familia, la educación y la religión católica.

AMALASUNTA. Reina de los ostrogodos de Italia (m. 535). Fallecido su esposo, Eutarico, y su padre, Teodorico el Grande (526), se encargó de la tutela de su hijo Atalarico. Demostró excepcionales dotes de gobernante y murió asesinada por su segundo esposo, Teodato. Protegió a filósofos y artistas, nombrando ministro al romano Casiodoro.

AMALIA de Sajonia-Weimar. Política alemana (Wolfenbüttel, 1739-Weimar, 1807). Era hija de Carlos de Brunswick-Wolfenbüttel y sobrina de Federico II de Prusia. Se casó con el duque de Sajonia-Weimar, ejerciendo la regencia (1758-1775) a la muerte de su marido. Nombró a Wieland preceptor de su hijo Carlos Augusto y acogió a Goethe en la corte de Weimar, contribuyendo a convertirla en el centro de la cultura alemana de la época.

AMAR Y BORBÓN, Josefa. Escritora española (Zaragoza, 1753-h. 1805). Amar y Borbón, erudita española, estudió lenguas vivas y muertas. Entre sus numerosas obras destacan las dedicadas a defender la igualdad intelectual de la mujer y a valorar su papel dentro de la sociedad: *Discurso en defensa del talento de las mujeres y de su aptitud para el gobierno y otros cargos en que se emplean los hombres* (1786) y *Discurso sobre la educación física y moral de las mujeres* (1790). Fue miembro de las Sociedades Económicas de Zaragoza (1782) y Madrid (1787), y traductora del *Ensayo histórico apologético de la literatura española*, del abate Lampillas.

AMARILIS. Poeta anónima peruana (s. XVII). Autora de la *Epístola a Belardo* (1621), poema dirigido a Lope de Vega y que éste incluyó al final de su obra *Filomena* (1621). Se cree que Amarilis fue el seudónimo utilizado por la escritora María de Alvarado, y que sus poemas fueron atribuidos a numerosos autores de la época, entre ellos, al propio Lope.

AMAYA, Carmen. Bailaora española (Barcelona, 1913-Bagur, Gerona, 1964). Hija de artistas gitanos, se formó artísticamente al lado de su padre, el guitarrista José Amaya «el Chino». Bailó desde la edad de cuatro años en el distrito V de Barcelona. En 1929 formó con su tía «la Faraona» y su prima María Amaya el *Trío Amaya,* formando parte de un cuadro flamenco que entre 1933 y 1934 actuaba en diversos tablaos. En 1935, con el *Trío Amaya,* actuó en París e inició en 1936 una gran gira por América, alcanzando grandes éxitos en Argentina, Brasil, Cuba y EE.UU., regresando a España en 1947. También realizó algunas películas, entre las que destacan *La hija de Juan Simón* (1934) y *Los Tarantos* (1962). En su estancia americana y en España creó su propia compañía, de la cual formaron parte parientes suyos y aprendieron grandes figuras del baile español.

AMORÓS, Celia. Filósofa y teórica feminista española. (Valencia, 1944). Es catedrática de Filosofía en la Universidad Complutense de Madrid y dirigió hasta 1992 el Instituto de Investigaciones Feministas de dicha universidad. Considerada una de las protagonistas del feminismo contemporáneo español, Amorós ha sido directora, coordinadora y ponente en diversos seminarios así como asesora de numerosas revistas, convirtiéndose en una de las representantes más sobresalientes del *feminismo de la igualdad.* A su alrededor se aglutina un grupo de mujeres igualmente interesadas en las teorías y prácticas feministas, entre ellas, Amelia Valcárcel*, Alicia H. Puleo, Ana de Miguel, Raquel Osborne, Cristina Molina Petit y Rosa M. Rodríguez Magda. Entre sus publicaciones destacan *Hacia una crítica de la razón patriarcal* (1985), *Soren Kierkegaard o la subjetividad del caballero* (1987) y *Rasgos patriarcales del discurso filósofico: notas acerca del sexismo en filosofía* (1992).

ANA, santa. Esposa de san Joaquín y madre de la Virgen María*. Las noticias de su vida son recogidas en el llamado Protoevangelio de Santiago, narración de la vida de la Virgen y la niñez de Jesucristo.

ANA de Austria. Reina de España (Cigales, 1549-Badajoz, 1580). Fue la cuarta esposa de Felipe II, con quien se casó en 1570. Era hija del emperador de Alemania Maximiliano II y de María* de Austria, y la primera archiduquesa que ocupó el trono de España. De

Ana de Austria, esposa de Felipe II

los cinco hijos que tuvo, sólo Felipe III llegó a edad adulta.

ANA de Austria. Reina de Francia (Valladolid, 1601-París, 1666). Hija de Felipe III, rey de España, y de Margarita* de Austria, se casó con Luis XIII de Francia en 1615; pero mientras vivió Richelieu, residió la mayor parte del tiempo en su voluntario retiro de Val-de-Grâce, por sentirse objeto de desdenes y sospechas infundadas que la humillaban. El nacimiento de su hijo, luego Luis XIV (1638), devolvió por un momento el acuerdo entre los esposos. Muerto el rey, desempeñó las funciones de regente de 1643 a 1651, y durante su gobierno confió la dirección de los negocios públicos al cardenal Mazarino, a quien dejó actuar con entera libertad.

ANA Bolena. Reina de Inglaterra (Rochford Hall, 1507-Londres, 1536). Dama de honor de la esposa de Enrique VIII, Catalina* de Aragón, llegó a inspirar tal pasión en el monarca que éste se divorció de Catalina para casarse con ella, de quien ya esperaba una hija, la futura Isabel I* Tudor. Un año después fue suplantada por una de sus damas de honor, que la acusó de traición y de adulterio. Fue condenada a muerte y decapitada en la Torre de Londres. Los amores entre Ana Bolena y Enrique VIII, y el consiguiente divorcio de Catalina de Aragón, fueron la causa directa del cisma de Inglaterra.

ANA de Bretaña. Hija mayor y heredera del duque de Bretaña Francisco II (Nantes, 1477-Blois, 1514). Estuvo casada en primeras nupcias con Carlos VIII de Francia, y en segundas con Luis XII, sobre el que ejerció gran influencia. Gracias a ella Francia incorpora definitivamente el ducado de Bretaña a la corona.

ANA de Cleves o Cléveris. Princesa alemana (Cléveris, 1515-Chelsea, 1557), hija del duque Juan III de Cléveris. En 1539 se casó con el rey Enrique VIII, que se divorció de ella a los pocos meses. Dotada con una generosa pensión, mantuvo su residencia en Inglaterra.

ANA Comneno. Política y escritora bizantina (1083-1148). Era la hija mayor de Alejo I Comneno y de Irene* Dukas.

Con gran influencia en la corte, organizó una conspiración (1118) contra su hermano Juan, con la intención de darle el trono imperial a su esposo. Mujer de grandes cualidades, fue educada con gran esmero, con conocimientos de varias lenguas, filosofía, teología, etc. Escribió la *Alexiada*, crónica en 15 libros del reinado de su padre Alejo I y de la primera cruzada, de la que fue testigo de primera mano.

ANA Estuardo. Reina de Inglaterra (Londres, 1665-íd., 1714). Hija de Jacobo II y de Anne Hyde*, subió al trono a la muerte de Guillermo III. El mismo día de su proclamación, Inglaterra, Alemania y Holanda declararon la guerra a Francia, comenzando la guerra de Sucesión de España, que termina con la firma del tratado de Utrecht (1715). Los hechos más notables del reinado de Ana Estuardo fueron la toma de Gibraltar y la unión definitiva de Escocia y de Inglaterra.

ANA de Francia. Regente de Francia (¿?, 1460-Chantelle, 1522). Hija mayor de Luis XI y de Carlota de Saboya, se casó con Pedro Beaujeu, duque de Borbón. Durante la minoría de su hermano Carlos VIII fue regente del reino y gobernó con firmeza e inteligencia.

ANA Ivanovna. Emperatriz de Rusia (1693-1740). Hija de Iván V y hermana mayor de Pedro el Grande, reinó de 1730 a 1740 en detrimento de sus otras dos hermanas. En su reinado se sostuvieron las guerras de la Sucesión de Polonia y la de los Turcos. Se casó con Federico Guillermo, duque de Curlandia y se dejó influir en asuntos de gobierno por su favorito, Ernesto Juan Birón.

Ana Ivanovna

ANA Jagellón. Reina de Polonia (Varsovia, 1522-íd., 1596). A la muerte de su padre (1576), Segismundo I, fue proclamada reina a condición de que dividiera el trono con Esteban I Bathori de Transilvania. Tras la muerte de su marido, consiguió la proclamación como rey de su sobrino Segismundo II Augusto (1587).

ANA BELÉN (María del Pilar Cuesta, llamada). Actriz y cantante española (Madrid, 1950). Cursó estudios de arte dramático y debutó en el Teatro Español bajo la dirección de Miguel Narros. Desde 1970 viene desarrollando una intensa carrera teatral, cinematográfica, televisiva y musical. Ana Belén, considerada una de las principales figuras del cine español contemporáneo, ha trabajado en numerosos filmes, entre ellos *Tormento* (1974), *La petición* (1976), *La colmena* (1982), *Sé infiel y no mires con quién* (1985), *La casa de Bernarda Alba* (1987), *Divinas palabras* (1987) y *Rosa, rosae* (1993). En 1990 debutó como directora con la película *Cómo ser mujer y no morir en el intento,* basada en el exitoso libro de Carmen Rico Godoy*.

ANA GERTRUDIS de Kiev. Reina de Francia (m. h. 1075). Hija del duque ruso de Kiev, Jaroslav. Se casó en 1051 con el rey de Francia Enrique I y fue madre de Felipe I, convirtiéndose en la primera princesa rusa casada con un rey occidental.

ANACAONA o ANACAHONA. Cacica de La Española (s. XV-XVI). Esposa de Caonabo, uno de los caciques de la isla de Santo Domingo a la llegada de los españoles, en 1492. A la muerte de su esposo y de su hermano Behechío, quedó como cacica de Maguana y Jaraguá hasta que en 1502 Ovando la hizo ahorcar, creyéndola conspiradora. Era poeta y dirigió ante Bartolomé Colón un areito de trescientas vírgenes. Su nombre en taíno significa «flor de oro».

ANDERSON, Anna. Dama que pretendió ser la gran duquesa Anastasia, la hija menor del zar Nicolás II de Rusia, y haber sobrevivido a la matanza de la familia imperial (Ekaterimburgo, 1918). Durante muchos años ha defendido sus pretensiones, incluso ante los tribunales, que no han podido reconocer su personalidad, por ser contradictorias las manifestaciones de los testigos. Sobre este caso enigmático se han escrito varias obras y realizado dos películas, de las que han sido protagonistas Ingrid Bergman* y Lily Palmer.

ANDERSON, Laurie. Artista estadounidense (Chicago, 1947). Escultora minimalista, artista de *performance*, cantante y directora de cine, Anderson está considerada como una de las más representativas exponentes del *multimedia* artístico estadounidense. En sus espectáculos musicales ha experimentado con la distorsión de su propia voz, además de emplear complicados equipos técnicos y de construir sofisticados instrumentos. En 1980 entró en la corriente *pop* con la extravagante canción *O Superman.*

ANDRADE, Magda. Pintora venezolana (Maracaibo, 1900).

Viajó a París para profundizar en su arte, donde estudió con André Lothe y Raoul Dufy. Participó sucesivamente en los Salones de 1934 y 1935 y en los Independientes del 1935 al 1938. Una de sus más importantes obras es el retrato de la escritora *Louise de Vilmorin*.

ANDREAS-SALOMÉ, Lou. Escritora alemana (San Petersburgo, 1861-Gotinga, 1937). Una vez terminados sus estudios de filosofía y religión en la Universidad de Zurich, Andreas-Salomé viajó por varios países europeos en donde trabó una intensa amistad con importantes intelectuales de la época, entre ellos, F. Wedekind, F. Nietzsche, P. Ree, R. M. Rilke y S. Freud. Su obra explora aspectos de la psicosexualidad femenina y defiende la libre expresión de la feminidad fuera del matrimonio. Entre su obra destacan *Ruth* (1896), *Friedrich Nietzsche in seinen Werken* (1894) y *Die Erotik* (1910). Fue autora además de numerosas cartas en las que reflejó los problemas de fin de siglo y la situación de la mujer intelectual en aquella sociedad.

ANDREINI, Isabella. Actriz italiana (Padua, 1562-Lyon, 1604). De familia de actores, se casó con el comediante Francesco Andreini. Trabajó con él en la compañía *I gelosi* y triunfó en los escenarios de Italia y Francia. Fue madre del también actor y dramaturgo Giovan Battista Andreini.

ANDREWS, Julie. Actriz y cantante inglesa (Walton-on-Thames, 1935). Después de algunos papeles en teatro y variedades, su gran debut lo realiza con el papel protagonista de *Mary Poppins* (1964), que le valió el Oscar de Hollywood. Otros filmes suyos son: *Sonrisas y lágrimas* y *Hawai* (1965), *Millie, una chica moderna* (1966), *La estrella* (1967), *Darling Lili* (1968), *La semilla del tamarindo* (1974), *S.O.B.*, *Víctor o Victoria*, etc. Gran parte de ellas se deben a la colaboración con su marido, el realizador cinematográfico Blake Edwards.

Julie Andrews

ANDREWS SISTERS. Conjunto vocal estadounidense compuesto por tres hermanas de origen greco-noruego: Verne (1915-1967), Maxene (1918) y Patty (1920). Las Andrews Sisters actuaron en espectáculos de vodevil, de cabaret y en la radio. En 1937 la grabación de *Bei Mir Bist Du Schoen* las conduce a la cima del *hit-parade* nacional, alcanzando relieve internacional durante el período de la segunda guerra mundial. El ritmo de sus canciones estuvo enormemente influido por el espíritu del jazz. De 1940 a 1948 hicieron numerosas apariciones en el cine, principalmente con Abbot y Costello.

ANFUSO, Nella. Cantante y musicóloga italiana (Florencia, 1942). Investigadora habitual de los fondos musicales italianos, perfeccionó la técnica de canto con Guglielmina Rosati Ricci, estableciendo una doble carrera, teórica y práctica, sobre el canto. Musicológicamente, trabaja sobre todo en el período barroco, presentando tesis revolucionarias e irrefutables sobre el canto y los instrumentos en esta época. Como cantante, tiene una voz excepcional, tanto por la pureza de su emisión, como por su homogeneidad y facilidad.

ÁNGELA de Foligno, beata. V. **FOLIGNO, beata Ángela de.**

ÁNGELES, Victoria de los. V. **VICTORIA DE LOS ÁNGELES.**

ANGELOU, Maya. Escritora afroamericana (St. Louis, 1928). Su popularidad dentro del panorama literario estadounidense actual se debe principalmente a la publicación de *I Know Why the Caged Bird Sings* (1970), primero de cinco volúmenes autobiográficos, en el que cuenta la dolorosa experiencia de haber sido violada por el amante de su madre. Miembro del Círculo de Escritores de Harlem y del Movimiento de Derechos Humanos, la mayor parte de la obra de Angelou se centra en los efectos del racismo angloamericano: *And Still I Rise* (1978), *The Heart of a Woman* (1981) y *I Shall Not Be Moved* (1990).

ANGUISSOLA, Sofonisba. Pintora italiana (Cremona, 1527-Palermo, 1625). Hija de una familia noble, estudió pintura en el taller de B. Campi (1546-1549) y después con G. Batti. Adquirió rápidamente fama de virtuosa y fue llamada por Felipe II a Madrid, quien la nombró dama de honor de la reina Isabel* de Valois, de la que fue profesora. En España realizó retratos de los reyes y del príncipe Carlos, pero se han perdido. En 1580 volvió a Italia, casándose con Fabrizio de Montcada y estableciéndose en Palermo, trabajando para la corte virreinal.

Viuda, se trasladó a Génova, casándose con Orazio Armellino. Al final de su vida, ya ciega, volvió a Palermo (en esta época Van Dyck pintó su retrato) y murió. Su producción pictórica es amplísima, realizando sobre todo retratos y escenas de género, con estilo pulcro y minucioso, con características manieristas. Entre sus obras principales destacan el *Retrato de mis tres hermanas jugando al ajedrez*, *Retrato de una monja* y *Retrato triple*.

ANGULEMA, duquesa de (Marie Thérèse Charlotte de Bourbon). Princesa francesa (Versalles, 1778-Gorizia, 1851). Era hija de Luis XVI y de María Antonieta*. Después de la muerte de sus padres en la guillotina, canjeada por la Convención, se casó con su primo Louis Antoine de Bourbon, duque de Angulema. Fue una de las mujeres más famosas de su época, recibiendo el apelativo de *Madame Royal*.

Duquesa de Angulema

ANNA O. Primera paciente de la historia del psicoanálisis y feminista austriaca (Viena, 1859-íd., 1936) cuyo nombre real era Bertha Pappenheim. A raíz de la muerte de su padre sufría crisis histéricas espectaculares y a partir de 1880, tras las sesiones de conversación sistemática con J. Breuer sobre sus alucinaciones y fantasmas, comenzó a sentir que éstas ejercían en ella una función terapéutica. La iniciativa de Anna O de aplicar sistemáticamente el procedimiento de «cura por la palabra» se convirtió posteriormente en una estrategia clínica, cuya aplicación fue generalizada por Freud y Breuer. Considerada además una de las figuras clave del feminismo europeo, en 1904 fundó y presidió la Federación de Derechos de las Mujeres Judías.

ANTÍGONA. Princesa griega, hija del rey Edipo y su esposa Yocasta, sirvió de lazarillo a su padre ciego. Por desobediencia a su tío Creonte, rey de Tebas, que había prohibido dar sepultura al cuerpo de su hermano Polinice, fue condenada a ser enterrada viva. Al conocer la sentencia, se quitó la vida. Este personaje, quizá legendario, ha inspirado diversas tragedias desde la Antigüedad (Sófocles, Alfieri, Espriu, Anouilh, etc.).

ANTONIA la Menor. Dama romana de la gens Julia (s. I). Hija de Marco Antonio y Octavia*. Se casó con Nerón Druso, cabeza de la gens Claudia, hermano del futuro emperador Tiberio, y fue madre del emperador Claudio, de Germánico y de Livila*. Se cree que murió envenenada por Calígula, su nieto, en el año 38 o que se suicidó al enterarse de los proyectos de traición de su hija Livila y el pretoriano Sejano. Es tomada como ejemplo de las damas aristocráticas romanas.

APARICIO, Rafaela (Rafaela Díaz Valiente, llamada). Actriz española (Málaga, 1906). Diplomada en magisterio, debutó en el teatro en 1931 y ha desarrollado una brillante carrera teatral durante toda su vida. Habiendo interpretado papeles secundarios en el cine de las décadas de los 50 y 60, su primer gran papel fue en *El extraño viaje* (Fernán-Gómez, 1964), comenzando una serie de grandes interpretaciones: *Ana y los lobos* (Saura, 1972), *Mamá cumple cien años* (Saura, 1975), *El sur* (Erice, 1983), *El año de las luces* (Trueba, 1986) y *El mar y el tiempo* (1989), entre otras. Sigue a su avanzada edad desarrollando labores artísticas y tiene en su poder dos premios Goya (honorífico, 1987, y de interpretación, 1990).

AQUINO, Corazón. Política filipina más conocida como *Cory* Aquino (Tarlac, 1933). Tras el asesinato de su marido B. Aquino, se convirtió en el símbolo de la oposición del régimen de F. Marcos. En 1986 se presentó como candidata a la presidencia por la agrupación UNIDO, pero, tras resultar vencedora, la victoria le fue adjudicada a Marcos fraudulentamente. No obstante, la sublevación de un sector del ejército y las continuas protestas populares obligaron a Marcos a exiliarse en EE.UU., y Aquino fue nombrada presidenta del país, cargo que ocupó hasta 1992. Durante su mandato se produjeron seis sublevaciones armadas que fueron sofocadas por el ejército, el apoyo popular y la comunidad internacional.

ARAGONA, Tullia d'. Poeta italiana (Roma, 1508-íd., 1556). De familia aristocrática, tuvo una refinada educación, convirtiéndose en una de las poetas más famosas de la Italia renacentista. Escribió un libro de *Rimas* (1547) y un diálogo *Sobre lo infinito del amor* (1547), mostrando este último una gran influencia de Petrarca.

ARBUS, Diane. Fotógrafa estadounidense (Nueva York, 1923-íd., 1971). Discípula de Lisette Model*, la obra de Arbus se centra en el retrato del submundo social —enanos, gigantes, seres grotescos, deficientes mentales, etcétera— en el que pretendía reflejar la descomposición y fracaso del triunfalismo estadounidense. Se suicidó a los 48 años.

ARCONVILLE, Geneviève Charlotte Thiroux d'. Escritora y científica francesa (1720-1805). Casada a los catorce años con un parlamentario, fue madre de tres hijos, uno de ellos ejecutado durante la Revolución. Espíritu ecléctico y excéntrico, se interesó por todos los campos del saber y publicó una voluminosa obra. Estudió botánica, anatomía y se adhirió a las tesis de Voltaire, Jussieu, Turgot, Lavoisier, etc. Sus más importantes obras son *Sobre la amistad* (1761), *Las pasiones* (1764) y *Vida de María de Médicis* (1774). Se dice que realizó trescientos experimentos para redactar su *Tratado sobre la putrefacción* (1766).

ARDEN, Elisabeth. Esteticista y empresaria estadounidense de origen canadiense (Woodbridge, 1878-Nueva York, 1966) cuyo nombre real era Florence Nightingale Graham. Realizó estudios de enfermería, trasladándose a Nueva York y, con la ayuda de un químico, fabricó su primera crema de belleza *Amoretta*. Su primer salón, creado en 1920, obtuvo un gran éxito, animándole a abrir institutos de belleza bajo su seudónimo por todo el mundo, que, a su vez, difundían sus tratamientos patentados. En 1930 inauguró un instituto de lujo dedicado a la relajación de mujeres cansadas y ricas en Maine-Chance (Arizona), cuyo éxito la lleva a exportar esta fórmula a todas las capitales europeas. Su gran fortuna la convirtió en una de las mujeres más ricas de EE.UU.

Concepción Arenal, por A. Merino

ARENAL, Concepción. Socióloga y ensayista española (El Ferrol, 1820-Vigo, 1893). Debido a que las mujeres no podían acceder a la enseñanza universitaria, asistió como oyente a clases de Derecho disfrazada de hombre. Su obra tiene como fundamento la reforma social, centrándose particularmente en el sistema penitenciario, los derechos de la mujer y la condición de los obreros. Sus tratados sobre temas penitenciarios le valieron reconocimiento y autoridad dentro y fuera del ámbito español. Entre los cargos públicos que desempeñó están el de visitadora general de prisiones de mujeres (1863), el de inspectora de casas de corrección de mujeres (1868) y el de secretaria general de la Cruz Roja de Madrid (1871). Arenal, considerada una de las «madres» del feminismo español, y referencia obligada dentro de las corrientes teóricas feministas, publicó, entre otros, *El visitador del pobre*, *La beneficencia, la filantropía y caridad* (1860), *La mujer del porvenir* (1884) y *La condición social de la mujer en España*.

ARENDT, Hannah. Filósofa, socióloga y politicóloga estadounidense de origen alemán (Hannover, 1906-Nueva York, 1975). Huyó del nazismo en 1934 y en 1941 se radicó en EE.UU., donde fue profesora en diversas universidades. Su obra, enmarcada en el ámbito de la filosofía política, es una reflexión sobre la democracia y el totalitarismo. El pensamiento político de Arendt se fundamenta en una antropología fenomenológica de la acción que rechaza todo determinismo histórico y en la idea de un «espacio público» abierto a la participación general. Entre sus obras destacan *Los orígenes del totalitarismo* (1951), *La condición humana* (1958), *Acerca de la violencia* (1969) y *Crisis de la república* (1975).

ARGENTINA, La (Antonia Mercé y Luque, llamada). Bailarina y coreógrafa española de origen argentino (Buenos Aires, 1890-Bayona, Francia, 1936). Se trasladó a España con sus padres, que fueron maestros de danza en el Teatro Real de Madrid, y actuó en el ballet de este teatro. Desde 1905 realizó varias giras por Europa, y en 1929 creó la primera compañía de ballet español en París, presentándose junto con Vicente Escudero en la Ópera Cómica. Su genial interpretación de *El amor brujo*, de M. de Falla, la consagró como una de las mejores bailarinas mundiales.

ARGENTINA, Imperio (Magdalena Nile del Río, llamada). Actriz, cantante y bailaora argentina (Buenos Aires, 1906). A los seis años comenzó como actriz infantil en su ciudad natal, con el

Imperio Argentina

seudónimo de «Petit Imperio». En 1920 se traslada a España y debuta en Madrid, siendo durante muchos años la estrella máxima del cine español. Entre sus filmes sobresalen *La hermana San Sulpicio* (1928), *Nobleza baturra* (1935), *Goyescas* (1942) y *Bambú* (1945). A partir de 1946 volvió a trabajar en Argentina: *Lo que fue de la Dolores* (1949) y *Café cantante* (1954).

ARGENTINITA, La (Encarnación López Julvez, llamada). Bailarina española de origen argentino (Buenos Aires, 1905-Nueva York, 1945). La Argentinita fue la mejor bailarina española de su época. Interpretó en sus danzas la música de Falla, Turina, Albéniz, Granados, Ravel, Rimsky Korsakov, etc. Con su hermana Pilar López* y otros destacados bailarines organizó el Ballet Español, espectáculo de alto valor artístico que presentó en los mejores teatros del mundo.

ARGÜELLES, Arantxa. Bailarina española (Zaragoza, 1970). Estudiante de danza en la Escuela Superior de Madrid, ingresó en el Ballet Lírico Nacional en 1984, convirtiéndose pronto en primera figura indiscutible. Hasta ahora, ha trabajado a las órdenes de María de Ávila*, Maya Plisetskaya*, etc., y ha desarrollado un importante trabajo fuera de España. En 1991 ingresó como primera figura en el Ballet de la Ópera de Berlín y es considerada como una de la grandes figuras actuales de la danza.

ARIADNA. Emperatriz de Oriente (491-515). Hija de León I. Mandó enterrar vivo a su esposo Zenón el Isaurio para casarse con Anastasio I (491). Facilitó a sus dos maridos la ascensión al trono imperial e influyó grandemente en asuntos de religión.

ARNAUD, Marie-Hélène. Modelo francesa (¿?, 1934-París, 1986). A los 17 años fue modelo de Guy Laroche, y en 1958 Coco Chanel* le propuso presentar su colección. Arnaud fue quien lanzó el famoso vestido sastre en *tweed* diseñado por Chanel y la que presentó al mundo entero el célebre perfume Chanel N.° 5.

ARNAULD, Jacqueline Marie Angélique. Religiosa francesa (París, 1591-íd., 1674). Fue también conocida como la Madre Angélique y era hija de Antoine Arnauld, consejero de Enrique IV que restauró Port-Royal, monasterio en el que ella profesó. A los dieciocho años comenzó la reforma del monasterio, convirtiéndose posteriormente en su abadesa: fue la introductora del jansenismo en él y nombró a Saint-Cyran director espiritual del monasterio. Se rebeló contra la condena del jansenismo (encíclica *Augustinus* de Inocencio X, 1653) y contra el *Formulario* (1657).

ARNAULD d'ANDILLY, Angélique de Saint-Jean. Religiosa francesa (¿?, 1624-Port-Royal-des-Champs, 1684). Sobrina de Jaqueline Arnauld*, es también conocida como la Madre Angélique de Saint-Jean. Tuvo un importante papel en la realización del *Formulario* que condenaba el jansenismo (1657). Lograd o el acuerdo con la Iglesia (1669), la paz llegó al monasterio de Port-Royal, del que fue nombrada priora y abadesa (1678). Dejó varios escritos, entre los que destaca el *Aviso a las religiosas de Port-Royal* (1668).

ARNIM, Bettina von. Escritora romántica alemana cuyo nombre de soltera era Elizabeth Brentano (Francfort, 1785-Berlín, 1859). Tras la muerte de su marido (1831), el poeta Achim von Arnim, Bettina se traslada a Berlín, donde se convierte en una fervorosa activista política y en una de las primeras alemanas en luchar a favor de los derechos de la mujer. Su obra literaria se centra particularmente en la ficcionalización de cartas personales como bien demuestra *Die Günderrode* (1840), basada en su correspondencia con la escritora Karoline von Günderode*.

ARNOLD, Eve. Fotógrafa estadounidense (n. 1913). La fotografía de Arnold, de gran fortaleza y sensibilidad, ha conseguido establecer un agudo contraste entre el exquisito *glamour* hollywoodense y las miserables condiciones de vida de las comunidades marginales de EE.UU. En los años 50 no sólo adquirió renombre internacional por sus fotos de famosas personalidades, entre ellas, J. Crawford*, M. Dietrich*, M. Monroe* y A. Warhol, a quien retrató sentado en un inodoro levantando pesas, sino por pertenecer a la prestigiosa agencia Magnum. Posteriormente se radicó en el Reino Unido, donde se ha dedicado al fotoensayismo: *Behind the Veil* (1973) y *The Unretouched Woman* (1975), obra en la que estuvo trabajando durante 25 años.

ARSÍNOE I. Reina de Egipto (s. III a. C.). Hija de Lisímaco de Tracia, se casó con Tolomeo II Filadelfo. Debido a las malas relaciones con su madrastra Arsínoe* II, participó en un complot, por lo que fue desterrada. Fue madre de Tolomeo III.

ARSÍNOE II Filadelfo. Princesa egipcia (n. 316 a. C.). Hija de Tolomeo Soter, fue, sucesivamente, esposa de Lisímaco, rey de Tracia, de Tolomeo Keraunos y de Tolomeo II Filadelfo, su propio hermano. Se la divinizó con el nombre de *Afrodita Zefiritis*.

ARSÍNOE III. Reina de Egipto (m. 204 a. C.). Esposa de su hermano Tolomeo IV Filopátor, con el que asistió a la batalla de Rafia y contribuyó a la derrota de Antíoco el Grande de Siria. Fue asesinada por su marido, sustituyéndola por su concubina, Agatoclea.

ARSÍNOE IV. Reina de Egipto (m. 44 a. C.). Hermana de la famosa reina Cleopatra* VII. Marco Antonio, a instigación de ésta, que sentía celos de ella, la hizo asesinar.

ARTEMISA I. Reina de Halicarnaso (s. V. a. C.). Después de la muerte de su marido se distinguió en el combate de Salamina, en 480 a. C. Enamorada de Dárdano de Abido y no siendo correspondida por él, mandó sacarle los ojos y ella se suicidó. Le sucedió su hijo Pisindélides.

ARTEMISA II. Reina de Halicarnaso (s. IV a. C). Es célebre por el monumento que hizo construir a la memoria de Mausolo, su marido, que fue una de las siete maravillas del mundo antiguo.

ASLAN, Anna Vasilichia. Cardióloga y geriatra rumana (Braila, 1897-Bucarest, 1988). Estudió en la facultad de Medicina de Bucarest. Durante la primera guerra mundial cuidó enfermos del frente como ayudante del cirujano Thomas Ionescu. Fue la primera mujer cardióloga rumana y la primera profesora de Clínica Médica del país. Más tarde se dedicaría a la geriatría con Constantin Parhon. Juntos investigaron el efecto de diversos medicamentos en geriatría, entre ellos el *Gerovital H3* y la procaína. En el año 1952 creó el Instituto de Geriatría de Bucarest, del que fue directora hasta su muerte. En el año 1970 comenzó a emplear el *Aslavital,* un medicamento tanto profiláctico como curativo. También fue miembro de la Academia Rumana, de la Academia de Ciencias de Nueva York y de sociedades gerontológicas de varios países (EE.UU., Chile, Perú, República Democrática Alemana, etc.).

Anna Aslan

ASPASIA de Mileto. Cortesana griega (Mileto, s. V a. C.). En Atenas mantuvo relaciones en un círculo de filósofos, poetas y artistas (Sócrates, Alcibíades, Fidias, etc.), e influyó sobre el gran Pericles, quien repudió a su esposa para casarse con ella (425 a. C.). Se distinguió por su talento y por su belleza, impulsando su ejemplo la emancipación femenina en la Grecia Clásica.

ASQUERINO, María (María Serrano Muro, llamada). Actriz española (Madrid, 1925). Hija de actores, debutó a los trece años en la obra *Campo de Armiño*, con la compañía de sus padres. Actriz con gran personalidad, fue una de las estrellas del cine español en los años 40, 50 y 60, con películas como *Reina Santa* (Gil, 1946), *Don Quijote de la Mancha* (Gil, 1947), *Pequeñeces* (Orduña, 1950), *Agustina de Aragón* (Orduña, 1950), *Surcos* (Nieves Conde, 1950), *La otra vida del capitán Contreras* (Gil, 1954), *Tarde de toros* (Vajda, 1955) y *Goya* (Quevedo, 1970), que compaginó con una intensa labor teatral. En los años 70 tuvo un cierto declive, recuperado en los 80 dirigida por Fernán-Gómez: *Mambrú se fue a la guerra* (1985), *El mar y el tiempo* (1989) y *Fuera de juego* (1991).

ASTORGA, Nora. Diplomática nicaragüense (Managua, 1949-íd., 1988). Estudió derecho en la Universidad Católica de Washington y en la Universidad Centroamericana de Managua. En 1979 fue una de las principales colaboradoras de la guerrilla sandinista que derribó al dictador Anastasio Somoza. En 1984 fue nombrada embajadora de su país en EE.UU. y en 1986 ocupó este mismo cargo en la ONU.

ATALÍA. Reina de Judá (s. IX a. C.). Hija de Acab y de Jezabel, que se casó con Jorán, rey de Judá, y gobernó de 841 a 835 a. C. Hizo degollar a todos los príncipes descendientes de David. Su vida ha sido utilizada en argumentos de óperas y oratorios, destacando el titulado con su nombre, *Atalía*, de G. F. Haëndel.

ATWOOD, Margaret. Escritora canadiense en lengua inglesa (Ottawa, 1940). Considerada la mejor escritora canadiense del s. XX, Atwood ha logrado, además, ganar un gran renombre dentro del panorama literario internacional. Su copiosa obra, merecedora de varios premios literarios, ha intentado retratar la deshumanización de la vida urbana canadiense, reivindicando especialmente la causa feminista: *Los diarios de Susanna Melodie* (1970) y *Power Politics* (1971), colecciones de poesía; *El cuento de la criada* (1985) y *Ojo de gato* (1988), novelas; *El huevo de Barbazul* (1983) y *Wildnerness Tips* (1991), relatos, y *The Oxford Book of Canadian Short Stories in English* (1986), crítica literaria.

AUBIGNÉ, Françoise d'. V. **MAINTENON, madame de o marquesa de.**

AULNOY, condesa de (Marie-Catherine Jumel de Barneville). Escritora francesa

(Barneville-la-Bertran, 1650-París, 1705). Entre sus obras destacan las de género historiográfico, como las *Memorias de la Corte de España*, *Relación de un viaje a España* (esta obra, llena de errores y faltas, es la que más contribuyó a la formación de la imagen de España en la Francia de su tiempo) y *Memorias históricas de los sucesos más notables ocurridos en España desde 1672 hasta 1679*, además de novelas históricas. También cultivó el género del cuento infantil, con la publicación de varios volúmenes de *Cuentos de Hadas* (1697-1698).

AUNG SAN SUU KYI. Política birmana (Rangún, 1945). Estudió filosofía, ciencias políticas y economía en Gran Bretaña, y en 1989 fue cofundadora y secretaria general de la Liga Nacional para la Democracia, movimiento opositor de la dictadura, y ese mismo año fue arrestada por su participación en manifestaciones contra el régimen militar. En las elecciones de 1990 su partido obtuvo el 80% de los escaños parlamentarios, posteriormente invalidados por la dictadura en el poder. En 1991 se le concedió el premio Nobel de la Paz.

Aung San Suu Kyi

AUREMBIAIX. Condesa de Urgel (m. Balaguer, 1231). Hija de Armengol VIII de Urgel, disputó sus derechos al condado ante la familia Cabrera. Consiguió que Jaime I obligara a Guerau de Cabrera a devolverle sus estados (1228), a cambio de lo cual ella renunció a sus derechos sobre Lérida y se reconoció vasalla de Barcelona. Contrajo matrimonio con Pedro de Portugal (1230) y falleció sin sucesión.

AUSTEN, Jane. Novelista inglesa (Steventon, 1775-Winchester, 1817). Nacida en el seno de una familia anglicana de clase media, recibió una formación amplia. Su vida transcurrió en un ambiente sencillo, sin que haya que destacar grandes acontecimientos. Lo más importante de su producción son las novelas, en las que sobresalen los rasgos psicológicos y la ironía con que

Jane Austen

trata a la novela romántica, así como la crítica que hace de la vanidad y el egoísmo. Destacan entre ellas: *Criterio y sensibilidad* (1811), caracterizada por su realismo; *Orgullo y prejuicio* (1813), a la que debe su popularidad y considerada su obra maestra; *El parque de Mansfield* (1814); *Emma* (1815), quizá su obra más madura; *La abadía de Northanger* (publicada póstumamente en 1818), sátira de la novela gótica; y *Persuasión* (1818). En 1932 se publicó su correspondencia privada bajo el título de *Cartas*.

AVIA, Amalia. Pintora española (Madrid, 1930). Estudió en la Academia de San Fernando de Madrid. En 1954, en París, entra en contacto con un grupo de pintores españoles (María Moreno*, Isabel Quintanilla*, Antonio López y Francisco y Julio López Hernández), con quienes creará el núcleo conocido como «realistas madrileños». Ligada al realismo social de lo cotidiano, ha plasmado en su obra la realidad urbana, la sordidez de ese mundo urbano de fisonomía sucia, oscura y donde el correr del tiempo ha dejado su rastro y su huella. La utilización de colores en ocre y gris acentúan la atmósfera de una realidad urbana desolada y triste, que envuelve su obra pictórica. Avia, que ha realizado numerosas exposiciones individuales y colectivas, en 1978 recibió el premio Goya de la Villa de Madrid. Entre su obra destaca *Puerta del Monigote* (1979).

ÁVILA, María de. Bailarina y profesora de danza española (n. en Barcelona). Estudió danza clásica y española con la profesora Pauleta Pamiés y posteriormente estudió ballet con A. Goudinov y danza española con A. Bautista y A. Alcaraz. Inició su carrera profesional en el cuerpo de baile del Liceo, ascendiendo a *prima ballerina* en 1939. En este mismo año baila *El amor brujo* con V. Escudero en una temporada que dirige el maestro C. Mendoza Lasalle. Trabajó en múltiples recitales de danza formando pareja principalmente con

J. Magriña y encabezó como bailarina estrella la Compañía Española de Ballets y los Ballets de Barcelona. Fue nombrada profesora de danza del Instituto del Teatro de la Diputación de Barcelona y en 1954 decidió abrir un estudio de danza clásica en Zaragoza para dedicarse plenamente a la enseñanza. Numerosos alumnos y alumnas de esta escuela figuran hoy como solistas y principales en importantes compañías de ballet internacionales. Es miembro de número de la Real Academia de Nobles y Bellas Artes de San Luis y ha sido la primera bailarina en formar parte de una academia. En 1982 fundó y dirigió el Ballet Clásico de Zaragoza y en 1983 se convirtió en directora del Ballet Nacional de España (clásico y español). Durante su mandato elevó el nivel artístico y técnico de ambas compañías, incorporando un importante repertorio, tanto de carácter español como de estilo clásico y neoclásico. Permaneció como directora del Ballet Nacional de España hasta 1987, fundando luego una nueva compañía de danza en Madrid y dedicándose plenamente a la enseñanza. En 1989 creó el Joven Ballet de María de Ávila y ese mismo año el Ministerio de Cultura le concedió la medalla de oro de las Bellas Artes.

ÁVILA, Teresa de. V. **TERESA de Jesús o de Ávila.**

AYALA o AIALA, Josefa de. Pintora portuguesa de origen español (Sevilla, 1630-Obidos, 1684). También es conocida como Josefa de Obidos. En 1636 pasó con su familia a vivir a esta ciudad portuguesa. Sus temas y estilo denotan una gran influencia de Zurbarán, pero con interpretaciones muy personales. Entre sus obras destacan *Los desposorios místicos de Santa Catalina* y *Agnus Dei.*

B

BACALL, Lauren (Betty Joan Weinstein Perske, llamada). Actriz estadounidense (Nueva York, 1924). Debutó en el cine con *Las modelos* (Vidor, 1943), pasando a protagonizar una serie de filmes, entre los que destacan *Tener o no tener* (Hawks, 1944), *El sueño eterno* (Hawks, 1946), *Cómo casarse con un millonario* (Negulesco, 1953) y *Asesinato en el Orient Express* (Lumet, 1974). Fue pareja en la pantalla y en la vida real de Humphrey Bogart, y en los últimos tiempos se ha dedicado al teatro.

Lauren Bacall

BACH, Anna Magdalena. Música alemana (Zeitz, 1701-Leipzig, 1760). Hija de Wülcken, trompetista virtuoso, A. M. Bach fue una música dotada de una extraordinaria voz de soprano. Se casó con J. S. Bach (1721) con quien tuvo trece hijos, entre ellos Johann Christoph (1732) y Johann Christian (1735). Fue una gran colaboradora de su marido, participando en su trabajo y copiando su música. Entre 1722 y 1725 hizo una compilación en dos volúmenes de obras de su marido y otros autores contemporáneos.

BADEN-POWELL, Lady Olave St. Clair. Directora mundial de las *girl-scouts* (Chesterfield, 1889-¿?). A partir de 1916 trabajó activamente en el movimiento de las *girl-scouts*, y en 1917 fue nombrada jefa de ellas en Gran

Bretaña. En 1930 se convierte en directora mundial de este movimiento.

BADÍA, Concepción. Soprano española (Barcelona, 1898-íd., 1975). Fue discípula de Granados y debutó en 1913 con *Parsifal* en el Liceo. En su repertorio destacó la interpretación de *lieder* y de la música de su maestro. En 1947 dejó la escena para dedicarse a la enseñanza en Barcelona.

BAEZ, Joan. Cantautora folclórica y guitarrista estadounidense (Nueva York, 1941). Baez adquirió fama en el Newport Folk Festival de 1959 con baladas que incluían elementos del folclore negro estadounidense y que estaban comprometidas con las causas de la no violencia y la paz mundial. Su participación en demostraciones a favor de los derechos civiles junto a Martin Luther King y en contra de la guerra de Vietnam le supuso dos años de presidio durante el mandato de Nixon. A lo largo de su carrera ha realizado numerosas giras (Polonia, España, Etiopía, Argentina, antigua Yugoslavia, etc.) denunciando los abusos contra los derechos humanos. Entre sus mayores éxitos están canciones como *Kumbayá, La Balada de Sacco y Vanzetti* y *Farewell Angelina.* Ha publicado varias colecciones de poemas y una autobiografía *(Daybreak).*

Joan Baez

BAFFO SAFIYYA. Sultana otomana (1560-1618). Era hija del gobernador veneciano de Corfú y fue capturada por corsarios turcos, convirtiéndose en la favorita del sultán Murat III. Ejerció gran influencia durante el gobierno de su marido y de su hijo Mehmet III. Fue apartada del gobierno por su nieto Ahmet I en 1603.

BAKER, Janet. Mezzosoprano inglesa (Herdfordshire, 1933). Nacida Abbott, en 1956 ganó el segundo premio del concurso Katheleen Ferrier, que le supuso una beca para estudiar en el Mozarteum. Entre 1961 y 1976 formó parte del English Opera Group, especializándose en Purcell y Haëndel e interpretando varios papeles de Britten, quien le dedicó la cantata *Fedra.* Junto con L. Leppard, contribuyó a la recuperación de óperas antiguas, desde Cavalli a Monteverdi, y al renacimiento del género de la cantata y el oratorio. Tiene una voz clara y gruesa, con capacidad para interpretar los papeles más difíciles de contralto y mezzosoprano. En 1982 publicó *Full Circle*, relato de sus últimas giras.

BAKER, Joséphine. Artista estadounidense de *music-hall* (Missouri, 1906-París, 1975). Obtuvo su primer gran éxito en París, en 1925, en el Théâtre des Champs Élysées cuando apareció en *La revue nègre*, con la conocida canción *Yes We Have No Bananas*, que cantaba y bailaba casi desnuda. Posteriormente trabajó en el Folies-Bergère y en el Casino de París, recibiendo, por su belleza, el apelativo de «la Venus negra». Tras actuar en varias películas, en 1939 se enroló en la aviación y, una vez finalizada la segunda guerra mundial, continuó cantando en sus revistas musicales. Adoptó numerosos niños y niñas de diversas razas como acción contra el racismo.

Joséphine Baker

BALCELLS, Carmen. Agente literaria española (Lérida, 1930). Estudió perito mercantil y desde 1956 trabaja como agente literaria, representando a numerosos autores en lengua española y portuguesa. Entre los escritores cuyos derechos internacionales son manejados por su agencia barcelonesa se encuentran Pablo Neruda, Isabel Allende*, Gabriel García Márquez, Camilo José Cela, Juan y Luis Goytisolo, Mario Vargas Llosa y Rafael Alberti. Balcells está considerada una de las agentes literarias más prestigiosas del mundo.

BALCH, Emily Greene. Socióloga, economista y pacifista estadounidense (Massachusetts, 1867- íd., 1961). Fue catedrática de Wellesley College (1897-1918) y delegada en el Congreso Femenino Internacional de La Haya (1915), y en los congresos de Escandinavia y Rusia. Participó en la creación de la Liga femenina internacional por la paz y la libertad, de la cual fue secretaria y presidenta. Fue directora del periódico *The Nation* de Nueva York y en 1946 obtuvo, junto con Elizabeth Morrow, el premio Nobel de la Paz. Entre sus numerosas publicaciones destacan *Women at The Hague* (1915) y *Approaches to the Great Settlement* (1918).

BALKIS o BILQIS. V. **SABA, reina de.**

BALL, Lucille. Actriz y *showwoman* estadounidense (Nueva York, 1911-Los Ángeles, 1989). Tras realizar sus estudios y primeras actuaciones, en 1933 comenzó su carrera en Hollywood, convirtiéndose en «la reina de la comedia» durante la década de los 40, con películas como *Stage Door* (1937), *Demasiadas mujeres* (1940), *La gran avenida* (1942), etc. A partir de los 40 enfocó su carrera hacia la radio, protagonizando el serial *Mi marido favorito* (1947-1951). Casada con el actor Desi Arnaz, se convirtió en la estrella indiscutible de la televisión con su serie *I Love Lucy* (1951-1957). Su éxito continuó con otras series como *Lucy-Desi Comedy Hour* (1962-1968) y *Here's Lucy* (1968-1974).

BANCROFT, Anne (Anne Marie Italiano, llamada). Actriz de cine estadounidense, de ascendencia italiana (Nueva York, 1931). Comenzó trabajando en el teatro y en la televisión. En el cine intervino durante los años 50 en diversos films, como *Don't Bother to Knock, Tonight We Sing* y *Demetrius y los gladiadores,* pero la película que definitivamente la consagró como actriz de primera categoría fue *El milagro de Ana Sullivan* (1962), ya interpretada por ella en el teatro, y que le valió el primer premio de Interpretación femenina en el Festival Internacional del Cine de San Sebastián (1962) y el Oscar a la mejor actriz, de la Academia de Hollywood (1963). En 1964 compartió con Bárbara Parrie el premio a la mejor actriz en el Festival de Cannes, por su intervención en *El que come calabaza.* Posteriormente ha trabajado como secundaria de lujo, con papeles de gran carácter, en *Siete mujeres* (1965), *El graduado* (1967), *Jesús de Nazaret* (1976), *El hombre elefante* (1980) y *Agnes de Dios* (1985).

BANDARANAIKE, Sirimavo. Política cingalesa (Balangoda, 1916). Tras la muerte de su marido, Solomon Bandaranaike, asumió la presidencia del Partido de la Libertad de Sri Lanka. En 1960 se convierte en la primera mujer en ocupar el cargo de pri-

Sirimavo Bandaranaike

mera ministra en un país como el suyo, donde las mujeres están relegadas a papeles muy secundarios. En 1972 convirtió a Ceilán en la República de Sri Lanka, y en 1974, ante las protestas campesinas por la falta de alimento, decretó el estado de sitio e ilegalizó a numerosos grupos de izquierda. En las elecciones de 1977 sufrió una fuerte derrota y tuvo que abandonar el gobierno, y en 1980 fue expulsada del Parlamento y privada de sus derechos civiles.

BANTI, Anna. Seudónimo de la escritora italiana Lucia Lopresti (Florencia, 1895-íd., 1985). Ganadora de varios premios literarios y fundadora, junto con su marido R. Longhi, de la revista *Paragone*, la obra literaria de Banti se ha centrado en el tema de la mujer: *Artemisa* (1947), *Las mujeres mueren* (1951), *Las moscas de oro* (1962), *Nosotras creíamos* (1969), *La camisa quemada* (1973) y *Quando anche le donne si misero a dipingere* (1982). Ha publicado además varias obras monográficas sobre Velázquez, Monet y Fra Angelico.

BARBANÇON, Marie de. Heroína hugonote francesa (s. XVI). Viuda de Jean de Barret, uno de las cabezas de la Reforma en Francia, defendió, armada de una pica, el castillo de Bannegon de los ataques católicos, durante las Guerras de Religión. Acompañada de una docena de hombres, aguantó el sitio del castillo durante más de quince días, pero tuvo que capitular por falta de víveres. En 1569, Carlos IX le devolvió el castillo, sin exigirle rescate.

BÁRBARA, santa. Virgen y mártir de Nicomedia (m. en 235 o en 306, según algunos autores). Su padre era pagano, y al enterarse de que la doncella había abrazado el cristianismo, la llevó ante el juez, quien la condenó a ser decapitada. Es patrona de las armas de artillería y de los trabajadores de minas y explosivos. Parece haber sido introductor de aquel patronato en España Juan de Terramonda, oriundo de Lille, que vino a la Península como asentador de Felipe I el Hermoso.

BÁRBARA, Agatha. Política maltesa (Zabbar, 1923). Afiliada al partido laborista desde 1946, ha sido ministra de Educación (1955-1958 y 1971-1974) y de Trabajo, Cultura y Bienestar (1974-1981). Fue elegida presidenta de la República en 1982, convirtiéndose en la primera mujer maltesa en llegar a ocupar este cargo. En 1988 fue sustituida en la presidencia de la República por Paul Xuereb.

BÁRBARA DE BRAGANZA, María. Reina de España (Lisboa, 1711-Madrid, 1758). Era hija de Juan V de Portugal y de María Ana, y se casó con Fernando VI, siendo aún príncipe, en 1729. Fue

Bárbara de Braganza, por Domenico Dupra

una reina apartada, en general, de la vida política y mecenas de artistas y músicos. El amor a la música que había en ella, afición compartida por su marido, hicieron de la corte madrileña una de las más brillantes de Europa. Fundó el convento de las Salesas Reales, en Madrid, en 1757, donde reposan sus restos.

BÁRBARA RADZIWILL. Reina de Polonia (1520-1551). Era princesa de Lituania, hija de Jerzy Radziwill, atamán del Gran Ducado de Lituania. Al morir su primer esposo, el voivoda Gasztold, se casó con el gran duque lituano Segismundo II Augusto (1547), que fue elegido rey de Polonia en 1548. La madre del príncipe se opuso a tal enlace, provocando una rebelión en el ducado, pero Segismundo Augusto resistió enérgicamente. Bárbara murió a los tres años de ser coronada reina.

BARBARINA, La (Bárbara Campanini, llamada). Bailarina italiana (Parma, 1721-Bearschau, Silesia, 1799). Comenzó a bailar junto a Antonio Rinaldi, y más adelante debutó en la Ópera de París, con *Los talentos líricos* de Rameau, cautivando al público con sus grandes saltos y la calidad de su interpretación. Realizó giras por toda Europa, sustituyendo en la cúpula de las bailarinas a Marie Sallé*. Fue también famosa por sus amoríos con el príncipe de Carignan y con Federico II de Prusia. En 1749 se casó con Cocceji y pasó a vivir a Silesia. Divorciada en 1788, obtuvo de Federico Guillermo de Prusia el título de condesa Campanini. La Barbarina dedicó su fortuna y los últimos años de su vida a la educación de nobles adolescentes en una institución fundada y dirigida por ella misma en Bearschau.

BARBAULD, Anna Letitia Aikin. Escritora inglesa (Kibworth Harcourt, Leicestershire, 1743-Londres, 1825). Era hija del pedagogo británico John Aikin y en 1773 publicó su primer libro, *Poesías*, casándose al año siguiente con el pastor presbiteriano Richard Barbauld, al que ayudó a dirigir varias escuelas. En 1810 publicó una selección de los mejores novelistas ingleses, en cincuenta volúmenes y con notas biográficas. También publicó libros de enseñanza y *Las noches en casa* (1792-1795), en colaboración con su hermano John Aikin. Fue una ferviente antiesclavista.

BÁRCENA, Catalina. Actriz española de origen cubano (Cienfuegos, 1896-Madrid, 1977). Actuó desde muy joven en el teatro español, en la compañía de María Guerrero* y en la de Ernesto Vilches, convirtiéndose más tarde en la primera actriz de la compañía que dirigía Gregorio Martínez Sierra, cuyas obras estrenó, así como otras piezas de Benavente, Arniches, hermanos Quintero, Galdós, Marquina, etc. De 1931 a 1935 trabajó en Hollywood, donde rodó varios filmes grabados en español como *Canción de cuna, Mamá* y *Primavera en otoño.* En 1939 se afincó en Argentina, donde permaneció hasta finales de la década de los 40. Intervino también en las películas *Los hombres las prefieren viudas,* dirigida por Martínez Sierra y Benito Perojo; *Yo, tú y ella,* de John Reinhard; *La ciudad de cartón* y *Julieta compra un hijo,* ambas de Louis King.

BARDOT, Brigitte. Actriz francesa (París, 1934). Después de protagonizar el filme *Y Dios creó la mujer* (1956), dirigido por su esposo Roger Vadim, se convirtió en uno de los arquetipos eróticos más populares del cine mundial, combinando paradójicamente la sensualidad con la ingenuidad. Realizó un sinnúmero de películas con prestigiosos directores, entre ellos Clouzot, Malle, Godard y Dmytryk, y posteriormente se retiró del mundo del espectáculo, dedicándose a luchar por la defensa de los derechos de los animales.

Brigitte Bardot en *Las petroleras*

BARNES, Djuna. Escritora y periodista estadounidense (Nueva York, 1892-íd., 1982) considerada como una de las figuras más representativas de la *generación perdida.* Comenzó su carrera profesional como periodista, pero a los pocos años la abandona para dedicarse de lleno a la literatura. En 1919 se traslada a París y se convierte en una de las figuras centrales de la comunidad literaria parisina de los años 20. Su nombre se halla estrechamente ligado al de Nathalie Barney*, Gertrude Stein*, Thelma Wood, T. S. Eliot, James Joyce, Mina Loy y Janet Flanner*. Tanto la vida como la obra de Barnes están marcadas por una continua transgresión de las convenciones políticas, sexuales y artísticas. Entre sus publicaciones destacan *Almanaque de mujeres* (1928), *El bosque de la noche* (1936) y *Humo* (1982).

BARNEY, Nathalie. Escritora estadounidense (Ohio, 1926-París, 1972). Mujer de ideas emancipadoras y abierta defensora de la bisexualidad y el lesbianismo, Barney se trasladó a París, donde estableció uno de los salones literarios de mayor renombre, frecuentado por figuras como Gertrude Stein*, Djuna Barnes*, Renée Vivien, Romaine Brooks, Radclyfffe Hall, Una Troubridge y Janet Flanner*. El salón de Barney propició la creación de una comunidad de mujeres dedicadas al cultivo del arte. Entre sus publicaciones destacan *Pensamientos de una amazona* (1920) y *Recuerdos indiscretos* (1960).

BARRETO DE MENDAÑA, Isabel. Navegante española (s. XVI). Casada en Perú con el adelantado Álvaro de Mendaña, acompañó a éste en su segundo viaje (1595), en el que descubrió la isla de Santa Cruz, y al morir su esposo, asumió el gobierno de las tierras conquistadas. Fue la única mujer que tuvo en sus manos un adelantamiento en toda la historia de la conquista de América.

BARRIENTOS, María. Soprano española (Barcelona, 1884-San Juan de Luz, 1946). Estudió en la Escuela Municipal de Música de Barcelona y comenzó su carrera en el Teatro Lírico de dicha ciudad, con la ópera *La sonámbula* (1898). Desde entonces ganó el favor de los públicos europeos y americanos con óperas como *Los Puritanos*, *Lakmé*, *Traviata* y, sobre todo, *Lucía de Lamermoor* y *El barbero de Sevilla*, en cuya escena de la lección de música obtuvo repetidos aplausos, cantando el aria de *La flauta mágica*, de Mozart, que intercalaba en dicha escena, llegando al fa sobreagudo con gran naturalidad. En 1907 contrajo matrimonio y abandonó la escena, para volver a reaparecer en 1916 en el Metropolitan Opera House de Nueva York. Finalmente fue profesora de la Radio Municipal de Buenos Aires.

BARRY, madame o condesa Du (Jeanne Bécu). Cortesana francesa (Vaucouleurs, 1743-París, 1793). Hija natural de Ana Bécu, más conocida por el título de su esposo, fue la favorita de Luis XV de Francia y llegó a figurar como reina. Fue árbitro de la moda, hasta que aquél, próximo a morir, la alejó de sí. Al

Madame Du Barry

advenimiento de Luis XVI, estuvo durante algún tiempo confinada en la abadía de Pont-aux-Dames; al estallar la Revolución, se refugió en Inglaterra, pero regresó, y acusada de conspiración, fue condenada a muerte por un tribunal revolucionario y guillotinada a los pocos días.

BARTON, Clara. Humanitarista estadounidense (Massachusetts, 1821-Maryland, 1912). Participó como enfermera en la guerra de Secesión y posteriormente fundó el cementerio nacional de Andersonville. En 1870 estableció contacto en Francia con Henri Dunant, fundador de la Cruz Roja Internacional, y de regreso a EE.UU., Barton fundó en 1882 la Cruz Roja Americana. Reunió sus experiencias en *Story of My Childhood* (1907).

BARTON, Elizabeth. Visionaria inglesa de Canterbury (Aldington, 1506-Tyburn, 1534). Conocida por «la santa de Kent», y a la que muchas personas creían inspirada por Dios, fue decapitada por orden de Enrique VIII, al que había profetizado la muerte para un mes después de su casamiento con Ana* Bolena, predicción que no se cumplió.

BASSI, Laura. Científica italiana (Bolonia, 1711-íd., 1778). A la edad de veinte años leyó su tesis en filosofía, lo que le dio gran fama. Obtenido el grado doctoral, ocupó la cátedra de filosofía en la universidad de su ciudad natal (1733), continuando estudios en álgebra, geometría y física, materia esta última que enseñó a partir de 1745. En 1766, gracias a un decreto del Senado, fue titular de la cátedra de dicha asignatura.

BASTIDA, Asunción. Diseñadora de alta costura española (Barcelona, 1902). Fue la más joven de los maestros de alta costura de los años 20. Fundó su casa de costura en Barcelona (1926) y la mantuvo hasta 1970. En 1934 abrió sucursal en Madrid, ampliando su actividad al *prêt-à-porter,* los complementos y la ropa deportiva, siguiendo el modelo francés.

BÁTHORY, Erzsébet. Asesina húngara (¿?, 1560-castillo de Csejthe, 1614). Perteneciente a una noble familia húngara y viuda de Nádasdy Feréncz, estaba convencida que para conservar su belleza debía tomar baños en sangre humana. Ésta la conseguía de jóvenes campesinas de sus dominios, que ella misma degollaba después de haberlas torturado. Descubiertos sus delitos, fue juzgada y ni ella misma se atrevió a defenderse. Se la emparedó viva en su castillo en 1614, y se llegó a calcular el número de sus víctimas en unas seiscientas mujeres, por lo que recibió el apelativo popular de «la condesa sangrienta».

BAÜMER, Gertrud. Feminista y política alemana (Westfalia, 1873-¿?, 1954). Tras obtener su doctorado en filosofía en la Universidad de Berlín, colaboró en varias asociaciones feministas y posteriormente fundó el Partido Democrático alemán, en representación del cual fue elegida para la Asamblea Nacional en 1919, y de 1920 a 1933 asumió el cargo de ministra del Interior para el *Reichtag*, puesto del que fue relegada a la llegada del nacional-socialismo. Su vida y sus obras están estrechamente relacionadas con la historia del feminismo alemán.

BAUSCH, Pina. Bailarina y coreógrafa alemana (Solingen, 1940). Formó parte de la compañía de Kurt Joos y llegó a ser primera bailarina del Folkwang Ballet. En 1969 emigra a EE.UU. y a mediados de los años 70 funda en Alemania su propia compañía, la Wuppertal Tanztheatar, formada por actores-bailarines de diversas nacionalidades. Las coreografías de Bausch trascienden las fronteras de la danza tradicional al entrelazar otras disciplinas como teatro, mimo, vídeo, canto, etc. Entre éstas destacan *Orfeo y Eurídice* (1975), *Los 7 pecados capitales* (1976), *Barbazul* (1977), *Walzer* (1982), *Viktor* (1986) y *Tanzabend II* (1991), creada para el Festival de Otoño de Madrid.

BAUTISTA, Aurora. Actriz española (Villanueva de los Infantes, 1925). Procedente del Teatro Español de Madrid, sobresalió en la tragedia y se reveló como artista de cine en *Locura de amor* (Orduña, 1948), a la que siguieron *Pequeñeces* (Orduña, 1950), *Agustina de Aragón* (Orduña, 1950), *Sonatas* (Bardem, 1953), *Teresa de Jesús* (Orduña, 1961), *La tía Tula* (Picazo, 1963), *Pepa Doncel* (Lucía, 1969) y *Divinas Palabras* (García Sánchez, 1987). En teatro han sido elogiadas sus actuaciones en *La gata sobre el tejado de cinc*, de Williams; *Réquiem por una mujer*, de Faulkner; *Yerma*, de García Lorca, y *Antígona*, de Anouilh.

BAXTER, Anne. Actriz estadounidense (Indiana, 1923-Nueva York, 1985). Comenzó como actriz de teatro en Broadway, y en 1940 entró a trabajar en Hollywood, llegando a participar en importantes películas, entre ellas *El cuarto mandamiento* (1945), *Semilla de odio* (1946), *El filo de la navaja* (1948; Oscar a la mejor actriz secundaria), *Eva al desnudo* (1952), *Los diez mandamientos*, *La gata negra* y *Las siete magníficas*.

BEACH, Sylvia. Librera y editora estadounidense (Baltimore, 1887-París, 1962). Fundadora en 1919 de la famosa librería parisina Shakespeare & Co. que se convirtió en punto de encuentro obligado para los representantes de la *generación perdida*: J. Dos Passos, E. Hemingway, G. Stein*, A. Toklas, J. Joyce, F. Scott Fitzgerald, E. Pound, etc. La librería de Beach, junto con la de su amiga Adrienne Monnier, son consideradas como los dos salones parisinos más importantes del período de entreguerras. A Beach se le recuerda también por haber publicado en 1922 la primera edición de *Ulises* de J. Joyce. Su libro de memorias *Shakespeare & Co.* (1959) retrata el ambiente literario del París de los años 20.

BEAUHARNAIS, Josefina de. V. **JOSEFINA Bonaparte.**

BEATRIZ de Aragón. Reina de Hungría (1457-Ischia, 1508). Hija de Fernando de Nápoles, se casó con Matías Corvino, rey de Hungría, en 1475. Acusada de haber envenenado a su marido, fue desterrada.

BEATRIZ de Castilla. Reina de Portugal (Toro, 1293-Lisboa, 1353). Infanta castellana, hija del rey Sancho IV el Bravo y de María* de Molina. En 1309 se casó con el rey de Portugal Alfonso IV, con quien la habían desposado a la edad de cuatro años.

BEATRIZ de Castilla. Reina de Portugal (m. 1303). Infanta castellana, hija natural de Alfonso X, se casó en 1253 con Alfonso III de Portugal, viviendo aún su primera esposa Matilde, por lo que fueron amenazados de excomunión, evitada por la muerte de la legítima esposa, que permitió legalizar su situación. Al fallecer su esposo, Beatriz regresó a Castilla.

BEATRIZ de Die. Poeta trovadoresca provenzal (s. XII). Los estudiosos no se ponen de acuerdo en la identificación de esta poeta: unos dicen que se trata de la esposa de Guillermo I de Valentinois; otros afirman que fue la maestra del trovador Raimbaud de Orange, muerta en 1176, pero su *Vita* no aporta ningún dato sobre ella; por último, se habla de una condesa de Die, autora de tratados, en el s. XIV. De su obra, sólo se conservan cuatro cançós y una tensón (en forma de diálogo), en las que se tratan temas habituales del amor cortés.

BEATRIZ de Holanda. Reina de los Países Bajos (Soestdjik, 1938). Hija de la reina Juliana*, en 1966 se casó con el diplomático alemán Claus von Amsberg. Subió al trono en 1980, tras la abdicación de su madre.

BEATRIZ de Portinari. V. **PORTINARI, Beatrice.**

BEATRIZ de Portugal. Reina de Castilla (s. XIV). Infanta portuguesa casada el 17 de mayo de 1383, en Badajoz, con el rey viudo de Castilla Juan I, a quien transmitió sus derechos sobre Portugal. A la muerte de éste, Beatriz heredó sus tierras en Medina del Campo, Olmedo, Villa Real y Arévalo. En 1409 se casó en segundas nupcias con el duque de Austria.

BEATRIZ de Silva, beata. Dama castellana (s. XV). Fundadora de la Orden de las concepcionistas y del primer convento para las mismas, en la ciudad de Toledo. Fue muy grande su fama en la corte de los Reyes Católicos, sobre la que influyó espiritualmente. Pío XI la beatificó en 1926.

BEATRIZ de Suabia. Reina de Castilla (m. Toro, 1235). Hija del emperador de Alemania Federico Barbarroja, se casó con Fernando III el Santo. Por su línea se transmitieron los derechos al solio imperial que Alfonso X el Sabio reclamó en su famoso *Fecho del Imperio*.

BEECHER STOWE, Harriet. V. **STOWE, Harriet Beecher.**

BEAUFORT, Margaret. Política y escritora inglesa (Bedford, 1441-¿?, 1509). A la muerte de Eduardo IV (1483), con la ayuda de John Morton, tuvo un papel político importante con la intención de lograr el trono para su hijo, el conde de Richmond. Éste, último de los Lancaster, arrebató el trono a Ricardo III en 1485 y fue coronado con el nombre de Enrique VII. Posteriormente, Lady Beaufort dejó la política, fundando en Cambridge una cátedra de elocuencia (1504) y el Christ's College (1505); protegió las letras y tradujo obras al inglés del francés y el latín (como la *Imitatio Christi*). Estuvo casada tres veces: con Edmond Tudor, conde de Richmond; con Henry Stafford y con Thomas Stanley, conde de Derby.

BEAUMONT, Marie-Claude. Corredora automovilística francesa (Grenoble, 1941). En 1964 fue copiloto de C. Trautmann y en 1965 se convirtió en piloto ganando la copa femenina del Criterium des Cévennes. Fue campeona de Francia (1969, 1970 y 1971), primera en la copa femenina en la vuelta automovilística a Francia (1971 y 1972) y participó con éxito en una serie de carreras: Copa de los Alpes, Rally de Montecarlo y la vuelta a Córcega. En 1971 se convirtió en la primera y la única mujer que desde 1951 participaba en las Veinticuatro Horas de Le Mans, y en 1975 obtuvo el primer puesto en la categoría de dos litros en los Mil Kilómetros de Monza. En 1971 publicó *Femme et pilote*.

BEAUSOLEIL, baronesa de (Martine de Bertereau). Mineralogista francesa (1578-¿?). Casada con el barón de Beausoleil, fue la primera en atraer la atención sobre las riquezas mineras de Francia, demostrando que su explotación suponía un gran interés económico y científico. Escribió, entre otras obras, *La Véritable Déclaration de la decouverte des mines* (1632) y *La Restitution du Pluton* (1640). Junto a su marido, convictos de brujería sin juicio, y rodeada de enemigos que despreciaban su trabajo, fue encerrada en Vincennes, donde murió.

BEAUVAL, Mademoiselle (Jeanne Bourguignon, llamada). Actriz francesa (h. 1647-París, 1720). Comenzó a trabajar de niña y, casada con Beauval, pasó en 1667 a trabajar con la compañía del duque de Saboya. Después trabajó con Molière y, a su muerte, lo hizo en la compañía del palacio de Bourgogne. Era famosa por sus excentricidades y frecuentes enfados.

BEAUVOIR, Simone de. Escritora francesa (París, 1908-íd, 1986). Perteneciente a una familia de la alta burguesía parisiense, estudió filosofía en la Sorbona, donde posteriormente ejerció como profesora. Compañera sentimental de J. P. Sartre desde 1905, juntos desarrollaron los postulados fundamentales del existencialismo, sistema filosófico que, por otra parte, sirvió de base a la mayor parte de la obra de Beauvoir. Su primera novela, *La invitada* (1943), ofrece un enfoque novedoso en cuanto al tratamiento psicológico de los personajes. *La sangre de los otros* (1944) y *Todos los hombres son mortales* (1947) ilustran la temática existencialista al defen-

Simone de Beauvoir

der la inutilidad de toda empresa humana. Tanto el ensayo *El segundo sexo* (1949), su libro más difundido y centrado en la condición y reivindicación femeninas, como *Los mandarines* (1954; premio Goncourt), crónica basada en los intelectuales de izquierda de la inmediata posguerra, fueron prohibidos por la Iglesia católica. Estrechamente vinculada al movimiento feminista francés de los años 70, a Beauvoir se le considera una de las figuras emblemáticas del feminismo contemporáneo. La totalidad de su producción se caracteriza por una voluntad ética y política. Entre sus publicaciones destacan la trilogía autobiográfica *Memorias de una joven formal* (1958), *La plenitud de la vida* (1960) y *La fuerza de las cosas* (1963); y las narraciones *Una muerte muy dulce* (1964), basada en la muerte de su madre, y *La mujer rota* (1967). El balance de una vida dedicada a la militancia existencial, política y feminista se evidencia en *La vejez* (1970) y *Final de cuentas* (1972). En 1981 publica *La ceremonia del adiós* en la que ofrece una controvertida versión de sus relaciones con Sartre.

BECERRIL BUSTAMANTE, Soledad. Política española (Madrid, 1944). Estudió Filosofía y Letras en la Universidad de Madrid y, de 1969 a 1971, fue profesora en el Centro de Estudios Universitarios (C. E. U.), así como en la Facultad de Ciencias Económicas y Empresariales de la Universidad de Sevilla (1970). En 1975 ingresó en el Partido Demócrata Andaluz. Diputada de UCD por Sevilla (1977 y 1979), ocupó el cargo de ministra de Cultura (1981-1982). Después de la refundación del Partido Popular, ha sido diputada electa por Sevilla (1989 y 1993) y concejala-primera teniente de alcalde, también en Sevilla (1987 y 1991). Tuvo una destacada participación en la organización de la Exposición Universal de Sevilla'92.

BÉCU, Jeanne. V. **BARRY, madame o condesa Du.**

BEHN, Aphra o Afra. Dramaturga, novelista y feminista inglesa (Kent, 1640-Londres, 1689). Durante la guerra civil marchó a Surinam (Guayana Holandesa) y a su regreso, Carlos II la obligó a actuar como espía en Amberes, durante la guerra con Holanda. Sin haber percibido recompensa alguna por su misión, Behn quedó en la miseria y fue encarcelada por deudas. Posteriormente comenzó a escribir, y en 1670, se representó su primera comedia *The Forced Marriage*. Considerada la primera escritora inglesa profesional, escribió 17 obras de teatro, 13 novelas y varias colecciones de poemas y traducciones. Entre sus novelas destaca *Oroonoko* (1688), obra de tema antiesclavista inspirada en sus experiencias en Surinam. Defendió, a su vez, la autonomía de la mujer y el derecho de ésta a una educación en igualdad de condiciones con el hombre.

BÉJART, Armande. Actriz francesa (París, 1642-íd., 1700). Hermana de la también actriz Madeleine Béjart* y esposa de Molière, fue la más fiel intérprete de las obras de su marido y sobre ella están inspirados los principales personajes femeninos del teatro molieriniano. Se le acusó de ser hija de Molière y de su hermana, rumor jamás desmentido. A la muerte de su marido, se hizo con la dirección de la compañía y contrajo de nuevo matrimonio con Guérin d'Estriché, actor distinguido que gozaba de cierta fama como trágico.

BÉJART, Madeleine. Actriz francesa (París, 1618-íd., 1672). Trabajó primero en una compañía familar junto a su hermana A. Béjart*. Tuvo un papel fundamental en el nacimiento del teatro ilustrado, solicitando y consiguiendo los fondos y la protección necesaria para la creación de la compañía de Molière (1643). Fue una de las actrices favoritas del autor y le aconsejó que fijara su residencia en el teatro de Petit-Bourbon.

BELL, Vanessa. Pintora inglesa (1879-1961). Ligada a la abstracción estilizada de R. Fry, la obra de Bell estuvo asociada a los talleres «Omega», los cuales intentaron fundir el lenguaje pictórico que se derivaba de las artes decorativas con la estética postimpresionista. Expuso sus diseños para cortinas, cubrecamas, cajas y pantallas en el Daily Mail Ideal Home, en el Allied Artists y en la Mansard Gallery de Londres. La mayoría de sus diseños estuvieron influidos por famosos óleos que retrataban la naturaleza. Entre sus obras destaca *Cracow* (1913), tela con estampaciones abstractas. Bell diseñó además vestidos de atrevidos colores y formas que su propia hermana, Virginia Woolf*, consideró escandalosos.

BELLA CHELITO, La (Consuelo Portella, llamada). Cantante española de origen cubano (Placeta, 1880-Madrid, 1960). Debutó en el teatro Onofri de Barcelona, con el sobrenombre de *Ideal Chelito*, adoptando el de *Bella Chelito* al pasar a Madrid: allí fue durante siete años la estrella indiscutible del Chantecler y de los principales salones de variedades. A ella se debe la introducción de la *rumba* en España, ritmo de origen cubano.

BELLA OTERO, La (Carolina Otero Iglesias, llamada). Bailarina española (Puente-Valga, Pontevedra, 1868-Niza, 1965). Fue una de las más grandes *vedettes* de principios del siglo XX, llegando su fama a todos los rincones del mundo. En sus años de retiro, hasta 1944, se dedicó a cuidar un asilo de ancianos indigentes en Niza. Fue además la autora de *Memorias de la bella Otero*.

BELLAMY, George Anne. Actriz dramática británica (Fingal, Irlanda, 1727-Londres, 1788). Mujer de gran belleza y talento, fue la protagonista indiscutible en el Covent Garden de Londres durante más de 20 años. En 1785 publicó *Apología de la vida de G. Anne Bellamy*, memorias debidas, según algunos, a Bicknell.

BELLI, Gioconda. Poeta y novelista nicaragüense (n. 1948). Comenzó su carrera como poeta en 1970, obteniendo en 1972 el premio Mariano Fiallos Gil y en 1978 el premio Casa de las Américas por su libro *Línea de fuego*. En sus poemas se mezcla lo real y lo irreal mediante un cúmulo de imágenes vigorosas que le permiten expresar sus ideas y sentimientos sobre la condición femenina. Ha publicado además *Amor insurrecto* (1985), *De la costilla de Eva* (1987), y las novelas *La mujer habitada* (1988) y *Sofía de los presagios* (1990). En 1990 fue elegida diputada por el Frente Sandinista.

BEMBERG, María Luisa. Directora de cine argentina (Buenos Aires, 1922). Entre 1972 y 1978 realizó varios cortometrajes y en 1979 se trasladó a Nueva York donde estudió teatro bajo la dirección de Lee Strasberg. De regreso a su país, fundó y dirigió el Teatro Globo. Entre su filmografía destacan *Momentos* (1981), *Señora de nadie* (1982), *Camila* (1985), *Miss Mary* (1986), *Yo, la peor de todas* (1990) y *De eso no se habla* (1993).

BENEDICT, Ruth Fulton. Antropóloga estadounidense (Nueva York, 1887-íd., 1948). Se doctoró en la Universidad de Columbia (1923) y fue la editora del importante *Journal of American Folklore* (1925-1939). Perteneció a la escuela de cultura y personalidad, y publicó, entre otros, *La antropología y lo anormal* (1934), *El hombre y la cultura* (1934), *La mitología de los zuñi* (1935) y *La antropología y las humanidades* (1948).

BERBÉROVA, Nina Nikolaievna. Escritora estadounidense de origen ruso (San Petersburgo, 1901-Filadelfia, 1993). Descontenta con la política estalinista, en 1925 emigra a París donde permaneció hasta 1950. Allí publicó las biografías de Chaikovski (1936) y Borodin (1938), la pieza teatral *Madame* y su volumen de novelas cortas *The Easing of Fate* (1948). En 1950 se trasladó a EE.UU., donde enseñó literatura rusa en las universidades de Princeton y Yale. La obra de Berbérova se enmarca dentro de la tradición literaria rusa que va desde Pushkin hasta

Turguenev. Entre sus publicaciones destacan además la novela *La acompañante* (1935) y su autobiografía escrita en inglés *The Italics are Mine* (1961).

BERENGUELA Berenguer. Reina de Castilla y León (Barcelona, 1108-Palencia, 1149). Princesa catalana, hija de Ramón Berenguer III el Grande, conde de Barcelona, se casó con el rey de León Alfonso VII, a quien acompañó en la mayor parte de sus campañas. Durante las ausencias de su esposo se hizo cargo de la administración del reino, y en 1139 fue la responsable de la defensa de Toledo frente al sitio del ejército musulmán.

BERENGUELA de Castilla. Reina de Castilla (Burgos, 1181-Toledo, 1246). Hija de Alfonso VIII y de Leonor de Inglaterra, reyes de Castilla, se casó con Alfonso IX de León en 1197 y fue madre de Fernando III el Santo. Anulado su matrimonio por razón de parentesco, pero legitimado su hijo, a la muerte de su padre, supo apartar con habilidad los problemas para conservarle esta corona, y en 1214 actuó de regente y tutora de su hermano Enrique I. Al morir éste, en 1217, fue proclamada reina en las Cortes de Valladolid, pero en el mismo acto renunció en favor de su hijo Fernando. Después, buscando la corona leonesa para su hijo Fernando III, se valió de sus habilidades diplomáticas en tratos con la segunda esposa de Alfonso IX, Teresa* de Portugal, y sus hijas, quienes renunciaron a sus derechos en favor del rey de Castilla. Mujer de cualidades extraordinarias, Berenguela logró conseguir dos coronas para su hijo, y para su reino paz, engrandecimiento, independencia y libertades.

BERENGUELA de Navarra. Reina de Inglaterra (1165-1230). Infanta navarra, hija del rey de Sancho IV el Fuerte (1165-1230). Se casó con el rey de Inglaterra Ricardo Corazón de León, pero parece que su matrimonio nunca se consumó.

BERENICE. Princesa judía (s. I a. C.). Hija de Herodes Agripa I, se casó con su tío Herodes II de Calcis. De gran belleza, fue célebre por su supuesta maldad y relajadas costumbres.

BERENICE III. Reina de Egipto (s. III a. C.). Hija de Magas, rey de Cirenaica, se casó con Tolomeo Evergetes, rey de Egipto y hermano de Berenice II. Durante una expedición de su marido a Siria, Berenice ofreció a Venus su espléndida cabellera para que concediese la victoria a aquél, y al desaparecer la cabellera del templo, el astrónomo Conon de Samos afirmó que la había visto en el firmamento, convertida en un grupo de estrellas que desde entonces es conocido con el nombre de *Cabellera de Berenice*. La reina fue asesinada por su propio hijo Tolomeo Filopátor.

BERGANZA, Teresa. Mezzosoprano española (Madrid, 1935). Dio su primer recital en Madrid (1953), obtuvo el premio Lucrecia Arana al año siguiente y, después de actuar en varias capitales extranjeras, se presentó en el Covent Garden de Londres. En 1957 actuó como primera figura en la gira por Italia de la Ópera de Viena; posteriormente, y también como primera estrella, en la gira por Oriente Medio de la Scala de Milán. En 1964 obtuvo la medalla de oro de la Sociedad Internacional Harriet Cohen, de Londres, y en 1966, la Academia Charles Cross, de Francia, le concedió el gran premio internacional del Disco. Ha realizado numerosas grabaciones, entre ellas el notable *Recital Teresa Berganza*, con canciones de Montsalvatge, Toldrá y Turina. Entre su repertorio operístico destacan sus interpretaciones de partituras de Haëndel, Bizet (la maravillosa Carmen), Rossini, Falla y, en zarzuela, Sorozábal, Serrano y Giménez. En 1984 publicó *Flor de soledad y silencio*, meditaciones sobre diversos aspectos tanto musicales como cotidianos. Es considerada en los ambientes operísticos como una de las más grandes cantantes del siglo XX, después de Maria Callas*. En el año 1991 fue galardonada con el premio Príncipe de Asturias de las Artes.

Ingrid Bergman con José Ferrer en *Juana de Arco*

BERGMAN, Ingrid. Actriz de cine y teatro sueca (Estocolmo, 1915-Londres, 1982). Estudió en la Escuela de Declamación de la capital sueca y debutó en el cine en 1934, dándose a conocer dos años más tarde en *Intermezzo* (Ratoff, 1940). A partir de ese momento se convirtió en una de las actrices más cotizadas de Hollywood: *Casablanca* (Curtiz, 1942), *Luz que agoniza* (Cukor, 1944), por la que obtuvo el Oscar a la Mejor Actriz; y con A. Hitchcock, *Recuerda* (1945), *Encadenados* (1946) y *Atormentada* (1949). En Italia se unió sentimentalmente a R. Rossellini, quien la dirigió en *Stromboli* (1950), *Europa 51* (1951) y *Te querré siempre* (1953). Posteriormente rodó *Elena y los hombres* (Renoir, 1956), *Anastasia* (Litvak, 1956), por la que obtuvo un segundo Oscar, *No me digas adiós* (Litvak, 1961) y *Sonata de otoño* (I. Bergman, 1978).

BERLEPSCH, baronesa de (María Josefa Böhl von Guttenberg). Política española de origen alemán (m. 1723). Llegó a España en el séquito de Mariana* de Neoburgo. Por las dificultades que suponía la correcta pronunciación de su nombre, los españoles la apodaron *la Perdiz*, siendo la principal figura de la camarilla de la reina (junto a Weiser, Juan Angulo y el P. Chiusa). Tuvo una gran influencia sobre la reina e intervino en las cuestiones para la sucesión de Carlos II. Sostuvo la candidatura bávara al trono de España y fue acusada por los austriacos: el padre Mariana la defendió y en 1700 pasó a la corte imperial como dama de honor de la archiduquesa Isabel* de Habsburgo.

BERNADETTE, santa. Santa francesa cuyo nombre completo era Bernadette Soubirous (Lourdes, 1844-Nevers, 1879). Según la tradición católica, en 1858, siendo pastora, se le apareció la Virgen 18 veces en la gruta Massabielle, cerca de Lourdes. A partir de ese momento Lourdes se convirtió en lugar de devoción mariana y de peregrinaje ininterrumpido. En 1866 Bernadette ingresó en el convento de las Hermanas de la Caridad de Nevers, y en 1933 fue canonizada. Su nombre oficial de santa es María-Bernarda.

BERNHARDT, Sarah (Henriette Rosine Bernard, llamada). Actriz francesa (París, 1844-íd., 1923). Trabajó en la Comedia Francesa y en el Odeón y en 1880 emprendió una serie de giras por el extranjero. A partir de 1893 dirigió el teatro Renaissance y en 1898 alquiló el teatro de las Naciones, al que dio su nombre. En 1915 se le amputó una pierna, pero aun así siguió representando. Escribió obras teatrales como *L'aveu* y *Adrienne Lecouvreur* (1907) y un libro de memorias, y en 1912 trabajó en la película *La reine Élisabeth*. A Bernhardt se le recuerda como una de las mejores actrices de todos los tiempos.

Sarah Bernhardt, por J. Bastien-Lepage

BERRY, duquesa de (María-Carolina de Borbón-Dos Sicilias). Política francesa (Caserta, 1798-Estiria, Austria, 1870). Primogénita de Francisco, duque de Calabria y rey de las Dos Sicilias, se casó con Carlos Fernando de Borbón, duque de Berry. Viuda en 1820, en 1830 se exilió con su suegro Carlos X y se convirtió en la «Amazona del legitimismo». Volvió a Francia en 1832 e intentó una sublevación contra Luis Felipe en Provenza; tras su fracaso, pasó a La Vendée, con el mismo resultado: fue detenida y encarcelada en la fortaleza de Blaye, donde tuvo una hija fruto de su matrimonio secreto con el conde Lucchesi-Palli, hecho que la desacreditó definitivamente.

BERRY, duquesa de (Marie Françoise Élisabeth de Orleans). Cortesana francesa (Saint-Claud, 1695-Meudon, 1719). Hija mayor de Felipe de Orleans, regente de Francia, se casó a los quince años con Carlos de Berry. Fueron famosas las orgías que celebraba en compañía de su padre, sospechándose que mantenían relaciones incestuosas.

BERTA. Reina de Aragón y Navarra (m. después de 1104). Se casó con Pedro I de Aragón y Pamplona, aportando al reino varias plazas de Huesca en su dote. Sobre ellas siguió teniendo dominio a la muerte de su esposo (1104).

BERTA de Lorena. Regente de Toscana (h. 860-Lucca, 925). Hija de Lotario II, rey de Lorena, se casó sucesivamente con Teobaldo de Arlés y con Adalberto II de Toscana. Fue regente de Toscana en nombre de su hijo Guido (913), pero Berengario I de Italia la hizo prisionera. El pueblo de Toscana se sublevó en su favor, y Berengario la dejó en libertad.

BERTA del Gran Pie. Reina de los francos (m. Choisy-au-Bac, 783). Fue esposa de Pipino el Breve y madre de Carlomagno y Carlomán. Tuvo gran influencia sobre su marido. Se dice que tenía un pie más grande que otro.

BERTIN, Rose. Modista francesa (Abbeville, 1744-Épinay, 1813). Mujer con grandes ambiciones, de aprendiz pasó a abrir una boutique, el Grand Mogol, que obtuvo gran éxito y empleaba a más de treinta obreras. Se introdujo en la corte y llegó a ser la modista favorita de María Antonieta*, adquiriendo una importante posición en la alta sociedad parisina. Fiel a la reina, la acompañó al Temple y emigró, tras su muerte, a Londres, de donde regresa con el Directorio para reabrir el Grand Mogol en 1806, retirándose en 1812. Se le considera precursora de la alta costura actual.

BERTRADE de Montfort. Reina de Francia (¿?, h. 1070-abadía de Fontevrault, h. 1117).

Hija de Simón I de Montfort, se casó con el conde de Anjou (1088). Enamorado de ella Felipe I de Francia, logró la anulación de su matrimonio con Berta de Holanda para casarse con Bertrade. Esto produjo un conflicto que no terminó ni con la muerte de la reina Berta. Llena de ambición política, se enfrentó a su hijastro, el futuro Luis VI, sólo logrando la reconciliación el propio rey Felipe. A la muerte de su marido (1108), Bertrade de Monfort siguió realizando intrigas contra Luis VI, intentado suplantarle por uno de los hijos que ella tenía del rey Felipe I.

BETHANIA, Maria. Cantante brasileña (n. Santo Amaro da Purificação). Considerada una de las primeras voces de la canción brasileña actual, Bethania comenzó a cantar a los 17 años y sus primeros trabajos, junto a Gal Costa, Gilberto Gil y Nelson Rodrigues, merecieron los elogios de los grandes de la música en aquel momento: Vinicius de Moraes y Dorival Caymmi.

BETSABÉ. Reina de Israel (s. XII a. C). Hija de Eliam o Amiel y esposa de Urías, con la que David se casó después de haber enviado a aquél a una misión en la que pereció. Con David tuvo a Salomón.

BHUTTO, Benazir. Política pakistaní (Karachi, 1953). Tras el derrocamiento en 1977 de su padre, Zulfikar 'Ali Bhutto, permaneció detenida hasta que en 1984 le obligaron a abandonar el país. Desde el exilio dirigió el Partido Popular de Pakistán hasta su regreso en 1986. En 1988 fue elegida primera ministra, y en 1990, acusada de corrupción, fue destituida. En las elecciones de 1993 fue reelegida para este mismo cargo.

Benazir Bhutto

BIHERON, Marie-Catherine. Anatomista francesa (París, 1730-íd., 1815). Apasionada desde pequeña por las reproducciones anatómicas, se dedicó a estudiarlas intensivamente, acudiendo a numerosas disecciones. Posteriormente se dedicó a la fabricación de estas reproducciones en cera, por lo que fue perseguida por sus colegas, tanto en París como en Londres, excepto por Jussieu, Voloison y Hunter. Abrió su propio gabinete anatómico en París y, ya anciana, vendió su obra.

BINNUNA, Khanatta. Escritora y feminista marroquí (n. 1940). Considerada una de las principales líderes del movimiento feminista magrebí, su novela *Fuego y oportunidad* (1971) defiende no sólo el derecho a la educación de las mujeres marroquíes, sino su derecho a ser consideradas como parte fundamental del mundo laboral árabe. Entre sus publicaciones destacan *Rabia y mañana* (1981) y *Silencio articulado* (1981).

BIRD-BISHOP, Isabella. Viajera inglesa (Boroughbridge, 1831-Edimburgo, 1904). A partir de los 22 años viajó tres veces alrededor del mundo y fue la primera mujer en formar parte de la Royal Geographic Society. Entre sus obras, que narran las impresiones de sus viajes, destacan *A Lady's Life in the Rocky Mountains* (1879), *Korea and her Neighbours* (1898) y *Chinese Pictures* (1900).

BLANCA de Artois. Reina de Navarra (m. 1302). Contrajo matrimonio con Enrique I en 1270. A la muerte de su marido (1274), hizo frente a la presión castellana, concertando el matrimonio de su hija Juana* I de Navarra con Felipe el Hermoso de Francia.

BLANCA de Borbón. Reina de Castilla (¿?, h. 1335-Medina-Sidonia, 1361). En 1351 se casó con Pedro I de Castilla, que la abandonó al tercer día de la boda, para unirse con María de Padilla*. Fue encerrada sucesivamente en Arévalo, Toledo, Sigüenza, en la Torre Blanca de Jerez de la Frontera y en el castillo de Medina-Sidonia, donde falleció. En su apoyo se unieron nobles y ciudadanos castellanos, que insistían al rey para que la dejara libre, pero Pedro I desoyó una y otra vez sus peticiones. Parece ser que fue asesinada por orden de su marido.

BLANCA de Borgoña. Reina de Francia (1296-Maubuisson, 1325). Hija de Otón IV, conde de Borgoña, se casó con Carlos, conde de la Marche, que reinó después en Francia con el nombre de Carlos IV. Fue acusada de adulterio y en 1322 repudiada, retirándose a una abadía.

BLANCA de Castilla. Reina de Francia (Palencia, 1188-Maubuisson, 1252). Infanta de Castilla, hija de Alfonso VIII y de Leonor* de Inglaterra, en 1200 se casó con el delfín de Francia, después Luis VIII, y fue madre de san Luis. Al quedar viuda ejerció la regencia en nombre de su hijo, demostrando gran tacto

Blanca de Castilla

y energía, sometiendo una importante sublevación en contra del nuevo rey: cuando Luis IX llegó al trono, encontró un reino pacificado. Cuando san Luis marchó a la cruzada (1249), volvió a ejercer la regencia del reino. Es recordada como una de las grandes reinas francesas de la Historia.

BLANCA de Nápoles. Reina de Aragón (1295-1310). Hija de Carlos II de Nápoles y Margarita* de Hungría, se casó con Jaime II de Aragón (1295), como cumplimiento del tratado de Anagni. Blanca tuvo cancillería propia y fue aclamada por los catalanes como «fontana de gràcia e de dotes boneses». Fue enterrada en el monasterio de Santes Creus y fue madre de Alfonso el Benigno.

BLANCA I de Navarra. Reina de Sicilia, Aragón y Navarra (1385-1441). Infanta navarra, hija de Carlos III el Noble, en 1402 se casó con don Martín, rey de Sicilia, y al enviudar gobernó la isla de 1409 a 1415. Contrajo segundas nupcias en 1419 con Juan II de Aragón y a la muerte de su padre recibió el reino pirenaico en herencia. Transmitió sus derechos a su hijo Carlos de Viana y tomó parte en los enfrentamientos entre agramonteses y beaumonteses.

BLANCA II de Navarra. Reina de Navarra (Olite, 1424-Lescar, Bajos Pirineos, 1464). Era hija del infante Juan de Aragón (futuro Juan II) y de Blanca de Navarra (futura Blanca I*). En virtud del tratado de Toledo (1436), se casó con el futuro Enrique IV de Castilla (1440), pero fue repudiada en 1453. Se alió con su hermano Carlos de Viana contra su padre Juan II en la guerra civil navarra (1450-1455) y fue desheredada en favor de su hermana Leonor*, casada con Gastón de Foix. A la muerte de su hermano Carlos (1461), la corona navarra pasó a sus manos, pero su padre Juan II se la llevó a Aragón por la fuerza; ella cedió sus derechos a Enrique IV de Castilla y su padre nombró de nuevo heredera a Leonor. Fue encerrada en el castillo de Artés y luego en Lescar, donde murió.

BLANCHARD, María Gutiérrez. Pintora española (Santander, 1881-París, 1932). Estudió en Madrid, y de 1908 a 1913 estableció su residencia en París, regresando a España para ocupar un puesto de profesora de dibujo en Salamanca. En 1917 regresa nuevamente a París, y a partir de ese momento su pintura se verá muy marcada por las influencias cubistas. Se especializó en temas relacionados con la familia, la infancia y la naturaleza muerta. En 1920 logró un notable éxito en el Salón de Otoño y en 1922 abrió un taller en París, en donde residió hasta su muerte. Entre sus obras destaca *Maternidad y niño con pelota*.

BLANCHARD, Sophie Armant de. Aeronauta francesa (La Rochelle, 1778-¿?, 1819). Acompañó a su marido J. P. Blanchard en sus experiencias en globo aerostático. Con él construyó diversos ingenios, ensayó el paracaídas y fueron los primeros en atravesar en globo el Canal de la Mancha, entre Dover y Calais (1785). Murió a consecuencia de la explosión de un globo.

BLANKERS-KOEN, Fanny. Atleta holandesa (Baarn, 1918). Campeona de Europa de 1946 a 1950. En 1948, en los Juegos Olímpicos de Londres triunfó en 100 m, 200 m, 80 m vallas y en el relevo 4×100 m. Blankers-Koen batió numerosos récords mundiales en velocidad, vallas, salto de longitud y en el péntatlon.

BLAVATSKI o BLAVATSKY, Helena Petrovna. Teósofa rusa (Yekaterinoslav, 1831-Londres, 1891). Viajó durante 20 años por Canadá, Tejas, México y la India. En este último país conoció el budismo esotérico y se dedicó a la fundación y difusión de sociedades y publicaciones de teosofía en América y Europa. En 1875 fue cofundadora de la Sociedad Teosófica y editora de la revista *The Theosophist* en EE.UU. Tuvo gran influencia en numerosas personalidades, entre ellas Gandhi, P. Mondrian, Kandinsky y J. Joyce. Fue autora de *Isis sin velo* (1877), *Secret Doctrine* (1888) y *La voz del silencio* (1885-1889).

BLIXEN, Karen. V. **DINESEN, Isak.**

BLOMBERG, Bárbara. Cortesana alemana (Nuremberg, h. 1527-Bárcena de Cicero, 1598). De familia burguesa, fue amante de Carlos V y madre de Juan de Austria. A los pocos años del nacimiento de su hijo, fue separada de éste y no volvió a verlo hasta que Felipe II le envió de gobernador a Flandes (1576). Entonces, a causa de la supuesta vida frívola que llevaba, se estimó necesario que saliese de allí y se le embarcó para España. Llegó a Laredo en 1577 y, al morir su hijo al año siguiente, fijó su residencia en Cantabria.

BLOOMER, Amalia Jenks. Diseñadora de modas, publicista y sufragista estadounidense (Nueva York, 1818-Iowa, 1894). Su nombre ha pasado a la historia por haber sido la creadora de los *bloomers*, un tipo de pantalón abombachado muy práctico y cómodo, símbolo del movimiento de liberación de la mujer estadounidense de finales del siglo XIX. Bloomer se dio a conocer además por la publicación de numerosos artículos en revistas y periódicos en contra de la esclavitud y en favor de los derechos políticos y sociales de la mujer.

BLYTON, Enid. Escritora inglesa (Londres, 1897-íd., 1968). Institutriz y profesora, se dedicó a la producción de novela infantil y juvenil, siendo una de las autoras más leídas en este género. De su amplísima producción destacan los libros del *Club de los Famosos Cinco*, *Los Siete Secretos*, *Noddy* y los relatos de cursos de instituciones femeninas (*Torres de Mallory*, etc.). Tiene más de cuatrocientos títulos publicados, que han sido traducidos a más de veinte idiomas.

BOADICEA o BUDICCA. Reina de la antigua Britania (s. I). Estaba casada con Prasutag, rey de los icenios de Britania, el cual había legado sus estados a sus dos hijas y a Nerón. El emperador aceptó la herencia, pero Boadicea y sus hijas fueron ultrajadas por los soldados. Los icenios, ante la acción, proclamaron reina a Boadicea y se sublevaron en número de 120.000. Los britanos fueron vencidos por Suetonio Paulino y Boadicea y sus hijas se envenenaron.

BÖHL DE FABER, Cecilia. V. **CABALLERO, Fernán.**

BOK, Sissela. Filósofa y moralista estadounidense de origen sueco (n. 1934). Bok, considerada una de las filósofas contemporáneas más importantes, ha centrado sus estudios en la repercusión de los llamados «secretos sociales»: los oficiales, los empresariales, los de las sociedades «secretas» y los de la infancia. Ha sido además una célebre defensora de los derechos de los pacientes al negar la validez del secretismo médico.

BOMBAL, María Luisa. Escritora chilena (Viña del Mar, 1910-Santiago de Chile, 1980). Tras estudiar literatura en la Sorbona, e influida por los movimientos vanguardistas franceses, Bombal regresa a Chile, y en 1933, invitada por P. Neruda, se traslada a Buenos Aires donde publica los dos libros que le hicieron ganar renombre internacional: *La última niebla* (1935) y *La amortajada* (1938). Su narrativa, centrada en los conflictos de la mujer, crea un ambiente de ensueño, fantasía e irrealidad que la aleja del naturalismo criollista imperante en su época. En 1977 recibió el premio de la Academia Chilena de la Lengua.

BONA Sforza. Reina de Polonia (Milán, 1493-Bari, 1557). Hija del duque de Milán, se casó en 1517 con Segismundo I, rey de Polonia. Murió envenenada.

BONAPARTE, Josefina. V. **JOSEFINA Bonaparte.**

BONAPARTE, Paulina. Duquesa de Guastalia y princesa de Borghese (Ajaccio, Córcega, 1780-Florencia, 1825). Hermana de Napoleón I, se hizo célebre por su hermosura y su vida disipada. Después de la abdicación de Napoleón, Paulina fue abandonada por su esposo, el príncipe de Borghese. De su extraordinaria belleza queda prueba en la estatua de *Venus victoriosa*, esculpida por Canova.

BONET, Maria del Mar. Cantautora española en lengua catalana (Palma de Mallorca, 1947). En 1967 entró a formar parte del grupo Els Setze Jutges y es una de las principales representantes de lo que se ha dado en llamar la *nova cançó* catalana. Sus canciones están inspiradas generalmente en el folclore mallorquín, tomando como base textos de poetas, canciones populares campesinas y la realidad cotidiana. Tiene una amplísima discografía.

BONHEUR, Rosa. Pintora y escultora francesa (Burdeos, 1822-By, 1899). Comenzó exponiendo pinturas paisajistas y es-

Paulina Bonaparte, por A. Canova

culturas de animales. Obtuvo varias medallas de oro por sus obras (1848 y 1855) y su cuadro *Feria de caballos*, adquirido por el Museo Metropolitano de Nueva York, se convirtió en una de las piezas más conocidas y admiradas de todo el siglo XIX. Bonheur, que se negó a restringirse a temas «femeninos», subrayó en sus obras la nobleza de los animales. Su estudio, instalado en By, fue visitado por destacadas personalidades de la época, entre ellas la emperatriz Eugenia María*, que en 1864 le concedió la cruz de la Legión de Honor.

BORA o BOHRA, Katharina von. Monja alemana (Lippendorf, 1499-Torgau, 1552). Influida por las ideas de la Reforma, huyó del convento y buscó refugio al lado de Martín Lutero, que se casó con ella en 1525 y del cual tuvo seis hijos.

BORBÓN, María Luisa Fernanda de. Infanta de España (Madrid, 1832-Sevilla, 1897). Hija de Fernando VII y hermana de Isabel II. Al mismo tiempo que la boda de su hermana, la reina, se concertó la suya con Antonio Felipe de Orleans, duque de Montpensier, quinto hijo del rey de Francia Luis Felipe, quien aspiró a que reinase su esposa, destronando a Isabel, y luego a ser él mismo rey de España, en 1869. Su hija María de las Mercedes*, al contraer matrimonio con su primo Alfonso XII, llegó a ser reina de España.

BORBÓN DE GODOY, María Teresa de. V. **CHINCHÓN, condesa de.**

BORBÓN Y BORBÓN, María Isabel Francisca de Asís (Infanta Isabel, *la Chata*). Infanta de España (Madrid, 1851-París, 1931), hija primogénita de Isabel II*, fue dos veces princesa de Asturias: la primera hasta el nacimiento de su hermano Alfonso XII y la segunda desde la ascensión de éste al trono, cuando la Restauración, hasta el nacimiento de su sobrina María de las Mercedes* (1881). En 1868 se casó con el conde de Girgenti, príncipe de la rama borbónica de Nápoles, y enviudó en 1871. Fue

La infanta Isabel de Borbón, *la Chata*

tan popular que el pueblo madrileño la conocía con el apodo de *la Chata.* Dispensó gran protección a los artistas y fue un personaje insustituible en la sociedad de fin de siglo XIX.

BORDONI DE HASZE, Faustina. Cantante italiana (Venecia, 1700-íd., 1780), casada con Johann Adolf Hasze, gozó de gran celebridad en su época y cantó en los principales teatros de Europa.

BORGHESE, princesa de. V. **BONAPARTE, Paulina.**

BORGIA, Lucrecia. Dama italiana de ascendencia española (Roma, 1480-Ferrara, 1519). Hija de Rodrigo de Borja (el papa Alejandro VI) y de Vanozza Cattanei y hermana de César Borgia, fue famosa por su belleza y su supuesta vida licenciosa. Se casó sucesivamente con Giovanni Sforza, señor de Pésaro (1492); Alfonso de Aragón, hijo natural de Alfonso II de Nápoles (1498), y Alfonso d'Este, duque de Ferrara (1502). Su vida ha dado lugar a gran número de leyendas y una vasta producción literaria.

Lucrecia Borgia

BORI, Lucrecia (Lucrecia Borja González de Riancho, llamada). Soprano lírica española (Valencia, 1888-Nueva York, 1960). Hizo sus primeros estudios en Valencia, y los amplió durante seis años en Roma, donde se presentó con la ópera *Carmen* (1908); cantó después en Milán, París, Buenos Aires, etc. En 1912 se presentó en EE.UU. y al año siguiente fue contratada por el Metropolitan Opera House de Nueva York, donde fue la primera figura y al que estuvo vinculada hasta su muerte, primero como cantante, y a partir de 1936, formando parte del Consejo directivo.

BOSÉ, Lucía. Actriz de cine española de origen italiano (Milán, 1931). Debutó en el cine italiano, siendo una de sus intérpretes más apreciadas, con películas como *Non c'è pace tra gli ulivi* (1949), *Cronaca d'un amore* (1950), *E l'amor che mi rovina* (1951), *La signora senza camelie* (1952), *Le village magique* (1953), *París, siempre París* (1954), etc. Durante su matrimonio con Luis Miguel Dominguín realizó una única intervención en *Le testament d'Orphée*. Disuelta la unión, volvió al cine en *Nocturno 29* (1968), *Ceremonia sangrienta* y *Nathalie Granger* entre otras. Ha escrito *Poemas de Somosaguas* (1972).

BOTHELO, Fernanda. Escritora portuguesa (Oporto, 1926). Comenzó su carrera profesional colaborando en varias revistas de escritura experimental que, opuestas al neorrealismo imperante, circularon durante los años 50. La más conocida de estas revistas, *Távola Redonda*, publicó su colección de poemas *As Coordenadas Líricas* (1951), y la revista *Graal* publicó su novela corta *O Engima de Sete Alíneas* (1956). Su novela *A Gata e a Fábula* obtuvo en 1960 el prestigioso premio Camilo Castelo Branco. La obra de Bothelo es una de las más representativas del movimiento existencialista portugués. Ha publicado además *Terra Sem Música* (1969) y *Festa em Casa de Flores* (1991).

BOUILLON, duquesa de (Ana María Mancini). Dama italiana, famosa por su salón literario (Roma, 1649-París, 1714). Era una de las famosas hermanas Mancini*, quien después de la muerte de su tío, el cardenal Mazarino, contrajo matrimonio con el duque de Bouillon en 1662. Protegió a los poetas, especialmente a La Fontaine, y, como sus hermanas, tuvo varias aventuras amorosas.

BOULANGER, Lily. Compositora francesa (París, 1893-Mézy, 1918). Fue la primera mujer en obtener el primer gran premio de Roma por su cantata *Faust et Hélène* (1913). Aunque murió muy joven, dejó una obra abundante que su hermana, Nadia Boulanger*, se encargó de dar a conocer.

BOULANGER, Nadia. Compositora y directora de orquesta francesa (París, 1887-íd., 1979). Dio a conocer la obra de su hermana, Lily Boulanger*, quien murió prematuramente. En 1908 obtuvo el segundo gran premio de Roma por *La Sirène* y colaboró posteriormente en la escritura musical de *La ville morte* (D'Annunzio, 1908), tras lo cual abandonó la composición y se dedicó a la dirección de orquesta. En 1938 dirigió el *Dumbarton Oaks Concerto* de Stravinsky. Fue profesora de la École Normale de Musique de París (1920-1939) y a partir de 1946 del Conservatorio de París (1946-1957). Boulanger ha influido y formado a numerosas generaciones de jóvenes músicos.

BOULOGNE o BOULLOGNE, Madeleine. Pintora francesa (París, 1646-íd., 1710). Hija de Louis de Boulogne, fue formada en la pintura por él, junto a sus hermanos. Colaboró con su padre en las pinturas inacabadas del Poussin, en el Louvre y en las del Trianon. Es autora también de numerosos retratos, naturalezas muertas y frescos decorativos. Entre su producción destaca la decoración del salón de la Reina en Versalles, con los *Trofeos de guerra y caza*, *Atributos de artes* o *Instrumentos musicales*. Fue admitida en la Academia de Pintura en 1669.

BOURBON, Marie Thérese Charlotte de. V. **ANGULEMA, duquesa de.**

BOURGEOIS, Louise. Escultora estadounidense de origen francés (París, 1911). Sus esculturas, de formas personales e intuitivas, han pasado a ser emblemáticas para muchas artistas feministas posteriores. Realizó formas bulbosas y contornos de penes, haciendo réplicas en diversos materiales desde la escayola al látex. Al igual que E. Hesse* y N. de Saint Phalle*, las piezas de Bourgeois encierran un fuerte contenido que no tiene cabida en la estética formalista. Entre sus obras destacan *Femme-Maison* (1946-1947) y *Fillete* (1968).

BOUVIER DE LA MOTTE, Jeanne-Marie. V. **GUYON DU CHESNOY, madame.**

BOWLES, Jane. Escritora estadounidense (Nueva York, 1917-Málaga, 1973). Víctima de una caída sufrida en su adolescencia y aquejada de tuberculosis, J. Bowles contrae matrimonio en 1938 con el escritor y músico Paul Bowles, con quien luego de numerosos viajes se establece en Tánger. Sus continuos problemas mentales la obligaron a pasar gran parte de su vida en sanatorios psiquiátricos. La obra de J. Bowles, marcada por el exotismo y el desencanto, explora los límites que separan la razón de la locura, la luz de la oscuridad: *Dos damas serias* (1943), novela; *In the Summer Time* (1954), pieza teatral; y *Other Stories* (1969), colección de relatos.

BRACCIANO, duquesa de (Vittoria Accoramboni). Política italiana (Gubbio, 1557-Padua, 1585). Estaba casada con Francesco Peretti, sobrino del futuro papa Sixto V y se convirtió en la amante de Paulo Orsini, duque de Arcenno. En un primer momento, Orsini hizo asesinar al marido molesto (1581) y luego a su propia esposa, Isabel de Médicis (1583 ó 1584). Al advenimiento de Sixto V, Orsini y Vittoria, ya casados, marcharon a Venecia. Al poco tiempo murió el duque y Vittoria quedó como heredera de toda su fortuna y títulos. Luigi Orsini inició, entretanto, un proceso contra Vittoria para recuperar la herencia familiar. Cuando ya la había obtenido, hizo apuñalar a Vittoria.

BRAGA, Sonia. Actriz brasileña (Paraná, 1951). Su primer papel como protagonista fue en la telenovela *Gabriela,* basada en una novela de Jorge Amado llevada más adelante a la pantalla grande. Otra novela de ese mismo autor inspiró el guión de *Doña Flor y sus dos maridos* (1977), filme que convierte a Braga en la actriz de mayor prestigio del cine brasileño. Con *El beso de la mujer araña* (1985) alcanzó renombre internacional.

BRANNON, Carmen. Poeta salvadoreña (Sonsonate, 1899-San Salvador, 1975) que empleó ocasionalmente el seudónimo de *Claudia Lars.* Considerada una de las figuras centrales del panorama literario centroamericano, Brannon mostró desde sus primeros trabajos una clara tendencia antisimbolista. Entre sus colecciones de poesía destacan *Romances de norte y sur* (1946), *Donde llegan los pasos* (1953), *Girasol* (1962) y *Poesía última,* publicada póstumamente en 1975.

BRAUN, Eva. Amante de Adolfo Hitler (Munich, 1912-Berlín, 1945). De familia burguesa, a los 17 años fue asistente del fotógrafo H. Hoffmann, en cuyo estudio conoció a A. Hitler en 1932, convirtiéndose en su amante. Tras varios intentos de suicidio y adicta a los barbitúricos, Braun acompañó a Hitler en 1945 durante su encierro en los sótanos de la Cancillería del Reich, donde la pareja contrajo matrimonio, suicidándose posteriormente.

BRAVO, Soledad. Cantautora venezolana de origen español (Logroño, 1943). En 1968 apareció su primera grabación de carácter folclórico; posteriormente evolucionó hacia composiciones de contenido social. En sus numerosas giras por Latinoamérica y Europa ha trabajado temas que van desde el folclore sefardí hasta la *nueva trova* hispanoamericana. Entre sus grabaciones destacan *Flor de cacao* (1978), en colaboración con el poeta R. Alberti, *Caribe* (1982) y *Boleros* (1991), en la que recopila y reinterpreta las mejores composiciones de este género.

BRAVO-VILLASANTE, Carmen. Escritora española (Madrid, 1918). Doctora en Filosofía y Letras por la Universidad de Madrid, es especialista en teatro clásico español, y autora, sobre todo, de literatura infantil, aunque cultiva también con notable éxito el ensayo, el género biográfico y la traducción de obras románticas alemanas. Entre sus publicaciones cabe destacar: *Vida de Bettina Brentano* (1957), *Historia de la literatura infantil española* (1959), *La Avellaneda: una vida romántica* (1967), *25 mujeres a través de sus cartas* (1975) y *La hermosura del mundo y otros cuentos españoles* (1981). En 1976 publicó su tesis doctoral bajo el título de *La* *mujer vestida de hombre en el teatro español del siglo de oro,* y en 1980 recibió el premio Nacional de Literatura Infantil.

BRENTANO, Elizabeth. V. **ARNIM, Bettina von.**

BRÉVILLE, Louise Marguerite de. Heroína y militar francesa (h. 1648-1673). Atraída por la vida de aventuras, se enroló en el ejército disfrazada de hombre, pero fue expulsada por matar a otro soldado en duelo. Posteriormente se enroló en la flota del almirante Estrées que guerreaba contra los berberiscos. Por su valor, el almirante le confió el mando de la fragata *Madeleine.* Durante la guerra con Holanda fue mortalmente herida en el curso de un abordaje con la escuadra del almirante Ruyter.

BRINVILLIERS, marquesa de (Marie-Madeleine-Marguerite Dreux d'Aubray). Famosa envenenadora francesa (París, 1630-íd., 1676). En complicidad con su amante, Godin de Sainte-Croix, envenenó a su padre y a sus hermanos para apropiarse de la herencia, y más adelante intentó envenenar a su cuñada. En 1672, tras la muerte de su amante, se descubren sus crímenes y es detenida y condenada a muerte. Su vida ha inspirado numerosas leyendas populares.

BRIZARD, Marie. Industrial francesa (Burdeos, 1714-íd., 1801). Cuenta la tradición familiar que ella salvó a un nativo de las islas durante una epidemia en Burdeos (1755); éste, agradecido, le reveló la receta de una bebida milagrosa, que era un licor anisado. En 1762, ella abrió una tienda comercializando este producto bajo el nombre de «anisette Marie Brizard». Dos años más tarde, se asoció con Jean-Baptiste Roger, dando el salto definitivo hacia la producción y comercialización a gran escala. A la muerte de Roger (1795), Marie siguió dirigiendo la firma.

BRONTË, Anne. Escritora británica (Thornton, 1820-Scarborough, 1849), hermana menor de Emily* y Charlotte*. En 1847 publicó la novela *Agnes Grey* basada en sus experiencias como institutriz y publicada bajo el seudónimo de «Acton Bell».

Las hermanas Brontë (Charlotte, Emily y Anne), por B. Brontë

Empleó este mismo seudónimo para el volumen colectivo que recogió poemas de las tres hermanas *Poemas de Ellis, Currer y Acton Bell* (1846). En general, la obra de Anne, aunque repleta de vívidas descripciones, no se considera a la altura de la de Charlotte y Emily.

BRONTË, Charlotte. Escritora británica (Thornton, 1816-Haworth, 1855), hermana mayor de Emily* y Anne*. En 1843 fundó junto con sus hermanas una escuela en la que durante un año fue profesora de inglés. En 1846, las tres hermanas publican sus poemas bajo los seudónimos de *Ellis*, *Currer* y *Acton Bell*, pero fue su novela *Jane Eyre* (1847) la que logró consagrar a Charlotte como escritora de renombre. Los recuerdos de los años que pasó en Bruselas sirvieron de inspiración para sus novelas *Shirley* (1849), *Villete* (1853) y *El profesor*, publicada póstumamente en 1857. La obra de Ch. Brontë se centra particularmente en la descripción del mundo psicológico y social que rodeaba a las mujeres del s. XIX.

BRONTË, Emily. Escritora británica (Thornton, 1818-Haworth, 1848), hermana de Charlotte* y Anne*. De aguda sensibilidad poética, a ella pertenecen la mayoría de los poemas recogidos en el volumen colectivo *Poemas* (1846), preparado por las Brontë y publicado bajo los seudónimos de *Ellis*, *Currer* y *Acton Bell*. Su obra más importante, la novela *Cumbres borrascosas* (1847), quedó eclipsada momentáneamente por el éxito de *Jane Eyre*, publicada por su hermana Charlotte, pero no pasó mucho tiempo para que ésta se convirtiera en una de las obras maestras de la literatura inglesa.

BROOKE-ROSE, Christine. Crítica literaria y escritora británica de origen suizo (Ginebra, 1923). Comenzó colaborando en revistas y periódicos, trasladándose luego a Francia, donde fue profesora de literatura estadounidense en la Universidad de París. Sus trabajos de crítica literaria se han centrado en el análisis narratológico de la literatura de ciencia ficción, el *nouveau roman*, la metaficción y la narrativa posmoderna: *A Grammar of Metaphor* (1958) y *Stories, Theories and Things* (1991). Su producción narrativa se asocia con el *nouveau roman* de A. Robbe-Grillet y N. Sarraute*: *Amalgamemnon* (1984), *Verbivore* (1990) y *Textermination* (1992).

BROWN, Trisha. Bailarina y coreógrafa estadounidense (Washington, 1936). Considerada una de las principales representantes de la danza moderna estadounidense y directora del Trisha Brown and Dancers, en 1962 fue cofundadora de la legendaria Judson Dance Theatre, en donde desarrolló su propia visión de la danza moderna. En 1968 comenzó a crear sus *equipment pieces* en las que proveía a sus bailarines de un dispositivo especial para que pudieran subir y bajar por la fachada de un edificio. Brown ha trabajado con Merce Cunningham y Robert Dunn, y entre sus piezas destacan *Walking Down Side of Building* (1969) y *Walking On the Wall* (1971).

BROWNING, Elizabeth Barret. Poeta británica (Durham, 1806-Florencia, 1861). Considerada la poeta más exitosa de la época victoriana, la obra de Browning incluye baladas, odas políticas, sonetos, dramas poéticos y el poema épico *La batalla de Marathon*, escrito cuando tenía 14 años. La traducción de *Prometeo encadenado* de Esquilo (1833) y su libro de poemas *The Seraphim and Other Poems* (1838) lograron consagrarla como poeta de gran talento. En 1846 se casó secretamente con el escritor R. Browning, con quien huyó a Italia. Entre sus obras destacan además *Poems* (1850), *Casa Guidi Windows* (1851) y la novela en versos blancos *Aurora Leigh* (1857).

BRUNDTLAND, Gro Harlem. Política noruega (n. 1939). Doctora en medicina y presidenta del Partido Laborista, Brundtland ha asumido la presidencia del Consejo de Ministros en 1981, 1986, 1990 y 1993. En una ocasión llegó a contar con ocho mujeres en su Gabinete, un récord histórico de participación femenina en el Gobierno de un país.

BRUNEQUILDA, BRUNEGILDA o BRUNHILDA. Reina de los francos de Austrasia (¿?, 534-Renève, Borgoña, 613). Esposa del rey Sigiberto I de Metz e hija de Atanagildo, rey visigodo de Toledo. Inteligente y enérgica, pero cruel, sostuvo una lucha implacable con Fredegunda, reina de Neustria; traicionada, cayó en poder de Clotario II, hijo de su enemiga, quien la hizo morir atada a la cola de un caballo indomado. Mantuvo una importante correspondencia con el Papa y se le considera una de las personas más cultas de su tiempo.

BUCHAN, Elisabeth. Dirigente religiosa escocesa (Fitmy-Can, 1738-íd., 1791). De origen humilde, se casó con un obrero de Glasgow con el que se instaló en Irvine, donde fundaría una secta religiosa (1779). La comunidad fue expulsada por los vecinos del lugar, estableciéndose en una granja cercana. Su doctrina es anacrónica y estaba inspirada en el milenarismo medieval. Los miembros de la secta vivían juntos, trabajaban poco y rechazaban el matrimonio. Se dispersaron tras la muerte de la fundadora.

Pearl S. Buck

BUCK, Pearl Sydenstricker. Novelista estadounidense (Virginia, 1892-Vermont, 1973). Hija de un misionero protestante, Buck pasó la mayor parte de su vida en China. La finalidad fundamental de sus novelas, influidas por las sagas chinas, era entretener y educar a sus lectores: *La buena tierra* (1931; premio Pulitzer) examina las virtudes de la vida campesina china; *La madre* (1934) reafirma lo eterno y universal mediante una visión maternal de la vida; y *La semilla del dragón* (1942) y *La promesa* (1943) apoyan la lucha china frente al imperialismo japonés. En 1938 recibió el premio Nobel de Literatura, y posteriormente publicó varias novelas bajo el seudónimo de *John Sedges*.

BULLRICH, Silvina. Escritora argentina (Buenos Aires, 1915-Ginebra, 1990). Ganadora de varios premios literarios, la obra de Bullrich se divide en dos etapas: una intimista y centrada en la mujer (*Bodas de cristal*, 1951; *Teléfono ocupado*, 1955) y otra social y política en la que retrata la decadencia de la alta burguesía bonaerense (*Los burgueses*, 1964; *Los salvadores de la patria*, 1965; *Los monstruos sagrados*, 1971; y *Los despiadados*, 1978).

BURGOS, Julia de. Poeta puertorriqueña (Carolina, 1914-Nueva York, 1953). Estudió magisterio en la Escuela Normal de la Universidad de Puerto Rico. En 1937 se dio a conocer con *Poemas exactos a mí misma* difundidos en colección mecanografiada. Publicó después *Poemas en veinte surcos* (1938) y *Canción de la verdad sencilla* (1939), premiado por el Instituto de Literatura Puertorriqueña y en 1945 recibió el premio de periodismo por el artículo *Ser o no ser es la divisa* otorgado por el mismo organismo. Su obra *El mar y tú* se publicó póstumamente en 1954. Burgos, considerada la poeta intimista más importante de Puerto Rico, fue encontrada inconsciente en una calle de Nueva York, donde murió posteriormente a causa de cirrosis.

BURGOS SEGUÍ, Carmen de. Escritora española que publicó la mayor parte de su obra bajo el seudónimo de *Colombine* (Almería, 1878-Madrid, 1932). Sufragista activa, Burgos fue autora de numerosos artículos en los que defendió los derechos de la mujer. Como novelista, se acogió primero al naturalismo en *La hora del amor* (1916) y *Las inseparables* (1917), evolucionando hacia el pintoresquismo romántico en *Los anticuarios* (1921) y *El retorno* (1922), para culminar en el esquematismo moralizante en *La malcasada* (1925) y *Quiero vivir mi vida* (1931).

BUSTELO, Carlota. Política y feminista española (Madrid, 1939). Es licenciada en Ciencias Políticas por la Universidad Complutense de Madrid. En 1988 se funda el Instituto de la Mujer y Bustelo asume el cargo de directora general, que desempeñó hasta 1989 en que fue sustituida por Carmen Martínez Ten. Posteriormente ha sido subsecretaria del Ministerio de Asuntos Sociales y miembro del Comité de la ONU en contra de la discriminación de la mujer. Entre sus ensayos destacan *Reflexiones sobre mujer y feminismo* (1977) y *Una alternativa feminista* (1979).

BUTLER, Josephine Elizabeth. Abolicionista y feminista inglesa (Northumberland, 1828-íd., 1906). Fue una de las primeras mujeres en luchar a favor del derecho al sufragio femenino. Combatió la regulación nacional de la prostitución y fundó la National Anti-Contagious Diseases Act Association, organismo que luchó por derogar la ley que atentaba contra los derechos humanos de personas con enfermedades contagiosas. En 1875 fundó la Federación Internacional Abolicionista, y en 1896 publicó *Personal Reminiscences of a Great Crusade*.

CABALLÉ, Montserrat. Soprano española (Barcelona, 1933). Ha alcanzado resonantes triunfos en Europa y América y está considerada una de las más grandes figuras de la canción lírica. Su repertorio es amplísimo, pues ha cantado más de 150 óperas distintas desde que debutara en 1956. Sus obras preferidas son tres: la difícil *Norma*, de Bellini; *La Traviata*, de Verdi, y *Salomé*, de Strauss. En 1991 le fue concedido el premio Príncipe de Asturias de las Artes.

Montserrat Caballé

Cecilia Böhl de Faber, *Fernán Caballero*

CABALLERO, Fernán. Seudónimo de la escritora española de origen suizo Cecilia Böhl de Faber (Morges, 1796-Sevilla, 1877). Hija del hispanista alemán Juan N. Böhl de Faber, a *Fernán Caballero* se le suele considerar el vínculo entre el costumbrismo, la novela romántica y el realismo del s. XIX español. Su obra, escrita mayoritariamente en alemán y francés, se centra en la descripción de las costumbres y tipos populares andaluces y en la defensa de la vida campesina. Entre sus publicaciones detacan *La gaviota* (1849), su obra cumbre, *Clemencia* (1852), de contenido autobiográfico, *Lágrimas* (1853), *La familia Alvareda* (1856), *Cuentos y poemas andaluces* (1859) y *La corruptora* (1868). Su obra narrativa, de innnegable importancia histórica, fue duramente criticada por sus contemporáneos, quienes recriminaron su explícita intencionalidad moralizante y conservadora.

CABARRÚS GELABERT, Teresa. V. **TALLIEN, madame.**

CABRERA, Lydia. Escritora cubana (La Habana, 1899-Miami, 1991) que publicó ocasionalmente bajo el seudónimo de *Nena*. Asociada a la corriente literaria del realismo mágico, su obra narrativa se ha centrado en la recuperación de la cultura afroantillana: *Porqué... cuentos negros de Cuba* (1948), *Refranes de negros viejos* (1955), *Ayapá, cuentos de jicotea* (1971) y *Cuentos para adultos, niños y retrasados mentales* (1983).

CALAS, Anne Rose. Dama hugonote francesa (¿?, 1710-París, 1792). Nacida en Inglaterra de padres hugonotes, se casó en 1731 con Jean Calas, marchante de telas en Toulouse. Su marido, también hugonote, fue acusado de matar a sus hijos para impedirles que se convirtieran al catolicismo, siendo ejecutado (1762). Anne Rose trabajó el resto de su vida para rehabilitar la memoria de su esposo, consiguiendo incluso el apoyo de Voltaire: éste tomó el caso Calas en sus manos y consiguió, después de grandes esfuerzos, crear un tribunal contra el fanatismo (1765).

CALDERÓN, Mencía. Aventurera y conquistadora española (s. XVI). Esposa del adelantado Juan de Sanabria, a la muerte de éste, ella y su hijastro, Diego de Sanabria, continuaron los preparativos de una expedición al Río de la Plata. Mientras Diego de Sanabria desviaba la ruta de su nave y llegaba a Santo Domingo, en La Española, Mencía Calderón logró alcanzar las costas del Brasil. En su flota venía el fundador de Asunción del Paraguay, Juan de Salazar, y un numeroso grupo de mujeres solteras y viudas, que pretendían establecerse en Paraguay. La nave fue asaltada por los corsarios y sobrevivió a numerosos peligros, pero Mencía consiguió finalmente llegar con su expedición hasta Asunción de Paraguay.

CALDERONA, La (María Calderón, llamada). Actriz y cortesana española (s. XVII). Famosa por sus interpretaciones en las corralas madrileñas y por su extraor-

María Calderón, *la Calderona*

dinaria belleza, fue amante del rey Felipe IV y madre de don Juan José de Austria. Terminó sus días siendo abadesa de un convento de la Alcarria, en el que había ingresado por voluntad del rey.

CALLAS, Maria (Maria Kalogeropoulos, llamada). Cantante estadounidense de origen griego (Nueva York, 1923-París, 1977). Usó un tiempo el nombre de Maria Meneghini, a causa de su matrimonio. Estudió en el Real Conservatorio de Atenas, donde fue discípula de la soprano española Elvira de Hidalgo, haciendo su presentación en esta ciudad a los 15 años, con la ópera *Cavalleria rusticana.* Sus excepcionales facultades llamaron la atención de Tullio Serafin, quien la sometió a un duro aprendizaje. Desechó el viejo y rutinario repertorio lírico italiano y ensayó óperas que yacían en el olvido, como *La Vestal*, *Medea*, etc., con las que obtuvo gran éxito. Hasta 1951 no cantó en la Scala de Milán. Su presentación en el Covent Garden de Londres y en el Metropolitan de Nueva York (1954) le abrió las puertas de la fama mundial, que fue acrecentando aun a costa de algunas excentricidades, como la interrupción de la ópera *Norma* en Roma, en función de gala, ante el presidente de la República, «porque los aplausos no habían sido muy calurosos». Otros éxitos suyos son: *I Puritani*, *La Traviata*, *La Sonámbula*, *Macbeth*, *La Gioconda*, etc. Su voz tenía una extensión extraordinaria, pues abarcaba más de tres octavas completas y llegaba hasta el fa sostenido, más allá del do sobreagudo, lo que le permitió adaptarse tanto a los papeles de soprano dramática como a los de soprano lírica, o de coloratura. Después de unos años de actuar

Maria Callas con Leonard Bernstein

solamente en salas de conciertos y estudios de grabación, volvió a la escena del Covent Garden, de Londres (1964). Fue considerada la primera figura femenina del arte lírico mundial.

CALPURNIA. Dama romana (s. I a. C.). Cuarta mujer de Julio César, hija de Lucio Calpurnio Pisón, trató a toda costa de evitar que su esposo acudiera al Senado en los idus de marzo, día en que fue asesinado.

CAMARGO, La (Marie Anne de Cupis de Camargo, llamada). Bailarina francesa (Bruselas, 1710-París, 1770). De familia de músicos y bailarines, bajo la protección de la princesa de Ligne, estudia en París con Françoise Prévost y debuta en Bruselas. Con una técnica brillante y una sentida interpretación, ella fue la primera bailarina de altura, introduciendo importantes innovaciones en lo que terminaría llamándose danza clásica. A su fama contribuyeron también sus amoríos, entre los que destacan los tenidos con el duque de Richelieu, el conde de Melun, etc. Como coreógrafa, creó más de cuarenta ballets y bailó en la Ópera parisina hasta 1751.

CAMERON, Julia Margaret. Fotógrafa británica de origen indio (Calcuta, 1815-Ceilán, 1879). Considerada una de las pioneras de la fotografía, fue partidaria de la iluminación natural y no admitió retoques en la fotografía. Sus composiciones, tanto las históricas como las alegóricas, poseen el encanto de las obras prerrafaelistas. Perteneció a los círculos literarios y artísticos de la época victoriana y retrató, entre otros, a J. Herschel y A. Tennyson.

CAMILA. Dama romana (s. VII a. C.), hermana de los tres Horacios. Cuando vio llegar a uno de sus hermanos cargado con el cuerpo inerte de uno de los Curiacios, su prometido, rompió a llorar en señal de duelo. Su hermano la mató y el rey Tulio Hostilio, por ello, lo condenó a muerte: apelando al pueblo, fue perdonado, pero se le impuso la humillación de pasar por el yugo, que pasó a llamarse *tigillium sororum*.

CAMPAN, madame (Jeanne Genet, llamada). Educadora francesa (París, 1752-Nantes, 1822). Casada con el señor de Campan, fue lectora de las hijas de Luis XV y camarista de María Antonieta*. Después del Terror se dedicó a la educación de jóvenes distinguidas. Escribió la obra titulada *De la educación de las mujeres*.

CAMPANINI, condesa. V. **BARBARINA, La.**

CAMPBELL, Naomi. Top-model británica (Londres, 1970). De una humilde familia de raza negra, llegó al mundo de la moda a través de la danza, iniciando su carrera cuando contaba tan sólo quince años. Se ha convertido en la gran dama negra en las pasarelas mundiales y es modelo habitual de todos las grandes firmas, especialmente Azzedine Alaïa e Yves Saint Laurent. Es la primera modelo negra que ha aparecido en las portadas de las famosas revistas *Vogue-France* (1989) y *Times*, y la primera también en haber realizado una campaña publicitaria de cosméticos.

CAMPBELL, Kim. Política canadiense (Vancouver, 1947). De familia de abogados de Vancouver, se licenció en Ciencias Económicas por la Universidad de Columbia-Británica, ampliando estudios en Londres y Moscú. Procedente de un partido ultraconservador, se unió al Partido Conservador de Canadá en 1988, desempeñando sucesivamente las carteras de Defensa y Justicia, y fue elegida primera ministra en 1993.

CAMPION, Jane. Directora de cine neozelandesa (Waikanae, 1954). Se trasladó a Australia cuando aún era una niña y comenzó su carrera haciendo cortometrajes con los cuales ganó prestigio como directora: su corto *Peel* (1982) alcanzó el máximo galardón en el Festival de Cannes. En 1990, su filme *Un ángel en mi mesa*, basado en la vida de la escritora Janet Frame*, ganó sendos premios en los festivales de Venecia y de Valladolid, y en 1993 obtuvo la Palma de Oro del Festival de Cannes con su filme *El piano*.

CAMPOAMOR, Clara. Política y feminista española (Madrid, 1888-Lausanne, 1972). La estrechez económica que padeció en su infancia y juventud no fueron un impedimento para que en 1924 obtuviera una licenciatura en Derecho en la Universidad de Madrid. En 1925 fue nombrada miembro del Colegio de Abogados, fecha en la que inició sus actividades políticas socialistas. Obtuvo un escaño en el primer Parlamento republicano junto a M. Nelken* y V. Kent*. Campoamor, considerada una de las «madres» del feminismo español, defendió la igualdad de derechos de la mujer y el sufragio femenino. Tras el golpe militar de 1936, se exilió en Buenos Aires y posteriormente se radicó en Suiza, donde permaneció hasta su muerte: el régimen franquista nunca le permitió regresar a España. Entre sus obras destacan *El derecho femenino en España* (1936), *La situación jurídica de la mujer española* (1938) y *El voto femenino y yo, mi pecado mortal*.

CAMPRUBÍ, Zenobia. Traductora y escritora española (Barcelona, 1887-San Juan, Puerto Rico, 1956). Camprubí tuvo un papel altamente significativo en el desarrollo literario de su esposo, el poeta Juan Ramón Jiménez. Tradujo del inglés a Tagore y Synge, y fue la única correctora de los originales del poeta. Fue además la autora de un insigne *Diario*, en el que rememora los años que el matrimonio pasó en Cuba, y que fue publicado póstumamente en 1991.

CAMPS, Victoria. Filósofa y política española (Barcelona, 1941). Estudió filosofía en la Universidad de Barcelona y es catedrática de Ética en la Universidad Autónoma de Barcelona. Ha escrito *Pragmática del lenguaje y filosofía analítica* (1976), *La imaginación ética* (1983) *Ética, retórica y política* (1988) y *Virtudes públicas* (1990; premio Espasa Mañana de ensayo) sobre el peculiar aporte que la condición femenina podría introducir en la acartonada vida política. En 1993 fue elegida senadora socialista (PSOE-PSC) por Barcelona.

CANDACE. Reina de Etiopía (s. I a. C.). Es famosa por el ataque que organizó contra las tropas romanas entre el 25 y el 22 a. C.: los romanos tomaron Napata, la capital de Etiopía, y Augusto evacuó parte del territorio conquistado, unió Nubia al Alto Egipto y construyó una fortaleza militar en esta zona. Candace también es el título de todas las reinas de Etiopía.

CAPBELL, Dorothy. Jugadora de golf escocesa (1883-1946). Capbell, la más célebre campeona de golf de principios del s. XX, posee el palmarés más brillante de todas las jugadoras de golf de su generación. Campeona en categoría amateur en EE.UU., Inglaterra y Canadá (la única que obtuvo estos tres títulos); ganó el British Woman's Open Tournament (1909), el campeonato de EE.UU, en 1909, 1910 y 1924, este último a los 41 años de edad; y el campeonato de Canadá (1910, 1911 y 1912).

CAPELLO, Bianca. Cortesana y aventurera italiana (Venecia, 1542-Poggio, 1587). Gran duquesa de Toscana, seducida por el aventurero Pedro Buonaventuri, huyó con él de la casa paterna. Intimó luego con el duque Francisco de Médicis, con quien logró contraer secretamente matrimonio.

CAPET, Marie-Gabrielle. Pintora francesa (Lyon, 1761-París, 1818). Gran retratista, se especializó en las miniaturas y en la pintura al pastel. Discípula de Labille-Guiard, participa en diversos Salones en los que adquiere gran renombre, evolucionando su pintura hacia el neoclasicismo. Entre sus obras destacan el retrato de *André Chénier* y *Busto de Voltaire*.

CAPETILLO, Luisa. Anarquista, sufragista, sindicalista y feminista puertorriqueña (Arecibo, 1879-íd., 1922). Con la publicación de su libro *Mi opinión sobre* *los derechos, responsabilidades y deberes de la mujer* (1911), Capetillo se convirtió en la primera teórica feminista puertorriqueña. Defendió además el derecho al sufragio y a la organización de las mujeres en sindicatos. Se le recuerda como la primera mujer que en Puerto Rico se atrevió a vestir pantalones en público, siendo arrestada y procesada en La Habana por el mismo motivo.

CAPMANY, Maria Aurèlia. Escritora española en lengua catalana (Barcelona, 1918-íd., 1991). Tras licenciarse en Filosofía y Letras, ejerció como profesora de filosofía y fue directora del Colegio Municipal de Badalona. Comenzó su carrera como escritora en 1947 con *Necessitem morir,* y al año siguiente recibió el premio Joanot Martorell por su novela *El cel no és transparent.* La narrativa de Capmany, de marcado carácter combativo y a menudo feminista, se convirtió en una de las más representativas de su generación literaria. Entre sus títulos posteriores destacan *El gust de la polvs* (1963), *Un lloc entre els morts* (1967; premio Sant Jordi), su obra más conocida, *Feliçment, jo sóc una dona* (1969), *La color més blau* (1982) y *El cap de sant Jordi* (1987). Ha sido autora además de numerosos ensayos, artículos periodísticos y piezas teatrales, y ha desempeñado una intensa labor como crítica y directora de teatro.

CÁRDENAS DE BUSTAMANTE, Hipatia. Política y escritora ecuatoriana (Quito, 1889-¿?). Tras ocupar varios cargos gubernamentales, se convirtió en 1929 en la primera mujer en ser nombrada consejera de Estado. Presidió el Comité Nacional de Mujeres y fue miembro de la Liga americana por la paz. Entre sus libros, publicados bajo el seudónimo de *Aspasia*, destacan *Rosario de prosa lírica*, *Oración maternal* y *Cuadros campestres*.

CARDINALE, Claudia. Actriz de cine italiana (Túnez, 1939). Su intervención en *Fellini 8 1/2* (1963) la consagró como actriz de fama internacional. Entre sus películas destacan además *La Viaccia*, *El magistrado*, *Rufufú*, *Rocco y sus hermanos*, *Un maldito embrollo*, *La chica con la maleta*, *El gatopardo*, *La pantera rosa*, *El rufián*, *La historia*, *La piel*, etc.

CAREAGA, Pilar. Política española (Madrid, 1908-íd., 1993). Oriunda de Bilbao, ingresó en la Escuela de Ingenieros Industriales de Madrid, siendo la primera mujer en obtener el título (1929) en España. Durante el régimen franquista ocupó, entre otros, los cargos de procuradora en Cortes, presidenta de la Comisión de Trabajo de Protección del Medio Ambiente, vicepresidenta de la Comisión Interparlamentaria de las Cortes Españolas, vocal de la

Comisión del Plan de Desarrollo Económico y Social y alcaldesa de Bilbao. Fue presidenta fundadora de la Junta de Damas de la Asociación de la Lucha contra el Cáncer.

CARLO, Ivonne de. Actriz estadounidense de origen canadiense (Vancouver, 1924). Ha intervenido, entre otras, en las siguientes películas: *Scherezade*, *Casbah*, *Los diez mandamientos*, *La dama de la frontera*, *La pradera sangrienta*, *La esclava libre* y *La ley de los sin ley*. Pasó más tarde a la televisión, donde triunfó con su magnífico trabajo en la famosa serie *La familia Monster*.

CARLOTA AMALIA de México. Emperatriz de México (Laeken, 1840-castillo de Bouchot, cerca de Bruselas, 1927), hija del rey de Bélgica Leopoldo I. Casada con Maximiliano de Austria, luego emperador de México con el nombre de Maximiliano I, Carlota, tras la muerte de su marido, regresó a Europa con el juicio trastornado, y se recluyó en un castillo.

CARLOTA ISABEL de Baviera. V. **PALATINA, princesa.**

CARO MAILLÉN DE SOTO, Ana María. Dramaturga española (h. 1590-1650). Perteneciente al siglo de oro de las letras españolas y amiga de M. de Zayas*, Caro Maillén escribió varias piezas teatrales de importancia, entre las que destaca *El conde Partinuplés*.

CAROLINA de Brunswick-Wolfenbüttel. Reina de Inglaterra (Brunswick, 1768-Londres, 1821). Hija de Guillermo de Brunswick, se casó con el príncipe de Gales (1795), que pronto se separó de ella y la expulsó de la corte. Cuando su marido accedió al trono como Jorge IV, se negó a reconocerla como reina, pero ella desembarcó en Londres, donde fue aclamada triunfalmente, muriendo al poco tiempo.

CAROLINA GUILLERMINA de Brandeburgo-Asbach. Reina de Inglaterra (Ansbach, 1683-Londres, 1737). Se casó en 1705 con Jorge Augusto, príncipe de Gales, al que apoyó en sus disputas contra su padre Jorge I. Cuando accedió al trono, ayudó a Walpole a hacerse con el poder y contribuyó a la renovación de la Iglesia anglicana, con el nombramiento de obispos liberales y cultos.

CAROLINA MATILDE. Reina de Dinamarca (Londres, 1751-Celle, Hannover, 1775). Hermana de Jorge III de Inglaterra, se casó con su primo Cristián VII, rey de Dinamarca, que al poco tiempo perdió la razón, a causa de su vida desordenada. Dejó un hijo, que fue después Federico VI.

CARRIERA, Rosalba. Pintora italiana (Venecia, 1675-íd., 1757). Pintó numerosos retratos, entre otros el de *Luis XV* y los de las princesas *Benita Ernestina*, *Amalia Josefa* y *Enriqueta Ana Sofía d'Este*. Fue nombrada académica en París.

CARRILLO, Mary. Actriz de cine y teatro española (Toledo, 1919). Comenzó su carrera profesional en la compañía de Hortensia Gelabert y posteriormente formó parte del elenco de las compañías de Pepita Díaz, María Guerrero* y José Tamayo. Al estallar la guerra civil se radicó en México y de regreso en España debutó en el cine español como protagonista de *Marianela* (premio en el Festival de Venecia), película que la convirtió en una de las actrices más importantes de su generación. En 1948 formó su propia compañía de teatro y en 1958 volvió al cine con la película *El pisito*, de M. Ferreri (premio del C.E.C.). Carrillo, considerada una actriz sensible y brillante, a lo largo de toda su carrera ha simultaneado el teatro con el cine. Entre su última filmografía destaca *Gary Cooper, que estás en los cielos* (1980), *La colmena* (1982; premio del C.E.C.), *Entre tinieblas* (1983), *Los santos inocentes* (1984) y *Una mujer bajo la lluvia* (1992).

CARRINGTON, Leonora. Pintora mexicana de origen británico (Lancashire, 1917). Realizó estudios en Londres, Italia, Alemania y en Francia, donde tuvo como profesor a Max Ernst. En 1945, Carrington, centrada en temas de imaginería fantástica como la alquimia y la magia, construyó meticulosas y tensas superficies mediante capas de pinceladas menudas y cuidadosamente moduladas. Sus principales trabajos, de gran precisión y con un intenso primor ilustrativo, estuvieron más cercanos a la investigación científica que a la explosividad surrealista. Entre su obra destaca *Autorretrato* (1938), en el que refuerza el uso del espejo para afirmar la dualidad vital de ella como artista, de ser a un mismo tiempo observada y observadora.

CARSON, Rachel Louise. Bióloga y escritora estadounidense (Pennsylvania, 1907-Maryland, 1964). Cursó estudios en la Universidad John Hopkins, donde fue también profesora, y en 1936 trabajó como bióloga marina en el Fish and Wildlife Service. Carson intentó concienciar a la clase científica sobre la inminente destrucción del equilibrio ecológico y los peligros que esto suponía para la supervivencia humana. En 1951 su libro *The Sea Around Us* se convirtió en un auténtico best-seller, consolidando su popularidad con *Silent Spring* (1962). En 1963 fue elegida miembro de la Academia Nacional de Artes y Letras.

CARTAGENA, Teresa de. Una de las más antiguas escritoras en lengua castellana (h. 1420-1470). Procedente de una familia de judíos conversos y alumna de la Universidad de Salamanca, a Cartagena se le atribuyen las obras *Arboleda de los enfermos* (h. 1450) y *Admiraçión operum Dey*.

CARTER, Angela. Escritora inglesa (Eastbourne, 1940-Londres, 1992). Sus dos primeras novelas, *Shadow Dance* (1966) y *The Magic Toyshop* (1967), introducen los temas que caracterizarán la mayor parte de su obra: sexualidad, erotismo y pornografía. Durante los años 80 los libros de Carter se convirtieron en el eje de los debates ingleses sobre posmodernismo y feminismo pluralista. Entre sus publicaciones destacan los ensayos *La pasión de la nueva Eva* (1977), polémica interpretación de la androginia y los comportamientos sociosexuales, *La mujer sadiana* (1979), centrado en las conductas sadomasoquistas y en los códigos sexuales culturalmente aceptados, y *Nothing Sacred* (1984); sus novelas *Héroes y villanos* (1969), *Amar* (1971) y *Wise Children* (1991); y el guión de la película *En compañía de lobos* (1984).

CARTLAND, Barbara. Escritora inglesa (Worcestershire, 1904). Comenzó su carrera profesional como cronista social del periódico *Daily Express*. Considerada una de las mayores exponentes de la novela *rosa*, Cartland ha conseguido vender más de 390 millones de ejemplares de sus libros, ocupando el tercer puesto, tras K. Marx y A. Christie*, en traducciones mundiales. En su voluminosa obra destacan las novelas *Corazones en juego*, *La esclava inocente* y *Amor en las nubes*, y su polémico ensayo *Barbara Cartland's Book of Beauty and Health* (1971) en el que otorga a las mujeres un rol inferior dentro de la sociedad.

CARVAJAL Y MENDOZA, Luisa. Poeta mística española (Jaraicejo, 1566-Londres, 1614). Huérfana desde niña, cuidó de su educación un tío, y al morir éste fundó una casa de oración. Posteriormente, fundó en Lovaina un noviciado de misioneros y en Londres una casa religiosa, en la que murió. La mayor parte de sus poesías, llenas de un intenso fervor místico, se publicaron con el título de *Poesías espirituales de la Venerable doña Luisa de Carvajal y Mendoza. Muestras de su ingenio y de su espíritu* (Sevilla, 1885).

CARVAJAL Y SAAVEDRA, Mariana. Escritora española (Granada, 1620-Madrid, 1670). Fue una prolífica cultivadora del género novelístico, destacándose en su producción títulos como *El amante venturoso*, *Celos vengan* *desprecios*, *La industria vende desdenes* y *Amar sin saber a quién*.

CASANDRA. Princesa legendaria de Troya. Era hija de Príamo y Hécuba, amada por Apolo, que le concedió el don de profecía; al no consentir al dios, fue condenada a no ser nunca creída. Durante la guerra de Troya, no cesó de anunciar su caída, pero nadie le creyó. Una vez terminada la guerra, se refugió en el templo de Atenea, pero fue apresada por Ajax y hecha esclava de Agamenón, de quien tuvo mellizos. A su llegada a Micenas, fue asesinada por Clitemnestra.

CASARES, María. Actriz francesa de origen español (La Coruña, 1922). Hija del político Santiago Casares Quiroga, se exilió en Francia tras la guerra civil. Primer premio de Interpretación en el Festival internacional de Locarno (1948), ha hecho en Francia toda su carrera artística, pertenece a la Comédie Française y está considerada una de las mejores trágicas de dicho país. Ha participado en varios filmes, entre ellos, *Les enfants du Paradis* (1944), *La Chartreuse de Parme* (1947), *Orfeo* (1949), *Ombre et lumière* (1950), etc. En 1976 regresó a España para interpretar *El adefesio*, de Rafael Alberti.

CASAS, Borita. Escritora española (Madrid, 1911) cuyo nombre real es Liboria CasasReguero. Locutora de profesión, comenzó a trabar en Radio Nacional de España en Burgos, pasando más tarde a Radio Madrid. En esta emisora le fue encargada la realización de un programa infantil, para el que se le ocurrió crear el personaje de *Antoñita la fantástica* (1948), que alcanzó gran popularidad. Al contraer matrimonio, residió en México durante varios años, y a su regreso siguió colaborando en distintos programas femeninos e infantiles de Radio Nacional de España. Las aventuras de su personaje fueron publicadas en 12 volúmenes con títulos como *Antoñita la fantástica tiene mucho que contarnos*, *Antoñita la fantástica sigue creciendo*, *Antoñita la fantástica cumple diez años*, *Antoñita la fantástica en el País de la Fantasía*, *Antoñita la fantástica, aprendiz de mujer*, etc.

CASILDA, santa. Virgen cristiana mozárabe (m. Briviesca, h. 1050). Era hija de Aldemón, rey taifa de Toledo. Casilda visitaba y socorría a los cautivos cristianos, y se dice que, sorprendida por su padre, la comida que llevaba a los pobres se convirtió en flores. Quiso hacerse cristiana, a lo que se opuso su padre; pero, estando muy enferma, y por su amistad con Fernando I de Castilla, le consintió tomar los baños en el lago San Vicente (Briviesca), en donde sanó y se hizo cristiana;

levantó allí una ermita y aposento en que murió.

CASSAT, Mary. Pintora y grabadora estadounidense (Pittsburgh, 1845-Le Mesnil-Théribus, 1926). Realizó estudios en Italia, España, Holanda y en París, donde se radicó en 1870. Con un estilo muy personal, había estado exponiendo su obra en París durante más de diez años antes de unirse, introducida por Degas, al grupo de artistas impresionistas. Al igual que Berthe Morisot*, Cassat, aun siendo de clase alta, no tuvo acceso al abundante intercambio de ideas que sobre arte y pintura se realizaba entre artistas varones en los famosos estudios y cafés de la época. Su obra se centró fundamentalmente en el retrato de temas de la vida cotidiana y doméstica femeninas: el ganchillo, el bordado, el cuidado de los niños, las reuniones de amigas para tomar el té, etc. Entre sus cuadros destacan *Mujer y niño conduciendo un carruaje* (1879), posiblemente el único en la pintura francesa de finales del s. XIX en el que se representa a una mujer sujetando las riendas de un carruaje, *Una taza de té* (1880), *Mujer de luto en la Ópera* (1880), tema muy popular entre los impresionistas, y *Madre e hija* (c. 1905), donde establece una relación entre la mujer y el espejo.

CASTELLI, Anna. Arquitecta italiana (Milán, 1920). Colaboró con F. Albini e I. Gardella, y ha trabajado como redactora de la revista *Casabella*, y como corresponsal de *Architectural Digest*. Famosa por sus diseños de mobiliario en materiales plásticos de colores vivos, algunas de sus piezas han pasado a formar parte de la colección permanente del Museo de Arte Moderno de Nueva York.

CASTIGLIONE, La (Virginia Oldoini, condesa Verasis de Castiglione, llamada). Dama italiana (Florencia, 1837-París, 1899). Descendiente de una antigua familia toscana, en 1854 contrajo matrimonio con Francisco Verasis, conde de Castiglione, partidario de la causa de Víctor Manuel II, y adquirió rápidamente gran notoriedad en la sociedad turinesa, gracias a su belleza y al lujo extraordinario en el que vivía. Por consejo de Cavour, en 1856 se estableció en París, y se convirtió en una de las figuras que despertó más interés en la corte de Napoleón III, sobre el que ejerció una gran influencia. Su sentido político le permitió contribuir a la realización de la alianza franco-sarda. Sin embargo, en 1859, se enemistó con el emperador por su crítica sobre la convención de Villafranca y se retiró a Milán. Regresó a París en 1862 y abrió de nuevo su salón, en el que continuó recibiendo al mundo político; entre sus habituales se encontraba Thiers, así como el duque de Aumale, con el que abrazó la causa orleanista.

Fracasadas sus intrigas políticas, dedicó su tiempo a coleccionar un número no despreciable de amantes: el rey Víctor Manuel II, el duque de Chartres, el banquero Laffite y muchos otros.

CASTILLO Y GUEVARA, madre María Francisca Josefa del. Escritora religiosa colombiana (1671-1742). Profesó en el convento de clarisas de Tunja, donde hizo sus votos perpetuos en 1694, y fue abadesa y provincial de la orden en 1716, 1729 y 1738. Conocida como la «gran mística de las letras hispanoamericanas», su obra, publicada póstumamente, ha sido equiparada a la de santa Teresa de Jesús* y sor Juana Inés de la Cruz*. Entre sus títulos destacan *Sentimientos espirituales* y *Tres jornadas del cielo*.

CASTRO, Estrellita. Tonadillera, bailarina y actriz española (Sevilla, 1912-Madrid, 1983). Empezó su carrera artística como cupletista y obtuvo gran éxito con canciones de corte popular que le abrieron las puertas del cine, protagonizando una serie de películas de tema folclórico y patriótico principalmente durante la posguerra española: *Rosario la cortijera* (1935), *Suspiros de España* (1939), *Mariquilla Terremoto* (1940), *Torbellino* (1941) y *La maja del capote* (1944). Toda su actividad cinematográfica fue simultaneada con un intenso trabajo en la escena.

CASTRO, Guiomar. Cortesana portuguesa en la corte de Castilla (s. XV). Llegó a Castilla en 1455 como dama de compañía de Juana* de Portugal, segunda esposa de Enrique IV, y pronto se convirtió en la favorita del rey. En torno a ella se reunió un grupo nobiliario encabezado por el arzobispo de Toledo, Fonseca, contrario a las acciones de los sucesivos validos. Enrique IV la separó de la corte, pero siguió en relación con ella. En 1465 se casó con el conde de Treviño.

CASTRO, Inés. V. **INÉS de Castro.**

CASTRO, Juana de. Cortesana castellana (m. Dueñas, 1374). Esposa ilegítima de Pedro I de Castilla, éste se casó con ella, a pesar de vivir aún Blanca* de Borbón y María de Padilla*. Abandonada a los pocos días de su matrimonio, se retiró a Dueñas, donde vivió, desde entonces, usando el título de reina.

CASTRO, Rosalía de. Escritora española en lenguas gallega y castellana (Santiago de Compostela, 1837-Padrón, 1885). Considerada una de las principales figuras literarias del s. XIX español, su obra, marcadamente romántica, se caracteriza por la expresión sencilla, por un fuerte carácter simbólico y por el tratamiento de varios temas fundamentales: la denuncia social, la nostalgia por la tierra gallega, el

Rosalía de Castro

descontento vital y los amores degraciados. Entre sus libros en castellano destacan los poemas recogidos en *La flor* (1857) y *En las orillas del Sar* (1884), ambos de tono confesional e intimista; y las novelas *La hija del mar* (1859), en la que exalta la condición femenina, y *Flavio* (1867). En lengua gallega publicó los libros de versos *Cantares gallegos* (1863), considerado su obra cumbre y pionero del renacimiento de las letras gallegas, y *Follas novas* (1880).

CATALÀ, Víctor. Seudónimo de la escritora española en lengua catalana Caterina Albert i Paradís (Gerona, 1869-íd., 1966). De formación autodidacta, su obra literaria, enmarcada dentro de la narrativa naturalista, se distingue por el tono pesimista y crudo con el que describe la vida campesina catalana, así como por el retrato psicológico de sus personajes. Entre sus obras destacan *Quatre monòlegs* (1898), *Drames rurals* (1902), y, sobre todo, su novela *Solitud* (1905), considerada su obra más importante y en la que narra con dureza las experiencias de una mujer que intenta sobreponerse al aislamiento de la vida en la montaña.

CATALANI, Angelica. Soprano italiana (Sinigaglia, 1780-París, 1849). Niña prodigio, debutó en Venecia a los diecisiete años con *La Lodoiska* de Mayr. Poco después cantaba en Trieste *Los Horacios y los Curiacios* de Cimarosa y en la Scala *Clytemnestra*, del mismo autor. Tras realizar una gira por toda Europa, se casó en 1804 con Paul Valebrègue, que se convertiría en su empresario. Fue la voz más bella de su tiempo, aunque una actriz mediocre, y fue la primera de las divas románticas. Murió de cólera en París y fue enterrada en Pisa.

CATALINA de Alejandría, santa. Filósofa y mártir cristiana egipcia (m. Alejandría, 307). Dotada de un extraordinario talento filosófico, fue condenada a ser destrozada por una rueda, pero se cuenta que ésta se rompió a su contacto; decapitada al fin, su cuerpo reposa en la cima del

Sinaí, según la tradición piadosa. Es patrona de los filosófos.

CATALINA de Aragón. Reina de Inglaterra (Alcalá de Henares, 1485-Kimbolton, 1536). Hija menor de los Reyes Católicos, en 1501 se casó con Arturo, Príncipe de Gales (1501), y al quedar viuda, a los pocos meses, continuó en Inglaterra; contrajo nuevas nupcias, previa licencia del papa Julio II, con su cuñado Enrique VIII. Al no darle heredero, éste quiso divorciarse de ella, y, al declarar la validez del matrimonio el papa Clemente VII, en 1534, se produjo el cisma de Inglaterra. Fue madre de la reina María I* Tudor, y vivió sus últimos años confinada, muriendo, al parecer, envenenada por orden del rey. Su vida está relacionada con la implantación de la Reforma religiosa y ha sido objeto de las más contrapuestas y violentas apreciaciones.

Catalina de Aragón

CATALINA de Austria. Reina de Portugal (1507-1578). Infanta de España, hermana de Carlos I, era hija de Felipe el Hermoso y Juana* la Loca. Se casó con Juan III de Portugal en 1525, y, al morir éste, quedó como regente del reino en nombre de su nieto don Sebastián.

CATALINA de Bolonia, santa. Religiosa y pintora italiana (Bolonia, 1413-íd., 1463). Profesó en el convento de clarisas de Bolonia, donde se dedicó a la pintura. La tradición cuenta que sus miniaturas devolvían la salud a los enfermos. Fue canonizada por el papa Clemente XI, en 1712.

CATALINA de Borbón. Princesa de Navarra (París, 1558-Nancy, 1604). Hermana de Enrique IV, era protestante y se convirtió al catolicismo después de la noche de San Bartolomé; pero en 1576 volvió a sus antiguas creencias y se casó con el duque de Bar.

CATALINA de Braganza. Reina de Inglaterra y regente de Portugal (Vila Viçosa, 1638-Lisboa, 1705). Infanta de Portugal, hija de Juan IV, se casó en 1663 con el rey de Inglaterra Carlos II; pero, abandonada por su esposo, regresó a Portugal y llevó la regencia del reino durante la enfermedad de su hermano Pedro II.

CATALINA de Génova, santa. Mística y escritora italiana (Génova, 1447-íd., 1510). Era hija de Giacomo Fieschi, virrey de Nápoles, y al enviudar dedicó su vida al cuidado de enfermos en los hospitales de Génova. Tuvo numerosas visiones y escribió varias obras, entre ellas *Diálogo* y *Tratado del Purgatorio*.

CATALINA de Lancaster. Reina de Castilla (Bayona, 1374-Valladolid, 1418). Hija del duque de Lancaster y nieta de Pedro I de Castilla, se casó con Enrique III, y ambos recibieron el título de príncipes de Asturias. A la muerte de su esposo (1406), fue designada corregente, como tutora de su hijo Juan II, junto con su cuñado Fernando de Antequera, con el que mantuvo unas tirantes relaciones.

CATALINA de Médicis. Reina de Francia (Florencia, 1519-Blois, 1589). Hija de Lorenzo II de Médicis, duque de Urbino, se casó en 1533 con Enrique, hijo segundo de Francisco I de Francia, el cual subió al trono en 1547, con el nombre de Enrique II. A la muerte de su esposo fue regente del reino, realizando una política de contención con España. Parece ser que incitó a su hijo Carlos IX a la matanza de la noche de San Bartolomé.

CATALINA de Ricci, santa. Religiosa y escritora epistolar italiana (Florencia, 1535-Prato, 1590). Fue abadesa del monasterio de Prato y mantuvo una correspondencia epistolar continua con san Felipe Neri.

CATALINA de Siena, santa. Religiosa, escritora y política italiana (Siena, 1347-Roma, 1380). Entró en la Orden Terciaria de Santo Domingo y se distinguió por su talento y religiosidad, llegando a un gran misticismo, con sus desposorios y estigmas. A partir de 1374 intervino ante el papa Gregorio XI en Aviñón para que fuese restituida la sede romana. Representó en Francia a los papas Gregorio XI y Urbano VI, cuando en 1376 se produjo el Gran Cisma de Occidente, interviniendo ante muchas ciudades italianas para lograr su obediencia al papa romano. Entre sus obras destacan *De la doctrina divina*, *Via Crucis* y su *Correspondencia*. En 1970, Pablo VI la proclamó doctora de la Iglesia.

CATALINA de Valois o de Francia. Reina consorte de Inglaterra (París, 1401-Bermondsey, 1438). Hija de Carlos VI de Francia y de Isabel de Baviera, se casó con Enrique V de Inglaterra y fue madre de Enrique VI. Viuda, se casó con sir Owen Tudor, y uno de sus nietos, Enrique Tudor, fue rey de Inglaterra.

CATALINA I de Courtenay. Emperatriz titular de Constantinopla (h. 1274-1307). Hija de Felipe I de Courtenay y de Beatriz de Anjou, se casó con su primo el conde de Valois, futuro Carlos I de Francia, al cual cedió los señoríos de Courtenay y de Blancon y sus derechos sobre el Imperio Latino de Constantinopla.

CATALINA I de Navarra. Reina de Navarra (1468-1517). De la familia de Foix, se casó con Juan de Albret en 1486. Coronada en Pamplona en 1494, fue excomulgada por el papa Julio II, quien cedió el reino a Fernando el Católico (1513), pasando la Navarra cispirenaica a formar parte de los dominios de España, asociada al trono de Castilla.

CATALINA I de Rusia. Emperatriz de Rusia (Jakobstadt, 1684-San Petersburgo, 1727). Campesina de origen polaco, fue la segunda esposa de Pedro el Grande, quien la coronó en 1724 y la hizo cercana colaboradora. A la muerte de su marido se la proclamó heredera, como indicaba el testamento de Pedro, pero tuvo que luchar contra la oposición de la clerecía, los boyardos y el pueblo sublevado en favor de Pedro Alexevich. Prosiguió la obra de su marido apoyada por la nueva nobleza y, especialmente, por Menchikov.

CATALINA II de Courtenay y Valois. Emperatriz de Constantinopla (1301-Nápoles, 1346). Hija del conde de Valois, en 1313 se casó con el príncipe de Tarento, que después fue emperador de Constantinopla con el título de Felipe II.

CATALINA II de Rusia, la Grande. Emperatriz de Rusia, (Stettin, 1729-San Petersburgo, 1796). Esposa del zar Pedro III, una revolución destronó al emperador, que abdicó en 1762, y proclamó emperatriz a Catalina. Ésta continuó la política de Pedro el Grande y protegió las letras y las artes: fue una soberana ilustrada —recibiendo los elogios de

Catalina II *la Grande* de Rusia

Panín, Grimm y Diderot— autocrática en la práctica. Nunca se dejó dominar por sus amantes y se convirtió en la personificación del espíritu nacional ruso. En el exterior, intervino en la sucesión polaca (con la imposición de Ladislao Poniatowski en 1764) y en los dos repartos de este reino (1793 y 1795), anuló la autonomía de Ucrania (1764), luchó contra lituanos (1772) y turcos (1774 y 1787), y estuvo en todos los foros internacionales. Reformó administrativamente todo el Estado ruso, publicando el primer compendio legislativo. Sostuvo correspondencia con Voltaire y otros intelectuales de la época, alcanzando una gran perfección en el género epistolar. Escribió varias obras teatrales, de finalidad satírica y didáctica, entre ellas *El embustero* (1785) y *El charlatán de Siberia* (1786). Fue además la fundadora del famoso periódico *Cualquier Tontería,* en el que polemizó con los adversarios del absolutismo.

CATALINA MICAELA. Infanta española, hija de Felipe II e Isabel de Valois y hermana de Isabel Clara Eugenia (Madrid, 1567-Turín, 1597). Llamada Catalina por su abuela, Catalina de Médicis, quedó huérfana al año de edad, permaneciendo ambas hermanas al cuidado de su tía Juana de Austria en las Descalzas Reales de Madrid, lugar donde las retrató Sánchez Coello (1575, Prado). Preferida de su padre, era mujer de gran belleza. En 1585 casó en Zaragoza con Carlos Manuel, duque de Saboya, sobre el que ejercería una notable influencia. Entre sus diez hijos hay que destacar a Víctor Amadeo I, futuro duque. Catalina murió de sobreparto.

CATHER, Willa. Novelista estadounidense (Virginia, 1876-Nueva York, 1947). Comenzó su carrera profesional como periodista, pero tras el éxito de su primera novela *El puente de Alejandro* (1912) se dedicó de lleno a la literatura. En *Los colonos* (1913) y *My Antonia* (1918), Cather describe las angustias y penalidades que padecieron miles de emigrantes al intentar establecerse en tierras estadounidenses y la valiosa participación que tuvieron las mujeres durante este período, tema que retoma en su colección de relatos *Uno de los nuestros* (1922; premio Pulitzer) y en la novela *La muerte llega al arzobispo* (1927). En su obra destacan además los ensayos recogidos en *No antes de los cuarenta años* (1936), y sus novelas *Sombras en la roca* (1931), basada en su tardía conversión al catolicismo, y *Safira y la joven esclava* (1940), en la que describe las relaciones entre las mujeres anglo y afroamericanas.

CAVANI, Liliana. Directora de cine italiana (Capri, 1937). Estudió filología clásica y lingüística en la Universidad de Bolonia y se diplomó en dirección en el Centro Sperimentale di Cinematografia de Roma en 1961. De 1962 a 1965 realizó para la RAI una serie de programas de carácter histórico documental que tuvieron mucha acogida entre el público y la crítica. Con la película *Portero de noche* (1977) logró alcanzar renombre internacional. Entre su filmografía destacan además *Mas allá del bien y del mal* (1977), *La piel* (1981) y *Berlín interior* (1985).

CAYLUS, madame de (Marthe Marguerite Valois de Villette de Murçay). Escritora francesa de memorias (Murçay, 1673-París, 1729). Nacida en una familia de calvinistas, a los siete años es puesta bajo la custodia de su tía, la marquesa de Maintenon*, quien la obliga a convertirse al catolicismo. A los 13 años se casa con el marqués de Caylus, y tras ser desterrado éste a Flandes por su escandalosa conducta, Mme. de Caylus se establece en la corte de Versalles, donde su fama llegó a conseguir que Racine le dedicara el prólogo de su obra *Esther*. Su estrecha relación con el mariscal de Villeroy la obligó a abandonar la corte, regresando a ésta en 1707. A la muerte de Luis XIV se estableció definitivamente en los jardines de Luxemburgo (París), donde redacta su libro de memorias *Les souvenirs de Madame Caylus*, publicado por Voltaire en 1770, y considerado uno de los mejores documentos de la época.

CECILIA, santa. Dama romana (m. Roma, 232). Casada contra su voluntad con un joven pagano, de nombre Valerio, consiguió que éste respetara su virginidad y logró convertirlo al cristianismo. Su marido recibió pronto el martirio y ella murió tras tres días de agonía debido a los hachazos del verdugo, que la intentó decapitar. Es patrona de los músicos y de los ciegos.

CECILIA METELA. Dama romana (s. II a. C.). Era hija del cónsul Lucio Cecilio Metelo Delmático y viuda de Marco Emilio Escauro. Se casó con Sila y éste quedó ligado a su fortuna. Influyó mucho en la política de su marido, que llegó incluso a castigar a los atenienses por haber publicado algunos epigramas en contra de su esposa.

CENCI, Beatrice. Criminal italiana (Roma, 1577-íd., 1599). De una ilustre familia, su padre Francesco Cenci violó a su hija ante los ojos de su segunda esposa, Lucrezia Petroni. Como venganza, Beatrice, con la ayuda de sus hermanos Giacomo y Bernardo y la complicidad de su madrastra, asesinó a su padre. Condenados, Beatrice apeló ante Clemente VII, pero fueron todos ejecutados. Su historia ha dado lugar a varias recreaciones literarias (Shelley, Stendhal, etc.). Se conserva además un retrato de «la bella parricida», como fue llamada Cenci, atribuido a Guido Reni.

CEO o DEL CIELO, sor Maria do. Poeta española de origen portugués (Lisboa, 1658-¿?). Monja desde los 18 años, Ceo alcanzó renombre como poeta y como autora de las cinco piezas teatrales recogidas en *Triunfo do Rosario*, publicadas póstumamente (1740) bajo el seudónimo de sor María Clemencia.

CERVERA, Carmen o Tita. V. **THYSSEN-BORNEMISZA, baronesa von.**

CETURA. Mujer de la Biblia (s. XX a. C.). Fue una de las mujeres de Abraham, de quien tuvo a Madián, epónimo de los madianitas. Aparece mencionada en *Génesis* 25, 1.

CHACEL, Rosa. Escritora española (Valladolid, 1898). Estudió en la escuela de bellas artes de San Fernando (Madrid) y fue discípula de Ortega y Gasset, vinculándose posteriormente a la *Revista de Occidente.* La objetividad de *Estación de ida y vuelta* (1930), su primera novela, anticipó los postulados del *nouveau roman.* Su obra novelística, de gran calidad estética e influida por Proust y Joyce, se caracteriza por el multiperspectivismo psicológico: *Memorias de Leticia Valle* (1945), *La sinrazón* (1960; premio de la Crítica), considerada su obra más importante, *Barrio de Maravillas* (1976) y *Acrópolis* (1984), las dos últimas basadas en material autobiográfico. Es autora además de numerosos ensayos y de varios libros de poemas (*A la orilla de un pozo*, 1985). Tras la guerra civil, se trasladó a Brasil, donde residió hasta 1985, y en 1987 recibió el premio Nacional de las Letras Españolas.

CHAMORRO, Violeta Barrios de. Política nicaragüense (n. 1929). Colaboró con el sandinismo en su primera etapa, convirtiéndose luego en una de

Rosa Chacel

Violeta Chamorro

sus principales opositoras. Chamorro fue candidata presidencial por la *Unión Nacional Opositora*, conglomerado de grupos políticos de muy diversa tendencia, y resultó vencedora en las elecciones presidenciales de 1990.

CHAMBERLAINE, Lyndy. Víctima australiana (n. 1948). En 1980 Chamberlaine vio cómo un perro salvaje se llevaba a su hijo de 9 meses en la boca y desaparecía en el campo. La muerte de su hijo consternó en un principio a la opinión pública. En 1982, acusada de haber degollado a su hijo, fue condenada a cadena perpetua. Tras 7 largos años de litigio, logró ser exonerada de los cargos, convirtiéndose en una de las más populares víctimas de la injusticia social y judicial. Su polémico caso sirvió de inspiración al filme *Un grito en la oscuridad* (1988), en el que la actriz Meryl Streep* dio vida al personaje de Chamberlaine.

CHAMPOURCÍN, Ernestina de. Poeta española (Vitoria, 1905). En 1939 se exilió en México junto al poeta y crítico J. Domènech. A su primera etapa poética pertenecen *En silencio...* (1926) y *Cántico inútil* (1936). Tras un largo silencio publicó en 1952 *Presencia a oscuras*, *Cartas cerradas* (1968), *La pared transparente* (1984), y el ensayo *La ardilla y la rosa* (1981).

Coco Chanel

CHANEL, Coco (Gabrielle Bonheur, llamada). Modista francesa (Saumur, 1883-París, 1971). Su carrera como modista se inició con la creación de sombreros en 1914, pero lo que la hizo ganar prestigio internacional fue el lanzamiento en Deauville de una atrevida combinación compuesta por un jersey de hombre, una falda plisada y un pañuelo atado a la cintura. Chanel creó una línea *chic* de extrema sencillez y comodidad entre la que destacan el traje negro, los vestidos de género de punto, la falda plisada corta, las joyas de fantasía, la chaqueta holgada y los zapatos de dos colores, que fue adoptada a mediados de los años veinte en todo el mundo. El perfume *Chanel N.° 5* lleva la huella de esta gran creadora de la moda.

CHANTAL, madame. V. **JUANA FRANCISCA Fremyot de Chantal, santa.**

CHAPLIN, Geraldine. Actriz de cine estadounidense (Hollywood, 1944). Hija de Charles Chaplin, entre los filmes en los que ha intervenido figuran *Candilejas* (1952), *Doctor Zhivago* (1965), *Peppermint frappé* y *Stress es tres... tres* (1967), *La madriguera* (1969), *Ana y los lobos* (1972), *Cría cuervos* (1976), *Elisa, vida mía* (1977), *Remember my name* (1978), *Mamá cumple cien años* (1979), *L'amour par terre* (1984), *Los modernos* (1987) y *Chaplin* (1992), una biografía cinematográfica de su padre. Fue durante muchos años la musa del director español Carlos Saura.

CHARISE, Cyd (Tula Ellice Finklea, llamada). Bailarina y actriz cinematográfica estadounidense (Texas, 1923). Estudió danza y en 1939 debutó en los Ballets Rusos, con quienes interpretó, entre otros, *Las bodas de Aurora* y *El hijo pródigo* (versión de D. Lichin). En 1943, contratada por Hollywood, se convirtió en una de las estrellas del cine musical. Charise, habitual pareja artística de Gene Kelly y Fred Astaire, en 1952 se consagró internacionalmente con la película *Cantando bajo la lluvia,* de S. Donen y G. Kelly. Entre su filmografía destacan además *Brigadoon* (1954; V. Minnelli), *Siempre hace buen tiempo* (1955; S. Donen y G. Kelly), *La bella de Moscú* (1957; R. Mamoulian) y *Dos semanas en otra ciudad* (1962; V. Minnelli).

CHARLES, Mary Eugenia. Política de La Dominica (Pointe Michel, 1919). Líder del Partido Democrático de la Libertad, desde 1980 ocupa el cargo de primera ministra, convirtiéndose en la primera mujer que logra obtener un cargo de esta magnitud en la zona del Caribe.

CHARLES-ROUX, Edmonde. Periodista y escritora francesa (Neuilly-sur-Seine, 1920). Participó en la creación de la revista *Elle* (1947-1949) antes de convertirse en redactora jefa de la edición francesa de *Vogue* (1950-1966). En 1966 ganó el premio Goncourt por su primera novela *Oublier Palerme*, influida por la obra de Lampedusa. Ha escrito *Elle Adrienne* (1961), *L'irrégulière* (1974), *Un desir d'Orient* y *La jeunesse d'Isabelle Eberhardt* (1989). Es miembro de la Academia Goncourt desde 1983.

CHASE, Lucia. Bailarina, coreógrafa y directora de baile estadounidense (Waterbury, 1907-Nueva York, 1986). Debutó como bailarina en 1938 en *Giselle* y la *Bella durmiente* para los ballets de Mordkin, y posteriormente trabajó con artistas de la talla de M. Fokine, A. Tudor,

A. Vilzak, B. Nijinsky, Balanchine y A. De Mille. En 1940, cofundó con O. Smith el Ballet Theatre que pasó a llamarse en 1957 American Ballet Theatre, una de las mejores compañías de ballet clásico y contemporáneo del mundo. Entre sus interpretaciones destacan *Elegy*, *Pillar of Fire*, de Tudor, y *Petrouchka*, de Fokine. En 1960 se retiró como bailarina para dedicarse exclusivamente a la dirección del A.B.T. para el que contrató a N. Makarova*, B. Goudonov y M. Baryshnikov, quien posteriormente ocuparía su lugar. En 1968 obtuvo el Capezio Award y en 1975 la medalla Handel.

CHÂTEAUROUX, duquesa de (Marie Anne de Mailly-Nesle). Cortesana francesa (París, 1717-íd., 1744). Era la cuarta hija del marqués de Nesle, habiendo sido sus hermanas, una tras otra, amantes de Luis XV. Al enviudar éste, consiguió el rango de amante declarada del rey (1742) así como el título de duquesa de Châteauroux y una excelente renta. Nombrada dama de palacio, se propuso ser la conciencia de Luis XV, de quien quiso hacer un gran monarca.

CHÂTELET, marquesa du (Émilie Le Tonnelier de Breuil). Escritora y filósofa francesa (París, 1706-Lunéville, 1749). En 1733 abandonó la corte parisina y a su marido, el marqués de Châtelet, para huir con Voltaire, con quien vivió más de quince años. Es autora de un *Tratado sobre la felicidad*, *Instituciones de física* (1740) y una traducción al francés de *Los Principios de Newton* (1756), precedida de un elogio de Voltaire.

CHAUVET, Marie. Escritora haitiana (1916-1973). Considerada una de las principales representantes de la narrativa haitiana contemporánea y exponente de la escuela indigenista, Chauvet explora en sus novelas la fragmentación interna y externa que padece la mujer haitiana, provocada por el violento clima sociopolítico de esta isla caribeña: *Fille d'Haïti* (1954), *Amour* (1968) y *Les Rapaces* (1968), publicada bajo su nombre de soltera, Marie Vieux.

CHEDID, Andrée. Escritora egipcia en lengua francesa (El Cairo, 1942). De familia libanesa, Chedid realizó estudios en El Cairo, y desde 1946 reside en París. Su obra se ha centrado fundamentalmente en la recreación del pasado y el presente egipcio y libanés, explorando temas como la guerra, la violencia doméstica y la muerte. Es autora de una voluminosa obra poética, entre la que destacan *Fraternité de la Parole* y *Cérémonial de la Violence*, así como de varias piezas teatrales y de la novela *La Maison sans Racines* (1985). En 1975 le fue concedido el Gran

Premio de la Academia Belga, y en 1978 el premio Goncourt por su libro de relatos *Le Corps et Le Temps*.

CHÉRON, Élisabeth-Sophie. Pintora y poeta francesa (París, 1648-íd., 1711). De familia de artistas, recibió las primeras lecciones de pintura de su padre. Gran aficionada al saber, tocaba el laúd y el clavecín, rimaba y traducía hebreo. Su actividad más relevante fue la pintura y entre sus obras destacan su *Autorretrato* (Versalles), el retrato de *Mme. Deshoulières* y las de género histórico. En 1707 publicó una serie de grabados sobre diseños de Rafael, titulada *Libro de dibujos*. Como poeta, fue admitida en la Academia de Padua (1699), donde se conservan sus *Salmos y canciones puestas en verso* (1694) y *Las cerezas caídas* (1717), poema heroico.

CHIBURDANIDZE, Maia. Ajedrecista soviética (Georgia, 1961). Marcó un récord en la historia del ajedrez al conseguir con sólo 13 años de edad la categoría de *maestra* internacional. En 1973 ganó el campeonato de la URSS, y en 1978 se proclamó campeona del mundo, título que mantuvo hasta 1990.

CHICAGO, Judy. Pintora, escultora y ceramista estadounidense (Chicago, 1939) cuyo nombre real es Judy Cohen. Estudió en la Universidad de Columbia (Los Ángeles). Su obra evolucionó desde abstracciones geométricas hacia obras relacionadas con el cuerpo femenino, en las que predominan formas centrales y abiertas. Su foco central, al igual que el de Miriam Schapiro*, es afirmar la «otredad» de la mujer. En 1979 se hizo famosa con *Dinner Party* (1974), pieza en la que estuvo trabajando más de cinco años, junto con numerosos artesanos y artistas. Su segunda obra fue *Alumbramiento*, pieza de tejidos que simboliza el parto y que fue ejecutada por un grupo de bordadoras, según sus propios diseños. Chicago organizó el primer curso feminista de arte en la California State College de Fresno y posteriormente, junto con Schapiro, fundó el Instituto Californiano de las Artes, reservado a mujeres artistas, y en 1972 el museo *Woman House*, con la finalidad de reunir obras de mujeres.

CHINCHÓN, condesa de (Francisca de Rivera Enríquez). Dama española (s. XVII). Segunda esposa de Luis Jerónimo Fernández de Cabrera y Bobadilla, cuarto conde de Chinchón y virrey de Perú (1629), quien, atacada por una fiebre persistente, se decidió a usar un remedio conocido hasta entonces únicamente por los indios, la corteza del árbol de la quina, que la curó, y desde entonces se convirtió en su más activa propagandista. Cuando los condes de Chin-

La condesa de Chinchón, por Francisco de Goya

chón regresaron a España, encargaron el reparto de la quina a los jesuitas, quienes la mandaron a Roma y poco después se extendió su uso por Europa. Linneo dio luego el nombre de chinchona, en honor suyo, al género a que pertenecen los árboles de la quina.

CHINCHÓN, condesa de (María Teresa de Borbón). Dama española (1799-1828). Era hija de Luis Antonio de Borbón, primero arzobispo de Toledo y luego secularizado como conde de Chinchón, de quien heredó el título. Por orden de Carlos IV y de la reina María Luisa* de Parma se casó con Manuel Godoy, pero éste, después de haber logrado su propósito (emparentar con la familia real), la relegó en favor de Pepita Tudó*. Esto la salvó de los odios populares que cayeron sobre su marido. La condesa no siguió a su marido al exilio, convirtiéndose en una importante protectora de escritores y artistas, entre ellos F. de Goya, quien la inmortalizó en un famoso retrato.

CHRISTIE, Agatha. Novelista británica (Torquay, 1891-Wali lingford, 1976). Considerada una de las más famosas cultivadoras de la novela policiaca, su copiosa obra se ambienta generalmente en el período que antecede a la primera guerra mundial y está poblada de personajes emblemáticos como el detective Hercules Poirot y la astuta Miss Marple. Entre su producción

Agatha Christie

destacan *Asesinato en el Orient Express* (1934) y *Muerte en el Nilo*, llevadas posteriormente al cine; y su obra teatral *La ratonera* (1952), que se mantuvo en la cartelera londinense por más de veinte años. Publicó varias novelas psicológicas escondida tras el seudónimo de Mary Westmacott. En 1971 recibió el título de Dama del Imperio Británico.

CHRISTINE DE PISAN. Escritora francesa de origen italiano (Venecia, 1364-Seine-et-Oise, h. 1431). Considerada la primera mujer profesionalmente intelectual, sus escritos se centraron en temas políticos que abordaban la ética social del Estado: paz civil, instrucción, bienestar, religión e igualdad jurídica. Fue discípula de Eustaquio Deschamps, y su obra poética, escrita entre 1390 y 1400, está constituida por baladas, epístolas y debates. Sus obras en prosa, escritas entre 1400 y 1410, son fundamentalmente opúsculos políticos. En *La Cité des dames* (1405), su obra más conocida, defendió los derechos de la mujer, oponiéndose enérgicamente a las tendencias misóginas de la época. Pisan, basándose en sus reflexiones sobre la naturaleza y la experiencia femeninas, propuso en este libro un Estado en donde la mujer fuera igual al hombre. Escribió también una obra histórica, *El libro de los hechos y costumbres de Carlos V*, y varios tratados didácticos al estilo de los antiguos.

CHÚNGARA, Domitila. Líder obrera y feminista boliviana (n. 1937). Chúngara, india de los Andes bolivianos, esposa de un minero y madre de siete hijos, ha puesto en evidencia la situación de explotación que sufre la clase obrera en las minas de su país. Sus testimonios orales han sido recopilados en *Si me permiten hablar... Domitila, una mujer de las minas de Bolivia* (1977) y *¡Aquí también Domitila!* (1985). En 1975 fue la única mujer de la clase trabajadora que participó en la Tribuna del Año Internacional de la Mujer, organizada en México por las Naciones Unidas.

CILLER, Tensu. Política turca (Estambul, 1946). Licenciada en Ciencias Económicas por la Universidad del Bósforo, se convirtió en la persona más joven en Turquía en acceder a una cátedra. Abandonó la docencia en 1989 para afiliarse al Partido de la Justa Vía (PJV). Durante los años 80 formó parte del equipo de asesores del presidente Demirel, quien en 1991 la nombró ministra de Economía. En 1993 fue elegida primera ministra de Turquía, país de aplastante mayoría musulmana.

CINTRÓN, Conchita. Rejoneadora peruana de origen chileno (Antofagasta, 1922). En 1936 debutó en esta especialidad, y dos años más tarde se convirtió en torera. Conocida como «la Diosa de Oro», actuó en América Latina, Portugal y Francia, y de 1945 a 1950 en España, retirándose al año siguiente. Fue protagonista de la película *Maravilla del toreo*, y en 1962 publicó su autobiografía *Recuerdos*.

CIXOUS, Hélène. Teórica feminista francesa (Orán, 1938). Doctora y profesora de literatura inglesa en la Universidad de París, en 1974 fundó el Centre des Recherches et Études Féminines. Conocida por su teoría sobre *escritura femenina*, Cixous está considerada, junto a J. Kristeva* y L. Irigaray*, una de las figuras que más ha influido en la teoría y crítica feminista contemporánea y una de las principales representantes del «feminismo de la diferencia». De 1975 a 1977 elaboró una serie de escritos centrados en las relaciones entre mujer, feminidad y producción literaria, entre ellos, *La Jeune Née* (1975), *Le Sexe ou la Tête?* (1976), y, junto con C. Clément, *La mujer recién nacida* (1986). Es autora además de varias obras teatrales y novelas.

CLARA de Asís, santa. Religiosa italiana (Asís, 1193-íd., 1253). Fundó la Orden de las damas pobres o clarisas, rama femenina de los franciscanos. Perteneciente a una famila noble, huyó de su casa a los dieciocho años para ponerse bajo la direc-

Santa Clara de Asís

ción espiritual de san Francisco de Asís. Éste redactó para ella una *Forma de Vida*, base de la regla compuesta por santa Clara para su primer convento, San Damián, entre 1247 y 1252. Fue canonizada por Alejandro IV en 1255.

CLARAMUNT, Teresa. Política española (Sabadell, 1862-Barcelona, 1931). Considerada la primera mujer revolucionaria del siglo XIX español, a Claramunt se le recuerda por haber sido una de las militantes de mayor relieve del Movimiento Libertario Español y fundadora de un grupo anarquista de trabajadoras de la rama textil. A partir de 1886 destacó como oradora y organizadora sindical, siendo detenida y encarcelada en varias ocasiones, y posteriormente condenada al destierro. En 1901 fundó la revista *El Productor*, y en 1911 contrajo en la cárcel una parálisis que le impidió continuar su lucha obrera. En 1924 se le permitió regresar a Barcelona, y en 1929 habló por última vez en un mitin.

CLARK, Ligia. Pintora, escultora y artista conceptual brasileña (Belo Horizonte, 1920). Estudió pintura en Brasil, y en París fue alumna de Dabrinsky y de Léger. En 1959 funda el grupo *neoconcreto* en Río de Janeiro y entre 1959 y 1964 se dedica a la escultura con la serie *Animales*. Posteriormente trabaja el concepto del espectador en relación con su entorno en *Objetos para manipular* y *Diálogo de manos*. En 1971 se adscribe al arte conceptual, realizando obras en la calle y de participación del espectador. Ha participado en la Bienal de Brasil (1961 y 1963) y en la de Venecia (1960, 1962 y 1968), y sus obras están expuestas en los principales museos de Brasil y de Estados Unidos.

CLARY, Eugénie Bernardine Désirée. V. **DÉSIRÉE.**

CLAUDEL, Camile. Escultora francesa (Aïsne, 1864-Mondevergues, 1943). En 1883 entró en el estudio de A. Rodin como modelo y se convirtió en su amante y colaboradora, y posteriormente en artista por derecho propio. Entre los retratos que Rodin le hizo destacan *Aurora* (1885), *El pensamiento* (1886), *Adiós* (1892) y *Francia* (1904). En 1893 dejó el taller de Rodin para dedicarse de lleno a su obra, y fue a partir de entonces cuando realizó sus mejores esculturas (*La Valse*, *Clotho*, *La Vague*, *Les Causeuses*) que causaron sensación en la exposición del Salón (1895), sobre todo *L'Âge mur*, que representa su ruptura con Rodin. Desde *Persés et Gorgone* (1899), Claudel se limitó a comenzar obras que luego destruía y volvía a empezar. Comenzó a sufrir manías persecutorias que le llevaron a dirigir cartas groseras al inspector de Bellas Artes y al propio Rodin. En 1913 su hermano la ingresó en un manicomio donde permaneció internada por espacio de 30 años, muriendo en total soledad. Tras una retrospectiva de su obra celebrada en 1951, ésta comenzó a revalorizarse.

CLAUDIA de Francia. Reina de Francia (Romorantin, 1499-Blois, 1524). Hija de Luis XII, prometida primero del archiduque Carlos (después Carlos V), se casó luego con su primo hermano el duque de Angulema, que meses más tarde ocupó el trono de Francia con el nombre de Francisco I.

CLEOPATRA. Reina de Épiro (m. 309 a. C.). Hija de Filipo II de Macedonia y Olimpia*, se casó con Alejandro del Épiro. Enviudó pronto y se retiró a Sardes. Después de la muerte de su hermano Alejandro Magno, todos sus capitanes la pretendían para conseguir la corona. Cuando se había decidido por Pérdicas, Antígono la mandó asesinar.

CLEOPATRA I. Reina de Egipto (m. en 173 a. C.). Hija de Antíoco II Megas, se casó con Tolomeo V Epífanes en el 193 a. C., aportando la Celesiria como dote; enviudó en el 181 y después gobernó como tutora de su hijo Tolomeo Filométor, practicando una política no beligerante ante Roma y los seléucidas.

CLEOPATRA II. Reina de Egipto (m. h. 115 a. C.). Hija de Cleopatra I y de Tolomeo V, se casó con su hermano Tolomeo VI Filométor en el 173; en el 145 enviudó y casó con su otro hermano Tolomeo VII Evergetes II, pero, repudiada por éste, se retiró a la corte seléucida de Demetrio Nicátor. El pueblo se rebeló contra el faraón y a favor de la vuelta de la reina, por lo que en el 124 se reconcilió con su marido y regresó a Alejandría.

CLEOPATRA III Evergetis. Reina de Egipto (m. 101 a. C). Hermana de Cleopatra* Tea, se casó con su tío Tolomeo VII Evergetes II. Después de la muerte de su marido provocó una rebelión en Alejandría contra su hijo mayor Tolomeo Látiro, entregando el trono a su hijo menor Tolomeo X Alejandro. Fue asesinada por este último.

CLEOPATRA IV. Reina de Egipto (m. Antioquía, 116 a. C.). Hija de Cleopatra* III, se casó con su hermano Tolomeo IX Látiro, pero fue repudiada. Luego se casó con Antíoco IX Ciciceno, que luchaba con su hermano Antíoco VIII por el trono de Siria. Su hermana Cleopatra Trifena, esposa de Antíoco VIII, la mandó matar en el templo de Apolo de Antioquía.

CLEOPATRA Tea. Reina seléucida (m. h. 121 a. C.). Hija de Cleopatra* II de Egipto, se casó con el usurpador del trono sirio,

Alejandro Balas, y luego con Demetrio II Necátor. Éste, durante su cautiverio en Partia, se casó con la princesa Rodoguna. Cleopatra se vengó casándose con Antíoco VII, su cuñado, asesinando a su hijo Seleuco y asociando al trono a su otro hijo Antíoco VIII Grifos. Posteriormente intentó evenenar a su hijo Antíoco Grifos, pero éste la obligó a suicidarse.

CLEOPATRA V Selene. Reina de Egipto y de Siria (m. h. 69 a. C.). Hija de Cleopatra III, se casó, sucesivamente y por orden materna, con su hermano Tolomeo IX Látiro, con Antíoco VIII Grifos, con Antíoco IX Ciciceno y con Antíoco X Eusebio. Fue durante largo tiempo la representante legítima de los lágidas egipcios. Tigranes, rey de Armenia, al apoderarse de Siria la mandó matar.

CLEOPATRA VII. Reina de Egipto, la más famosa de su nombre (Alejandría, 69-íd., 30 a. C.). Hija mayor de Tolomeo XIII, le sucedió en el trono a los diecisiete años, en unión de su hermano Tolomeo XIV, de nueve, con el que contrajo matrimonio según costumbre del país. Por haber pretendido acaparar el poder, los nobles excitaron al pueblo contra ella, por lo que tuvo que abandonar el reino y refugiarse en Siria, donde reunió un ejército. Intervino César para poner paz entre ellos; pero des-

Cleopatra VII: *Cleopatra dándose muerte*, por Andrea Vaccaro

pués de hacerla su amante y madre de Cesarión, hubo de recurrir a las armas. Muerto Tolomeo XIV, la hizo reconocer reina absoluta de Egipto, pues si bien la casó con su otro hermano Tolomeo XV, de seis años, le alejó del poder, y al llegar a la mayoría de edad (catorce años), su esposa lo mandó encerrar. Muerto César, inspiró una loca pasión a Marco Antonio, del que tuvo tres hijos: Alejandro, Tolomeo y Cleopatra. Marco Antonio la hizo coronar en Alejandría como reina de reyes, confiriéndole, para que los compartiera con Cesarión, los tronos de Egipto y Chipre y dando a sus otros hijos las mejores provincias. Cuando, vencido por Octavio en la batalla de Accio, Marco se atravesó con su espada, Cleopatra se hizo picar por un áspid que le facilitaron en una cesta de flores.

CLÈVES o CLEVERIS, Marie. Cortesana francesa (París, 1553-íd., 1574). Era hija de Francisco I, duque de Nevers, y tuvo tal éxito por su belleza en la corte de Carlos IX que el duque de Anjou, futuro Enrique III, la hizo su amante. En 1572 se casó con su primo Enrique I de Condé, muriendo posteriormente de sobreparto.

CLICQUOT, Barbe Nicole. Empresaria francesa más conocida como la «Viuda de Clicquot» (Reims, 1755-íd., 1866). El matrimonio Clicquot poseía una gran extensión de viñedos que destinaban a la producción de vino blanco espumoso de Reims, y que comercialiazaban tanto en Francia como en el extranjero. En 1805, tras la muerte de su marido, B. Clicquot tomó la dirección de los negocios familiares y fundó una sociedad para la explotación y distribución del vino de la región de Champaña, que adquiriría posteriormente reputación internacional bajo la célebre denominación de *Viuda de Clicquot.*

CLINE, Patsy (Virginia Petterson Henley, llamada). Cantante *country* estadounidense (1932-1963). Es la primera mujer cantante de *country* que se abrió campo en el *pop* con *Walkin'After Midnight* y más tarde, en 1961, con el clásico *I Fall to Pieces.* A finales de 1961 tuvo un accidente de coche y posteriormente murió en un accidente de avión. Cline todavía es recordada por su voz clara y transparente, pero su vida y su muerte han sido utilizadas para *marketing.*

CLINTON, Hillary Rodham. Abogada y política estadounidense (Chicago, 1947). Estudió derecho en la Universidad de Yale y por sus brillantes cualidades políticas y profesionales ha sido considerada una de las mejores abogadas del país. Figura clave en la campaña electoral demócrata (1992), tras el triunfo presidencial de su marido Bill Clinton, H. Rodham ha roto con el arquetipo tradicional asignado a las primeras damas de EE.UU., convirtiéndose en una líder de gran fuerza y vitalidad en la que se ven representados diversos sectores de la sociedad estadounidense actual, en especial, las mujeres. En 1993 fue nombrada directora de la reforma sanitaria de EE.UU.

Hillary Clinton con su esposo Bill

CLOTILDE, santa. Reina de los francos (¿?, 475-Tours, 545). Princesa burgundia católica, se casó con el rey Clodoveo I, consiguiendo que éste se bautizara católico en el año 500. Esto supuso una aceleración de la conversión de los francos al catolicismo. A la muerte de su marido se retiró a un monasterio de Tours.

COLBERT, Claudette (Lily Cauchoin, llamada). Actriz estadounidense de origen francés (París, 1905). En 1910 emigró a Estados Unidos y en 1923 debutó en el teatro interpretando a Sibyl Blake en *Wild Westcotts,* pero no fue hasta 1928, con su actuación en *Dynamo* (1928), de E. O'Neill, cuando alcanzó el éxito. En 1929 debutó en el cine, convirtiéndose en una popular intérprete de comedias y en 1934 fue galardonada con el Oscar por su interpretación en la película de F. Capra, *Sucedió una noche.* En los años cincuenta trabajó en el cine y el teatro europeos y a su regreso a EE.UU. actuó principalmente en teatro y televisión. Entre su filmografía destacan *El teniente seductor* (1931; E. Lubitsch), *El signo de la cruz* (1932; C. B. De Mille), *Cleopatra* (1934; C. B. De Mille), *Tempestad en la cumbre* (1951; D. Sirk), *Zaza* (1959; G. Cukor) y *Parrish* (1961; D. Daves).

COLBRÁN, Isabel (Ángela Colbrán, llamada). Soprano española (Madrid, 1785-Castenaso, Bolonia, 1845). Estudió en Madrid con Pareja y en Nápoles con Marinelli y el gran Crescentini. Debutó en París en 1801 y en Madrid en 1806. En Italia fue contratada por la Ópera de Bolonia y la Scala de Milán (1808). El empresario Domenico Barbaia la contrató durante diez años como *prima donna* del teatro de San Carlos de Nápoles. Fue, por su excelente voz con un registro de más de tres octavas, la intérprete preferida de Rossini, que le dedicó su última ópera, *Semiramis* (estrenada en Venecia en 1823). En 1837 se retiró a Bolonia.

COLETTE, Sidonie Gabrielle. Escritora francesa (Yonne, 1873-París, 1954). Sus primeras novelas, la serie *Claudina* (1900-1903), aparecieron publicadas bajo el nombre de *Willy*, seudónimo de su primer marido, el escritor Henri Gauthiers-Villars. Tras su divorcio, Colette se vio obligada a trabajar como bailarina en varios *music-halls*, y durante la primera guerra mundial fue colaboradora del diario *Le Matin*, sin haber abandonado nunca su profesión literaria. De 1900 a 1949 escribió más de 70 libros, y hoy es recordada como una de las pocas mujeres que logró ocupar un lugar de honor dentro del canon literario francés, dominado mayoritariamente por hombres. En 1945 se convirtió en la primera mujer en ser elegida miembro de la Academia Goncourt. Su obra explora dos universos contradictorios: uno tranquilo, luminoso, natural, basado en sus recuerdos de infancia y en la exaltación del amor maternal (*La casa de Claudina*, 1922; *Al rayar el día*, 1928; y *Sido*, 1929); y otro doloroso, oscuro y marginal, dominado por los celos, la sensualidad y el amor pasional (*La vagabunda*, 1911; *Chérie*, 1920; y *La gata*, 1933).

COLIGNY, Louise de. Dama francesa (Chatillon-sur-Loing, 1555-Fontainebleau, 1620). Hija del almirante Coligny, casada con Charles de Téligny, que fue asesinado la noche de San Bartolomé, adoptó la religión luterana. Se refugió en Suiza y en 1576 se casó con Guillermo el Taciturno, que, a su vez, fue asesinado en 1584. Contribuyó a la firma de la Tregua de los Doce Años entre España y Francia. Murió fiel a su religión, que la tiene por una de sus grandes figuras.

COLLOT, Marie-Anne. Escultora francesa (París, 1748-Nancy, 1821). Fue discípula de Falconet, con uno de cuyos hijos se casó. Marchó con su suegro a Rusia (1766), donde modeló la máscara de Pedro el Grande para la estatua ecuestre de Falconet. Allí desarrolló una gran actividad artística, realizando bustos de Catalina* II, el príncipe Gallitzin, el príncipe Orlov, Falconet, Diderot, Voltaire y otros muchos.

COLOMBINE. V. **BURGOS SEGUÍ, Carmen de.**

COLONNA, princesa de (Maria Mancini). Dama italiana (Roma, 1640-Pisa, 1715). Era sobrina del cardenal Mazarino y una de las famosas hermanas Mancini*. En Francia, inspiró una violenta pasión a Luis XIV, quien estuvo a punto de casarse con ella. Casada con el príncipe de Colonna, sus aventuras galantes produjeron gran escándalo y decidieron a su marido a encerrarla en un convento durante algún tiempo.

COLONNA DE PESCARA, Vittoria. Poeta italiana (Marino, 1492-Roma, 1547). Hija de Fabrizio Colonna, contrajo matrimonio con el español marqués de Pescara. Al morir éste (1525), recorrió las cortes italianas, donde fue admirada por su pluma, su talento y su hermosura. Sus últimos años los pasó entregada a la meditación religiosa. Su poesía amorosa, neoplatónica, se publicó en un tomo titulado *Rime della diva Vittoria Colonna de Pescara* y fue muy elogiada por su estilo petrarquista y delicado.

COLTELLINI, Celeste. Contralto italiana (Livourne, 1760-Capodimonte, Nápoles, 1829). Comenzó cantando en Florencia y Viena, y celebró su debut en la Scala de Milán en 1780. José II de Austria la invitó a Viena (1785) donde conoció a Mozart, que escribió para ella el *Dite almeno* y *Mandina amabile*. De regreso a Nápoles, dejó la

Nadia Comaneci en Montreal'76

escena en 1791 al casarse con Jean Meuricoffre. Fue la más célebre mezzosoprano del siglo XVIII, siendo considerada la primera mujer contralto especializada de la historia.

COMANECI, Nadia. Gimnasta rumana (Gheorghe Gheorghiu-Dej, 1961). Campeona de Europa en 1975, 1977 y 1979. En los Juegos Olímpicos de Montreal (1976) consiguió el título olímpico en el concurso general y medalla de oro en los aparatos de barra de equilibrio y paralelas asimétricas. En los Juegos Olímpicos de Moscú (1980) ganó la medalla de oro en ejercicios libres y barra fija, y con su equipo logró la medalla de plata en el completo. Ha sido una de las figuras más influyentes de la gimnasia contemporánea. Dejó el deporte en 1980, y en 1989 desertó de su país y pidió asilo político en EE.UU.

COMPTON-BURNETT, Ivy. Novelista inglesa (Middlesex, 1884-Londres, 1969). Hija de una familia acomodada y licenciada en letras clásicas, su obra narrativa, centrada en una trama ambigua y compleja y en un manejo eficaz del recurso del diálogo, retrató las siniestras tiranías y feroces luchas de poder protagonizadas por la burguesía eduardiana: *Hermanos y hermanas* (1929), *Esposos y esposas* (1931), *Madre e hijo* (1955) y *Los grandes y su ruina* (1961).

CONDE, Carmen. Escritora española (Cartagena, 1907). *Bro-*

Carmen Conde

cal (1929), su primer libro de poemas en prosa, fue elogiado por algunos de los exponentes de la generación del 27. Su obra poética se ha caracterizado por un continuo matiz surrealista: *Júbilos* (1934), *Ansia de la gracia* (1945), *A este lado de la eternidad* (1970) y *Hermosos días en China* (1985). Ha publicado además varias novelas (*Las oscuras raíces*, 1953; *Soy la madre*, 1980) y ensayos. En 1967 recibió el premio Nacional de Poesía, y en 1978 se convirtió en la primera mujer en ser admitida a la Real Academia Española.

CONSTANZA de Aragón. Reina de Mallorca (1322-Barcelona, 1346). Hija de Alfonso el Benigno de Aragón, fue casada con su primo Jaime III de Mallorca (1335). Pedro el Ceremonioso, su hermano, desposeyó al matrimonio de su reino, pasando a Cataluña como simples particulares.

CONSTANZA de Aragón. Reina de Sicilia (1340-1363). Era hija de Pedro el Ceremonioso y fue proclamada heredera hasta el nacimiento de Juan I (1340). Se casó con Federico III de Sicilia (1361).

CONSTANZA de Borgoña. Reina de León y Castilla (m. 1092). Segunda esposa de Alfonso VI, era hija de Roberto de Borgoña y Ermengarda de Semur y viuda de sus primeras nupcias con Hugo II, conde de Chalons-sur-Saone. Influyó en la política de su esposo y concedió grandes prerrogativas a los frailes de Cluny, hasta el punto de nombrar a su abad metropolitano de Toledo. Estimuló a su esposo para que diese impulso a la Reconquista.

CONSTANZA de Portugal. Reina de Castilla (m. Sahagún, 1313). Hija de don Dionís de Portugal, se casó en 1302 con Fernando IV de Castilla, con quien tuvo a la infanta Leonor* de Castilla y a Alfonso XI. María* de Molina le impidió ser tutora única de su hijo Alfonso durante la minoría de éste, teniendo que compartirla con la misma reina María y los infantes Juan y Pedro. Su muerte rompió esta cuádruple tutoría.

CONSTANZA I de Sicilia. Reina de Sicilia y emperatriz de Alemania (1154-1198). Hija póstuma de Roger III de Sicilia, pretendió el trono a la muerte de su sobrino Guillermo II (1189). El emperador Enrique IV le ayudó a tomar el mando de la isla (1194) deponiendo a Tancredo, sobrino natural de la emperatriz. Constanza gobernó la isla en solitario, transmitiendo sus derechos a su hijo Federico I Roger (el emperador Federico II).

CONSTANZA II de Sicilia. Reina de Aragón y Sicilia (1247-

Roma, 1304). Hija de Manfredo, rey de Sicilia y de Beatriz de Saboya, se casó con Pedro III de Aragón, a lo que se opuso el papa Urbano IV. Su marido se coronó rey de Sicilia apelando a los derechos de su esposa, tras la Vísperas Sicilianas (1282). Carlos de Anjou sitió a Mesina con un poderoso ejército, pero Pedro III supo ganarse al pueblo de Palermo, que combatió a los franceses. Al morir el rey, hizo coronar a su hijo Jaime, en Palermo, como rey de Sicilia, a pesar del Pontífice, y pactó con Anjou, consiguiendo la paz.

CORDAY D'ARMONT, Mary-Anne Charlotte de. Heroína francesa (Orne, 1768-París, 1793). Corday, de convicciones monárquicas y admiradora de los enciclopedistas, en julio de 1793 asesinó a Marat por considerarlo el más sanguinario de los revolucionarios radicales. Se declaró culpable ante los jueces y fue guillotinada ese mismo mes. Su figura adquirió una enorme popularidad durante la época de la Revolución Francesa.

CORI, Gerty Theresa Radnitz. Bioquímica estadounidense de origen checo (Praga,1896-Saint Louis, 1957). Profesora de la Washington University School of Medicine (St. Louis), a partir de 1926 publicó en el *Journal of Biological Chemistry* trabajos sobre los hidratos de carbono, el metabolismo y las

Gerty Theresa Cori con su marido Carl

funciones de las enzimas en el tejido animal. En 1947 obtuvo el premio Nobel de Medicina (compartido con C. F. Cori y B. A. Houssay) por sus investigaciones sobre la síntesis y el catabolismo del glucógeno en los músculos de los conejos, que demostraron fundamentalmente que la primera fase de su descomposición desemboca en el ácido pirúvico. Cori fue la primera mujer en obtener un premio Nobel de Medicina y la primera en obtener un premio Nobel en EE.UU.

CORINA. Poeta griega (s. V. a. C., n. Tánagra, Beocia). Compitió con Píndaro en los concursos de odas corales para los triunfos de los certámenes atléticos y ganó el premio contra él siete veces. No se conserva ninguna obra suya completa, pero a fines del siglo pasado y en éste se han descubierto largos fragmentos.

CORNARO, Catalina. Dama veneciana, reina de Chipre (1454-Venecia, 1510). Se casó en 1468 con Jacobo de Lusignan, rey de Chipre, con la promesa de que sería protegido por la República. Al quedar viuda en 1473 gobernó en nombre de su hijo Jacobo III, que murió al año siguiente. Catalina mantuvo el poder, defendiéndose tanto de insidiosos pretendientes como del senado veneciano. En 1489 abdicó solemnemente ante el gobierno de Venecia, retirándose a su ciudad, donde se rodeó de una corte de poetas y artistas.

CORNARO-PISCOPIA, Helena. Científica italiana (1646-1704). Conocedora a la perfección de cinco lenguas, poseía fundamentos de matemáticas, astronomía, música, filosofía y teología. Obtuvo el doctorado en filosofía por la Universidad de Padua en 1678, pero el de teología le fue negado por oposición eclesiástica. Sus obras, publicadas en 1688, comprenden discursos académicos en italiano, elogios de hombres ilustres en latín y cartas latinas.

CORNELIA. Política romana (h. 189-h. 110 a. C.). Casada con Tiberio Sempronio Graco, adoptó de él las ideas democráticas. Ya viuda, rechazó en 153 la corona de Egipto que le ofrecía Tolomeo VII y se dedicó a la educación de sus hijos, los Gracos, con vistas a la vida pública y a que se dedicaran a ser defensores de la plebe. Tras el asesinato de su segundo hijo, Cayo, se retiró al cabo Miseno, donde se dedicó a las letras. Fue muy admirada en Roma.

CORNELIA. Dama romana (m. 68 a. C.). Era hija de Cinna y se casó con César el 83 a. C.; Sila conminó a César, temiendo las influencias de la familia de Cornelia, a que se divorciara, pero éste se negó, salvándose gracias a la ayuda de las vestales y de la aristocracia. Cornelia tuvo con César una hija, Julia*, muriendo poco después.

CORONADO, Carolina. Escritora española (Badajoz, 1820-La

Carolina Coronado, por Federico de Madrazo.

Mitra, Lisboa, 1911). Se trasladó a Madrid en 1844, y a los pocos años, tras casarse con un rico diplomático estadounidense, convierte su casa en un importante centro de la vida literaria. En su poesía, de marcado carácter romántico, predomina el tema amoroso y el tono melancólico y confesional, como bien demuestra su poema más importante, «El amor de los amores», recogido en *Poesías* (1843). Fue autora de varias novelas (*Paquita*, 1850; *La Sigea*, 1854) que recuerdan el estilo narrativo de K. Mansfield*, y obras teatrales (*El cuadro de la esperanza*, 1846).

CORREIA, Natália. Escritora portuguesa (São Miguel, Azores, 1923). Vinculada al movimiento surrealista portugués, Correia comenzó su carrera profesional con su libro de poemas *Rio de Nuvens* (1947). Los versos recogidos en *Sonetos românticos* (1990) recuperan la tradición portuguesa de la *saudade*. Autora de varias obras teatrales y novelas, su fama se debe, sobre todo, a la publicación de las controvertidas *Novas cartas portuguesas*, en las que expresó su oposición al régimen del dictador Salazar.

CORRIGAN, Mairead. Pacifista irlandesa (Belfast, 1944). Fundó en Irlanda del Norte un movimiento pacifista de mujeres, en colaboración con Betty Williams*, la *Community of Peace People*, con el fin de promover la paz entre católicos y protestantes. Su acción les valió a ambas el premio Nobel de la Paz en 1976.

COTRUBAS, Ileana. Soprano rumana (Galati, 1939). Debutó en la Ópera de Bucarest en 1964 con *Pelléas et Mélisande* de Debussy y, hasta 1968, obtuvo seis premios en concursos internacionales, empezando nuevos estudios en Viena en 1966. Desde 1967 participa en el Festival de Salzburgo (*La Flauta Mágica*, *Bastián y Bastiana*, etc.); en 1973, Londres; 1974, Milán *(La Bohème)*; y en 1977, Nueva York. Suele contar con dos parejas habituales, Carreras y Grey, y es muy apreciada por su voz clara y de gran extensión.

CRAWFORD, Cindy. Top-model estadounidense (Illinois, 1965). Debutó en Chicago a los diecisiete años, y en 1989 firmó un contrato exclusivo con la firma Revlon, compartiendo estrellato con Claudia Schiffer*, y convirtiéndose en la cara de la mujer americana de los 90. Trabaja como modelo con las mejores firmas, es fotografiada por los más grandes (Bruce Weber, Francesco Scavullo, etc.) y tiene su propio programa de televisión. En 1991 se casó con el actor Richard Gere.

CRAWFORD, Joan (Billie Cassin, llamada). Actriz de cine

y empresaria estadounidense (San Antonio, Texas, 1908-Nueva York, 1977). Camarera y luego bailarina con el nombre de Lucille Le Sueur, el triunfo en un concurso de danza le proporcionó un contrato con la M.G.M., que la lanzó en 1925 con *El Jazz-Band del Folies.* Actuó en varias ocasiones como oponente de Clark Gable y fue, en su época, la primera actriz de Hollywood junto a Greta Garbo*. Principales películas: *Vírgenes modernas* (1928), *Gran Hotel* (1932), *Mujeres* (1939), *Un rostro de mujer* (1941), *Alma en suplicio* (*Mildred Pierce*, por la que obtuvo el Oscar a la mejor interpretación en 1945), *Johnny Guitar* (1953), *Danzad, locos, danzad*, *¿Qué fue de Baby Jane?* (1962), etc. En 1972 publicó su libro de memorias *My way of life (Mi forma de vida).* Fue presidenta de la multinacional Pepsi-Cola.

CRENNE, Hélisenne de. Seudónimo de la novelista y traductora francesa Marguerite de Briet (m. 1552). Tras casarse siendo aún una niña, H. de Crenne pasó la mayor parte de su vida en la corte de Francisco I, donde llegó a convertirse en una de las más renombradas intelectuales de la época. Su traducción en prosa de la *Eneida* fue la primera realizada en lengua france-

Joan Crawford en *Amor que mata*

sa. Fue autora de varias novelas, entre las que destaca *Les Angoisses douloureuses qui procedent d'amours* (1538), inspirada en la *Fiametta* de Boccaccio y considerada la primera novela psico-autobiográfica francesa y la primera en estar dedicada exclusivamente a las *lisantes* (mujeres lectoras).

CRÉQUI, marquesa de (Renée-Caroline de Froullay). Mecenas y pensadora francesa (castillo de Montflaux, Mayenne, 1714-íd., 1803). Viuda desde 1741, se instaló en París, abriendo un salón frecuentado por D'Alembert y Rousseau, sobre los que ejerció gran influencia. Su correspondencia con Sénac de Meilhan muestra gran capacidad de observación y un cuidado estilo, realizando retratos incisivos de gente de letras del s. XVIII. Fue encarcelada durante la Revolución y liberada posteriormente. Sus *Recuerdos*, publicados en 1834-1835, son apócrifos.

CRESSON, Edith. Política francesa (Billancourt, 1934). Dirigente socialista durante el mandato de F. Mitterrand, Cresson fue miembro del Parlamento europeo (1979-1981); en 1981-1983 ocupó la cartera ministerial de Agricultura, en 1983-1984 la de Comercio Exterior y Turismo, en 1984-1986 la de Reestructuración Industrial y Comercio Exterior y en 1988-1990 la de Asuntos Europeos. De 1991 a 1992 fue primera ministra (primera mujer en Francia en ocupar ese cargo), dimitiendo posteriormente.

Edith Cresson

CREST DE SAINT-AUNIN, Stéphanie-Félicité du. V. **GENLIS, condesa de.**

CRISTINA de Suecia. Reina de Suecia (Estocolmo, 1626-Roma, 1689). Hija de Gustavo Adolfo, sucedió a su padre en el trono de Suecia a la edad de seis años, bajo la tutela del canciller del reino. Su corte se convirtió en una de las más cultas de Europa, con la llegada de músicos, artistas y filósofos, entre ellos Descartes. Abdicó en 1654 en favor de su primo Carlos Gustavo, y se convirtió al catolicismo, pasando a residir en Roma. Siguió ejerciendo en esta ciudad un importante mecenazgo hasta su muerte.

CROMPTON, Richmal. Escritora británica (Londres,

1890-Furborough, 1969). Se dio a conocer por una serie de relatos publicados durante el período de entreguerras, y en los que su protagonista, el niño Guillermo Brown, satirizaba las costumbres de las clases medias británicas.

CRUZ, Celia. Cantante cubana (n. 1930). Comenzó muy joven su carrera profesional, y en 1950 se convirtió en solista de una de las mejores orquestas cubanas de baile, *La Sonora Matancera*, con la que llegó a actuar en los clubes nocturnos y cabarets más prestigiosos de América y Europa. En 1959, tras la revolución cubana, se exilió en México y en 1961 se radicó en Nueva York. Cruz, considerada una de las mayores exponentes del género conocido como *salsa*, ha trabajado con las orquestas más prestigiosos de este género y ha colaborado con artistas de la talla de David Byrne. Entre su éxitos destacan *Bemba colorá* y *Químbara*.

CRUZ, sor Juana Inés de la. (Juana de Asbaje y Ramírez, en religión). Religiosa mexicana (San Miguel Nepanthla, 1651-México, 1695). Tras servir como dama de honor en la corte de la marquesa de Mancera, entró en un convento de carmelitas en 1667 que abandonaría para profesar en la Orden jerónima (1669). Su fama de erudición y sapiencia se expandió por toda la corte virreinal de Nueva España. En su celda realizó experimentos científicos, compuso obras musicales, reunió una voluminosa biblioteca y escribió una serie de opúsculos, unos filosóficos, como *Carta Athenagórica*, rebatiendo un sermón del jesuita Padre Vieyra; otros morales, *Equilibrio moral*; musicales, *Tratado y método musical*, o teatrales y literarios, como las comedias y autos *Los empeños de una casa*, *El mártir del Sacramento* y *El divino Narciso*, además de una importante producción poética. En su famosa carta *Respuesta a sor Filotea de la Cruz* (1691), contesta al obispo de Puebla quien, bajo el seudónimo de «sor Filotea», había publicado la *Carta Athenagórica* de sor Juana, incitándola a abandonar los estudios. Aunque su producción literaria se sitúa en la cumbre del barroco hispanoame-

Sor Juana Inés de la Cruz

ricano y español, su concepción de la poesía y su actitud reflexiva y analítica preludian el espíritu de la Ilustración. La exaltación de los valores femeninos y la defensa de los esclavos y los indios fueron valores recurrentes de en su obra. Murió durante una epidemia de peste, intentando salvar la vida de sus compañeras enfermas.

CUEVA, Beatriz de la. Gobernadora española en América (m. Guatemala la Antigua, 1545). Segunda esposa de Pedro de Alvarado y, a su muerte, gobernadora de Guatemala. Murió al desplomarse los muros de su palacio por la acción de las aguas que inundaron la ciudad de Guatemala (La Antigua).

CUEVA Y SILVA, Leonor de la. Dramaturga y poeta española (s. XVII). Autora de un famoso soneto escrito a la muerte de Isabel de Borbón (1645), fue autora además de la comedia *La firmeza en la ausencia*.

CUNEGUNDA, santa. Emperatriz alemana (m. abadía de Kaufungen, 1040). Hija de Sigifredo de Luxemburgo y esposa del emperador de Alemania Enrique II. Fue canonizada en 1200.

CUNITZ, Marie. Astrónoma y matemática polaca (Schweidnitz, Silesia, 1610-Pitscher, Polonia, 1664). Estudió desde joven lenguas antiguas y modernas, historia de la medicina y matemáticas y astronomía. En 1630 se casó con Elías de Lewen, su profesor de medicina y astronomía. Para establecer sus cálculos, los dos usaban las tablas danesas de Longomontanus, pero, como eran poco fiables, las contrastaban con las de Keppler, hasta llegar a perfeccionar las primeras. La guerra de los Treinta años la obliga a huir a Polonia y en 1650 publica sus primeras tablas con el título de *Urania propitia*, dedicadas al emperador Fernando III.

CURIE, Irene. V. **JOLIOT-CURIE, Irene.**

CURIE, Marie. Química y física francesa de origen polaco (Varsovia, 1867-Valence, 1934) cuyo nombre verdadero era Marya

Marie Curie

Slodowska. En 1891 ingresó en la Sorbona de París, y en 1895 se doctoró en ciencias y se casó con el físico P. Curie. Fundó y dirigió el Instituto del Radium en París y en 1903 consiguió el premio Nobel de Física, compartido con su marido y con el francés H. Becquerel, por el descubrimiento y el trabajo pionero en el campo de la radiactividad espontánea y los fenómenos de radiación, siendo la primera mujer galardonada con ese premio. En 1906, tras la muerte de su marido, ocupó su cátedra de física, convirtiéndose en la primera mujer en ser admitida como profesora en la Sorbona. Al concedérsele en 1911 el premio Nobel de Química por el descubrimiento de los elementos radio y polonio y por sus investigaciones sobre la naturaleza y enlaces químicos de estos elementos, se convirtió en la primera persona a la que se le otorgaba esa distinción por segunda vez.

D

DABROWSKA, Maria. Novelista polaca (Rusow, 1889-Varsovia, 1965). Colaboradora de la reforma rural polaca y heredera de la narrativa realista, Dabrowska ganó celebridad con una serie de relatos en los que retrató la vida del proletariado agrícola: *Gentes de allá abajo* (1925) y *Hierbas salvajes* (1926). Su tetralogía *Las noches y los días* (1932-34), considerada su obra más importante, se centró en la vida de una familia pequeñoburguesa a finales del s. XIX; y su novela inacabada *Las aventuras de un hombre reflexivo*, se publicó póstumamente en 1970.

DACIER, Anne. Filóloga y escritora francesa (Saumur, 1647-París, 1720). Hija del filósofo Tanneguy Lefebvre, se casó con un librero, Jean Lesnier. A la muerte de su padre (1672) se separa de su marido y marcha a París con André Dacier. Para el duque de Montausier realiza traducciones de Floro, Calímaco, Eutropio y Anacreonte, incluidas en la colección *Ad Usum Delphini*. En 1685 se convierte con su marido al catolicismo y en 1688 realiza una edición de las *Comedias* de Terencio y, más tarde, los *Pensamientos* de Marco Aurelio. Posteriormente se dedica a la traducción de la *Ilíada*. En su ensayo *Las causas de la corrupción del gusto* (1714) critica directamente a Houdar de La Motthe. La última obra de Dacier, una edición de la *Odisea*, es de 1716.

DALILA. Cortesana al servicio de los filisteos (s. XII a. C.). De ella habla la Biblia en el *Libro de los Jueces:* habitaba en el valle de Sorec, y de ella se valieron los filisteos para averiguar en qué consistía la fuerza del juez israelita Sansón. Éste, enamorado de Dalila, le reveló que el secreto de su fuerza estaba en sus cabellos. Ella lo traicionó, cortándoselos mientras dormía, y entonces Sansón fue presa de sus enemigos, que lo cegaron. Pero, según la tradición, cuando le crecieron otra vez los cabellos, recuperó su fuerza, y sacudiendo las columnas del palacio lo hizo derrumbarse, pereciendo allí Sansón y muchos filisteos.

DAMER, Anna. Escultora inglesa (Londres, 1748-íd., 1828). Dama de la familia Seymour, se casó con John Damer, enviudando al poco tiempo. Después se dedicó a la escultura, realizando obras gigantescas, como las cabezas de *Támesis* y de *Isis* del puente Henley, la estatua de *Jorge III* en Edimburgo y el busto de *Nelson* del Ayuntamiento de Londres.

DÁSHKOVA, Ekaterina Romanovna. Escritora rusa (San Petersburgo, 1743-Moscú, 1810). Tras participar en la conspiración contra Pedro II que consiguió elevar a zarina a su amiga Catalina II, Dáshkova comenzó a publicar artículos de temática social bajo el seudónimo de «una mujer rusa»; en 1783 fue nombrada directora de la Academia Rusa de Ciencias, y posteriormente fundó la Academia Rusa de la Lengua y fue la responsable de la publicación del primer gran diccionario en lengua rusa, además de impulsora de la reforma educativa. A la muerte de Catalina II fue desterrada, y no pudo regresar a Rusia hasta que subió al trono Alejandro I.

DAVIS, Angela. Política y activista estadounidense (Alabama, 1944). En 1969 fue profesora de

Angela Davis

filosofía en la Universidad de California, de donde fue expulsada al conocerse su afiliación al Partido Comunista de EE.UU. Vinculada a grupos negros de resistencia armada, Davis se vio involucrada en el juicio seguido contra el joven revolucionario negro G. Jackson y los hermanos Soledad. Fue detenida en 1970 y juzgada en 1972 por los cargos de secuestro, asesinato y conspiración. El proceso «Davis» obtuvo gran repercusión en el ámbito nacional e internacional, y desató un enérgico movimiento de protesta a favor de su causa, lo que impidió su condena. En 1973 fue absuelta de todos los cargos y en 1974 pasó a formar parte del comité central del Partido Comunista. En 1976, tras publicar su autobiografía, regresó a la enseñanza.

DAVIS, Bette (Ruth Elizabeth Davis, llamada). Actriz teatral y cinematográfica estadounidense (Lowell, 1908-Neuilly-sur-Seine, Francia, 1989). Empezó a trabajar para el cine en 1931, en el que llegó a ser una gran figura internacional, especializada en papeles que implicaban sufrimiento y sacrificio. Entre las películas que protagonizó destacan *Peligrosa*, por la que obtuvo el Oscar en 1935, *Jezabel*, por la que lo obtuvo en 1938, *El bosque petrificado* (1936), *La carta* (1940), *La loba* (1941), *Eva al desnudo* (1950), por la que fue premiada en Cannes en 1951, *La estrella* y *Llama un desconocido* (1953), *La Reina Virgen* (1955), *¿Qué fue de Baby Jane?* (1962), *Canción de cuna para un cadáver* (1964), *Madame Sin* (1972), *Muerte en el Nilo* (1978), etc. Ha protagonizado asimismo las series de televisión *The Dark Secret of Harvest Home*, 1978, y *Strangers*, a la que fue concedido el premio Emmy (1979).

Bette Davis

DAY, Doris (Doris Kappelhoff, llamada). Cantante y actriz estadounidense (Ohio, 1924). Day fue considerada el prototipo cinematográfico de la mujer media americana, siendo su pareja artística habitual el actor Rock Hudson. Entre su amplia producción cinematográfica destacan *Romanza en alta mar* (1952), *A la luz de la luna* (1953), *Enséñame a querer*, *El hombre que sabía demasiado*, *Confidencias a media noche*, *El diabólico señor Benton*, *Un grito en la niebla*, *Suave como visón*, *No me mandes flores*, *La indómita y el millonario*, *Una sirena sospechosa* y *El novio de mamá*. Ha protagonizado también algunas series de televisión (*El show de Doris Day*, 1970-73).

DE LAURETIS, Teresa. Teórica postestructuralista y cinematográfica italiana (n. 1938). Radicada en EE.UU., De Lauretis es editora desde 1986 de la prestigiosa revista *Feminist Studies/ Critical Studies*. Sus libros *Alice Doesn't: Feminism, Semiotics, Cinema* (1984) y *Technologies of*

Gender (1987) se centran en la representación cinematográfica de la mujer y en la defensa de la definición sexual como categoría teórica.

DE MILLE, Agnès. Bailarina y coreógrafa estadounidense (Nueva York, 1909). De 1930 a 1933 formó parte del Dance Repertory Theatre junto a Martha Graham* y Doris Humphrey. Las coreografías de De Mille rompieron con el ballet clásico tradicional centrándose en un estilo más popular. Trabajó como asesora de las famosas comedias musicales *Oklahoma* (1943) y *Los caballeros las prefieren rubias* (1949), y en 1973 fundó la compañía Heritage Dance Theatre, dedicada a recuperar la tradición folclórica estadounidense. Entre sus piezas destacan *Rodeo* (1942), *The Four Mary* (1965) y *Summer* (1975).

DEAN, Laura. Coreógrafa estadounidense (n. 1945). Dean, junto con Lucinda Childs y Trisha Brown*, es una de las figuras más represententivas de la danza minimalista estadounidense. Sus coreografías son rituales construidos a partir de gestos repetidos y formas sencillas, distinguiéndose por sus volteretas controladas, que sugieren movimientos místicos en busca de paz interna. Entre sus coreografías destacan *Stamping* (1971), *Dance* (1978), *Music* (1980) y *Space* (1988).

DÉBORA. Profeta y jueza israelita (s. XII a. C.). Por orden suya, marchó Baraq contra Sísara, general del rey cananeo, Yabín. La victoria de Baraq fue cantada por Débora, según se narra en la Biblia *(Libro de los Jueces)*.

DELAUNAY, Sonia. Pintora y diseñadora francesa de origen ruso (Odessa, 1885-París, 1979). Vinculada al arte abstracto geométrico de principios de siglo y considerada la «reina del art-déco», Delaunay basó su obra en las investigaciones del color, las leyes de los contrastes y los discos espirales denominados *simultáneos*. Artista polifacética, desarrolló una gran actividad como diseñadora en el campo de la moda, la decoración, el espectáculo teatral y el baile, siendo reconocida y aclamada internacionalmente. Trabajó estrechamente con su marido R. Delaunay. Entre sus numerosas obras figuran *Manta* (1911), *Contrastes simultáneos* (1912) y *Cleopatra* (1918), diseño de vestuario creado para una representación de ballet.

DELEDDA, Grazia. Escritora italiana (Nuoro, 1871-Roma, 1936). Considerada una de las más célebres escritoras italianas de principios de siglo, Deledda ha sido la única mujer italiana en llegar a obtener el premio Nobel de Literatura (1926). Su prolífica obra, aunque alejada de las corrientes literarias predominantes, se suele enmarcar entre el *verismo* y el decandentismo; su narrativa profundizó en los conflictos entre pasión y razón, y se caracterizó por la evocación mística y por un firme compromiso ético: *Narraciones sardas* (1893), *Cenizas* (1904), novela en la que se basó el guión de un filme protagonizado por E. Duse*, *Elías Portolu* (1906), *La madre* (1920) y *Annalena Bilsini* (1927).

DELORME, Marion. V. **LORME, Marion de.**

DENEUVE, Catherine (Catherine Dorléac, llamada). Actriz de cine francesa (París, 1943). *Los paraguas de Cherburgo* (1963), de J. Demy, su primer éxito, convirtió a Deneuve en una de las principales actrices europeas. Otros filmes son: *Repulsión* (1964), de R. Polanski; *El canto del mundo* (1965), de M. Camus; *Belle de jour* (1967) y *Tristana* (1969), de L. Buñuel; *Le grande bourgeoise* (1974), *L'argent des autres* (1978), *El último metro* (1980), *The Hunger* (1983) e *Indochina* (1992).

Catherine Deneuve y Hardy Krüger en *El canto del mundo*

DENIS, madame (Louise Mignot). Dama francesa (París, 1712-íd., 1790). A la muerte de su padre, Françoise Mignot, fue recogida por su tío, Voltaire, quien vivía entonces con Madame du Châtelet*. En 1738 se casó con Nicolas Denis y se instaló en Lille. Viuda en 1744, fija su residencia en París, donde organiza un salón. En esta época, y muerta Mme. du Châtelet, se convierte en la amante de Voltaire. A la muerte de Voltaire, pasó a ser la heredera universal y vendió su famosa biblioteca a Catalina II* de Rusia.

DEREN, Maya. Directora y teórica de cine experimental estadounidense de origen ucraniano (Ucrania, 1908-¿?, 1961). En 1943 llamó la atención con la película surrealista *Meshes of the Afternoon*, codirigida junto a su esposo A. Hammid. Deren, considerada una de las figuras más relevantes de la vanguardia cinematográfica de EE.UU. y la madre del cine *underground*, fue la principal representante de la corriente «de la angustia y de la experiencia». Entre sus películas destacan *At Land* (1944) y *Meditation On Violence* (1948), inspiradas en temas extraídos de experiencias psicoanalíticas, y *Ritual*

In Transfigured Time (1946), en la que explora el rito y la danza.

DEROIN, Jeanne-Françoise. Política y feminista francesa (París, 1805-Londres, 1894). Partidaria del «saint-simonismo», posteriormente se unió a la escuela de Fourier y en 1847 fue miembro de la Unión Comunista de Marx y Engels, participando activamente en la revolución de 1848. Deroin fue además una enérgica feminista, defendió el sufragio femenino, y fundó los periódicos *La Politique des Femmes*, *L'Opinion des Femmes* y, junto a P. Roland, el *Club de Emancipación de las Mujeres*. Tanto ella como Roland fueron condenadas a seis meses de prisión siendo acusadas de atentar contra el orden público. Tras el golpe de Estado, Deroin se estableció en Inglaterra, donde continuó sus actividades a favor de la causa femenina.

DESAI, Anita. Escritora india (Nueva Delhi, 1937). Considerada una de las escritoras más significativas dentro del panorama de la literatura india contemporánea, Desai obtuvo el premio Nacional de las Letras Indias por su novela *Fuego en la montaña* (1977) y fue propuesta para el Booker Award por *Clear Light of Day* (1980). Miembro de la Academia de Letras Indias, en 1988 recibió el título de Padma Shri. Su obra se centra en los conflictos padecidos por las mujeres indias frente al sistema de castas: *Bye, bye, Blackbird* (1971) y *Baumgartner's Bombay* (1988).

DESCARTES, Catherine. Escritora francesa (París, 1634-íd, 1706). Sobrina del célebre filósofo René Descartes, publicó, entre otras obras, *La sombra de Descartes* y *Relación de la muerte de Descartes*.

DÉSIRÉE. Reina de Suecia (Marsella, 1777-Estocolmo, 1860). Era hija de un rico comerciante marsellés, François Clary. Su hermana mayor, Julia, se casó con José Bonaparte (1794) y ella lo hizo en 1798 con el general Bernadotte. Durante las campañas de su marido permaneció en París, abriendo un concurrido salón literario. En 1808, su marido fue nombrado príncipe real de Suecia, pasando Désirée una temporada en Estocolmo (1810-1811). Bernadotte subió al trono en 1818 y ella se incorporó a la corte en 1823, desempeñando un modesto papel.

DEVLIN, Bernadette. Política irlandesa (Tyrone, 1947). Dirigente de la minoría católica de Irlanda del Norte, Devlin fue diputada en los Comunes desde 1969 hasta 1974, en que perdió su acta de diputada en las elecciones. Durante esos años participó en violentos disturbios a favor del clandestino Ejército Republicano Irlandés (I.R.A.), por lo cual fue detenida en varias ocasiones.

Fundadora del Partido Republicano Irlandés, en 1981 fue víctima de un atentado. Es autora del manifiesto autobiográfico *El precio de mi alma* (1969).

DHUODA. Dama y educadora francesa (s. IX). Perteneciente a una famila noble, quizá la imperial de los carolingios, se casó con Bernardo de Septimania (decapitado por Carlos el Calvo en 844). De él tuvo dos hijos y para el primero de ellos, Guillermo, escribió (entre el 841 y el 843) su *Manual para mi hijo*, primer tratado pedagógico de la Edad Media.

DIANA de Gales (Lady Diana Spencer). Princesa de Gales (Londres, 1961). Hija de John Spencer, vizconde Althorp, sus padres se separaron cuando ella contaba seis años. Realizó los estudios propios de una dama de corte y en 1979 conoció al príncipe Carlos de Inglaterra, con quien se casaría en 1981, existiendo una considerable diferencia de edad entre los cónyuges. Pronto se convertiría en una estrella de la prensa llamada «del corazón», y el miembro más afamado de la familia real británica. Con su marido ha tenido dos hijos, entre ellos William, príncipe heredero, pero su matrimonio no ha sido fácil, llegando a la separación conyugal en 1992. Se ha caracterizado por su naturalidad de trato y por su interés activo en los problemas de la sociedad actual, entre ellos la lucha contra el sida.

Diana de Gales

DIANA de Poitiers. Cortesana francesa (Saint-Vallier, 1499-Anet, 1566). Hija de Jean de Poitiers, señor de Saint-Vallier, y viuda de Luis de Brézé, en 1533 empezó su amistad íntima con el delfín, después Enrique II, casado ya con Catalina* de Médicis. A la llegada de Francisco II se retira al castillo de Chaumont. Ejerció gran influencia sobre Enrique II, hasta el punto de que fue considerada como la verdadera soberana. Protegió las artes.

DÍAZ, Jimena. Dama castellana (m. San Pedro de Cardeña, 1104). Hija del conde de Oviedo y prima de Alfonso VI, que la casó con Rodrigo Díaz de Vivar, el Cid Campeador, en 1074. Digna esposa del héroe castellano, a la muerte de éste, Jimena se trasladó a Valencia hasta que, desasistida por el rey, se retiró (1102) con el cadáver del Cid a San Pedro de Cardeña, donde murió dos años después. En la tradición popular y literaria se la denomina simplemente doña Jimena.

DÍAZ, Marujita (María Díaz Ruiz, llamada). Cantante y actriz española (Sevilla, 1932). Realiza su carrera tanto en el cine como en la canción y el teatro de variedades. Entre sus películas destacan *La revoltosa* (1950), *El sueño de Andalucía* (1951), *Puebla de las Mujeres* (1953), *El pescador de coplas* (1954) y *Pelusa* (1960). Es una de las figuras más representativas del cine folclórico nacional de los años 50.

DÍAZ VALCÁRCEL, Amelia. V. **VALCÁRCEL, Amelia Díaz.**

DICKINSON, Emily. Poeta estadounidense (Massachusetts, 1830-íd., 1886). Creció en un ambiente puritano y pasó casi toda su vida confinada en su habitación. Allí redactó unos 1.750 poemas que reflejaron los principales conflictos morales e intelectuales de su tiempo. Separada del mundo, se dedicó a contemplar la naturaleza circundante y a leer a sus autores favoritos (los místicos, Shakespeare, Keats, Barret Browning*, las hermanas Brontë*, etc.). Su obra se publicó póstumamente en 1890, y a partir de los años 20 la crítica comenzó a revalorizarla —tras haberla ignorado durante más de 60 años— hasta el punto de que hoy se considera a Dickinson uno de los pilares fundamentales de la lírica estadounidense. En sus poemas, de expresión cristalina e intensa, y poblada de imágenes y símbolos recurrentes, Dickinson transgredió voluntariamente la métrica, los ritmos y la sintaxis convencionales al tratar los grandes temas de la escuela metafísica inglesa. La crítica literaria feminista ha contribuido notablemente a la divulgación de la obra de esta importante poeta.

DIDO o ELISA. Princesa fenicia (Tiro, s. VIII a. C.). Según la leyenda, hija de Muto, rey de Tiro, que, para sustraerse a la tiranía de su hermano Pigmalión, se trasladó a África, donde fundó Cartago. En la *Eneida* de Virgilio aparece como amante de Eneas. Al marchar éste de Cartago, Dido se suicida arrojándose a las llamas de una pira.

DIETRICH, Marlene (Maria Magdalene von Losch Felsing, llamada). Actriz estadounidense de origen alemán (Berlín, 1904-París, 1991). Su revelación mundial llegó de mano del director

Marlene Dietrich

Josef von Stenberg, siendo su primera gran película *El ángel azul* (1930). Desde 1930 trabajó en Hollywood y protagonizó numerosas películas, como *Marruecos* (1931), *El jardín de Alá* (1931), *La Venus rubia* (1932), *Fatalidad* (1932), *El expreso de Shanghai* (1932), *Capricho imperial* (1934), *Capricho español* (1935), todas de Von Stenberg; *Deseo* (Lubitsch, 1936), *La llama de Nueva Orleans* (Clair, 1940), *Sed de mal* (O. Welles, 1957) y *Vencedores o vencidos* (Kramer, 1961). A Dietrich se le considera una de las actrices más emblemáticas de la historia del cine.

DINESEN, Isak. Seudónimo de la escritora danesa Karen Blixen (Rungstedlund, 1885-Copenhague, 1962). Estudió literatura en Oxford y pintura en Roma y París, y tras su matrimonio con el barón Blixen-Finecke, se traslada a Kenia donde hasta 1931 se dedica al cultivo de la tierra. De regreso en Dinamarca, publica en inglés *Seven Gothic Tales* (1934), con la que alcanza fama mundial, y que junto con *Memorias de África* (1937) y *Winter's Tales* (1942), la convierte en una de las figuras clave de las letras danesas contemporáneas. Su obra, enmarcada dentro de la corriente existencialista, se caracterizó por un lenguaje simbólico con el que intentó reflejar las complejas relaciones entre lo natural y lo cultural. Escribió también bajo el seudónimo de *Pierre Andrézel.*

DING LING o TING LING. Seudónimo de la novelista china Jiang Bingzhi (Hunan, 1904-Pekín, 1986). Influida por las ideas liberales del movimiento *cuatro de mayo* (1919) y vinculada al partido comunista, D. Ling es considerada una de las figuras clave de las letras chinas contemporáneas. Su obra, enmarcada dentro del realismo social y centrada en el examen de los comportamientos de la mujer china, estuvo censurada hasta finales de los años 70 por transgredir las pautas estéticas del comunismo maoísta. Entre sus libros destacan *El diario de Miss Sophie* (1928) y *El sol brilla en el río Sanggan* (1948).

DOAN THI DIEM. Escritora vietnamita (Hiên Pham, 1705-Nghê An, 1748). Célebre por su adaptación de la *Lamentación de la mujer de un guerrero*, antigua elegía china atribuida al poeta Dang Trân. La obra de D. T. Diem fue tan popular en su época que sus versos fueron convertidos en proverbios y canciones populares.

DOHRN, Bernardine. Activista política estadounidense (n. 1942). Estudiante de derecho en la Universidad de Chicago, a finales de los años 60 se convirtió en una célebre activista radical y en una de las extremistas más perseguidas por el Gobierno de EE.UU. En sus comienzos fue seguidora de la nueva izquierda estadounidense y de la ideología de la no-violencia promulgada por el líder negro M. Luther King. Tras el asesinato de éste y de Malcolm X, Dohrn fundó el movimiento *Weathermen*, que defendía la acción violenta y las actividades de los «Black Panthers», y que apoyaba además la revolución social, cultural y sexual. En 1970 tres miembros de este movimiento murieron accidentalmente al estallar una bomba que estaban fabricando, y unos años más tarde Dohrn decidió entregarse a la justicia.

DOLGORÚKOVA, Natalia Borisovna. Princesa rusa (¿?, 1714-Kiev,1771). En 1729 se casó con I. Dolgoruky, amigo íntimo del zar Pedro II. A la muerte de éste, el matrimonio es deportado a Siberia; tras la ejecución de su marido (1739), Dolgorúkova regresa a Moscú, y posteriormente decide entrar en un convento de Kiev, donde se dedica a redactar sus memorias, texto que en 1767 se convierte en la primera autobiografía publicada en Rusia por una mujer. Las conmovedoras experiencias que se recogen en esta obra hicieron de Dolgorúkova una de las figuras más populares de la época.

DOMÈNECH I ESCATE, Maria. Escritora española en lengua catalana (1877-1952). Enérgica defensora del derecho a la educación de las mujeres y fundadora de una unión de trabajadoras catalanas, entre sus publicaciones destacan *Contrallum* (1917) y la colección de relatos *Confidències* (1946).

DOMICIA LONGINA. Emperatriz romana (s. I). Esposa del emperador Domiciano, tuvo como amante al comediógrafo Paris y el emperador la repudió y exilió. Posteriormente la volvió a llamar y Domicia encabezó la conjura que acabó con la vida de su marido (96). Murió en tiempos de Trajano.

DOMÍNGUEZ, Oralia. Cantante mexicana (San Luis de Potosí, 1927). Estudió en el conservatorio de México, y debutó como cantante en 1950. En 1953 actuó en la Scala de Milán, y posteriormente se convirtió en una de las principales voces de los grandes escenarios del mundo. Desde 1960 está ligada a la Ópera de Düsseldorf.

DOMITILA, santa. Princesa imperial romana (s. I). Perteneciente a la familia Flavia, fue martirizada por sus creencias cristianas a finales del siglo I. Por los problemas históricos que presenta, fue retirada del martirologio en 1969.

DOOLITLE, Hilda. Escritora estadounidense también conocida como *H.D.* (Pennsylvania, 1886-Zurich, 1961). En 1911 se trasladó a Inglaterra donde participó en la creación del movimiento imaginista. Su obra poética se caracterizó por la búsqueda de una expresión precisa y pura: *Jardín marino* (1916) e *Hymen* (1921). También fue la autora de la novela *Palimpsesto* (1926).

DOROTEA, santa. Virgen y mártir cristiana de la Capadocia (m. 310). Sufrió la tortura y la muerte en Cesarea (Capadocia) en el 310. Su culto fue muy famoso en la Edad Media y es patrona de los jardineros.

DOROTEA, santa. Dama prusiana (Montau an der Weichsel, 1347-Marienwerder, 1398). Viuda a los cuarenta y cuatro años, se retiró a Marienwerder y se encerró en una celda, cuya puerta tapió, y en la que murió. Es patrona de Prusia.

DORVAL, Marie (Marie Delaunay, llamada). Actriz francesa (Lorient, 1798-París, 1849). De una familia de modestos cómicos, quedó huérfana a los quince años, se casó a los dieciséis con el actor Allan, llamado Dorval, y enviudó a los veinte, época en la que fue contratada para la Porte-Saint-Martin, de París. La primera obra que representó fue *Les deux forçats,* que obtuvo un extraordinario éxito gracias a la joven actriz. Poco después se presentó con Federico Lemaitre en el drama *Trente ans ou la vie d'un joueur,* con la que consiguió entusiasmar al público. En *Antony,* de Dumas, acabó de cimentar su reputación y, después del estreno de *Marion Delorme,* con la que consiguió uno de sus mayores triunfos, ingresó en la Comedia Francesa (1834). En 1838 pasó al Gymnase, luego al Ambigú y, posteriormente, realizó una brillante campaña por provincias. Tuvo relaciones amorosas con Alfred de Vigny y Alejandro Dumas. A pesar de todos los éxitos conseguidos, acabó sus días en la miseria.

DOS SANTOS, Lucía. Religiosa y visionaria portuguesa (Santarem, 1907). Única superviviente de los tres niños a los que, el 13 de mayo de 1917, se les apareció en Fátima una dama vestida de blanco, que les anunció que volvería el día 13 de cada mes durante un semestre y, al final, revelaría su identidad. Las autoridades religiosas fueron reacias y los niños tratados de locos. El 13 de septiembre, la dama pidió que se rezara el rosario para la vuelta de la paz, y al mes siguiente se reveló como Ntra. Sra. del Rosario, cuando más de sesenta mil personas pudieron admirar la «danza del sol». El culto a Ntra. Sra. de Fátima fue autorizado en 1930, muertos dos de los niños, y quedando Lucía como guardiana de las revelaciones de Fátima. Más tarde profesó en un convento de carmelitas, tomando el nombre de sor María de los Dolores.

DRAKULIC, Slavenka. Periodista y feminista croata (n. 1949). En *Los pecados capitales del feminismo* (1984) recogió varios de sus artículos sobre la coeducación, la explotación de la mujer en los medios de comunicación y la prostitución. Acuñó el término *testicología* para explicar la dominación masculina como un fenómeno basado en el sexismo, la tradición y el totalitarismo. Otras publicaciones: *Mramorna Koza* (1989) y *Holograma del miedo* (1992).

DREWITZ, Ingeborg. Escritora alemana (Berlín, 1923-íd., 1986). Con su obra teatral *Todas las entradas están vigiladas* (1951), se convirtió en la primera persona de origen alemán que se atrevió a escribir sobre los campos de concentración nazi. El resto de su obra se centró en la descripción de los desórdenes culturales y morales de la Alemania nazi: *Luz de octubre* (1969) y *Hielo sobre el Elba* (1982).

DRUSILA. Princesa romana (Tréveris, 15-Roma, 40). Era hija de Germánico y Agripina y bisnieta de Augusto. Su hermano, el emperador Calígula, la tuvo como amante. Esperando un hijo de él, Calígula la mató abriéndole el vientre con una espada. Después de muerta hizo que se le tributaran honores de diosa.

DUARTE DE PERÓN, Eva. V. **PERÓN, María Eva Duarte de.**

DUCLOS, mademoiselle (Marie-Anne de Chaîteauneuf, llamada). Actriz trágica francesa (París, 1668 ó 1670-íd., 1748). Hija de un actor, actuó con éxito en la Comédie Française hasta 1730, año en que se retiró. Gozó de gran popularidad ante el público, al que imponía a su voluntad y sin transición la compasión, la piedad o el terror.

DUGAZON, Louise Rosalie. Soprano francesa (Cerlín, 1755-París, 1821). Hija de Lefebvre, maestro de danza de la Ópera de Berlín, debutó como bailarina en 1767 en la Comédie-Italienne. André Grétry escribió para ella un papel en *Lucile* (1769), comenzando a estudiar canto con Charles Favart. Su debut como cantante lo hizo en el papel de Paulina (*Sylvain* de Grétry) en 1774. Ese mismo año se casó con el actor Dugazon y a partir de este momento crea un tipo de papeles («personajes Dugazon»), que se aplican tanto a jóvenes de gran distinción como a papeles ingenuos. Abandonó la escena en 1805 con *El Califa de Bagdad* de Boieldieu. Su voz se hizo famosa por su ligereza y su timbre grueso.

DULAC, Germaine. Directora de cine francesa (Asnières, 1882-París, 1942). Fue una de las primeras mujeres realizadoras de largometrajes. A partir de 1915 se dedicó al cine y después de la P.G.M. participó en las corrientes vanguardistas del cine francés con *La fête espagnole* (1919) y *La souriante Mme. Beudet* (1922). En 1926 experimentó con el cine surrealista en *La coquille et le clergyman*, basado en un guión de A. Artaud. Publicó numerosos escritos teóricos sobre el cine en las revistas especializadas de la época.

DULCE I. Condesa de Provenza (m. 1100). Casada con Godofredo I, fue madre de Beltrán II y se distinguió por sus donaciones religiosas y fundaciones de monasterios.

DU MAURIER, Daphne. V. **MAURIER, Daphne du.**

DUMÉE, Jeanne. Astrónoma francesa (s. XVII). Se sabe poco de su vida, salvo que nació en París y que se casó a los diecisiete años con un oficial destinado en Alemania. Apasionada de la astronomía escribió *Entretenimiento sobre la opinión de Copérnico tocante a la movilidad de la Tierra*, en el que defendió las tesis de Galileo y Copérnico. La obra no fue nunca publicada, pero el *Journal des Savants* dio noticia del manuscrito en 1680.

DUMONT, Carlota. V. **MATTO DE TURNER, Clorinda.**

DUNCAN, Isadora. Bailarina estadounidense (San Francisco, 1878-Niza, 1927). Ocupa uno de los primeros puestos en la historia de la danza y está considerada una de las renovadoras de la ideología y de la técnica de la danza clásica y una de las precursoras de la danza moderna. Su estilo libre, fruto de su inspiración, evocaba las danzas de la antigua Grecia con sus gestos estatuarios, rítmicos y sus túnicas, y durante sus actuaciones bailaba descalza y utilizaba música no compuesta especialmente para la danza. Viajó por numerosos países, donde fundó varias escuelas. En EE.UU., donde en un principio obtuvo mucho éxito, cayó en desgracia posteriormente a causa de su propaganda política y feminista. Murió estrangulada al enredarse su largo chal en una de las ruedas del coche que conducía.

DUPARC, Françoise. Pintora francesa (Murcia, 1726-Marsella, 1778). Era hija del escultor A. Duparc y fue discípula de Van Loo. Se hizo famosa en Londres por sus dotes de retratista, pasando luego a estudiar a París y a Marsella. Su estilo fue muy influido por el realismo de Chardin. Entre sus obras destacan *El hombre de las alforjas* y *La calcetera*, su obra maestra.

DUPIN, Aurore. V. **SAND, George.**

DUPLESSIS, Marie (Alphonsine Plessis, llamada). Dama francesa (Nonant, Orne, 1823-París, 1847). Hija de una prostituta, hizo una carrera rápida en el mundo de la galantería. Llegó a ser amante del duque de Guiche y posteriormente tuvo relaciones con ricos protectores de los que recibía regalos suntuosos. Asistía a la opera, invariablemente vestida de blanco, cubierta de perlas y joyas y llevando en su brazo un ramo de camelias. Alejandro Dumas hijo la conoció en 1844 y quedó perdidamente enamorado de ella, pero decidió romper por ser demasiado pobre para poder mantenerla, aunque según una versión menos lisonjera para el escritor, él la habría abandonado por culpa de su tuberculosis, enfermedad de la que murió poco después. La posteridad no la habría recordado si Dumas no la hubiera inmortalizado en su novela *La dama de las camelias* (1848), que fue adaptada a la escena cuatro años después. El éxito de esta pieza fue asombroso: en ella Margarita Gautier, seudónimo de Marie Duplessis, se sacrifica y renuncia al lujo por su amante, Armand Duval, antes de morir de tisis.

DURAND, Marguerite. Periodista y feminista francesa (París, 1864-íd., 1936). Comenzó como actriz en la Comédie Française (1881-1888) y posteriormente dejó la escena y se dedicó a la política. Fue redactora de *La Presse* y en 1896 fue enviada por *Le Figaro* a un congreso feminista internacional, consagrándose de ahí en adelante a luchar por los derechos de la mujer. En 1897 fundó *La Fronde*, redactado y dirigido por mujeres, *L'Action* (1905) y luego *Les Nouvelles* (1909). Durand publicó numerosos artículos a favor de la igualdad de los sexos, defendió el papel de la mujer en la sociedad y organizó numerosos congresos sobre los derechos de la mujer.

DURAS, Marguerite. Escritora, guionista y directora de cine francesa de origen vietnamita (Gia Dihn, 1914). Perteneció a los círculos existencialistas, colaboró con la resistencia y estuvo afiliada al partido comu-

Marguerite Duras

nista. En 1950 se consolida como escritora con *Un dique contra el Pacífico*, pero son *La square* (1955) y *Moderato cantabile* (1958) las novelas que la convierten en una de las principales exponentes del *nouveau roman*. Su producción se ha centrado en el tema de la soledad, la incomunicación, la muerte, el amor y la ausencia. De su extensa vinculación con el cine (18 filmes), destacan el guión para *Hiroshima mon amour* (1959), dirigido por A. Resnais, y la realización de *India song* (1975) y *Les enfants* (1984). Sus últimas novelas se han basado en material autobiográfico: *El amante* (1984; premio Goncourt), *El dolor* (1985) y *Ojos azules, pelo negro* (1986).

DUSE, Eleonora. Actriz italiana (Vigevano, 1858-Pennsylvania, 1924). A partir de 1878 trabajó en los principales teatros de Europa y América. Duse, una de las más destacadas actrices italianas e internacionales, fue una magnífica intérprete de las obras de A. Dumas, hijo *(La dama de las camelias)*, y de Ibsen *(Casa de muñecas)*. Mantuvo una relación sentimental con D'Annunzio, quien escribió para ella las obras *La ciudad muerta* y *La Gioconda*. En 1909 se retiró de la escena y en 1921 volvió a ella, renovando sus laureles.

Eleonora Duse

EARHART, Amelia. Aviadora estadounidense (Kansas, 1898-océano Pacífico, 1937). Fue la primera mujer que cruzó el Atlántico y el Pacífico. Voló sin escala y sin acompañante de Los Ángeles a Newark y de Ciudad de México a Nueva York. En 1937, con F. Noonan como copiloto, inició la vuelta al mundo y, después de haber recorrido 33.000 km en treinta días, se perdió en el Pacífico durante una tormenta, sin haber sido encontrada.

EBERHARDT, Isabelle. Escritora francesa de origen suizo (Meyrin, 1877-Aïn Sefra, Argelia, 1904). Convertida al islamismo, dedicó gran parte de su vida a recorrer el norte de África vestida de hombre árabe y haciéndose llamar Si Mahmoud Essadi. Sus innumerables experiencias sirvieron de inspiración a una obra que retrató con precisión la vida en las comunidades norteafricanas: *Novelas argelinas* (1905), *Notas de viaje: Marruecos, Argelia y Túnez* (1908).

EBNER, Christina. Religiosa visionaria y escritora alemana (Nuremberg, 1277-Engelthal, 1356). Profesó en el convento de las dominicas de Engelthal a los doce años y comenzó a tener éxtasis y visiones a partir de 1314. Su confesor, Conrado de Füssen, le aconsejó que los pusiera por escrito: el texto fue editado en 1872 en Nuremberg bajo el título de *Leben und Geschichte der Christina Ebner*. Fue además una mujer muy instruida y gozó de gran popularidad entre las personalidades políticas de la época.

ÉBOLI, princesa de (Ana Mendoza de la Cerda). Política española (¿?, 1540-Pastrana, 1592). Hija de Diego Hurtado de Mendoza, virrey de Perú, se casó (1552), siendo aún niña, con Rui Gómez de Silva, príncipe de Éboli y ministro de Felipe II. Algunos afirman que era amante del rey, pero lo que está fuera de

Ana Mendoza de la Cerda, *princesa de Éboli*

toda duda es que, viuda desde 1573, sostuvo relaciones amorosas con Antonio Pérez, secretario del soberano. Descubiertos estos amores y sus relaciones con los rebeldes holandeses por Juan de Escobedo, secretario de don Juan de Austria, y temeroso Pérez de que revelase el secreto, le acusó ante Felipe II de graves manejos políticos, por lo que llegó a obtener autorización para proceder contra él. Muerto a estocadas Escobedo (1578), acusó la opinión pública a Antonio Pérez de su muerte, pero el rey no dispuso su detención ni la de doña Ana hasta 1579. La princesa fue confinada en la fortaleza de San Torcaz y se le privó de la tutela de sus hijos; luego se le permitió trasladarse a su villa de Pastrana (1581). Como producto de su ingenio se citan varios escritos.

EDDY, Mary Baker. Reformadora religiosa estadounidense (New Hampshire, 1821-Massachusetts, 1910). Fundadora de la *Christian Science*, y dirigente de dicho movimiento. En 1866 se curó de manera «milagrosa» de sus enfermedades, lo que atribuyó al auxilio del espíritu y en 1875 escribió *Ciencia y salud* para propagar su doctrina. En 1879 organizó la Church of Christ en Boston y fundó los periódicos *The Christian Science Journal* (1883) y *The Christian Science Monitor* (1908). Proclamaba la igualdad de derechos de la mujer, fundándose en el derecho divino.

EDIB, Halide. Escritora y líder nacionalista turca (Estambul, 1883-íd., 1964). Considerada la primera mujer turca de confesión musulmana en graduarse en el American College de Estambul y la primera en ser profesora de una universidad turca, Edib fue además una activa luchadora nacionalista. En 1926, acusada de conspirar contra el gobierno republicano, fue obligada a exiliarse, radicándose en París y Londres. Regresó a Turquía (1939) y en 1951 fue elegida miembro del Parlamento. Su obra literaria y periodística se centró en la descripción de la cultura turca, y especialmente en los múltiples conflictos padecidos por el colectivo de mujeres musulmanas. *Sinnekli Bakkal* (1938), su novela más conocida, obtuvo el premio Nacional de Novela.

EDUVIGIS de Anjou. V. **HEDWIGE.**

EDUVIGIS o AVOIE de Trebnitz, santa. Duquesa de Silesia (1172-1243). Esposa de Enrique el Barbudo de Silesia y madre de Enrique el Piadoso, fundó la abadía cisterciense de Trebnitz, donde se retiró a la muerte de su marido (1238). Fue canonizada en 1267.

EGERIA. V. **ETHERIA.**

EGILONA. Reina de los visigodos españoles (fin del s. VII-718). Esposa de don Rodrigo, último rey godo de Toledo. Tras la muerte de éste, Egilona es apresada por Abd al-Aziz, hijo de Muza, casándose luego con él. Influyó mucho en favor de los cristianos, pero entre los musulmanes produjo una gran indignación aquel casamiento, y varios jefes del ejército se quejaron ante el califa Solimán, quien envió a Sevilla cinco oficiales para matarle; en 715 enviaron al califa la cabeza de Abd al-Aziz.

EGUAL, María. Escritora española (Castellón, 1698-Valencia, 1735). Regentó en Valencia el salón literario más importante de la época, y escribió un gran número de poemas, hoy desaparecidos, y las comedias inéditas *Los prodigios de Tesalia* y *Triunfos de amor en el aire*.

EHRLICH, Anne. Bióloga estadounidense (n. 1932). Profesora de política medioambiental en la Universidad de Stanford y codirectora de «Amigos de la Tierra», el trabajo de Ehrlich se ha centrado en el estudio del entorno socio-biológico y, especialmente, de la problemática derivada de la explosión demográfica y de las consecuencias que acarrearía una guerra nuclear.

ELEFANTIS. Escritora y científica griega (s. I a. C.). Según el médico Galeno, Elefantis compuso un tratado, hoy perdido, sobre *Los cosméticos*, aunque su obra más divulgada fueron sus poemas y textos eróticos.

ELENA, santa. Emperatriz romana (Brapanum, 247-Roma, 327). Madre del emperador Constantino el Grande, amante del tetrarca Constancio Cloro, del que luego fue esposa legítima. Ya reinando Constantino, se convirtió al cristianismo y se trasladó a Jerusalén, donde hizo demoler en el monte Calvario el templo erigido a Venus y cavar profundamente en sus cimientos hasta hallar la cruz en que fue clavado Jesucristo; mandó construir allí un templo y otro en el monte de los Olivos.

ELENA Lecapeno. Emperatriz bizantina (m. 961). Era hija del emperador Romano I y esposa de Constantino VII, sobre quien tuvo una gran influencia. Fue recluida en un monasterio al acceder al trono su hijo Romano II (959).

ELENA Pavlovna. Princesa alemana afincada en Rusia (1807-1873). Casada con el gran duque Miguel, tío del zar Alejandro II, indujo al monarca a la mayoría de las reformas que llevó a cabo. Organizó un salón que reunió a los mejores intelectuales antiabsolutistas de la época, destacando por su protección a los hermanos Rubinstein.

ELION-BELL, Gertrude. Bioquímica estadounidense (Nueva York, 1918). Estudió química en Hunter College (1937) y farmacia en la Universidad de Nueva York (1941). En 1988 fue galardonada con el premio Nobel de Medicina, que compartió con G. H. Hitchings y Sir J. Black, por sus investigaciones sobre los tratamientos médicos, que tuvieron como consecuencia el desarrollo de una serie de nuevos e importantes medicamentos.

ELIOT, George. Seudónimo de la novelista inglesa Mary Ann Evans (Warwickshire, 1819-Londres, 1880). De formación evangélica, muy pronto la abandona influida por el pensamiento racionalista. Tradujo a Spinoza, Feuerbach y Strauss, y trabajó como editora del *Westminster Review* (1851-1854). En 1854 conoció al periodista G. Lewes, con quien convivió hasta su muerte (1878), relación que resultó escandalosa para los preceptos de la moral victoriana. Considerada una de las más grandes novelistas inglesas, su obra retrató con agudeza las complejidades de la sociedad inglesa y abogó por una moral basada en la autenticidad. Entre su obra destacan *Adam Bede* (1859), *Silas Marner* (1861), *Rómola* (1863), ambientada en la Florencia del *quattrocento*, y *Middlemarch* (1872), considerada su obra cumbre. La vida y obra de esta escritora han sido estudiadas a fondo por la crítica literaria feminista.

George Eliot

ELISA. V. **DIDO.**

ELISENDA de Moncada. Reina de Aragón (s. XIV). Cuarta esposa de Jaime II de Aragón, con el que contrajo matrimonio en 1322. Sus restos se encuentran en el monasterio de Pedralbes (Sarriá, Barcelona), fundado por ella, y al que se retiró cuando enviudó, a los cinco años de casada.

ELOÍSA. Dama francesa (París, 1101-Paracleto, 1164). Célebre por sus amores con Abelardo, recibió su primera educación en el monasterio de Argenteuil; Fulberto, su tío, le dio por maestro de filosofía a Abelardo, quien se enamoró de ella y fue correspondido, huyendo ambos a Bretaña, donde tuvieron un hijo de nombre Pedro Astrolabio. Tras ser castrado Abelardo por orden del canónigo Fulberto, Eloísa fundó el monasterio de Paracleto, donde murió siendo abadesa. Ambos amantes descansan juntos en el cementerio del Père Lachaise (París). Sus *Cartas a Abelardo* se han convertido en uno de los textos literarios más leídos de todos los tiempos.

EMMA. Reina de Inglaterra (m. Winchester, 1052). Hija de Ricardo de Normandía, se casó sucesivamente con los reyes Ethelred II (1002), de Inglaterra, y Canuto (1017), de Dinamarca, ejerciendo gran influencia sobre este último. Transmitió los derechos sobre Inglaterra a Guillermo el Conquistador.

EMMA. Princesa y religiosa española (m. 942). Era hija de Wifredo el Velloso y fue abadesa del monasterio de San Juan de las Abadesas. Emma consiguió un precepto real para desprenderse de la autoridad condal y depender sólo del rey de Francia, consiguiendo posteriormente inmunidad eclesiástica y pleno dominio feudal sobre sus vasallos, tomando un papel muy activo en la repoblación de Cataluña central.

EMMERICH, Anna Katharina. Mística alemana (Flamske, Westfalia, 1774-Dülmen, 1824). Fue célebre por sus estigmatizaciones. Clemente Brentano escribió, según sus descripciones, las visiones que ella tuvo de la Pasión de Jesucristo.

ENRIQUETA ANA de Inglaterra. Duquesa de Orleans (Exeter, 1644-Saint-Cloud, 1670). Fue hija de Carlos I de Inglaterra y de Escocia y de Enriqueta María* de Francia. Se casó con el duque de Orleans, hermano de Luis XIV de Francia, y fue madre de María Luisa*, primera esposa de Carlos II de España.

ENRIQUETA MARÍA de Francia. Reina de Inglaterra (París, 1609-Bois-Colombes, 1669). Fue esposa de Carlos I Estuardo e hija de Enrique IV de Francia y de María* de Médicis. Se distinguió por el auxilio que prestó a su esposo en su lucha contra los parlamentarios, pero vencido al fin Carlos I, ella hubo de refugiarse en Francia, donde pasó el resto de su vida.

ENRÍQUEZ, Juana. V. **JUANA Enríquez.**

ENRÍQUEZ DE ARANA, Beatriz. Dama española, amante de Cristóbal Colón (Santa María de Transierra, Córdoba, 1467-íd., 1521). Conoció al almirante en casa de los parientes cordobeses que la educaron, en 1487, convirtiéndose en su amante. De esta unión nació Hernando Colón (1488). Colón nunca se casó con ella, pero la encomendó a su hijo legítimo, Diego, en su testamento.

ENRÍQUEZ DE GUZMÁN, Feliciana. Poeta y dramaturga española (Sevilla, h. 1580-1640). Contribuyeron a su fama las aventuras que Lope, al parecer infundadamente, le atribuyó en *El laurel de Apolo*. Destacó como prosista y satírica. Es autora de la tragicomedia *Los jardines y campos sabeos* (1624 ó 1627), cuyo prólogo es la antítesis de la posición de Lope, y de *Entre actos*. De sus poesías líricas, «El sueño de Gelita» se considera una de las mejores de nuestro parnaso.

ÉPINAY, madame de La Live d' (Louise Tardieu d'Esclavelles). Escritora francesa (Valenciennes, 1726-París, 1783). Cultivó la amistad de los literatos más famosos de su época y fue amante de Voltaire, de J. J. Rousseau y del abate Galiani. Escribió, entre otras obras: *Momentos felices* y *Cartas a mi hijo*.

ÉPINOY, princesa de (Philippine Christine de Lalaing). Heroína belga (n. probablemente en el castillo de Bailleul, 1545-Amberes, 1582). Casada con Pierre de Melun, gobernador de Tournai, por ausencia de su marido hubo de asumir el mando de la plaza frente a las tropas españolas sitiadoras, mostrando una admirable valentía en el cumplimiento de su deber. Herida al frente de sus tropas, la plaza tuvo al fin que rendirse, pero los españoles le concedieron una honorable capitulación.

ERAUSO, Catalina de. Heroína y militar española, conocida por «la Monja Alférez» (San Sebastián, 1592-Veracruz, 1650). Fue monja dominica, y disfrazada de hombre escapó del convento en 1603; navegó por los mares del S. de España; sentó plaza de grumete para ir a Punta Araya y Panamá (América) y allí se alistó como soldado y luchó valientemente en numerosos combates. En el ejército llevó el nombre de Alonso Díaz y Ramírez de Guzmán. Herida de gravedad, confesó su verdadero sexo. Regresó a España en 1624, fue recibida por Felipe IV y pasó a Roma, donde obtuvo audiencia con el papa Urbano VIII; el rey la nombró alférez y con este grado volvió nuevamente a América, donde murió al llevar una carga hacia Veracruz. En 1625 se escribió un libro apócrifo llamado *Historia de la Monja Alférez*, publicado en 1829.

ERMENGARDA. Emperatriz de los francos (m. Angers, 818). Se casó en 798 con Ludovico Pío, hijo de Carlomagno, entonces rey de Aquitania, convertido en emperador en 814. Para asegurar la corona a sus hijos, Ermengarda hizo entrar en el claustro a los tres hijos naturales de Carlomagno y obtuvo la condena de Bernardo, rey de Italia y sobrino del emperador, acusándolo de un supuesto complot contra su tío y lo hizo ejecutar con gran crueldad (818).

ERMENGARDA de Narbona. Vizcondesa de Narbona (m. Perpiñán, 1194). Se casó con un noble hispano llamado Alfonso en 1142. Prestó su concurso a los reyes de Francia y Aragón para sus empresas guerreras. Protectora del arte y la poesía, frecuentaron su corte varios trovadores, entre ellos el célebre Pedro Rogier. No tuvo sucesión y abdicó en favor de su sobrino Manrique de Lara, conde de Molina.

ERMESINDA. Reina de Asturias (739-757). Fue hija de don Pelayo y esposa de Alfonso I el Católico, rey de Asturias, a quien transmitió los derechos del trono, según la costumbre astur-cántabra.

ERMESSENDA. Condesa de Barcelona (972-castillo de Besora, 1058). Hija de Roger I de Carcasona, se casó en 1001 con el conde Ramón Borrell III de Barcelona, con quien compartió el gobierno. En el testamento de su marido le fue legado el condominio de sus territorios junto a su hijo Berenguer Ramón I, figurando hasta 1020 como tutora y regente. A la muerte de su hijo, volvió a ejercer la regencia, esta vez sobre sus nietos (entre 1035 y 1040 dirigió personalmente los destinos de los condados de Barcelona y Gerona). A partir de 1041 comienzan las malas relaciones con su nieto Ramón Berenguer I, a quien al final vendió sus derechos sobre los condados catalanes, retirándose de la vida pública.

ESCOLÁSTICA, santa. Religiosa italiana (Nursia, h. 408-Piumarola, Montecassino, 547). Era hermana de san Benito de Nursia y desde niña se consagró al servicio divino. Cuando san Benito fundó Montecassino, abrió cerca un monasterio de monjas con la misma regla, llamado Piumarola, del que Escolástica fue abadesa.

Núria Espert

ESPERT, Núria. Actriz y directora de teatro española (L'Hospitalet de Llobregat, 1933). Comenzó su carrera profesional en 1959, trabajando en numerosas obras teatrales dentro y fuera del ámbito español. Dotada de un fuerte temperamento dramático y poseedora de una especial calidad vocal, Espert ocupa un lugar preeminente dentro del panorama teatral español contemporáneo. En 1969 se le otorgó a su compañía el premio especial del XVI Festival Internacional de Arte Dramático de Belgrado, y de 1979 a 1980 fue codirectora del Centro Dramático Nacional. Entre sus representaciones destacan las realizadas bajo la dirección de Víctor García: *Yerma*, *Las criadas* y *Divinas palabras*. En 1986 fue aclamada internacionalmente por su montaje en Londres de *La casa de Bernarda Alba*, interpretada por Glenda Jackson* y Joan Plowright. Ha dirigido, además, varias óperas, entre ellas *Madame Butterfly* (1987), *Rigoletto* y *Electra* (1988), *La traviata* (1989) y *Carmen* (1991).

ESPINA, Concha. Escritora española (Santander, 1869-Madrid, 1955). Se trasladó muy joven a Chile, donde colaboró con diversos periódicos, especialmente con el *El Correo Español* de Buenos Aires. De regreso a España, se inició como escritora con la novela *La niña de Luzmela* (1909), a la que siguieron *La esfinge maragata* (1914), centrada en las desgracias de una mujer que se vio obligada a tolerar una tormentosa vida conyugal y, pos-

Concha Espina

teriormente, *El metal de los muertos* (1920), considerada su mejor obra y en la que describió con agudeza los ambientes mineros santanderinos. Su larga producción novelística alcanzó una gran popularidad en su época. En 1927 recibió el premio Nacional de Literatura, siendo propuesta ese mismo año para el premio Nobel.

ESTATIRA. Princesa persa (m. 323 a. C.). Era hija de Darío III. Después de la batalla de Isos, cayó en manos de Alejandro Magno, que casó con ella en Susa, el año 324. Fue estrangulada por orden de Roxana* y de Pérdicas después de la muerte de Alejandro.

ESTE, Beatrice de. Duquesa de Milán y mecenas italiana (1475-1497). Hija de Hércules I de Este y de Leonor* de Aragón, se casó con Ludovico Sforza el Moro. Convirtió Milán en una de las cortes más brillantes de Italia, con Leonardo, Bramante y Rafael trabajando en ella. Bajo sus auspicios se construyeron obras maestras del Quatrocento, como Santa María de las Gracias (Milán) o el Palacio de Ludovico el Moro (Ferrara). Fue, además, una prudente consejera de su marido, que quedó destrozado a su muerte.

ESTE, Isabel de. Marquesa de Mantua y mecenas italiana (1474-1539). Hermana de Beatrice de Este*, se casó con Francisco II Gonzaga, marqués de Mantua. Fue una ardorosa humanista, creando una brillante corte, de la que es buen reflejo *El Cortesano* de Baltasar de Castiglione. Protegió, entre otros, a Rafael, a Mantegna y a Julio Romano, arquitecto de Mantua; y reunió una importantísima colección de obras de arte y manuscritos. Fue retratada por Leonardo y Tiziano.

ESTER o ESTHER. Reina de Persia (s. VI a. C.). Judía de la tribu de Benjamín, se casó con Asuero, rey de Persia. Según el relato bíblico del *Libro de Esther*, el ministro de éste, Amán, logró una orden para ahorcar al judío Mardoqueo, tío de aquélla, y matar a los demás israelitas, a los que odiaba. Pero Ester desbarató los planes de Amán, enterando de ello al monarca, quien revocó la orden, haciendo ahorcar al favorito y concediéndole este puesto a Mardoqueo.

ESTRATÓNICE. Reina seléucida (m. 254 a. C.). Hija de Demetrio Poliercete, se casó con Seleuco Nicátor en 301. Por razón de su extraordinaria belleza inspiró una violenta pasión en su hijastro Antíoco I Soter. Su marido Seleuco consintió en divorciarse y permitió que Estratónice se casara con Antíoco.

ESTRÉES, Gabriela d'. Cortesana francesa (castillo de La

Bourdaisière, 1573-París, 1599). Fue amante de Enrique III de Francia, y después de Enrique IV, con quien tuvo dos hijos y una hija que después se casó con Carlos de Lorena. Gabriela fue nombrada por Enrique IV marquesa de Monceau y duquesa de Beaufort.

ÉTAMPES, duquesa de (Anne de Pisseleu). Cortesana francesa (Fontaine-Lavaganne, 1508-Heilly, 1580). Fue amante de Francisco I, quien al regresar a Francia después de su cautividad en Madrid, se enamoró locamente de ella. Por espacio de veinte años ejerció notable influencia sobre el rey, tanta, que se decía que, para obtener una cosa, era preferible pedírsela a ella antes que al monarca.

ETHERIA, ETERIA o EGERIA. Abadesa y escritora hispana (s. VII). Posiblemente coetánea de san Valerio (s. VII), que refiriendo sus impresiones de un viaje a los Santos Lugares, escribió el códice *Itinerarium ad Loca Sancta*, en forma animada y minuciosa. En un principio se atribuyó este códice a Silvia de Aquitania, comprobándose, por el testimonio de san Valerio, que pertenecía a Etheria, Egeria, Arteria o Geria, que de todas esas maneras se le ha llamado, nacida en las playas de extremo Occidente, seguramente en Galicia.

EUDOXIA. Emperatriz de Oriente (m. Constantinopla, 404). Se casó con Arcadio (395) y gozó de gran influencia sobre él. Fue ambiciosa, intrigante y de carácter muy enérgico, ganándose la oposición de san Juan Crisóstomo; éste la acusó desde el púlpito por su frivolidad, pero Eudoxia le hizo exiliarse (399-404).

EUDOXIA. Princesa romana (h. 438-Jerusalén, h. 472). Hija de Valentiniano III y Licinia Eudoxia*. Fue secuestrada por los vándalos de Genserico (455), quien la hizo casar con Hunnerico. Cuando su marido —arriano— persiguió a los católicos, abandonó Cartago y se refugió en Jerusalén, donde moriría.

EUDOXIA, Aelia. Emperatriz de Oriente (Atenas, 402-Jerusalén, 460). Hija del filósofo ateniense Leoncias, su primer nombre fue Atenaida o Atenais. Convertida al cristianismo en 421, con el nombre de Aelia Eudoxia, se casó en el mismo año con Teodosio II, emperador de Oriente. Favoreció la cultura, cooperando en la restauración de la universidad (425). Acusada de infidelidad, se trasladó a Jerusalén, donde se dedicó a escribir y a la meditación religiosa.

EUDOXIA, Licinia. Emperatriz romana (¿?, 422-Constantinopla, ¿?). Hija de Valentiniano II, emperador de Occidente, y de su esposa Eudoxia, se casó con su primo Valentiniano III (437), gobernando con él. En 455, tras el asesinato de su esposo, fue obligada a casarse con Máximo, su asesino. Una tradición dice que fue hecha prisionera por los vándalos de Genserico, quien la liberó tras siete años de cautiverio.

EUDOXIA Feodorovna. Emperatriz de Rusia (Moscú, 1669-íd., 1731). Fue primera mujer del zar Pedro el Grande y madre del zarévich Alejo. Perteneciente a la secta rigorista de raskolniks, se opuso a las reformas de su marido, por lo que fue encerrada y profesó en un convento con el nombre de Elena (1698). Volvió a la vida pública intentando casarse con su amante Gliebov y preparó un pequeño complot; Pedro el Grande la volvió a encerrar (1718-1727), decapitó a su hermano Abraham, empaló a su amante y ajustició al zarévich Alejo Petróvich.

EUGENIA MARÍA de Montijo de Guzmán, condesa de Teba. Emperatriz de Francia (Granada, 1826-Madrid, 1920). Hija del conde de Montijo y dotada de extraordinaria belleza, se casó en 1853 con Napoleón III. Ejerció tres veces la regencia: en 1859, en 1865 y en 1870. Proclamada la República en Francia, se trasladó a Inglaterra, en donde se reunió con su marido, que m. en 1873. Su hijo único, Luis,

Eugenia de Montijo, por Winferhalter

n. en 1856, tomó parte en 1879 en una expedición inglesa contra los zulúes y m. en una emboscada.

EULALIA de Mérida, santa. Virgen hispana (¿?, 292-Mérida, 304). Según la tradición, escupió a la cara de unos oficiales romanos que le ordenaron que renegara de su fe cristiana, por lo que fue quemada en el horno que se conserva en la iglesia de su nombre (Mérida, Extremadura). Se refiere a Eulalia el poeta Prudencio en su *Peristephanon* (himno III). También san Gregorio de Tours describió el martirio *(In gloria Martyrum)*, cuya fama llegó hasta las iglesias de África: san Agustín lo exalta en un sermón. Hay que citar asimismo la

Secuencia de santa Eulalia, transcripción a la lengua vulgar de una secuencia latina. Este poema fue compuesto h. 880 en la abadía de Saint-Amand (Nord) y constituye el ejemplo más antiguo que se conoce de la poesía francesa.

EVA. Nombre de la primera mujer, madre del género humano, según el relato bíblico (*Gn.* 2-4). En el Libro existen dos relatos sobre su creación: el primero de la costilla de Adán, a quien se le da como compañera (*Gn.* 2, 23) y el segundo, como creada del barro, junto a Adán. Eva, según la tradición, fue seducida por una serpiente y la que indujo al pecado, por lo que fue condenada a sufrir dolores de parto, a ser dominada por el marido y a la expulsión del Paraíso. En la teología cristiana es contrapuesta a María*, que viene a resolver el pecado por ella iniciado. La oposición entre las figuras de Eva y María ha sido retomada por numerosas teorías sociológicas y filosóficas a lo largo de la historia y, especialmente en la actualidad, por los estudios feministas.

EVANGELISTA, Linda. Top-model canadiense (Ontario, 1965). Evangelista es una de las modelos actuales con mayor solidez en su profesión. Se distingue por su facilidad casi camaleónica para cambiar de imagen de una a otra firma de ropa, habiéndose convertido en una de las modelos más habituales en las pasarelas internacionales y quizá la más fotogénica del último grupo de top-models. Es requerida por las firmas de alta costura especialmente las italianas y estadounidenses.

EVANS, Mary Ann. V. **ELIOT, George.**

EVERSON, Cory. Fisioculturista estadounidense (Wisconsin, 1964). De familia alemana, realizó estudios de decoración de interiores en la universidad de su ciudad natal. Pronto se dedicó al fisioculturismo, que se convertiría en su verdadera profesión, habiendo ganado la mayoría de los galardones internacionales, entre ellos el premio Miss Olimpia (sucesivamente de 1985 a 1990). Posteriormente se ha dedicado al cine, TV y al diseño de ropa deportiva.

EVERT-LLOYD, Chris. Tenista estadounidense (Fort Lauderdale, 1954). Evert ganó todos los

Chris Evert-Lloyd

grandes torneos internacionales de su época: Wimbledon (1974, 1976 y 1981), Roland Garros (1974, 1975, 1979, 1980, 1983, 1985 y 1986), Forest Hills (1975, 1976, 1977), Open de EE.UU. (1977, 1978, 1980, 1982) y Open de Australia (1982 y 1984). En 1989 se retiró de la competición.

EVITA. V. **PERÓN, María Eva Duarte de.**

Fabiola y Balduino, reyes de Bélgica

FABIOLA de Mora y Aragón. Reina de Bélgica de origen español (Madrid, 1928). Hija del marqués de Casa Riera y conde de Mora, en 1960 contrajo matrimonio con el rey Balduino I de Bélgica. Fabiola se ha ganado el cariño de los belgas gracias a su actitud prudente en los asuntos de Estado y a sus actividades encaminadas a proveer de bienestar a los más desprotegidos de su reino. En 1993 enviudó sin descendencia.

FABRI DE HILDEN, Marie Colinet. Médica suiza de origen genovés (ss. XVI-XVII). Se casó con Fabricio de Hilden, cirujano célebre en Alemania, en 1578. Después de su boda, fijaron residencia en Berna, donde ella reemplaza pronto a su marido en la atención de partos, y después en el conjunto de la práctica médica. Las operaciones de M. Fabri se hicieron famosas al ser citadas por su marido en sus tratados, y algunas de ellas fueron logros espectaculares para la época.

FACCIO, Adele. Política italiana (Udine, 1920). Profesora de filología románica, Faccio militó en el movimiento antifranquista español (1948-1952), y a partir de los años 60 ha colaborado con el movimiento feminista. En 1973 fundó CISA (Centro informativo para la esterilización y el aborto) e inició la lucha en favor de la despenalización del aborto. Ha sido presidenta del Movimiento de Liberación de la Mujer, y desde 1976 es miembro del Partido Radical, por el que fue elegida diputada.

FALACCI, Oriana. Periodista y escritora italiana (Florencia,

Oriana Falacci

1930). Ha sido corresponsal de *Epoca* y *L'Europeo* y sus artículos han sido publicados en *Corriere de la Sera*, *The New York Times* y en la revista *Life*. Se dio a conocer por sus entrevistas a personas famosas y especialmente por su trabajo como corresponsal de guerra en Vietnam, Oriente Medio, etc. Ha escrito además varias novelas: *Nada y así sea* (1969), *Entrevistas con la historia* (1974) e *Inshallah* (1990), sobre el conflicto libanés; *Carta a un niño que no llegó a nacer* (1975) y *Un hombre* (1980), en las que examina la naturaleza de las relaciones intersexuales.

FALCÓN, Lidia. Política y feminista española (Madrid, 1935). Estudió derecho, periodismo y filosofía, y está considerada una de las más importantes feministas españolas. Fue militante del PSUC, y en 1976 creó el Colectivo Feminista de Barcelona, la revista *Vindicación Feminista* y la editorial Ediciones de Feminismo. En 1977 fundó la Organización Feminista Revolucionaria, que promovió la constitución del Partido Feminista, el primero en España, y desde 1979 dirige la revista *Poder y Libertad*. Es autora además de la novela *Camino sin retorno* (1992), de la pieza teatral *Emma* (1992), de numerosos ensayos sobre temas relacionados con el feminismo (*La razón feminista*, 1982-1983; *Violencia contra la mujer*, 1991; y *Mujer y poder político*, 1992), y ha colaborado en varios periódicos, entre ellos *Diario 16*.

FARAH DIBA. Emperatriz de Irán (Teherán, 1938). En 1959 contrajo matrimonio con el sah de Persia, Muhammad Reza Pahleví y recibió el título de reina; en 1960 dio a luz al príncipe heredero Reza Ciro; y en 1961 le fue concedido el título de emperatriz, siendo coronada, junto con su esposo, en 1967. En 1979, la pareja abandonó el país al convertirse Irán en una república islámica.

FARREN, Elisabeth. Actriz británica (Corck, 1759-Knowsley Park, 1829). Era de una familia de cómicos ambulantes, con los que participó en su compañía. Entre 1777 y 1797 trabajó en Londres, cosechando grandes éxitos. Abandonó la escena al casarse con Edward, XII conde de Derby.

FARROW, Mia (Maria de Lourdes Villiers Farrow, llamada). Actriz estadounidense (Los Ángeles, 1945). Hija de Maureen O'Sullivan* y de John Farrow, debutó en la televisión con la popular serie *Peyton Place*. Rodó su primer filme en 1964 y se hizo famosa en *La semilla del diablo* de Polanski (1968). Ha estado casada dos veces, con Frank Sinatra (1966) y con André Prévin (1970), y mantuvo una larga relación con Woody Allen, del que se separó en 1992. Con Allen ha realizado sus mejores creaciones, destacando sus papeles en *Zelig* (1983), *Broadway Danny Rose* (1984), *La rosa púrpura del Cairo* (1985), *Hanna y sus hermanas* (1986), *Alice* (1990) y *Maridos y mujeres* (1992).

FÁTIMA. Mujer árabe, transmisora de la sangre de Mahoma (La Meca, 606-Medina, 632). Hija menor de Mahoma y de Jadiya*, madre de Hasán, Husseín y Mohsen (muerto éste muy niño), fue progenitora de todos los descendientes del Profeta. Tuvo por marido a Alí, cuarto de los califas.

FÁTIMA de Córdoba. Mística sufí andalusí (Sevilla, s. XIII). Fue una famosa mística que vivía en una cabaña a las afueras de Sevilla, donde realizaba prodigios telepáticos y evocaciones. Fue maestra del sufí Ibn 'Arabi, quien habla de ella en sus obras.

FAUSTA Flavia Maximiana. Emperatriz romana (289-327). Hija de emperador Maximiano Hércules y segunda esposa del emperador Constantino, con quien tuvo varios hijos; fue acusada de adulterio y ahogada en el baño por orden de su marido.

FAUSTINA la Mayor (Annia Galeria). Emperatriz romana (104-141). Hija de Annio Vero y esposa del emperador Antonino Pío. A su muerte, el emperador la elevó a categoría de diosa y el senado le consagró un templo cuyos restos aún son visibles en la iglesia de San Lorenzo, en Miranda.

FAUSTINA la Menor (Ânnia Galeria). Emperatriz romana (Roma, 125-Halala, Capadocia, 175). Hija de Antonino Pío y de Faustina* la Mayor, y esposa de Marco Aurelio. Recibió el apelativo de *Mater castrorum* por haber acompañado a su marido en numerosas campañas. Tras su muerte, fue elevada a categoría de diosa y el senado ordenó que se le erigiese una estatua en el templo de Venus.

FEDRA. Princesa cretense, hija de Minos y Pasífae. La leyenda cuenta que casó con Teseo y se enamoró de su hijastro Hipólito, quien se negó a corresponderle. Ella le acusó, por despecho, de haberla violado e Hipólito murió despedazado. Fedra, llena de remordimientos, se ahorcó. Su figura ha servido de inspiración a numerosas obras artísticas y literarias a lo largo de la historia.

FELICIA de Roucy. Reina de Aragón (m. después de 1094). Era hija de Hilduino de Roucy y se casó en 1074 con Sancho I Ramírez de Aragón. Colaboró con su marido en tareas de gobierno y fue madre de los reyes Pedro I, Alfonso I y Ramiro II de Aragón.

FELICIANI, Lorenza o Serafina. Maga italiana (Roma, 1754-íd., 1794). Hija de un comerciante, se casó con Giuseppe Balsamo, conde de Cagliostro y gran maestre de la Masonería egipcia y gran preboste de Europa y de Asia. Dotada de supuestos poderes mágicos, como su marido, Serafina recorrió con él toda Europa, siendo su más fiel cómplice y logrando una rica clientela, prestigio y fortuna. En París se vieron complicados en el asunto Collier (1785) y terminaron sus días presos en la cárcel pontificia de San León, cerca de Roma.

FELICIDAD o FELÍCITAS, santa. Mártir afrorromana (m. Cartago, 203). Embarazada, fue encarcelada junto con su matrona, santa Perpetua*, y otros cristianos. Antes de ser arrojada a las fieras, escribió el relato de sus padecimientos y visiones. Su tumba, junto con la de santa Perpetua, se ha hallado recientemente.

María Félix en *Una mujer cualquiera*

FÉLIX, María. Actriz de cine mexicana (Sonora, 1915-Ciudad de México, 1991). Considerada uno de los mitos del cine mexicano, M. Félix debutó en 1942 con el melodrama *El peñón de las ánimas* y desde entonces protagonizó un gran número de películas, entre las que destacan *Doña Bárbara* y *Enamorada.* Trabajó con los mejores directores de cine como Luis Buñuel, Luis Alcoriza o Jean Renoir. Ha recibido varios premios Ariel y un «Victoire» a la actriz más popular.

FERNÁNDEZ OCHOA, Blanca. Esquiadora española (Madrid, 1963). En 1985 obtuvo la Copa del Mundo en *slalom* (EE.UU.) convirtiéndose en la primera esquiadora española en obtener esta victoria. Entre sus mejores clasificaciones destacan: sexta en el *slalom* gigante en los Juegos Olímpicos de Sarajevo (1984), octava en la Copa del Mundo de 1987 (bronce en el *slalom* gigante), quinta en *slalom* y *slalom* gigante en el Campeonato Mundial de Crans Montana, quinta en el *slalom* de los Juegos Olímpicos de Calgary (1988) y cuarta en el *slalom* del Mundial de Vail (1989).

FERREIRA DE LA CERDA, Bernarda. Escritora portuguesa (Oporto, 1595-Lisboa, 1644). De gran cultura, fue preceptora de los hijos de Felipe IV de España (III de Portugal), y a ella se deben, entre otras obras, *Soledades de Buçaco*, *Poesías y diálogos* y *España libertada* (1618).

FILLEUL, Adela (condesa de Flahaut, marquesa de Souza-Botelho). Literata francesa (París, 1761-íd., 1836). Guillotinado su primer marido en 1793, y confiscados sus bienes, se dedicó a las letras para atender a sus necesidades y publicó varias novelas en las que describió, con humor, las costumbres de la aristocracia del s. XVIII.

FINI, Leonora. Pintora argentina (Buenos Aires, 1908). En los años 30 se vinculó a los surrealistas creando pinturas cargadas de erotismo y pobladas de figuras femeninas ambiguas. Destacó como ilustradora de libros de importantes escritores (J. Genet, Baudelaire, Sade, Poe), y realizó decorados, vestuarios y máscaras para los teatros de la Comédie Française, la Ópera de París y la Scala de Milán, y para los filmes *Romeo y Julieta* (1954) y *Satyricon* (1969), dirigido este último por F. Fellini. De sus innumerables exposiciones destacan las de París (1936 y 1959), Nueva York (1938 y 1964) y Londres (1960). Sus pinturas figuran en los grandes museos del mundo; en 1986 el museo de Luxemburgo organizó una retrospectiva de su obra.

FINNBOGADOTTIR, Vidgis. Política islandesa (Reykjavick, 1930). Opositora a la presencia estadounidense en Islandia y a la base de la OTAN en Keflavik, desde 1980 asumió la presidencia de la nación, convirtiéndose en la primera mujer que ha logrado ocupar dicho cargo en la república islandesa.

FIRESTONE, Shulamith. Feminista canadiense (n. 1945). Firestone, una de las teóricas más representativas del feminismo radical neoyorquino, fue cofundadora en 1967 del movimiento «Radical Woman» centrado en la importancia de la identidad sociosexual más que en la identidad socioeconómica. Su libro *La dialéctica del sexo* (1971) propone la actitud que las mujeres deben asumir para poder eliminar las clases sexuales. Apoyada en las ideas de F. Engels y S. de Beauvoir* sobre el freudo-marxismo, Firestone argumenta que sólo habrá una revolución real cuando la mujer se libere de la responsabilidad de criar a los hijos y rompa con la «tiranía de la familia biológica» mediante la reproducción artificial.

FITZGERALD, Ella. Cantante de jazz estadounidense (Virginia, 1918). Fitzgerald, considerada una de las mejores cantantes de jazz de todos los tiempos, comenzó su carrera en 1934 participando en un concurso para aficionados en el Apolo Harlem de Nueva York, donde fue escuchada por C. Webb, quien la contrató para su orquesta, y con quien posteriormente se casaría. A la muerte de Webb (1939), Fitzgerald llevó las riendas de la orquesta hasta 1942, cuando comenzó a destacar como solista, adquiriendo más adelante renombre internacional. Ha trabajado con las orquestas de Duke Elligton, Count Basie, Louis Armstrong, Oscar Peterson y Norman Granz. La «dama del jazz» grabó discos que batieron todos los récords de venta (en los años 50 vendió 30 millones de discos). Cabe mencionar *A Tisket A Tasket* (1938), *Lady Be Good* (1946), *Stompin'at the Savoy* (1956), *Into Each Life Some Rain Must Fall* (1963) e *Imagine My Frustration* (1965).

Ella Fitzgerald

FLACK, Audrey. Pintora estadounidense (Nueva York, 1931). Estudió arte en Nueva York, donde ha ejercido como profesora en varias universidades. A principios de los años 70 se encuadró dentro de la abstracción y posteriormente evolucionó hacia la pintura realista o lo que ella denominó *super-realism.* Su obra, influida por los grandes pintores del Renacimiento y por artistas contemporáneos como Kline y Pollock, se caracteriza por la luz, las yuxtaposiciones, las vibraciones del color, la distribución del espacio y los lienzos de gran tamaño. Flack esta considerada una figura esencial del arte estadounidense contemporáneo, y sus obras aparecen expuestas en el Museo de Arte Contemporáneo y en el Museo Metropolitano de Nueva York.

FLANNER, Janet. Periodista y novelista estadounidense (Indiana, 1892-íd.,1978). Residió en París durante 19 años y desde allí publicó en la revista *New Yorker* sus «Cartas desde París» que se convirtieron en un valioso documento sobre la vida cultural parisina del período de entreguerras. *La ciudad cúbica* (1926), su única novela publicada, tuvo como fondo la ciudad de Nueva York y se centró en la crítica de los comportamientos represivos de la sociedad estadounidense.

FLAVIGNY, Marie de (condesa de Agoult). Escritora francesa de origen alemán que utilizó el seudónimo de *Daniel Stern* (Francfort, 1805-París, 1876). Renombrada figura de la alta sociedad alemana y francesa, Flavigny sostuvo relaciones íntimas durante diez años con F. Liszt. Su casa se convirtió en un importante lugar de encuentro de los intelectuales de la época. Entre sus obras destacan las novelas *Nélida* (1846), de contenido autobiográfico, y *Valentia* (1883), en la que concibe el matrimonio como un vehículo para legalizar la violación; sus ensayos *Esquisses morales* (1849), considerada su mejor obra, e *Histoire de la révolution de 1848* (1851), sobre el clima político y social de la Francia del s. XIX; y sus estudios sobre María Estuardo y Juana de Arco.

FLORENTINA, santa. Virgen hispanorromana del reino visigodo (s. VI-VII). Perteneciente a una ilustre familia de abolengo romano, procedente de Cartagena y hermana de los santos doctores Fulgencio, Isidoro y Leandro. Fue superiora de un convento de obediencia hispánica fundado en Écija, y para ella escribió san Isidoro de Sevilla su obra *De Ecclesiasticis Officiis*. Murió a edad muy avanzada.

FLORES, Josefa o Pepa. Cantante y actriz de cine española (Málaga, 1947). Bajo el nombre artístico de *Marisol* se reveló como una magnífica actriz infantil en la película *Un rayo de luz*, por la que fue proclamada en Venecia la mejor actriz infantil (1960), convirtiéndose posteriormente en una auténtica estrella de la pantalla grande: *Ha llegado un ángel* (1961), *Tómbola*, *Marisol rumbo a Río*, *La nueva Cenicienta*, *Búsqueme a esa chica*, *Cabriola*, *Carola de día, Carola de noche* y *La chica del Molino Rojo*. En 1973 intervino por primera vez en una obra de teatro, *Quédate a desayunar* y con *Los días del pasado* obtuvo el premio a la mejor interpretación en el Festival de Karlovy-Vary (1978). Tras esta faceta infantil y juvenil, y bajo el nombre de Pepa Flores, se ha dedicado fundamentalmente a la canción *pop* de raíces andaluzas. En 1983 intervino como cantaora en la película *Carmen* de Carlos Saura.

Lola Flores en *María de la O*

FLORES, Lola (Dolores Flores Ruiz, llamada). Cantante, bailaora y actriz española (Jerez de la Frontera, 1925). Es una de las más destacadas personalidades del género folclórico. En 1967 se le concedió el premio Sindical a la mejor estrella por su película *Una señora estupenda* y el lazo de Isabel la Católica. Entre sus películas destacan además *La niña de la venta* (1951), *Estrella de Sierra Morena* (1952), *La danza de los deseos* y *Morena Clara* (1954), *Limosna de amores* y *La Faraona* (1956), apelativo con el que se le suele nombrar, *María de la O* (1958), *El balcón de la luna* (1962), *De color moreno* (1963) y *Sinfonía española* (1964). Además de su actividad cinematográfica y como cantante y bailaora, han tenido importancia sus recitales poéticos, su faceta como pintora, su participación en la serie televisiva *Juncal* (1988), de Jaime de Armiñán, y su actividad como presentadora de televisión en el programa *Sabor a Lolas* (1992-93). Está casada con el guitarrista y actor Antonio González.

FLORES DE OLIVA, Isabel. V. **ROSA de Lima, santa.**

FLORESTA, Misia. Escritora brasileña (1810-1885). Colaboró en varios periódicos, y en 1938 fundó la escuela Augusto en Río de Janeiro. Fue una de las precursoras del movimiento feminista brasileño y una de las primeras abolicionistas. Entre sus obras, de marcada orientación didáctica, destacan *A lágrima de un caéte* (1849) y *Dedicação a uma amiga* (1850). Utilizó los seudónimos de «Una Brasileña», «Telesilla» y «N.F.B.A».

FLORINDA la Cava. Noble hispanovisigoda (s. VIII). Dama de la reina Egilona*, esposa de don Rodrigo, último rey visigodo de Toledo, e hija del conde don Julián. Según la leyenda, prendado de su belleza, el rey abusó de ella, lo cual motivó la traición de don Julián cuando se produjo la invasión musulmana.

FOLIGNO, beata Ángela de. Teóloga y escritora mística italiana (Foligno, Umbría, 1248-íd., 1309). Contrajo matrimonio muy joven, abandonando —con consentimiento de su esposo— a su familia para ingresar en la orden de las clarisas en 1291. Fundó en su ciudad natal una compañía de la Orden Tercera de San Francisco. Fue muy célebre por sus visiones místicas, que relató en su *Liber de vera fidelium experientia.* Sus obras y pensamientos se difunden a partir del siglo XVI, siendo comparada con santa Teresa* de Ávila.

FONDA, Jane. Actriz y activista estadounidense (Nueva York, 1937). Hija del también actor Henry Fonda, Jane Fonda ha sido una de las actrices estadounidenses contemporáneas mejor cotizadas, especialmente en las décadas de los 70 y 80. Entre sus películas destacan *La gata negra* (1962), *Confidencias de mujer* (1962), *Barbarella* (1968), *Danzad, danzad, malditos* (1969), *Klute*, por la que obtuvo el Oscar (1971) a la mejor actriz, *Todo va bien* (1971), *Julia* (1977), *El regreso*, con la que obtuvo de nuevo el Oscar (1978), *En el estanque dorado* (1982), en la que actuó junto a su padre, y *Agnes de Dios* (1986). Ha aprovechado su fama como actriz para realizar la defensa de diversos colectivos oprimidos (indios) o marginados (sordomudos, ex combatientes del Vietnam), siendo persona cercana al Partido Demócrata. En los últimos años se han hecho muy famosos sus trabajos sobre ejercicios aeróbicos (libros y vídeos).

Jane Fonda

FONSECA, Beatriz Rodríguez de. Dama castellana (m. 1429). Era hija del primero de los Fonseca, Pedro Rodríguez, y heredó de él honores y prebendas. Se casó con Alfonso de Ulloa, dando origen al linaje nobiliario que conservó el apellido Fonseca.

FONSECA, marquesa de (Eleonora de Pimentel). Escritora y patriota italiana

(Roma, 1752-Nápoles, 1799). Era hija de un exiliado portugués y adquirió gran fama literaria con sus sonetos y composiciones dramáticas. Fue condenada por los borbones napolitanos, tras haber desempeñado un importante papel en la creación de la República Partenopea (en 1799).

FONTAINE, Joan (Joan de Havilland, llamada). Actriz de cine estadounidense de ascendencia inglesa (Tokio, 1917). Hermana de Olivia de Havilland*, ganó el Oscar por su interpretación en *Sospecha* (1941), consagrándose definitivamente en la película de Alfred Hitchcock *Rebeca* (1942). Después rodaría otras muchas, entre las que destacan *La ninfa constante* (1945), *Carta de una desconocida* (1948), *Ivanhoe* (1953), *Tres historias de amor* (1954), *Más allá de la duda*, *Viaje al fondo del mar*, *Suave es la noche* y *Una cierta sonrisa*.

FONTANGES, duquesa de (Marie-Angélique de Scoraille de Roussille). Cortesana francesa (castillo de Cropières, 1661-Port-Royal, 1681). Una de las favoritas de Luis XIV, dama de honor de una hermana del soberano, a la edad de diecisiete años se convirtió en la amante de éste, suplantando a Mme. de Montespan*. Olvidada después por el veleidoso monar-

Joan Fontaine con Dennis O'Keefe en *Los asuntos de Susana*

ca, murió a los veinte años en un monasterio.

FONTEYN, Margot (Margaret Hookhan, llamada). Bailarina inglesa (Reigate, Surrey, 1919-Los Ángeles, California, 1991). Comenzó su carrera profesional en 1934, en la compañía de Sadler's Wells, a la que perteneció siempre, y ese mismo año sustituyó a Alicia Markova*, de cuyos papeles se encargó. Interpretó el repertorio clásico habitual, destacando como protagonista de *Giselle*, *El lago de los cisnes* y *La bella durmiente*. Al mismo tiempo, fue la intérprete de una serie de bailes que para ella coreografió Frederick Ashton, entre ellos *Nocturno* (1936), *Variaciones sinfónicas* (1946), *Dafnis y Cloe* (1951), con decorados de Bakst, y *Tiresias* (1951). Trabajó esporádicamente en el Ballet de Roland Petit, quien le dedicó *Les demoiselles de la nuit*. Con Rudolph Nureyev formó una de las más famosas parejas de la danza clásica, y a partir de 1954 fue nombrada presidenta de la Academia Real de Danza. A Fonteyn se le considera una de las figuras claves de la danza clásica contemporánea, y su estilo correspondió a la perfección técnica y elegancia que caracterizan la escuela británica. En 1976 publicó su autobiografía bajo el título de *Margot Fonteyn*.

FOREST, Eva. Política española cuyo nombre real es Genoveva Forest (Barcelona, 1926). En 1973 fue procesada y encarcelada por el atentado contra el almirante Carrero Blanco y el perpetrado contra la cafetería Rolando en Madrid. Salió de prisión con la amnistía de 1977. Desde 1992 ocupa el cargo de senadora por Herri Batasuna.

FORNARINA, La (Margarita Luti, llamada). Joven romana (s. XVI). Fue amante de Rafael y el artista la inmortalizó con sus pinceles, como en la estancia de la Signatura del Vaticano (1509-1511) y en la *Donna velata*. De su vida se tienen escasas noticias. Se sabe que era hija de un panadero, de donde procede el apodo con que es conocida. Aparece retratada en otros muchos cuadros del genial pintor y también fue modelo de otros artistas.

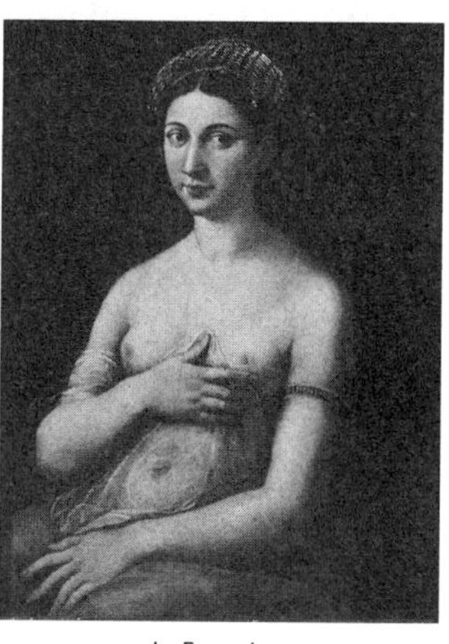

La Fornarina

FORNER, Raquel. Pintora, dibujante y grabadora argentina (Buenos Aires, 1902). Estudió en la Academia de Bellas Artes de Buenos Aires y en París con O. Friez, exponiendo en el Salón de las Tullerías en 1930. Forner ha participado en numerosas exposiciones colectivas e internacionales en Nueva York y San Francisco (1939), Washington (1956), la Bienal de Venecia y México (1958). Considerada una de las mejores pintoras argentinas, en 1955 recibió el premio de honor del Salón de Bellas Artes de Buenos Aires y en 1962 el Gran Premio de la Bienal de Córdoba (Argentina).

FORQUÉ, Verónica. Actriz española (Madrid, 1955). Hija del director J. M. Forqué y de la escritora Carmen Vázquez, comenzó su carrera junto a su padre con películas como *Una pareja distinta* (1974), *Madrid, Costa Fleming* (1975) o *El segundo poder* (1976) y la serie *Ramón y Cajal* para TVE. Pero es en los años 80 cuando se impone su calidad interpretativa y su estilo gracioso, con películas de gran éxito como *¿Qué he hecho yo para merecer esto?* (Almodóvar, 1984), *El año de las luces* (Trueba, 1986), *La vida alegre* (Colomo, 1986), *Moros y cristianos* (Berlanga, 1987), *Bajarse al moro* (1989) o *¿Por qué le llaman amor cuando quieren decir sexo?* (1992). Fue galardonada con dos premios Goya de interpretación en 1986 y

Verónica Forqué en *La vida alegre*

1987. También ha realizado varias interpretaciones teatrales (*Bajarse al moro*, *Ay, Carmela*, *Casa de dos puertas mala es de guardar*, etc.).

FORTABAT, Amalia Lacroze Reyes de. Mujer de negocios argentina (Buenos Aires, 1922). Tras la muerte de su esposo (1976), Fortabat se pone a la cabeza de una empresa que produce más de 200 toneladas de cemento al año, convirtiéndose en una de las mujeres más ricas de Hispanoamérica. Gran parte de su fortuna la ha destinado a obras benéficas como la construcción de hospitales infantiles. Dirige la Liga de Amas de Casa, y es actualmente una de las mujeres más populares de Argentina.

FORTIÁ, Sibila de. V. **SIBILA o SIBILLA de Fortiá.**

FORTÚN, Elena. Seudónimo de la escritora española Encarnación Aragoneses (Madrid, 1886-íd., 1952). Escribió numerosos cuentos infantiles de gran éxito, y fue colaboradora de la revista *Blanco y Negro* y de otras publicaciones españolas y americanas. Alcanzó celebridad por ser la creadora de «Celia», uno de los personajes más conocidos de la literatura infantil española.

FOSSEY, Diane. Zoóloga estadounidense (¿?, 1932-Rwanda, 1985). Maestra de niños con problemas, su vida cambió en 1960 con la lectura de la obra de George Schaller, primer científico en estudiar los gorilas del Zaire. Seis años más tarde abandonó su trabajo y fue tras el rastro de los últimos gorilas berengei, descubriendo una comunidad de doscientos veinte especímenes en los campos volcánicos que separan Rwanda de Zaire y Uganda. En 1977 funda el Karisoke Research Center, gracias al cual estudia el comportamiento de los gorilas, llegando a conclusiones parecidas a las de Jane Goodall* con los chimpancés. Escribió un libro titulado *Trece años con los gorilas* (1984). Su vida ha dado origen al filme *Gorilas en la niebla* (1988). Murió asesinada probablemente por cazadores furtivos.

FOSTER, Jodie (Alicia Christian Foster, llamada). Actriz y directora estadounidense (Los Ángeles, 1962). Después de aparecer como actriz infantil en varias películas (*Napoleón y Samanta*, 1972; *Tom Sawyer*, 1973; o *Alicia no vive aquí*, 1974), protagonizó *Taxi Driver* (1976) demostrando un excepcional talento como actriz. En 1988 fue premiada con el Oscar por *Acusados*, repitiendo galardón en 1991 por *El silencio de los corderos*, de J. Demme. Como directora debutó en 1991 con el filme *Mi pequeño Tate*.

FOURMENT, Helene. Dama flamenca (Anvers, 1614-Bruselas, 1673). Segunda esposa de

P. P. Rubens, se casó con él cuando contaba dieciséis años y el pintor cincuenta y tres, siendo viudo y padre de diez hijos. Su unión duró diez años, hasta la muerte de Rubens (1640). Helene fue el origen del más espléndido período de Rubens, fuente interminable de inspiración. Se le puede reconocer en muchos trabajos de este período rubeniano, especialmente en los retratos de personajes mitológicos y en los de la Virgen María. A la muerte del pintor, volvió a casarse con el barón de Bergeyck.

FOURQUET, Jeanne. V. **LAISNÉ, Jeanne.**

FRACCI, Carla. Bailarina italiana (Milán, 1936). Está considerada una de las bailarinas más populares de Italia y una de las figuras más relevantes del ballet clásico contemporáneo. Se formó en la escuela de danza de la Scala de Milán, y de 1958 a 1963 fue primera bailarina de dicha compañía. Fracci, poseedora de una presencia escénica formidable, ha sabido imponer a sus creaciones una gracia exquisita. Ha destacado particularmente en *Giselle*, *La sílfide*, *La bella durmiente del bosque* y *Romeo y Julieta*.

FRAME, Janet. Escritora neozelandesa (Oamaru, 1924). Considerada la mejor novelista neozelandesa contemporánea, Frame comenzó a escribir motivada por el psiquiatra que la trataba en la clínica en la que estuvo internada varios años. En 1956 obtuvo una beca que le permitió vivir en España e Inglaterra durante 7 años. Su obra se ha centrado en personajes marginados y en la búsqueda angustiosa de una identidad personal y nacional: *The Lagoon* (1951), colección de relatos; *Al margen del alfabeto* (1962), *A State of Siege* (1966) y *The Carpathians* (1988), novelas; y *Un ángel en mi mesa* (1984), texto autobiográfico que sirvió de base al filme del mismo nombre dirigido por Jane Campion*.

FRANCO, María del Carmen Polo de. Ex primera dama española (Oviedo, 1902-Madrid, 1988). Esposa del dictador Francisco Franco, ocupó el cargo de primera dama durante 40 años. De su matrimonio con Franco nació una única hija, Carmen. Según reconoció Bulart (capellán de F. Franco), llegó a ostentar un inmenso poder político, social y cultural durante los años de la dictadura.

FRANCO, Veronica. Poeta italiana (Venecia, 1546-íd., 1591). Considerada una *cortegiana onesta*, Franco nunca expresó en sus escritos ningún tipo de culpabilidad o arrepentimiento por la vida que llevó. Sus poemas, de estilo petrarquista, se centraron en sus experiencias personales y en el rechazo de la castidad femenina. Entre sus libros destacan *Terze Rime* (1575) y *Lettere* (1580).

FRANK, Ana. Joven judío-alemana, víctima de la persecución nazi (Francfort del Mein, 1930-campo de concentración de Bergen-Belsen, 1945). Se ha hecho famosa en el mundo entero después de muerta por su *Diario*, en el que narró las vicisitudes ocurridas a ella y a su familia en la buhardilla de una casa de la ciudad de Amsterdam, donde estuvieron escondidos durante dos años (1942-44). Alguien lo recogió y lo entregó, más tarde, a su padre Otto Frank, único superviviente. Se publicó por vez primera en 1947, con el título de *Het Achternius*, y después ha sido llevado al cine y al teatro.

FRANKLIN, Aretha. Cantante estadounidense (Tennessee, 1942). Comenzó cantando *gospel* en la iglesia bautista, que posteriormente trasladaría al mundo del espectáculo musical junto con el *blues*, el jazz y el *pop*. Su registro e intensidad vocálica la han convertido en una de las más famosas cantantes estadounidenses contemporáneas. Franklin, bautizada como «Lady Soul», es considerada un símbolo de la comunidad afroamericana de ese país. Ha trabajado con grandes músicos como Ray Charles, Eric Clapton y George Benson. Entre sus discos destacan *I Never Loved A Man* (1967), *Live At Fillmore West* (1971), *Amazing Grace* (1972) y *Through The Storm* (1989).

FRASER, Dawn. Nadadora australiana (Sydney, 1937). En 1956, 1960 y 1964 fue campeona olímpica en 100 m estilo libre. En 1962 fue la primera mujer que nadó 100 m estilo libre en menos de un minuto.

FREDEGUNDA. Cortesana y después reina de los francos (545-597). Favorita y más tarde esposa de Chilperico I, rey de Neustria. Hizo asesinar a la primera esposa de su marido y a dos de sus hijos, a Sigeberto, hermano de Chilperico y rey de Neustria, y por último, a su mismo marido. Toda su vida fue un continuo enfrentamiento con su oponente, la reina Brunequilda*.

FREUD, Anna. Psicoanalista británica de origen austriaco (Viena, 1895-Londres, 1982). Al

Anna Freud

igual que su padre, Sigmund Freud, se dedicó al psicoanálisis, siendo una de las pioneras del psicoanálisis infantil. A. Freud dio especial atención a los problemas educacionales, y fue de 1925 a 1938 presidenta del Instituto de Formación Psicoanálitico de Viena. Entre 1940 y 1945 organizó en Londres la *Residential War Nursery for Homeless Children*, y en 1952 fundó y dirigió la clínica Hampstead, centro de cuidados, de formación e investigación en psicoterapia infantil. Entre sus publicaciones destacan *Introducción al psicoanálisis para educadores* (1931), *El yo y los mecanismos de defensa* (1937) y *Normalidad y patología en la niñez* (1968).

FREUND, Gisèle. Fotógrafa francesa de origen alemán (Berlín, 1912). En 1936 se doctoró en fotografía y posteriormente trabajó como fotógrafa de prensa de la revista *Life* y de la agencia Magnum (1936-1947). Su fotografía, especialmente retratos de artistas y escritores famosos (Valery, Claudel, Joyce, Hemingway, Monnier) intenta reflejar el mundo psicológico del personaje fotografiado y el entorno social. Entre sus publicaciones destacan *El mundo y mi cámara* (1970), *Fotografía y sociedad* (1974), *Tres días con Joyce* (1982) e *Itinerarios* (1985), sobre el París de la época nazi.

Betty Friedan

FRIEDAN, Betty. Feminista estadounidense (Illinois, 1921). Estudió psicología y sociología, y posteriormente se dedicó a la defensa de los derechos de la mujer, denunciando los tabués que impiden que las mujeres se liberen de las tutelas y lo mitos que las retienen prisioneras de cierto modelo de sociedad. En 1963 publicó *La mística de la feminidad* que fue la primera investigación en EE.UU. sobre la construcción social y cultural de la feminidad, y que tuvo un gran impacto tanto en el ámbito nacional como internacional. En 1966 cofundó la famosa National Organization for Woman (NOW) de la que fue su primera presidenta y cuyo objetivo principal era obtener la legalización del aborto y la igualdad salarial entre hombres y mujeres. En 1970 fue la principal organizadora de la manifestación convocada por el Frente de Liberación de la Mujer en EE.UU. Entre sus publicaciones posteriores figuran *Changed My Life* (1976) y *The Second Stage* (1982), donde sus posturas ideológicas se contraponen a las de su primer libro.

FRIES, condesa de (Marie-Thérèse Hohenlohe-Waldenburg-Schillingfürst). Mecenas austriaca (h. 1780-Vöslau, 1819). Se casó en 1800 con el conde de Fries, mecenas tremendamente rico, y protegió a los pintores más famosos de su tiempo en los salones del palacio Pallavicine, en Viena. Por ello es una de las damas más retratadas de principio del siglo XIX (Abel, Liotard, Genevois, Gérard, etc.), apareciendo su rostro en numerosas miniaturas y diseños. Tuvo diez hijos y murió de un ataque de apoplejía.

FRINÉ. Cortesana griega (n. Tespia, s. IV a. C.). Famosa por su belleza, fue amante de Praxíteles, al que sirvió de modelo para sus estatuas de Venus. Acusada de impiedad, fue desnudada por su defensor, el orador Hipereides, ante los jueces, y, admirados éstos de su belleza, la absolvieron por unanimidad. Este hecho fue debido a que los griegos creían en la correlación entre la belleza corporal y la espiritual, y, por tanto, Friné no podía ser culpable del delito que se le imputaba.

FRINK, Elizabeth. Escultora británica (Thurlow, 1931-Dorset, 1993). Estudió en las escuelas de arte de Guildford y Chelsea. Considerada como una de las principales exponentes de la escultura figurativa, su obra, mayoritariamente en bronce, ha tenido como motivo más destacado la fuerza del movimiento reflejado en personas y animales corriendo. Su única escultura de mujer es una virgen que se encuentra frente a la catedral de Salisbury. Entre sus obras se destacan *Mendigo ciego y perro* (1956) y *Caballo y jinete* (1969). En 1969 le fue concedida la Orden del Imperio Británico, con el título de dama.

FRY, Elizabeth. Dama inglesa (Norwich, 1780-Ramsgate, 1845). Llamada «el Ángel de las prisiones», en su adolescencia educó a los niños pobres de su vecindad; más adelante se dedicó al cuidado de los enfermos; y finalmente se hizo cargo de la educación de las madres y los niños de la prisión de Newgate (Londres). Con su altruismo consiguió que se reformaran las duras condiciones de vida de las penitenciarías.

FUERTES GARCÍA, Gloria. Poeta y cuentista española

Gloria Fuertes

(Madrid, 1918). Su poesía se distingue por el tono personal y subjetivo, marcadamente oral, que refleja, en sentimientos hondos y colectivos, la constatación de la vida y la muerte, del amor y del dolor, conceptos y realidades que resultan universales, no exentos a veces de humorismo. Obras: *Isla ignorada* (1958), *Aconsejo beber hilo* (1954), *Todo asusta* (1958), *Cómo atar los bigotes del tigre* (1969), *Antología poética 1950-1969* (1970), *Sola en la sala* (1973), etc. Entre sus obras posteriores destacan: *Obras incompletas* (1975), *Historia de Gloria (Amor y desamor)* (1980) y *Así soy yo* (1981). Sus cuentos, canciones y poesías para niños, dotados de una intuición y encanto sin igual, han alimentado la imaginación infantil durante décadas.

FUGGER, Barbara. Empresaria alemana (m. 1499). Casada con un modesto comerciante de paños, Barbara se convirtió en su fiel colaboradora. Ambiciosa y muy enérgica, fue el origen de la expansión de la casa Fugger, que llegaría a ser uno de los bancos y de las manufacturas más importantes del país. Viuda en 1469, fue también consejera de sus hijos, que continuaron su obra. El emperador Federico III los ennobleció en 1473. Barbara utilizó una parte de su fortuna en obras de beneficencia.

FULLER, Sarah Margaret. Editora, escritora y feminista estadounidense (Cambridgeport, 1810-en el mar, 1850). Considerada la figura clave del trascendentalismo estadounidense, Fuller, mediante sus críticas literarias, culturales y feministas, intentó cambiar el rostro puritano de su país durante las décadas de los 30 y 40. Fue editora de *The Dial* (1840-1842), órgano de los trascendentalistas, y se mantuvo en el centro de la vida intelectual durante los años que precedieron a la guerra civil. Publicó *La mujer en el siglo XIX* (1845), libro esencial para conocer el desarrollo del feminismo en EE.UU., y póstumamente *Life Without and Life Within* (1859). Murió en un naufragio.

FULVIA. Dama romana (¿?, 80-Sicyone, 40 a. C.). Estuvo casada sucesivamente con Clodio, Curio y Marco Antonio. Durante el segundo triunvirato dio muestras de una crueldad y una avidez insaciables. Se cuenta que murió de angustia al ver que no podía reconquistar el amor de Marco Antonio, que la había abandonado para unirse a Cleopatra*. Pasó los últimos años de su vida en Grecia.

GABRIELLI, Adriana. Soprano italiana (Ferrara, h. 1755-Venecia, h. 1799). Debutó en el King's Theatre de Londres en 1785, con el *Orfeo* de Gluck y *Julio Sabino* de Cherubini. Dos años más tarde canta en la Scala de Milán *El conde de Saldaña* de Tarchi, pero fija su residencia en Viena entre 1788 y 1791, cumbre de su carrera, donde cantó óperas de Mozart, Guglielmi, Salieri, etcétera. Era tan famosa por su bella voz como por su irascible carácter.

GABRIELLI, Caterina. Soprano italiana (Roma, 1730-íd., 1796). Fue ovacionada en los principales teatros de Europa. Es probable que debutara en Venecia (1754) con *Antígona* de Galuppi. Trasladada a Viena, entre 1755 y 1760, interpretó los principales papeles de las óperas de Gluck de este período. En 1758, en Milán, cantó con el castrado Guadagni. En 1782 se retiró de la escena. Su gran talento vocal e interpretativo, unido a sus aventuras amorosas, la hicieron famosísima.

GAIBROIS Y RIAÑO, Mercedes. Historiadora española de origen colombiano (París, 1891-Madrid, 1960). En 1932 se convirtió en la primera mujer en ocupar un sillón en la Real Academia de Historia. Fue correspondiente de la Academia de Buenas Letras de Barcelona y de la Sociedad de Americanistas de París. Entre sus obras destacan *Historia del reinado de Sancho IV de Castilla*, premio Duque de Alba, *Tarifa y la política de Sancho IV de Castilla* y *Roma después de la muerte de Bonifacio*, en colaboración de H. Finke.

GAITANA, La. Heroína colombiana (s. XVI). Cacica de la tribu de los yalcones, su hijo, tras oponerse al reparto de indios del conquistador Añasco, fue quemado vivo en presencia de ella. La Gaitana levantó a su tribu contra Añasco, lo venció y lo condenó a lento suplicio.

GALA, Elena Dimitrievna Diakonova. Musa del surrealismo (Kazan, Rusia, 1894-Port Lli-

Gala como *Leda Atómica*, por Salvador Dalí

gat, España, 1982). Unida al círculo de artistas surrealistas parisinos (Magrit, Breton, Aragon, Tzara) estuvo casada con Paul Éluard, y en 1929 conoció al pintor español S. Dalí, con quien mantuvo una estrecha relación sentimental, casándose con él después de la muerte de Éluard. Gala fue, sin duda, una de las personas que mayor influencia ejerció sobre la vida y obra de Dalí, además de ser su modelo en numerosas pinturas.

GALA PLACIDIA. Emperatriz romana (fin del s. IV-450). Hija de Teodosio el Grande, prisionera de Alarico (410), fue conducida a las Galias y allí se casó con Ataúlfo en el 414, estableciéndose en Barcelona. Viuda al año siguiente, pasó a Roma, donde contrajo matrimonio (417) con Constancio, quien la asoció al poder. Gobernó después, hasta su muerte, en compañía de su hijo Valentiniano. Gala Placidia merece lugar honroso en la historia por su talento y su valor.

GALGANI, Gemma. V. **GEMMA Galgani, santa.**

GALGÓCZI, Erszébet. Política, periodista y novelista húngara (Györ, 1930-íd., 1989). Formada en el régimen comunista, comenzó su actividad profesional como periodista y guionista de filmes de propaganda política. Fue miembro del Parlamento y autora de varias novelas en las que intentó describir los conflictos de la vida cotidiana húngara: *A Közös Bün* (1976) y *Vidravas* (1984).

GALINDO, Beatriz. Escritora y erudita española (Salamanca, 1475-Madrid, 1535), conocida por el sobrenombre de «la Latina» debido a su erudición y su afición a los estudios latinos. Fue camarera y consejera de Isabel la Católica, y durante mucho tiempo su profesora particular de latín. Se le atribuyen unos *Comentarios a Aristóteles* y *Poesías latinas*. Además de su faceta erudita, destacó por su dedicación a la práctica de la caridad, con la fundación del hospital de la Santa Cruz y numerosos con-

Beatriz Galindo, *la Latina*

ventos. Su fama fue muy grande entre sus contemporáneos, y ha llegado a nosotros como ejemplo de mujer del Renacimiento.

GALINO, María de los Ángeles. Pedagoga española contemporánea. En 1953 se convirtió en la primera mujer española en obtener una cátedra universitaria. Ha sido además la autora de *La mujer en esta encrucijada* (1961), *La mujer en el mundo de hoy* (1913) y *Antología pedagógica hispanoamericana* (1968).

GALSWINTHA. Reina de los francos de Neustria (540-568). Hija de Atanagildo, rey de los visigodos españoles, y hermana de Brunegilda*, se casó con Chilperico I, rey de Neustria (567), que había repudiado a su primera esposa, Audovera. Parece ser que murió estrangulada por orden de Fredegunda*, amante de su marido.

GALVAO, Patricia. Periodista, escritora y pintora brasileña (1910-1962). Trabajó como corresponsal en Asia y la URSS para importantes diarios brasileños y franceses. Compañera sentimental del poeta O. de Andrade, a Galvao se le considera una de las musas del movimiento modernista. Tras afiliarse al partido comunista brasileño fue arrestada varias veces en Europa y Brasil por actividades políticas. Publicó la mayoría de sus obras bajo los seudónimos de «Mara Lobo», «Pagu» y «GIM».

GAMBARO, Griselda. Escritora argentina (Buenos Aires, 1928). Sus primeras piezas teatrales, de ambientes agobiantes y estáticos, mostraron una fuerte influencia absurdista al estilo de Beckett e Ionesco (*Los siameses,* 1967; *Las paredes,* 1969). La obra narrativa de Gambaro cuenta con importantes títulos, como *El destino* (1965), adaptada posteriormente por ella misma para teatro, *Nada que ver con otra historia* (1972), *Dios no nos quiere contentos* (1980) y *Lo impenetrable* (1984). Entre su teatro posterior destacan *Viejo matrimonio* (1975), *De sol naciente* (1984) y *Penas sin importancia* (1990).

GÁMEZ, Celia. Empresaria, actriz y artista hispanoargentina de revista (Buenos Aires, 1905-Madrid, 1992). Como directora y empresaria de su compañía, cultivó la revista de gran espectáculo hasta 1966. Entre sus creaciones figuran *La hechicera en palacio*, *El águila de fuego*, *La estrella trae cola* y *Mami, llévame al colegio*, versión moderna de *Las Leandras* (1964). En cine participó en varios filmes, entre otros, *Las Leandras*, 1968; habiéndose despedido de la revista en 1966, reapareció en Valencia en 1972. Numerosas artistas de revista comenzaron en sus espectáculos.

GANDHI, Indira. Política india (Allahabab, 1917-Nueva Delhi, 1984). Considerada una de las mujeres más relevantes del siglo XX y la primera mujer en dirigir un gobierno en la India. Gandhi luchó toda su vida por conseguir la modernización social y económica de la India y de dotarla de una política independiente de los bloques. Se educó en la India, Suiza, y en Oxford, y colaboró activamente durante el gobierno de su padre, J. Nehru. En 1959 fue elegida presidenta del Congreso, a partir de 1964 encabezó el Ministerio de Información y en 1966 fue elegida primera ministra, siendo posteriormente reelegida. En 1977 perdió el poder, reconquistándolo en 1980. En 1983 fue elegida presidenta del Movimiento de Países No Alineados, y en 1984 fue asesinada por

Indira Gandhi

miembros extremistas sijs, de su guardia personal. Su muerte consternó al mundo entero.

GAOS, Lola (Dolores Gaos y González Pola, llamada). Actriz de teatro y cine española (Valencia, 1924-Madrid, 1993), hermana de Vicente y de José Gaos. Actriz de carácter, ha actuado, generalmente como secundaria, en numerosos filmes. Entre sus mejores logros hay que citar *Molokai* (1959), *Viridiana* (1961), *La busca* (1966), *Tristana* (1969), *Mi querida señorita* (1972), *Furtivos* (1976), etc. Murió, casi en la miseria, de un cáncer intestinal.

GARBO, Greta (Greta Lovisa Gustafsson, llamada). Actriz de cine estadounidense de origen sueco (Estocolmo, 1905-Nueva York, 1990). Después de triunfar en su país con la película *Gösta Berlings Saga* (1923), se trasladó a EE.UU. (1925), donde filmó, entre otras, las siguientes películas: *El demonio y la carne*, *La reina Cristina de Suecia*, *Ana Karenina* (1935), *Margarita*

Greta Garbo en *Mata Hari*

Gautier (1936), *Maria Walewska* (1937), *Ninotchka* (1938) y *La mujer de las dos caras* (1940), su última creación, tras la cual se retiró de la vida pública. En este último año obtuvo la nacionalidad estadounidense. Se le considera una de las más importantes actrices que ha tenido el cine y uno de los más grandes mitos de Hollywood, donde era apodada «la Divina».

GARCÉS, Isabel. Actriz de teatro y cine española (Madrid, 1901-íd., 1981). Empezó a trabajar a los 7 años en el Teatro Príncipe Alfonso de Madrid en una obra para niños de Jacinto Benavente y posteriormente desarrolló una prolongada carrera dramática en los escenarios *(La duquesa de Chiruca, Carlota, Melocotón en almíbar, Cosas de papá y mamá,* etc.). En el cine se inició en 1959 con *Una gran señora,* de Luis César Amadori, y participó en numerosas películas, destacando por sus dotes cómicas: *Mi último tango, Prohibido enamorarse, Mi noche de bodas, Ha llegado un ángel, La casta Susana, Las cuatro bodas de Marisol, Las Leandras, Pierna creciente, falda menguante, Polvo eres..., Cómo matar a papá sin hacerle daño* y *Una abuelita de antes de la guerra.*

GARCÍA, Sara. Actriz de teatro y cine mexicana (Orizaba, 1897-Ciudad de México, 1980). Considerada pionera de la industria cinematográfica mexicana, García inició su carrera en 1918 y en 1971 había filmado 321 películas. Trabajó con actores de la talla de Mario Moreno *Cantinflas*, Pedro Infante y Jorge Negrete. Se le conoce como «la novia, la madre y la abuela» del cine mexicano.

GARCÍA RODERO, Cristina. Fotógrafa española (Ciudad Real, 1949). Estudia pintura en la Academia de Bellas Artes de San Fernando y fotografía en la Escuela de Artes Aplicadas y Oficios Artísticos de Madrid. En su fotografía recoge imágenes de las manifestaciones de la cultura popular española. En 1985 recibe el premio Planeta de fotografía, en 1989 el premio al mejor libro de fotografía en el XX Encuentro Internacional de la Fotografía en Arles y en 1990 el premio Dr. Erich-Salomon Deutschen-Gesellschaft Für Photographie y el Kodak Fotobuchpreis en Stuttgart. Entre sus publicaciones se destacan *España Oculta* (1989) y *Europa: El sur* (1991).

Ava Gardner con Gregory Peck en *Las nieves del Kilimanjaro*

GARDNER, Ava. Actriz de cine estadounidense (Grabtown, Carolina del Norte, 1922-Londres, 1990). De 1942 a 1946 trabajó en papeles secundarios en una docena de películas. Se casó con Mickey Rooney, Artie Shaw y Frank Sinatra y protagonizó películas tan famosas como *Venus era mujer* (1948), *El gran pecador* (1949), *Mundos opuestos* (1949), *Pandora y el holandés errante* (1950), *Las nieves del Kilimanjaro* (1952), *La condesa descalza* (1955), *Mogambo* (1953), *Cruce de destinos* (1956), *55 días en Pekín* (1963), *La noche de la iguana*, por la que obtuvo el premio a la mejor actriz en el Festival de San Sebastián (1964), etc. Fue una de las actrices con más carisma de la historia de Hollywood, verdadera encarnación del mito de la belleza salvaje. Terminó sus días, tras años de abuso del alcohol, en un deplorable estado.

GARIBALDI, Anita. Dama brasileña (Brasil, 1817 ó 1821-Rávena, 1849). Apellidada de soltera Ribeiro da Silva, conoció a Garibaldi en Brasil, cuando éste batallaba con los rebeldes contra el Gobierno imperial. Viuda, se casó con él y le ayudó en el campo de batalla, siendo sus hazañas casi legendarias. Viajó con su marido a Uruguay y luego a Italia (1848), fijando su residencia en Niza. En 1849 acompañó a Garibaldi a su retiro y, embarazada, murió en una granja cercana a Rávena.

GARLAND, Judy (Frances Gumm, llamada). Actriz de cine estadounidense (Grand Rapids, 1922-Londres, 1969). Formó pareja juvenil en muchas películas con el actor Mickey Rooney. Se casó con el director Vincente Minnelli, del que tuvo a su hija Liza*. Entre sus películas destacan *El mago de Oz* (1939), *Mi chica y yo*, *Melodías de Broadway* (1938), *Cita en San Luis* (1944), *Ha nacido una estrella* (1954), *Vencedores o vencidos*, etc. Se suicidó a la edad de 47 años.

GARRO, Elena. Escritora mexicana (Puebla, 1920). Su carrera literaria se inicia con la novela *Los recuerdos del porvenir* (1963) y la colección de relatos *La semana de colores* (1964), libros en los que Garro se adhiere a la corriente narrativa enmarcada dentro del realismo mágico hispanoamericano. Posteriormente su obra adquiere un tono reivindicativo y feminista, centrándose fundamentalmente en el tema del poder: *Andamos huyendo Lola* (1980) y *La casa junto al río* (1983). Es autora además de varias obras teatrales, entre las que destacan *La mudanza* (1959), *La señora en su balcón* (1960) y *Felipe Ángeles* (1969).

GEMMA Galgani, santa. Mística y estigmatizada italiana, también conocida por el sobrenombre de Virgen de Lucca (Borgo Nuovo, Capannori, Lucca, 1878-Lucca, 1903). En 1899 recibió en su cuerpo los estigmas de la pasión de Cristo. Fue beatificada por Pío XI en 1933, y canonizada por Pío XII en 1940. Es una de las santas que reciben mayor veneración en el siglo XX.

GENET, Jeanne. V. **CAMPAN, madame.**

GENLIS, condesa de (Stéphanie-Félicité du Crest de Saint-Aunin). Escritora y pedagoga francesa (Champceri, 1746-París, 1830). Adquirió gran renombre por su método original de pedagogía. Fue nombrada por Napoleón inspectora de enseñanza primaria. Además de varias obras pedagógicas, escritas en su juventud, publicó *Los caballeros del cisne*, *Los emigrados*, *Mademoiselle de Clermont* y *Cuentos morales*. Merecen especial mención sus *Memorias*.

GENOVEVA, santa. Virgen cristiana galorromana (Nanterre, 422-París, 500). Era aún muy niña cuando san Germán de Auxerre la encontró cerca de París y la bendijo y le puso al cuello una medalla de cobre con una cruz, recomendándole que no llevase nunca otros adornos. Se dice que con sus oraciones salvó a París de la invasión con que lo amenazó Atila en 451. Es la patrona de la capital francesa.

GENTILESCHI, Artemisa. Pintora italiana (Roma, 1597-Nápoles, 1651). Hija de Orazio Lomi-Gentileschi, de quien fue discípula. Se distinguió en la pintura histórica y ejecutó gran número de retratos de nobles de su época. Entre sus obras destacan: *Nacimiento de San Juan*, *Judit con la cabeza de Holofer-*

nes y *David con la cabeza de Goliat.*

GEOFFRIN, Marie-Thérèse Rodet de. Mujer de letras francesa (París, 1699-íd., 1777). Se la recuerda por haber regentado varios salones que se convirtieron en el principal centro de reunión de literatos y hombres célebres de su época.

GÉRIN d'ESTRICHÉ, Armande Béjart de. V. **BÉJART, Armande.**

GERMAIN, Sophie. Matemática francesa (París, 1776-íd., 1831). Hija de un director del Banco de Francia, descubrió a Arquímedes en la Historia de las Matemáticas de Montucla; ingresó para estudiar matemáticas en la Escuela Politécnica (1795), manteniendo correspondencia con Lagrange bajo el seudónimo de «La Blanche». En 1816 publicó *Mémoire sur les vibrations des lames élastiques* y comenzó su correspondencia con Gauss. Sus *Considérations sur l'état des lettres et des sciences aux différentes époques de leur culture* (1833) hacen de ella uno de los filósofos más destacables de su tiempo.

GERMANA de Foix. Reina de Aragón (1488-Liria, 1538). Segunda esposa de Fernando II el Católico, con quien se casó en 1506, tras la desaparición de Isabel* de Castilla. Del matrimonio

Germana de Foix

nació un hijo, Miguel, que, de haber sobrevivido, hubiera terminado con los ideales de unidad de los Reyes Católicos; a la muerte de Fernando, contrajo segundas nupcias con Juan de Brandeburgo, virrey de Valencia, y a la muerte de éste, terceras con Fernando de Aragón, duque de Calabria. Fue la fundadora del monasterio de San Miguel de los Reyes de la ciudad del Turia. Entre sus contemporáneos era tenida por frívola, vanidosa y glotona.

GERTRUDIS de Nivelle, santa. Princesa y religiosa franca (Landen, Brabante, 626-Nivelle, 659). Era hija de Pipino de Landen e ingresó en el convento de Nivelle, que había fundado santa Ita, a la que sucedió como abadesa en 647.

GERTRUDIS la Grande, santa. Escritora y religiosa benedictina alemana (Eisleben, 1256-Helfta, h. 1302). Era hermana de santa Matilde* y fue abadesa de varios conventos. Sobre todo es conocida por su libro de *Revelaciones* en el que exalta el amor de Cristo a los hombres.

GILBERT, Sandra. Crítica literaria y poeta estadounidense (n. 1936). Sus mejores trabajos de teoría literaria feminista han sido los realizados en colaboración con S. Gubar*, centrados en la «escritura femenina»: *The Madwoman in the Attic* (1979), en el que analiza la literatura femenina del s. XIX, *Shakespeare's Sisters* (1979) y la trilogía *No Man's Land* (1988-93). La obra poética de Gilbert evidencia su desarrollo político y feminista: *Emily's Bread* (1984) y *Blood Pressure* (1988).

GILMAN, Charlotte Perkins. Escritora y teórica feminista estadounidense (Connecticut, 1860-California, 1935). Sobrina de H. Beecher Stowe*, dedicó su vida a la defensa de los derechos de la mujer. Rechazó el matrimonio por ser, según Gilman, una vía que legitimaba la esclavitud física y emocional padecida por las mujeres. Sus tesis feministas fueron el punto de partida de la mayor parte de sus publicaciones: *Women and Economics* (1898), considerado uno de los primeros libros en que se acusó a la sociedad estadounidense por su marcado «androcentrismo», *The Home* (1904) y *The Man-Made World* (1910), sobre las causas de la dependencia económica de la mujer. Fue además la editora de la revista *The Forerunner*, órgano principal del movimiento en favor de los derechos de la mujer.

GILOT, Françoise. Pintora francesa (Neuilly-sur-Seine, 1921). Expuso por primera vez en el salón de Surindépendants en 1944, y después en el salón de Mai y en las Tullerías. Gilot consagró su vida a la pintura y participó en numerosas exposiciones en EE.UU y en Francia. Estuvo unida sentimentalmente a P. Picasso durante 10 años, con quien tuvo dos hijos: Claude y Paloma Picasso*. Es además autora de *Vivre avec Picasso* (1965), *Le Regard et son masque* (1975) y *Matisse et Picasso, une amitié* (1991).

GINZBURG, Natalia. Escritora italiana (Palermo, 1916-Roma, 1991). En su obra, de estilo claro y sutil, Ginzburg ha tratado todos los temas de nuestro tiempo, desde los más existenciales hasta los más cotidianos. Ha escrito novelas (*Valentino*, 1957; *Querido Miguel*, 1973; *La ciudad y la casa*, 1984), memorias (*Léxico familiar*, 1963), ensayos y obras teatrales. Colabora además en los diarios *Corriere della Sera* y *La Stampa*.

GIRARDOT, Annie. Actriz francesa (París, 1933). Comenzó en el teatro de la Comédie Française, consagrándose en 1955 con el papel de Margot en *La Machine à écrire*. Posteriormente se incorporó al cine interviniendo en un sinnúmero de películas como *L'Homme aux clefs d'or* (1957; premio Suzanne-Bianchetti), y en 1960 con *Rocco e i suoi fratelli* de L. Visconti se reveló como una magnífica actriz dramática. En 1965, con *Chambres à Manhattan* de Carné, ganó el premio de interpretación femenina del Festival de Venecia, y en 1976 con *Docteur Françoise Gailland* obtuvo el César a la mejor actriz. Ha trabajado con directores como Ferreri, Carné, Lelouch, Cayatte y Comencini.

GIROUD, Françoise. Periodista, escritora y política francesa de origen suizo (Ginebra, 1916). Comenzó escribiendo guiones cinematográficos (*Fanny*, 1932; *La Grande Illusion*, 1936; y *Antoine et Antoinette*, 1947). Posteriormente fue directora de la revista *Elle*, y cofundadora del semanario *L'Express*, que dirigió de 1953 a 1974. En 1974 entró a formar parte del gobierno de J. Chirac como secretaria de Estado de la mujer, y en 1976 fue nombrada secretaria de Estado para la cultura durante el gobierno de R. Barre. En 1976 fue vicepresidenta del partido radical, y en 1979 se retiró de la vida política activa. F. Giroud es desde 1983 editorialista del *Nouvel Observateur*, y desde 1990 crítica literaria del *Journal du Dimanche*. Cuenta además con una extensa obra publicada entre la que destacan títulos como *Alma Mahler* (1988) y *Jenny Marx o la mujer del diablo* (1992).

GISBERGA. Primera reina de Aragón (s. XI). Esposa de Ramiro I, gobernó el reino a la muerte de éste (1063) y luego en compañía de su hijo Sancho. Cambió su nombre por el de Ermesinda.

GISH, Lilian. Actriz estadounidense (Ohio, 1896-Nueva York, 1993). Inició su carrera en el cine a los dieciséis años, siendo la primera gran dramática de la pantalla y protagonista de las mejores obras de Griffith: *El nacimiento de una nación* (1915), *Intolerancia* (1916) o *Las dos huérfanas* (1922), entre otras. Su última gran interpretación fue en *El viento* (Sjöstrom, 1927), abandonando el cine con el sonido y pasándose al teatro. Se caracterizó por su ingenuidad y fragilidad en la interpretación de heroínas patéticas. En cine sonoro sólo ha realizado apariciones esporádicas como secundaria de lujo.

GLASPELL, Susan. Promotora teatral y escritora estadounidense (Iowa, 1876-Massachusetts, 1948). Fue fundadora, junto con su marido G. Cook y con el dramaturgo E. O'Neill, de las dos salas que propiciaron el desarrollo del teatro neoyorquino de vanguardia: la Provincetown Players y la Playwright's Theater. Su producción literaria, de gran excelencia estilística, se centró en el retrato de personajes femeninos descontentos con la normativa social: *Fidelity* (1915) y *Judd Rankin's Daughter* (1945), novelas; *Bernice* (1919) y *The Verge* (1921), piezas teatrales. En 1930 recibió el premio Pulitzer de teatro por *Alison's House*, basada en la vida de E. Dickinson*.

GLORIA, sor Magdalena da. Poeta portuguesa (n. 1672). Usó su nombre real, Leonarda Gil da Gamma, para firmar la mayoría de sus obras, entre las que destacan *Reino de Babilônia* (1749), novela alegórica; *Orbe celeste* (1742), colección de poemas; y *Brados do Desengano contra o Profundo Sono do Esquecimento* (1739 y 1749), obras de ficción en dos volúmenes.

GODDARD, Paulette. Actriz de cine estadounidense (Nueva York, 1911-Suiza, 1990). Debutó como bailarina, y en 1931 fue contratada para actuar en dos películas de C. Chaplin (con quien se casó): *Tiempos modernos* (1936) y *El gran dictador* (1939). Está considerada una de las actrices más populares de los años 40. Trabajó en numerosas películas, entre ellas *Túnicas escarlatas* (De Mille, 1940), *La duquesa de los bajos fondos* (Laisen,1945) y *El diario de un ama de llaves* (Renoir, 1946).

GODIVA, Lady. Heroína inglesa (s. XI). Esposa de Leofric, conde de Mercia y lord de Coventry, y heroína de una famosa leyenda. Según ésta, en 1040 los súbditos del conde se quejaban del gran peso de los impuestos y Godiva intercedió por ellos. Su esposo le dijo que concedería a sus vasallos lo que le pedían si ella atravesaba desnuda a caballo la ciudad de Coventry. Godiva, después de mandar que en el día determinado nadie osara salir ni mirar a la calle antes del mediodía, realizó el paseo exigido. Godiva es la protagonista de uno de los poemas de Tennyson y de un drama de Linares Rivas.

GODWIN, Mary Wollstonecraft. Feminista inglesa (Londres, 1759-íd., 1797). Wollstonecraft, considerada una de las pioneras del feminismo, fue una de las primeras en formular las aspiraciones, en aquella época todavía embrionarias, de los movimientos feministas. Realizó su primer recorrido sobre los derechos de la mujer en el libro *Thoughts on the Education of Daughters*, al que siguieron *The Female Reader* (1789) y *Reivindicación de los derechos del hombre* (1790), dirigido al historiador E. Burke por sus posiciones antirrevolucionarias. En 1792 publicó uno de los textos más famosos dentro la tradición feminista, *Reivindicación de los derechos de la mujer*, que dedicó a Talleyrand y en el cual se opuso a las doctrinas de Rousseau y a la actitud de los revolucionarios franceses y de los burgueses de todo el mundo por negar a las mujeres su derecho a obtener una educación igualitaria. Denunció además la reducción de la mujer al ámbito doméstico y promulgó una revolución en las costumbres femeninas. Su hija, Mary Shelley*, se convertiría más tarde en una de las más célebres exponentes de la novela gótica inglesa.

GOEPPERT-MAYER, Maria. Física estadounidense de origen alemán (Katowice, 1906-San Diego, 1972). Catedrática de la Universidad de California, en 1963 Goeppert-Mayer obtuvo el premio Nobel de Física, junto con H. D. Jensen, por sus investigaciones sobre la estructura de niveles del núcleo atómico y de los llamados «números mágicos». Goeppert-Mayer fue la segunda mujer científica, tras Marie Curie*, en recibir un premio Nobel de Física.

GOLDMAN, Emma. Política rusa (Rusia, 1869-m. 1940). Tras su traslado a EE.UU., luchó allí a favor del control de la natalidad, del sufragio femenino y participó en numerosos actos antimilitaristas y anarquistas. Fue considerada por Edgar Hoover «la mujer más peligrosa de América», expulsándola del país en 1915.

GÓMEZ, Madeleine Angélique de. Escritora y dramaturga francesa (París, 1684-Saint-Germain-en-Laye, 1770). Entre sus obras figuran cuatro tragedias (*Habis*, 1714) y *La Historia secreta de la conquista de Granada*, siendo autora también de innumerables cuentos: *Días divertidos* (8 vols., 1722-1731), *Anécdotas persas* (2 vols., 1727) y sus *Cien novelas jóvenes* (8 vols., 1735-1758).

GÓMEZ DE AVELLANEDA, Gertrudis. Escritora cubana (Camagüey, 1814-Madrid, 1873). A los 22 años se trasladó a España, donde comenzó a publicar poesías bajo el seudónimo de *La Peregrina*, y en 1841 se dio a conocer con *Sab*, considerada la primera novela antiesclavista. De formación neoclásica, G. de Avellaneda fue, no obstante, valorada en su época como una las figuras clave del romanticismo hispano. El tratamiento que dio a sus personajes femeninos la convirtieron además en una de las precursoras del feminismo moderno. Como poeta, supo combinar su expe-

Gertrudis Gómez de Avellaneda, por Federico de Madrazo

riencia amorosa con el anhelo religioso y el escepticismo social; como novelista, conjugó el exotismo de las costumbres caribeñas y la cosmovisión peninsular; y como dramaturga, fundió con eficacia los postulados de la tragedia clásica con el drama romántico. Entre su vasta obra cabe destacar su novela *Guatimozín* (1847), de temática indianista; y sus piezas teatrales *Saúl* (1849) y *Baltasar* (1858), considerada una de las obras maestras del teatro romántico. Entre sus coétaneos, contó con la admiración de A. Lista y F. Caballero*, y con el rechazo de R. Menéndez Pelayo, quien impidió su incorporación a la Academia.

GÓMEZ MOLLEDA, María Dolores. Profesora y escritora española (n. 1923). Colaboradora de la revista de historia *Hispania,* del Consejo Superior de Investigaciones Científicas, y profesora de historia contemporánea e historia de España en la Universidad de Salamanca, es autora de *El marqués de la Ensenada a través de su correspondencia íntima, Autocrítica del liberalismo, Unamuno socialista* y *La masonería en la crisis española del siglo XX,* entre otras obras. En 1967 recibió el premio nacional de Literatura Menéndez Pelayo por *Los reformadores de la España contemporánea.*

GONCHAROVA, Natalia. Pintora rusa (Moscú, 1883-París, 1962). Estudió escultura y pintura en la Academia de Bellas Artes de Moscú, alcanzando celebridad por sus decorados para los ballets de Diaghilev como *El gallo de oro* (1914), *Las bodas* (1923), *El pájaro de fuego* (1926) y *Una noche en el monte pelado* (1926). Considerada una de las precursoras de la pintura moderna en Rusia, participó en varios movimientos de vanguardia y lanzó, junto a su esposo Mijail Larionov, el movimiento *rayonista,* una de las primeras manifestaciones del arte abstracto, dedicado fundamentalmente al desarrollo del arte nacional ruso. Entre su obra pictórica destacan *Jardín rayonista: parque* (c. 1912-1913), donde funde el fauvismo, el cubismo y el decorativo-primitivista indigenista ruso en los rayos de luz refractados que esparcen el color a través de la superficie del lienzo, y *Mujeres españolas* (1916-1920). Su obra aparece expuesta en los principales museos de Moscú, París, Nueva York y Londres.

GONZAGA, Ana. V. **PALATINA, princesa.**

GONZAGA, Barbara. Mecenas italiana (1456-1503). Era hija de Luis III de Mantua y se casó con Evrard I, duque de Württemberg. En 1477 fundó la Universidad de Tubinga, convirtiéndose en la protectora de Reuchlin. Fue la principal introductora de los ideales literarios y filosóficos del humanismo italiano en la Alemania del siglo XVI.

GONZAGA, Giulia. Mecenas italiana (Gazzuolo, 1513-Nápoles, 1566). Era condesa de Fondi y se casó con Vespasiano Colonna. Muy hermosa, refinada y culta, convirtió la corte de su pequeño estado en un importantísimo centro de cultura y arte. Su fama llegó hasta Jayr al-Din Barbarroja, quien concibió el plan de raptarla y regalarla a Solimán. La condesa logró escapar y se refugió en el monasterio de San Francisco de Nápoles. La Inquisición la consideró sospechosa por sus llamamientos para una reforma de la Iglesia.

GONZALÈS, Éva. Pintora francesa (París, 1849- íd., 1883). En 1869 se convirtió en discípula y modelo exclusiva de Manet, quien pintó su retrato en 1870. Los temas de Gonzalès, al igual que sus colegas varones, se centraron en la vida cotidiana (retratos, interiores, figuras y jardines) como *Mañana rosa* (1874), típico de sus muchos interiores con figuras femeninas. En 1870 expuso en el Salón *L'Enfant de troupe*, obra que fue muy aplaudida. Entre sus cuadros destacan *Palco en el teatro de los italianos*, *La nidada*, *La entrada del jardín*, *A orilla del agua* y *Los mimbrerales*. Murió de una embolia.

GOODALL, Jane. Zoóloga británica (n. 1934). Goodall, dedicada al estudio de los animales en su medio natural, en 1960 comenzó su trabajo de campo con chimpancés y lleva más de 30 años en la selva africana. Es autora de *In the Shadow of Man* que se convirtió en un *best-seller,* y donde relata sus experiencias en Gombe. Ha protestado enérgicamente contra el cautiverio de los animales.

GORDIMER, Nadine. Escritora sudafricana (Springs, 1923). Considerada una de las personalidades más destacadas del mundo literario contemporáneo, la obra de Gordimer se ha centrado fundamentalmente en la descripción y crítica del entorno sociopolítico sudafricano y, en particular, de la segregación racial propiciada por el *apartheid*; es ésta la razón de

Nadine Gordimer

que varios de sus libros hayan sido prohibidos en su país. Es autora de las novelas *Los días de la mentira* (1953), *Ocasión de amar* (1963), *La hija de Burger* (1979), considerada su obra maestra, y *A Sport of Nature* (1981); y de los libros de relatos *El abrazo de un soldado* (1982) y *Jump* (1991). Fue fundadora del Congreso de Escritores Sudafricanos y miembro del Congreso Nacional Africano. En 1974 compartió el Booker Award, y en 1991 le fue otorgado el premio Nobel de Literatura.

GORRITI, Juana Manuela. Escritora argentina (Horcones, 1818-Buenos Aires, 1892). Comenzó como colaboradora de varios periódicos y revistas, y más tarde decidió dedicarse a la literatura, convirtiéndose en una de las precursoras de la novelística argentina. Su obra se suele enmarcar dentro de la narrativa costumbrista: *Sueños y realidades* (1865), *La tierra natal* (1889) y *Perfiles y veladas literarias de Lima* (1892).

GOSWINTHA o GOSVINDA. Reina visigoda (s. VI). Mujer de Atanagildo —de la que tuvo a la reina Brunequilda*—, se casó en segundas nupcias con Leovigildo. Era partidaria furibunda del arrianismo y cuando Recaredo I, su hijastro, abjuró la religión arriana, tramó una conspiración contra él, que fue descubierta, por lo que Goswintha se suicidó, o murió en un arrebato de ira. Se cree que tomó parte activa en el asesinato de su otro hijastro, san Hermenegildo.

GOUGES, Olimpia de. Revolucionaria francesa (Montauban, 1748-París, 1793) cuyo nombre verdadero era Marie Gouze. Gouges, considerada una de las precursoras del feminismo, escribió numerosas obras teatrales, además de novelas y opúsculos político-sociales, y dirigió el periódico *L'Impatient*. Fundó la *Société populaire de femmes*, y en 1791 redactó, en respuesta a la *Declaración de los Derechos del Hombre y del Ciudadano* (1789), la *Declaración de los Derechos de la Mujer y de la Ciudadana*, en la que Gouges reivindicaba la igualdad derechos de la mujeres. Adversaria de Robespierre, publicó la carta *Pronostic de Monsieur Robespierre pour un animal amphibie*, por la que fue acusada de intrigas sediciosas y guillotinada.

La princesa Gracia de Mónaco

GRACIA de Mónaco. (Grace Patrice Kelly, llamada). Princesa de Mónaco y actriz de cine de origen estadounidense (Filadelfia, 1929-Mónaco, 1982). Trabajó en el cine con el nombre de Grace Kelly, interviniendo en las películas *Catorce horas*, *Solo ante el peligro*, *Mogambo*, *Crimen perfecto*, *La ventana indiscreta*, *La angustia de vivir*, por la que fue galardonada con el Oscar en 1954, *Los puentes de Toko-Ri* (1955), *Fuego verde*, *Atrapa a un ladrón*, *El Cisne* y *Alta sociedad*. Dotada de gran facilidad interpretativa y una belleza serena y elegante, Kelly se convirtió en una de las actrices favoritas del realizador británico Alfred Hitchcock. En 1956 abandonó el cine al contraer matrimonio con el príncipe Rainiero III de Mónaco, convirtiéndose en consorte del pequeño principado, y en madre de tres hijos, Carolina, Alberto y Estefanía. Falleció en accidente de tráfico. Actualmente se está incoando un proceso de beatificación ante la Santa Sede.

GRAF, Steffi. Tenista alemana (Bruehl, 1969). Sus triunfos en el torneo de Roland Garros de 1987, 1988 y 1993 constituyeron el inicio de una extraordinaria carrera. Ganó la medalla de oro en los Juegos Olímpicos de Seúl (1988) y los torneos de Wimbledon de 1988, 1989 1991, 1992 y 1993, el Open de EE.UU. de 1988, 1989 y 1993, el Open de Australia de 1988, 1989, 1990 y 1994. En 1993 ocupó el primer puesto en la clasificación del tenis femenino mundial.

GRAHAM, Martha. Bailarina y coreógrafa estadounidense (Pennsylvania, 1894-Nueva York, 1991). Considerada uno de los grandes mitos de la danza moderna contemporánea, Graham, después de Isadora Duncan*, fue la más importante innovadora de esta disciplina. Logró crear un estilo de baile propio basado en una concepción orgánica del espacio y en la utilización innovadora del suelo y de la técnica de la contracción. Tras una larga trayectoria artística fundó en 1930 su propia compañía de danza con la que presentó numerosas e importantes coreografías, como *Lamentation* (1930), y en 1938 formó la Martha Graham School of Contempo-

Martha Graham

rary Dance, donde se formaron bailarines de renombre internacional, como E. Hawkins y M. Cunningham. Autora de 172 piezas, la mayor parte de su obra se basó en la exploración de los grandes mitos de la tragedia clásica: *Clytemnestra* (1958) y *Fedra* (1962). En 1969 abandonó el escenario y cuatro años más tarde reemprendió sus coreografías, entre las que destaca *Lucifer* (1975), que realizó para M. Fonteyn* y R. Nureyev.

GRANDA, Chabuca (María Isabel Granda, llamada). Compositora y cantante peruana (Apurimac, 1920-Miami, 1983). A partir de 1952 compuso una serie de canciones folclóricas (*La flor de la canela*, *Fina estampa* y *José Antonio*) que se convirtieron en auténticos éxitos internacionales. Granda, que actuó en toda América Latina y en Europa, conjugó en sus composiciones el folclore popular con otras formas líricas. Murió tras una intervención quirúrgica.

GRAVIER DE VERGENNES, Claire Elisabeth. V. **RÉMUSAT, condesa de.**

GRECO, Juliette. Cantante y actriz francesa (Montpellier, 1927). Estudió arte dramático y debutó en el Théâtre Française con *Le Soulier de Satin* de Claudel, y posteriormente se convirtió en cantante. Greco, musa del existencialismo, triunfó con canciones escritas para ella por personalidades famosas como Prévert, Quéneau, Sartre y Mac Orlan, especialmente con *Las hojas muertas*. En 1952 ganó el Gran Premio del Disco con la canción *Romance* y en los años 60 fue una de las grandes figuras de *music-hall* parisino. Actuó en Nueva York y en las principales ciudades europeas. Desde 1949 intervino en numerosas películas, entre ellas *Orfeo* (1950), *Elena y los hombres* (1956; J. Renoir) y *Las raíces del cielo* (1958; J. Huston).

GREEN, Liz. Astróloga estadounidense (n. 1935). Green es en la actualidad una de las figuras más populares y más consultadas de EE.UU. Según ella, la carta astral es una de las herramientas más fiables para predecir el futuro de las personas, argumentando además que la astrología posee una base científica absolutamente comprobable. Green afirma que la humanidad se dirige hacia una nueva era de Acuario, en la que la búsqueda del conocimiento interior será el objetivo fundamental.

GREER, Germaine. Teórica literaria feminista australiana (Melbourne, 1939). Doctorada en literatura por la Universidad de Cambridge en Inglaterra, fue profesora de la Universidad de Warwick (1968-1973) y de la Universidad de Tulsa (1979-1982), en EE.UU. Entre sus libros feministas destacan *La mujer eunuco* (1979), que causó gran revuelo por sus polémicas declaraciones y especialmente por su defensa del amor libre, *La carrera de obstáculos* (1979), *Sexo y destino: la política de fertilidad humana* (1984), *El capricho de la fortuna* (1987) y la obra semiautobiográfica *Papá, apenas te conocíamos* (1989).

GREVER, María (María Joaquina de la Portilla Torres, llamada). Compositora mexicana (Lagos de Moreno, 1884-Nueva York, 1951). Realizó estudios de música en París con C. Debussy y posteriormente con F. Lehar. En 1916 se traslada a EE.UU., donde trabaja para la Paramount preparando el fondo musical de varias películas. En 1941 hizo el arreglo para el musical *Viva O'Brien* representado en Broadway. Fue directora de orquesta y trabajó en programas radiofónicos. Sus composiciones musicales han ganado renombre internacional, sobre todo los boleros *Muñequita linda*, *Bésame mucho*, *Si yo encontrara un alma* y *Lamento gitano*.

GREY, Jeanne. V. **JUANA GREY.**

GRIFFITH, Aline. V. **ROMANONES, condesa de.**

GRIFFITH-JOYNER, Florence. Atleta estadounidense (Los Ángeles, 1959). Tras cursar estudios de Ciencias Empresariales, se dedicó profesionalmente

Florence Griffith

al atletismo. En 1984 ganó la medalla de plata en la prueba de 200 m en los Juegos Olímpicos de Los Ángeles, que repitió en los campeonatos del mundo de Roma. En 1988, en las Olimpiadas de Seúl, ganó la medalla de oro, y, sobre todo, destacó por las extraordinarias marcas que realizó en los 100, 200, y 4 × 100 m, batiendo el récord mundial de 100 m (10" 49/100) y 200 m (21" 34/100). Es la primera mujer que ha conseguido cuatro medallas de atletismo en una misma olimpiada.

GRINGAN, condesa de (Françoise Marguerite de Gringan). Pensadora y escritora francesa (París, 1646-Mazargues, 1705). Hija de madame de Sévigné*, fue espiritual e instruida, teniendo predilección por la filosofía de Descartes. A su separación de su madre se debe la mayor parte de la correspondencia de madame de Sévigné.

GRISI, Carlotta. Bailarina italiana (Visinada, Istria, 1819-Saint-Jean, c. Ginebra, 1899). De familia de cantantes y bailarines, fue la creadora del ballet romántico *Giselle*, cuyo argumento había inspirado a Th. Gautier (1841). Fue primera bailarina en los principales ballets de su época y participó en el *Paso a cuatro* de Jules Perrot, que interpretó en Londres. De 1850 a 1853 estuvo en Rusia y en 1854 se retiró de la escena.

GRISI, Giulia. Soprano italiana (Milán, 1811-Berlín, 1869). Hermana de la también cantante Giuditta Grisi, obtuvo en París, durante quince años, notables éxitos; después hizo un recorrido triunfal por los principales teatros de Inglaterra, de Italia y de América, y a su regreso a Francia abandonó la escena.

GUBAR, Susan. Teórica literaria estadounidense (n. 1944). La mayor parte de sus textos críticos han sido escritos en colaboración con S. Gilbert*, entre los que destacan *The Madwoman in the Attic* (1979), centrado en la literatura femenina del s. XIX, y la trilogía *No Man's Land* (1988-1989). Ha sido además la coeditora de *The Norton Anthology of Literature by Women* (1985). Su metodología crítica se ha basado en la relación entre escritura femenina y creatividad.

GUEILER, Lidia. Política boliviana (Cochabamba, 1921). Participó en la revolución de 1952, y militó en el Movimiento Nacional Revolucionario. En 1964 fundó el Partido Revolucionario de la Izquierda Nacional, y en 1979 fue elegida presidenta interina de la República, cargo que ocupó hasta ser derrocada por el golpe de Estado de 1980, lo que la obligó a exiliarse.

GUERRERO, María. Actriz española (Madrid, 1868-íd., 1928). Fue discípula de Teodora

María Guerrero, por A. Miguel Nieto

Lamadrid; trabajó con los grandes artistas españoles Emilio Mario y Ricardo Calvo y con los franceses Coquelin y Sarah Bernhardt. En 1896 se casó con el actor Fernando Díaz de Mendoza, con el que formó compañía. No sólo actuaron en España, sino que recorrieron los escenarios de las principales ciudades hispanoamericanas, y en 1898 realizaron una excursión artística por Francia e Italia. M. Guerrero contribuyó extraordinariamente al esplendor del teatro español; estrenó numerosas obras, dio a éstas una interpretación acabada y las puso en escena con lujo y propiedad. Especialmente se distinguió en la tragedia, para la que reunía excepcionales condiciones. Estrenó cerca de 150 obras. A su iniciativa se debe la construcción del Teatro Cervantes, de la ciudad de Buenos Aires. El Gobierno argentino pensaba crear en él una Escuela de Declamación, regida por María Gerrero, cuando su muerte vino a frustrar tan generoso proyecto.

GUEVARA, Nacha (Clotilde Guevara, llamada). Cantante y actriz de teatro argentina. Cursó estudios en la Escuela Nacional de Danza y posteriormente teatro. Tras trabajar como modelo (1962), debutó en 1965 en el Teatro Municipal General San Martín. En 1974 abandonó Argentina, amenazada de muerte por organizaciones paramilitares próximas al Gobierno. Regresó al año siguiente, pero la explosión de una bomba en el teatro durante el estreno de un espectáculo suyo provocó su definitivo abandono del país. Ha trabajado en comedia musical, teatro de vanguardia y es considerada una de las más originales *show-woman* de la escena contemporánea.

GUGGENHEIM, Peggy. Empresaria y promotora de arte estadounidense (Nueva York, 1898-Padua, 1979). De una rica familia judía, heredó su gran fortuna a la muerte de su padre, Salomón Guggenheim, en el naufragio del Titanic (1911). Después de vivir en Londres, París y Nueva York y de trabar amistad con algunos de los principales exponentes del arte contemporáneo, Guggenheim se convirtió en propietaria de una de las mejores colecciones de arte, instalada en la Peggy Guggenheim Collection de Nueva York y en el palacio Venier dei Leoni de Venecia. Entre su colección se encuentran piezas de De Chirico, Picasso, Arp, Miró, Dalí, Giacometti, Ernst (con quien estuvo casada), Pollock y los expresionistas abstractos estadounidenses. En 1946 publicó sus memorias, *Fuera de este siglo*, documento valioso para el conocimiento de los movimientos artísticos de mediados de siglo.

GUICCIOLI, Teresa. Dama italiana (Rávena, 1800-Florencia, 1873). Casada con el sexagenario Guiccioli, Lord Byron la conoció en Venecia cuando contaba 19 años y ella cedió rápidamente al poeta, todavía lastimado por su divorcio. Teresa Guiccioli ejerció sobre Byron una influencia ennoblecedora: le apartó de la vida mundana, despertó su interés por la causa de la libertad en Italia y le inspiró el vibrante poema *The Prophecy of Dante* (1819). Byron la siguió a Rávena, a Bolonia, y posteriormente permanecieron algú tiempo en Pisa, en compañía de Shelley, hasta que Byron marchó a Grecia para reunirse con los insurgentes. Musset cantó a la condesa en *Mardoche* y en *Lettre à M. Lamartine* (1836). Viuda, se casó en 1851 con el marqués de Boissy, par de Francia. Publicó sobre Byron dos interesantes libros de memorias: *Lord Byron jugé par les témoins de sa vie* (1868) y *My Recollections of Lord Byron* (1869).

GUIDO, Beatriz. Escritora y guionista argentina (Rosario, 1925-Madrid, 1988). Fue miembro de la generación de los *parricidas* surgida en los años 50, que rechazaba el pasado inmediato. Su obra narrativa se centró en la nostalgia por la niñez (*La caída*, 1956; *Fin de fiesta*, 1958), en el retrato de la realidad nacional (*El incendio y las vísperas*, 1964) y en la preocupación por la condición de la mujer (*La invitación*, 1979, y *La encerrada*). Varios de sus libros y guiones fueron llevados al cine por su marido, el cineasta Leopoldo Torre Nilsson.

GUILLERMINA. Reina de los Países Bajos (La Haya, 1880-palacio de Apeldoorn, 1962). A

Coronación de la reina Guillermina de los Países Bajos

los tres meses de edad sucedió a su padre, bajo la autoridad materna, y al cumplir los dieciocho años, en 1898, se celebró con su coronación. Contrajo matrimonio en 1901 con el príncipe Enrique de Mecklemburgo-Schwering, que murió en 1934. De ese matrimonio tuvo sólo una hija: la princesa Juliana*. En 1948 abdicó en su hija. La reina Guillermina conquistó el cariño de su pueblo por la vida austera, laboriosa y patriótica con que dio siempre ejemplo. Supo enfrentarse con las grandes potencias para defender las causas justas. En 1959 publicó sus memorias con el título de *Solitaria, pero no sola.*

GUILLET, Pernette du. Poeta francesa (Lyon, 1520-íd., 1545). Era conocedora del latín, el griego, el italiano y el español. Colaboradora del poeta Maurice Scève, escribe con él la *Pequeña obra de amor* (1538). La colección de poemas de Du Guillet fue publicada por Antoine Du Moulin con el título de *Los Ritmos y poesías de la gentil y virtuosa dama Pernerre Du Guillet* (1545). Su obra trata sobre todo de su amor por Maurice Scève, bajo una forma intelectualizada, tan de moda en su tiempo.

GUILLOT, Olga. Cantante mexicana de origen cubano (Santiago de Cuba, 1923). Comenzó como solista en 1945 y desde esa fecha ha grabado cincuenta discos de los que diecisiete se han convertido en «discos de oro». Considerada como una de las mejores intérpretes de bolero de América Latina, Guillot ha sido llamada «la reina del bolero». Tras exiliarse de Cuba en 1961, fijó su residencia en México. Entre sus canciones más conocidas destacan *Miénteme*, *Tú me acostumbraste* y *Campanitas de cristal.*

GUIMARD, Marie-Madeleine. Bailarina francesa (París, 1743-íd., 1816). Debutó a los quince años en la Comédie Française y en 1762 entra en la Ópera de París, siendo la intérprete preferida del gran Noverre. Se retiró de la escena en 1789. Su fama fue tan grande por sus proezas en el escenario como por sus galanterías fuera de él y por ser una pionera de la moda: la propia reina María Antonieta* pedía sus consejos. El mismo año de su retiro se había casado con el poeta Jean Despréaux. Logró escapar del Terror y volvió a brillar bajo el Directorio.

GULLER, Maritxu (María Erlanz, llamada). Bruja española (Navarra, 1912-San Sebastián, 1993). Representa la última manifestación del mundo de las *sorginak* (brujas) que pueblan la tradición vasca. Desde niña mostró una capacidad sensitiva y premonitoria que le granjeó la admiración y asombro de un sinnúmero de personas a lo largo de su vida. Estudió parapsicología en París, y se convirtió en un personaje de referencia para todos aquellos que se le acercaron buscando respuestas a su situación particular.

GÜNDERODE, Karoline von. Escritora alemana (Karlsrube, 1780-Winkel, 1806). Mantuvo una estrecha relación con varios escritores románticos, entre ellos, Bettina von Arnim*, a quien dedicó su obra más conocida, *Die Günderode* (1840). Bajo el seudónimo de «Tian» publicó sus poemas, de tono melancólico, en *Poesías y fantasías* (1804) y *Fragmentos poéticos* (1805). Se suicidó a los 26 años tras sufrir un desengaño amoroso.

GUSTAVO, Soledad. Anarquista española cuyo verdadero nombre era Teresa Mañé (Vilanova i la Geltrú, 1866-Perpiñán, 1939). Maestra de escuela y colaboradora de la publicación libertaria *Las dominicanas del libre pensamiento*, en 1899 fundó junto con su marido, Juan Montseny, *La Revista Blanca*, en donde colaboraron reconocidos intelectuales y anarquistas, y posteriormente el periódico *Tierra y Libertad* como suplemento de la revista. Entre sus ensayos destacan *De la enseñanza* (1904) y *Hablemos de la mujer* (1923).

GUTIÉRREZ CABA, Irene. Actriz española (Madrid, 1929). Hija de Irene Caba Alba y hermana de Julia*. Trabaja en el teatro desde 1944 y en él ha cosechado grandes triunfos, especialmente en la interpretación de *Maribel y la extraña familia.* Ha intervenido también en numerosas películas, recibiendo grandes elogios por su interpretación en la versión cinematográfica de *La casa de Bernarda Alba* (1987), dirigida por Mario Camus.

GUTIÉRREZ CABA, Julia. Actriz española (Madrid, 1932). Hija de la también actriz Irene Caba Alba, y hermana de Irene* y Emilio, Julia debutó en la escena teatral en 1951 con la compañía de Catalina Bárcena*. En 1960 comenzó su actividad cinematográfica, en la que destacan particularmente los filmes *A las cinco de la tarde* (1960) y *Nunca pasa nada* (1963), ambos dirigidos por J. A. Bardem. En 1970 funda, junto con su marido, el actor y director teatral Manuel Collado Álvarez, su propia compañía teatral. Su larga trayectoria teatral cuenta con piezas como *Las entretenidas, Flor de cactus, Luz de gas* y *Leyendas,* en la que actuó junto a su hermana Irene.

GUTIÉRREZ LARRAYA, Aurora. Decoradora española (Santander, ¿?-Madrid, 1920). Introdujo en España el batik o decoración de telas a la cera, dando al mismo tiempo impulso al arte de repujar y cincelar en cuero y los trabajos en asta; fue maestra en el bordado y el encaje.

GUY-BLANCHE, Alice. Directora de cine francesa (París, 1873-Nueva Jersey, 1968). Su primera película, *La Fée aux choux* (1896), está considerada la primera obra fantástica de la historia del cine. Guy-Blanche trabajó en Francia y en EE.UU., donde creó con su esposo la compañía de cine Solax. En 1953 le fue concedida la Legión de Honor del Gobierno francés. Entre su filmografía destacan *La Danse des saisons* (1903), *Fanfan la Tulipe* (1907), *Fra Diavolo* (1912), *The Monster and the Girl* (1914) y *Vampire* (1920).

GUYON DU CHESNOY, Mme. (Jeanne-Marie Bouvier de La Motte). Escritora mística francesa (Montargis, 1648-Blois, 1717). Viuda de Guyon du Chesnoy desde 1676, se dedicó a la literatura y la meditación. En 1685 publicó su primera obra, *Medio corto y muy fácil para la oración*. En 1688 conoció a Fénelon, sobre el que influyó grandemente. En 1695 fue acusada de quietismo, aunque Fénelon se negó a condenarla: fue encarcelada en la Bastilla (1698-1703) y desterrada a Dizier y a Blois (1706).

GUZMÁN, Leonor de. V. **LEONOR de Guzmán.**

HACHETTE, Jean. V. **LAISNÉ, Jean.**

HADEWIJCH, sor. Poeta flamenca (s. XIII). Probablemente se trate de una beguina de Amberes. Sus poemas se cuentan, junto a los escritos en prosa de Van Ruysbroek, entre las obras maestras de la mística medieval.

HAFSA. Mujer árabe (s. VII). Esposa de Mahoma, fue repudiada por su marido, de quien se mostraba celosa. Según la tradición, recibió el primer ejemplar del Corán, que sirvió de base para las posteriores ediciones.

HAMILTON, Lady (Emma Lyon). Cortesana británica (Great Neston, 1761-Calais, 1815). Esposa de Lord Hamilton, embajador de Inglaterra en Nápoles, y amante de Nelson, fue mujer de una extraordinaria belleza, confidente de la reina Carolina* de Nápoles, y en 1798 acompañó a la familia real en su fuga a Palermo. Después de una vida fastuosa y galante, murió en Francia en la más completa miseria.

HARLOW, Jean (Jean Harleam Carpenter, llamada). Actriz estadounidense (Kansas City, 1911-Hollywood, 1937). Aunque no destacó por sus dotes interpretativas, su aspecto físico y agitada vida privada le ayudaron a encar-

Jean Harlow

nar un tipo de vampiresa ingenua que tuvo gran éxito en los años treinta. Su temprana muerte constituyó una manifestación de sentimiento popular. Películas más importantes: *El desfile del amor* (1929), *La jaula de oro* (1931), *Tierra de pasión* (1932) y *Saratoga* (1937).

HART, Doris. Tenista estadounidense (Missouri, 1925). Hart, considerada la más extraordinaria tenista femenina de su época, fue campeona de dobles en Wimbledon (1947, 1951, 1952 y 1953), y de individuales en Australia (1949) y Roland Garros (1950, 1954 y 1955). Ganó además la copa de EE.UU. en dobles (1951-1954), y en mixtos en el torneo de Wimbledon (1951-1955). En 1955 fue primera en la clasificación mundial del tenis femenino.

HASSE, Faustina. V. **BORDONI DE HASSE, Faustina.**

HATSHEPSUT. Reina y faraón de Egipto (m. 1483 a. C.). Perteneciente a la XVIII dinastía, era hija de Tutmés I y esposa de Tutmés II, su hermanastro, los dos sólo reyes honorarios, al ser ilegítimos. A la muerte de su marido, en el año 1505 a. C., se impuso como faraón legítima, relegando a un segundo término a su hijastro Tutmés III, de quien se declaró regente, ganándose el apoyo de la importante casta funcionarial. Mantuvo el poder hasta su muerte y entre sus acciones de gobierno destaca la famosa expedición marítima al país de Punt (Somalia). Sus representaciones iconográficas son abundantes, apareciendo siempre como hombre e investida de los símbolos del poder. Entre las obras que mandó construir destaca el templo de Dayi al-Baharí, consagrado a Amón. Tras desaparecer, Tutmés III proscribió la memoria de Hatshepsut e hizo que la borraran de las listas de faraones.

HAVILLAND, Olivia de. Actriz de cine estadounidense, hermana de J. Fontaine* (Tokio, 1916). Durante los años 30 hizo pareja habitual con Errol Flynn, destacando entre sus películas de esta época: *El capitán Blood* (1935), *La carga de la Brigada Ligera* (1936) y *Robín de los Bosques* (1938). Fue galardonada con el Oscar de la Academia de Hollywood en 1946 (por su interpretación en *A cada uno lo suyo*) y 1949 (*La heredera*). Otras de sus películas son: *Sueño de una noche de verano*, *Lo que el viento se llevó* (1939), *Nido de víboras* (1948), *La hija del embajador*, *La noche es mi enemiga*, *Luz en la ciudad* y *Canción de cuna para un cadáver* (1964). Posteriormente ha trabajado en películas o series de TV de gran reparto. En 1960 publicó sus memorias.

HAYWARD, Susan (Edith Marrener, llamada). Actriz de cine estadounidense (Brooklyn,

1919-Los Ángeles, 1975). Interpretó diferentes papeles como actriz dramática y temperamental. Intervino en las películas *Me casé con una bruja* (1946), *Pasión salvaje* (1947), *David y Betsabé, Las nieves del Kilimanjaro, Intriga femenina, Mañana lloraré*, premio de Interpretación del Festival de Cannes (1956), *¡Quiero vivir!*, Oscar de Hollywood (1959), *El desfiladero de la muerte, El tercer hombre era mujer, Mujeres en Venecia* y *El valle de las muñecas*, entre otras.

HAYWORTH, Rita (Margarita Carmen Cansino, llamada). Actriz cinematográfica estadounidense (Nueva York, 1918-íd., 1987). Hija del bailarín español Eduardo Cansino, pronto comenzó a trabajar como bailarina junto a él. Establecida en Hollywood, llegaría a ser la personificación de la belleza en el cine y uno de sus más adorados mitos. Estuvo casada con Orson Welles y Alí Khan. Entre las películas en que ha intervenido figuran: *La reina de Broadway* y *Gilda* (1946), *La dama de Shanghai* (1948), *La dama de Trinidad* (1953), *Salomé, La bella del pacífico, El infierno de los trópicos* (1958), *Sangre en primera página* (1960), *La trampa del dinero* (1966), *El aventurero* (1968) y *La ira de Dios* (1972). Murió a causa de la enfermedad de Alzheimer. Su hija Yashmina Khan publicó su biografía en 1990 y creó una fundación con su nombre para la lucha contra el mal que le quitó la vida.

Rita Hayworth con Charles Boyer y Paul Robeson en *Seis destinos*

H. D. v. **DOOLITTLE, Hilda.**

HEAD, Bessie. Escritora surafricana (Pietermaritzburg, 1937-Botswana, 1986). Tras colaborar en varios periódicos de Johannesburgo, se trasladó a Botswana, donde vivió hasta su muerte. Head, considerada una de las figuras centrales de las letras africanas contemporáneas, ha contribuido con su obra a la creación de una voz genuinamente africana. En su novela *A Question of Power* (1973), criticó el *apartheid* y la discriminación sexual en las comunidades africanas. Entre sus libros posteriores destacan su colección de relatos *The Collector of Treasure* (1977), con una técnica que se aproxima a la narrativa oral, su novela *A Bewitched Crossroad* (1984), y sus artículos autobiográficos *A Woman Alone*, publicados póstumamente en 1990.

HEARST, Patty. Mujer estadounidense (n. 1954). Hearst, heredera de una gran fortuna, acaparó en 1974 todas las primera planas de los periódicos mundiales al ser secuestrada por un grupo revolucionario denominado «Simbionese Liberation Army». Meses más tarde apareció en un vídeo que fue filmado durante el asalto al Hibernia Bank de San Francisco, portando un arma y haciéndose llamar *Tania*, su supuesto nombre revolucionario. El «proceso Hearst» conmovió al pueblo estadounidense, sobre todo cuando durante su juicio, P. Hearst declaró que, coartada por los extremistas simbioneses, se había visto obligada a participar en actos delictivos para salvar su vida. Fue condenada a siete años de cárcel, pero su pena fue conmutada por el presidente Carter en 1979.

HEDWIGE o EDUVIGIS de Anjou. Reina de Polonia (Cracovia, 1370-íd., 1399). Era la tercera hija de Luis III de Hungría y Polonia y se casó, dentro de la política matrimonial de su padre, con Ladislao II Jagellón, gran duque de Lituania: esta boda llevaba consigo la conversión de su marido al catolicismo y la cristianización de su territorio. Ladislao y Hedwige fueron proclamados conjuntamente reyes de Polonia, a la que quedaría unida Lituania hasta 1795.

HELENA. Poeta de la Antigua Grecia a quien se le atribuye la autoría del poema épico *La guerra de Troya*, en el que posteriormente se inspiraría Homero para la redacción de la *Ilíada*. El poema de Helena aparece citado en los textos de su coétaneo Tolomeo Hefacio, recogidos después por Focio, escritor bizantino.

HELENA o ELENA de Troya. Princesa mítica grieta (aprox. s. VIII a. C.). Según la leyenda era hija de Zeus y de Leda y hermana melliza de Clitemnestra. Siendo la mujer más bella de Grecia y pretendida por todos los príncipes, fue dada en matrimonio a Menelao de Esparta, al que el resto de los pretendientes prestaron su amistad. Ofrecida como regalo a Paris por Afrodita —en recompensa de su famoso juicio—, fue raptada por éste, siendo causa directa de la guerra de Troya.

HELLER, Agnes. Filósofa y socióloga húngara (Budapest, 1929). Discípula y asistente de G. Lukács, a Heller se le considera una de las figuras clave de la escuela de Budapest. En 1978 fue obligada a salir del país, radicándose primero en Australia y luego en EE.UU. Sus ideas giran en torno a la necesidad de transformar los represivos patrones que configuran la vida cotidiana, intentando, a su vez, superar la interpretación economicista de la filosofía marxista. Entre sus publicaciones destacan *Historia y vida cotidiana* (1970) y *Teoría de la historia* (1982).

HELLMAN, Lillian. Escritora estadounidense (Nueva Orleans, 1905-Boston, 1984). En sus obras criticó agriamente la injusticia, la explotación y el egoísmo. Vinculada al novelista D. Hammett, fue acusada de doctrinaria y perseguida por el Comité de Actividades Antiamericanas en «la caza de brujas» propiciada por el senador McCarthy. Escribió las obras de teatro *The Little Foxes* (1939), llevada al cine por W. Wyler, *The Searching Wind* (1944), *Another Part of the Forest* (1946), *Toys in the Attic* (1960), y los libros de memorias *Una mujer inacabada* (1969) y *Pentimento* (1973).

HELVÉTIUS, Anne-Catherine. Pensadora francesa (Ligniville, 1719-Auteuil, 1800). Miembro de una de las familias más antiguas de Lorena, su nombre de soltera fue Ligniville d'Autricourt. Adoptada por madame Graffigny, en 1751 se casó con el filósofo Claude A. Helvétius. En París abrió un salón en su palacio de la calle Sainte-Anne, al que acudían gran número de enciclopedistas (Rousseau, Voltaire o Condorcet). Viuda en 1771, sigue recibiendo a sus amigos en su casa de Auteuil, entre ellos Turgot y Franklin. Fue más radical en pensamiento que los filósofos de su época y una de las inspiradoras de la Revolución.

HENIE, Sonja. Patinadora noruega (Oslo, 1912-en un avión entre París y Oslo, 1969). Henie, patinadora artística sobre hielo, fue tres veces campeona olímpica (1928, 1932 y 1936) y ganó diez campeonatos del mundo (1927-1936). En 1937 debutó en el cine con la película *One in a Million*.. Murió de leucemia.

HENSEL, Sophie Frederike. Actriz alemana (Dresde, 1738-Schleswig, 1790). Una de las glorias del Teatro nacional de Hamburgo, se especializó en los papeles de heroínas clásicas. De soltera Sparmann, se casó con el dramaturgo Johann Handel, del que se divorciaría años más tarde para casarse con Abel Seyler. Se retiró a Viena, donde dirigió el nuevo teatro de Mannheim, cuya compañía ella reunió.

HEPBURN, Audrey. Actriz de cine y teatro estadounidense (Bruselas, 1929-Lausana, 1993). Obtuvo el Oscar de Hollywood a la mejor actriz (1953) por su interpretación en *Vacaciones en Roma.* Otras películas en las que participó: *Sabrina* (1954), *Guerra y paz* (1956), *Historia de una monja*, *Una cara con ángel* (1957), *Desayuno con diamantes* (1960), *My Fair Lady* (1963), etc. En los últimos tiempos, además de apariciones en películas de gran reparto, protagonizó

Audrey Hepburn con Rex Harrison en *My Fair Lady*

Robin y Marian, junto a Sean Connery, y los últimos años de su vida los dedicó a obras en atención a la infancia, como embajadora extraordinaria de UNICEF.

HEPBURN, Katharine. Actriz estadounidense (Connecticut, 1909). Debutó en el cine en 1932 bajo la dirección de George Cukor. En 1934 obtuvo un Oscar de la Academia de Hollywood por la película *Gloria de un día*, y el máximo galardón en la Bienal de Venecia del mismo año. Consiguió un nuevo Oscar en 1967 por su interpretación en *Adivina quién viene esta noche*, y en 1968 con *Un león en invierno*, compartido éste con Barbra Streisand*. Por estas dos últimas películas, la Academia Británica de Cine le otorgó el premio como la mejor actriz de 1968. Otras películas: *Historias de Filadelfia* (1934), *La costilla de Adán*, *La reina de África* (1952), *De repente, el último verano* (1959), *La loca de Chaillot* (1970), *Las troyanas* (1971), *Rooster Cogburn* (1975), *Christopher Strong* (1980) y *En el estanque dorado*, por la que volvió a conseguir el Oscar de interpretación (1982). Formó pareja con Spencer Tracy y, eventualmente, con Cary Grant en varios filmes, alternando su actividad cinematográfica con el teatro y con series para la televisión.

Katharine Hepburn con Peter O'Toole en *Un león en invierno*

HEPWORTH, Barbara. Escultora británica (Yorkshire, 1903-Cornualles, 1975). Cursó estudios en la Leeds School of Art y en el Art Royal College de Londres, y a partir de 1934 su obra se tornó hacia la abstracción, centrándose especialmente en las formas geométricas puras: *Hélicoïds* (1938-1945), *Gosden Head* (1949), *Images* (1952). Utilizaba mármol, madera, piedra y bronce en sus esculturas. En 1950 expuso en la Bienal de Venecia, en 1953 obtuvo el segundo premio del Concurso Internacional de Escultura, en 1959 recibió el primer premio de la Bienal de São Paulo y en 1963 ganó el primer premio del Ministerio de Asuntos Exteriores japonés. Su célebre escultura en bronce *Single Form,* que se encuentra en las Naciones Unidas en Nueva York, es una de sus obras maestras.

HERODÍAS. Princesa judía (¿?, 7 a. C.-¿?, 39 d. C.). Nieta de Herodes el Grande, Herodías abandonó a su esposo Herodes Filipo y se casó con Herodes Antipas, a quien acompañó voluntariamente al exilio. Esta unión, que escandalizó al pueblo judío, fue condenada por san Juan Bautista, quien la acusó de adúltera e incestuosa. Como recompensa por una danza, Herodías indujo a su hija Salomé a solicitar la cabeza de san Juan

Bautista, que le trajeron sobre una bandeja.

HERRADA de Landsberg. Erudita alemana (h. 1125-1195). Fue religiosa, hasta el grado de abadesa y fundó en 1181 el hospital de Truttenhausen. Sobre todo es conocida por su libro *El jardín de las delicias*, destinado a la formación de novicias. El manuscrito miniado fue destruido en 1870 y el texto sólo ha podido ser parcialmente reconstruido.

HERRERA, Carolina. Diseñadora y empresaria venezolana (Caracas, 1930). Llamada Pacamí de soltera, es hija del que fue gobernador de Caracas bajo la dictadura de Pérez Jiménez. Tras casarse con el multimillonario Reinaldo Herrera, se trasladó a Nueva York, donde fijó su residencia. Desde 1972 encabezó la lista de mujeres mejor vestidas del mundo, durante diez años. Ya como diseñadora, fue galardonada en 1987 con el Premio de la Moda Americana, entre otros. Su actividad en moda abarca tres tipos de colecciones: las de *prêt-à-porter,* las de alta costura y las de moda nupcial, junto a su línea cosmética y de perfumes. Es admirada en el mundo del diseño por su capacidad creativa a partir de la sencillez de líneas, clave de su elegancia: «la moda no es una frivolidad, sino la expresión de la propia personalidad».

HERSCHEL, Lucretia Caroline. Astrónoma inglesa de origen alemán (Hannover, 1750-íd., 1848). Hermana de Friedrich Wilhelm Herschel, con quien fue a vivir en 1772 y a quien ayudó en sus trabajos. Descubrió ocho cometas y varias nebulosas y se destacó en la publicación del catálogo de 761 estrellas de Flamsteed.

HESSE, Eva. Artista estadounidense de origen alemán (Hamburgo, 1940-¿?, 1970). Hesse, con su ingenioso, radical e iconoclástico uso de los medios, realizó piezas accesorias y táctiles; con soga, látex, estopa engomada, arcilla, metal y alambre. Entre sus obras destacan *Colgante* (1966) y las piezas de temática erótica *Aro en torno a Rosie* (1965) y *Acrecentamiento* (1967), formadas por membranas esponjosas e interiores erizados de suaves proyecciones.

HEVELIUS, Elisabeth. Astrónoma alemana (Gdansk, 1647-íd., 1693). Hija de un mercader llamado Koopmaan, se casó con el astrónomo Jean Hevelius, del que fue colaboradora. Participó con él en la redacción de *Annus climatericus*, *Cosmographia* y *La máquina celeste*. A la muerte de su marido, concluyó la edición de *Promodus astronomiae*.

HIGHSMITH, Patricia. Escritora estadounidense (Texas, 1921). Adquirió fama con su novela

Extraños en un tren (1950), llevada al cine por A. Hitchcock, y posteriormente se consagró como una de las figuras clave de la narrativa policiaca y de la llamada «psicología del horror». Creadora del personaje *Tom Ripley*, Highsmith suele ambientar sus obras en un entorno cotidiano pero amenazante: *A pleno sol* (1955), *El amigo americano* (1974), *El diario de Edith* (1977) y *Gente que llama a la puerta* (1983).

HILDA, santa. Religiosa inglesa, princesa de Northumbria (614-680). Sobrina de Edwin, rey de Northumbria, a la edad de catorce años fue bautizada por san Paulino juntamente con su tío. Se hizo religiosa y fue abadesa del monasterio de Whitby, que había fundado en 657.

HILDEGARDA, santa. Religiosa, escritora mística y compositora alemana (Böckelheim, 1098-Rupertsberg, 1179). Fundadora y abadesa del monasterio de San Ruperto, se hizo muy famosa en su época por sus visiones y éxtasis. Escribió varias obras en alemán y en latín: *Scivias* (tratado dogmático), *Causae et curae* (tratado de medicina) y un importante epistolario. Como compositora, se le atribuyen unas 155 melodías, entre las que destacan la *Sinfonía de las viudas* y un *Ordo Virtutum*.

HIPATIA. Filósofa griega (Alejandría, 350-íd., 415). Era hija del célebre matemático Teón, comentarista de Euclides y Tolomeo. Dotada de singular belleza y de gran talento, consiguió levantar el espíritu decaído de aquella época; pero pagó cara su simpatía por los gentiles, pues murió asesinada en una revuelta entre los partidarios del patriarca san Cirilo y del prefecto Orestes. Escribió un comentario al *Canon astronómico* de Tolomeo, otro a las *Secciones cónicas* de Apolonio de Pérgamo y otro sobre Diofanto. De su escuela salió Sinesio de Cirene, obispo de Tolemaida, quien le pedía consejo antes de publicar sus obras. Su vida ha dado lugar a una copiosa producción histórica y novelesca, en la que destaca la obra *Hipatia*, de Ch. Kingsley. No se conserva ninguna obra suya.

HO XUAN HUONG. Poeta vietnamita (fin del s. XVIII). Es uno de las principales representantes de la literatura de Dai Viet en su época: su obra está compuesta por gran cantidad de breves poemas, caracterizados por una nota irónica y una profunda amargura, apareciendo en sus versos una sensualidad profunda, llena de erotismo.

HODGKIN, Dorothy Crowfoot. Bioquímica inglesa (El Cairo, 1910). En 1960 fue nombrada catedrática de investigación de la Sociedad Real en la Universidad de Oxford, y en

1964 obtuvo el premio Nobel de Química por sus medidas, realizadas con métodos de rayos X, sobre la estructura de importantes sustancias bioquímicas, y más concretamente, por la explicación de la estructura de la vitamina B-12. Sus investigaciones sobre esta vitamina han puesto de relieve la importancia que tiene para combatir y prevenir la anemia perniciosa. En 1969 descubrió la estructura cristalina de la insulina.

HODINOVA-SPURNA, Agnès. Política checa (1895-1963). Fue miembro durante 25 años del consejo municipal de Praga, y en 1929 se unió al partido comunista. Fue diputada en la Asamblea nacional, desde donde luchó por los derechos de la mujer y de la infancia desposeída, y presidenta del comité de mujeres checas, además de ser miembro del comité central del partido comunista y vicepresidenta de la Asamblea nacional (1945-1960).

HOLIDAY, Billie (Eleonora Holiday, llamada). Cantante de *blues* y jazz estadounidense (Baltimore, 1915-Nueva York, 1959). Considerada uno de los mitos de los años 30, debutó en Nueva York en 1929 y en 1933 grabó su primer disco. Holiday creó un estilo musical propio apoyado en su voz excepcional y en la belleza de sus composiciones. Aclamada como el *ángel de Harlem* y *Lady Day*, cantó con los mejores músicos de aquel momento, entre ellos, Benny Goodman, Count Basie, Artie Shaw, Lester Young y Ben Webster. Murió víctima de las drogas y el alcohol. Entre sus discos destacan *Billie's Blues* (1936), *Easy Living* (1937), *Strange Fruit* (1939), *God Bless the Child* (1941), *Don't Explain* (1945) y *All of Me* (1949). Escribió su autobiografía, *Lady Sings the Blues* (1956).

HOLT, Victoria. V. **PLAIDLY, Jean.**

HORNE, Marilyn. Mezzosoprano estadounidense (Pennsylvania, 1934). Estudió canto en la Universidad del Sur de California, con William Vennard. En 1954 debutó en Los Ángeles con *La Fiancée vendue* de Smetana. Posteriormente fue contratada por la Ópera de Gelsenkirchen, donde canta especialmente a Puccini. Hizo pareja con Joan Sutherland*, debutando en Nueva York en 1961 con *Beatrice de Tende* de Bellini. En 1983 publicó su autobiografía, *My Life*.

HORNEY, Karen. Psiquiatra y psicoanalista estadounidense de origen alemán (Hamburgo, 1885-Nueva York, 1952). Perteneciente a la escuela culturalista, Horney se alejó de las ideas ortodoxas de Freud combatiendo las ideas de éste sobre la sexualidad femenina y, en especial, su noción respecto a la envidia del pene. Destacó los efectos de la cultura en los problemas psíquicos frente al innatismo y genetismo freudianos. Entre sus libros destacan *La personalidad neurótica de nuestro tiempo* (1937), *El nuevo psicoanálisis* (1939), *Nuevos conflictos interiores* (1945) y *Neurosis y madurez* (1950).

HORTA, Maria Teresa. Periodista y escritora portuguesa (n. 1937). Se inició en el movimiento literario *poesía 61*, opuesto al neorrealismo, y posteriormente fue coautora de las polémicas *Novas cartas portuguesas* (1975). Horta, miembro del Partido Comunista desde 1974, ha dedicado gran parte de su vida al activismo político. Durante varios años fue editora de la revista *Mulheres*, órgano principal de la organización feminista Movimiento Democrático de Mujeres. Entre sus publicaciones destacan los poemas recogidos en *Mi madre, mi amor* (1985) y *Rosa sangrienta* (1987).

HORTENSIA. Jurisconsulta romana (s. I a. C.). Era hija del orador Hortensio Hortalo, rival de Cicerón. Se distinguió por sus intervenciones jurídicas y obtuvo un gran éxito sobre los patricios, que habían establecido impuestos para cubrir los gastos de una expedición militar; Hortensia obtuvo la reducción de la tasa y exigió un derecho de registro sobre los gastos públicos. Adquirió así la admiración de los magistrados y el reconocimiento de las grandes fortunas.

HOUDETOT, condesa de (Élisabeth Françoise Sophie de La Live de Bellegarde). Dama francesa (París, 1730-íd., 1813). Casada con el conde de Houdetot, se separó de él amistosamente en 1753, yéndose a vivir al castillo de Eaubonne con el poeta Saint-Lambert. Años más tarde, en casa de su hermana, madame d'Épinay*, conoció a Rousseau, que al enamorarse de ella, cambió el argumento de *La nueva Eloísa*, y más tarde, le inspiró el libro IX de sus *Confesiones*, pero ella nunca cedió ante las insistencias de Rousseau y atendió con gran cariño a Saint-Lambert, postrado por la enfermedad.

HOYOS, Cristina. Bailarina y coreógrafa española (Sevilla, 1949). Estudió con Enrique el Cojo y Manuela Vargas, debutando a los 16 años. Durante 20 años perteneció a la compañía de Antonio Gades, trabajando como solista o pareja del bailarín, y protagonizando, entre otras, *Bodas de sangre* (1981), *Carmen* (1983) y *El amor brujo* (1985), llevadas a la pantalla por Saura. Su baile se caracteriza por un gran dramatismo y fuerza temperamental. En 1989 formó compañía propia, protagonizando y dirigiendo la coreografía de *Mon-*

Cristina Hoyos

toyas y Tarantos (Escrivá, 1989). En 1990 se le concedió el premio Nacional de Danza.

HROTHSWITHA. V. **ROSWITHA de Gandersheim.**

HUTTON, Barbara. Millonaria estadounidense (Los Ángeles, 1912-Nueva York, 1979). Nieta del fundador del imperio Woolworth, a los 20 años heredó una inmensa fortuna y la importante cadena de almacenes comerciales de su abuelo. Se casó siete veces: tres príncipes, un barón tenista, un conde, un diplomático y un actor (Cary Grant). En 1972 su único hijo murió en un accidente de avión y ella, desconsolada, se acusó de haber sido una mala madre. A los 60 años había perdido todos los dientes y a los 70 se le había roto el cuello del fémur lo que le impedía desplazarse sin ayuda, viviendo rodeada de enfermeras. Drogada de anfetaminas y tranquilizantes enflaqueció, llegando a pesar 40 kilos. Hutton se arruinó —a su muerte sólo tenía 3.500 dólares en el banco— y sus bienes fueron liquidados y subastados. Sólo diez personas asistieron a su entierro en el Bronx.

HYDE, Anne. Política inglesa (Windsor, 1637-Westminster, 1671). Era hija de Eduardo I, conde de Clarendon y fue dama de honor de la princesa de Orange. En 1660 se casó en secreto con Jacobo Estuardo, duque de York, futuro Jacobo II de Inglaterra. De él tuvo ocho hijos, de los que sólo sobrevivieron María* y Ana* Estuardo: las educó en el anglicanismo y reinarían tras la revolución de 1688. En 1670 se convirtió al catolicismo.

I

IBARBOUROU, Juana de. Poeta uruguaya (Melo, 1895-Montevideo, 1980) cuyo nombre de soltera era Juana Fernández de Morales. Usó ocasionalmente el seudónimo de «Jeanette d'Ibar» y fue conocida también por el nombre de «Juana de América». Sus poemas, de tono melancólico y grave, se centraron en la realidad cotidiana y rechazaron el alambicamiento de los versos modernistas. A Ibarbourou se le considera una de las figuras clave de la poesía hispanoamericana contemporánea. Entre sus títulos destacan *Las seis lenguas de diamante* (1918), *La rosa de los vientos* (1930), *Romances del destino* (1944), *Oro y tormenta* (1956) y *La pasajera* (1968). Fue además autora de varias obras en prosa, como *El cántaro fresco* (1920) y *Chico Carlo* (1944). En 1950 fue nombrada presidenta de la Sociedad Uruguaya de Escritores, y fue la primera persona en recibir la condecoración José Artigas, máximo galardón uruguayo.

Dolores Ibárruri, *Pasionaria*

IBÁRRURI, Dolores. Política española más conocida como *Pasionaria* (Gallarta, 1895-Madrid, 1989). De familia minera, fue destacada líder sindicalista, secretaria general y presidenta del Partido Comunista Español. Diputada en Cortes durante la Segunda República, se convirtió en una de las personalidades más carismáticas del bando republicano durante la guerra civil. Tras la derrota se exilió en Moscú, desde donde dirigió las actividades de su partido. Retornó a España en 1977, y aunque presidió la primera sesión de las Cortes democráticas, su actividad política fue ya hasta su muerte casi testimonial. Su autobiografía se titula *El único camino.*

ICAZA, Carmen de. Novelista española (Madrid, 1904-íd., 1979). Buena conocedora de los ambientes de la alta sociedad, se dio a conocer con *Cristina de Guzmán, profesora de idiomas* (1935), que apareció en el folletín de la revista *Blanco y Negro* y que se convertiría en uno de los seriales radiofónicos de mayor éxito de la posguerra española. En el campo de la «novela rosa» fue autora asimismo de *Vestida de tul, Soñar la vida, La fuente enterrada, Las horas contadas* y *El tiempo vuelve.*

IDA, beata. Dama franca (m. h. 652). Esposa de Pipino de Landen, de quien tuvo a santa Gertrudis* de Nivelle y a santa Begga. A la muerte de su marido, sobre el que tuvo gran influencia, se retiró al monasterio de Nivelle, que ella había fundado y del que era abadesa su hija Gertrudis.

IDA, santa. Condesa de Boulogne (Bouillon, h. 1040-Boulogne, 1113). Se casó con Eustaquio II de Boulogne y fue madre de Godofredo de Bouillon y Balduino I, ambos reyes de Jerusalén. Cooperó en la organización de la primera cruzada y fundó numerosos monasterios.

IGLESIAS, Cristina. Escultora española (San Sebastián, 1956). Estudió en la Chelsea School of Art de Londres, y posteriormente ha adquirido un progresivo reconocimiento internacional. Sus piezas, de marcado carácter arquitectónico, compuestas de diferentes texturas y materiales, mantienen una estrecha relación con la pared y el suelo. La obra escultórica de Iglesias combina los aspectos tradicionales de la escultura ibérica, del arte conceptual de los años setenta y de la vanguardia histórica. Hace uso de materiales como el cinc, el hierro, el cristal, el cemento, y, recientemente, ha incorporado fotografías de paisajes o serigrafías sobre el metal. En 1993 representó a España, junto a A. Tàpies, en la XLV Bienal de Venecia.

IGLESIAS, María del Carmen. Historiadora española (n. en Madrid). En 1978 obtuvo su doctorado en Ciencias Políticas y Sociología por la Universidad Complutense de Madrid, y en 1983 la oposición a cátedra de Historia de las Ideas y de las Formas Políticas de dicha universidad. En 1989 fue elegida por unanimidad miembro de número de la Real Academia de la Historia, convirtiéndose en la primera mujer en lograr el acceso a esta academia. Desde 1990 es vicepresidenta ejecutiva de la Fundación Ideas e Investigaciones Históricas, y desde 1993 miembro del comité nacional de United Word Colleges. Entre sus obras destacan *Paradigma de la naturaleza: Montesquieu, Rousseau, Comte* (1983), *El pensamiento de Montesquieu: Política y Ciencia Natural* (1984), premio Internacional Montesquieu de 1985 concedido por la Academia Montesquieu Francesa, y *Los cuerpos intermedios y la libertad en la sociedad* (1986).

IMÁN (Imán Muhammad Abdul Mahid, llamada). Actriz y top-model somalí (Mogadiscio, Somalia, 1955). Hija de un diplomático somalí, fue presentada en el mundo de la moda como una princesa somalí encontrada en las montañas cuidando cabras. Llegó a ser la modelo más cotizada (10.000 dólares por desfile) y la reina de la moda neoyorquina, pero lo abandonó todo para dedicarse en exclusiva al cine. En 1991, ya con una hija, contrajo matrimonio con David Bowie.

IMPERIO, Pastora. (Pastora Rojas Monje, llamada). Bailaora y cantaora española (Sevilla, 1889-Madrid, 1979). Estuvo casada con el torero Rafael Gómez, *el Gallo,* y en sus años de juventud fue la máxima figura del arte flamenco. En 1917 estrenó en el Lara madrileño *El amor brujo*, que Falla había compuesto para ella. Intervino en filmes como *María de la O* (1936) y *Canelita en rama* (1943).

INCHBALD, Elisabeth. Actriz y dramaturga inglesa (1753-1821). Comenzó su carrera de actriz interpretando el papel de Cornelia en *El rey Lear* de Shakespeare, pasando a la compañía Wilkinson y después al Covent Garden. En 1785 dejó la escena para dedicarse a la escritura. Entre sus obras desacan las comedias sentimentales, como *Simple story* (1791) y *Nature and Arts* (1796). También hizo adaptaciones para teatro de obras de Destouches y Kotzebue. Otras obras suyas son *Wives As They Were and Maids As They Are* (1797) y *To Marry or Not to Marry* (1805). Fue fundamental en la renovación del teatro isabelino.

INÉS, santa. Virgen y mártir cristiana (s. III). Su culto fue popularísimo en Roma: se cree que su martirio acaeció en la persecución de Diocleciano, quizá cuando ella tenía 13 años. Se la representa comúnmente con un cordero, aludiendo a su pureza y a su nombre (agnus, en lat., cordero).

INÉS de Castro. Dama castellana (h. 1320-Coimbra, 1355). Marchó a Portugal acompañando a doña Constanza*, hija de don Juan Manuel, cuando ésta fue a casarse con el infante don Pedro (luego Pedro I), hijo de Alfonso IV el Bravo, de Portugal. Don Pedro se enamoró de doña Inés y, muerta su esposa (1345), sostuvieron relaciones amorosas y llegaron a contraer matrimonio secreto. Por consejo de algunos nobles, no quiso Alfonso IV aprobar el casamiento de éste con Inés, a pesar de que habían tenido ya algunos hijos, y tras algunas vacilaciones la hizo asesinar. Don Pedro tomó cumplida venganza del hecho, pues se levantó contra su padre y, ya rey, hizo sentar en el trono el cadáver de doña Inés y obligó a los nobles a rendirle homenaje y besar su mano; también logró del rey de Castilla que le fueran entregados los asesinos y, a los dos que se logró detener, les hizo arrancar el corazón. La figura de Inés de Castro ha dado motivo a creaciones literarias y artísticas notables, entre las que sobresalen las estrofas de Camoens en *Os Lusiadas* y el drama de Vélez de Guevara *Reinar después de morir*.

INÉS de Francia. Emperatriz bizantina (1171-1220). Hija de Luis VII de Francia, estuvo primero prometida a Alejo II Comneno y se casó con Andrónico I Comneno, asesino de su prometido. Después de la revuelta de 1185, en la que murió su marido, vivió con un aristócrata bizantino, hasta que, con la llegada de los caballeros de la cuarta cruzada, se casó con uno de ellos, Teodoro Branas.

INÉS de Poitiers. Reina de Aragón (m. 1137). Era sobrina de Alfonso Jordán, conde de Tolosa y hermana de Guillermo de Poitiers. Se casó en 1135 con Ramiro II de Aragón, del que tuvo a Petronila*. Murió al poco tiempo de dar a luz.

INÉS de Poitou. Emperatriz de Alemania (m. Roma, 1077). Hija del duque de Aquitania Guillermo V. Se casó con el emperador Enrique III en 1043, enviudó en 1056 y gobernó como regente de su hijo Enrique IV hasta 1062, época en que, despojada del poder, se retiró a Roma.

INGUNDA. Princesa visigoda española de origen franco (m. Sicilia, 585). Era hija de Sigeberto de Austrasia y de Brunequilda* y se casó en 579 con Hermenegildo, hijo de Leovigildo. Pronto entró en malas relaciones con la reina Goswintha* y Leovigildo trasladó a los recién casados a Sevilla (580). Allí, con la ayuda de san Leandro, consiguió la conversión al catolicismo de su marido, Hermenegildo, al que apoyó durante la rebelión contra su padre. Tras la muerte de Hermenegildo (Pascua de 585) huyó hacia Oriente con su hijo y murió de camino, probablemente en Sicilia.

IRENE. Emperatriz bizantina (Atenas, 752-Lesbos, 803). Pertenecía a una modesta familia de Atenas, y debido a su hermosura contrajo matrimonio con León, hijo de Constantino, quien luego ocupó el trono con el nombre de León IV. Ejerció la regencia a la muerte de su esposo sobre su hijo Constantino VI. Su gobierno fue autoritario, atendiendo sobre todo a la cuestión religiosa (reunión del II Concilio de Nicea —787—, donde se condena la iconoclastia). Cuando su hijo llegó a la mayoría de edad tuvo que abandonar el poder debido a un levantamiento militar (790), pero Constantino VI la volvió a llamar, y ella respondió acusándole de bigamia, destronándole y finalmente dejándole ciego (797). Este último año tomó el título de basileus, iniciando su gobierno nominal. En política exterior fue un fracaso, consintiendo en pagar tributo a Harum al-Rashid (798). Su situación en el trono supuso la legitimización de la restauración imperial en Occidente (coronación de Carlomagno, 800). Tras esto, intentó una reunificación del Imperio, por medio de un matrimonio con Carlomagno, por lo que fue destronada por Nicéforo, muriendo desterrada en la isla de Lesbos. Cuando regresó su cuerpo a Constantinopla, fue recibido como reliquias y su persona canonizada por la Iglesia Ortodoxa.

IRENE, santa. Dama hispanogoda (m. h. 653). La leyenda cuenta cómo fue mandada asesinar por un noble que quería casarse con ella, obligándole a abandonar el voto de virginidad que había realizado. Su cuerpo fue arrojado al río que llega a la ciudad de Santarem, por lo que lleva su nombre. Era hermana del papa san Dámaso.

IRENE de Montferrato. Emperatriz bizantina (1271-Salónica, 1315). Era hija de Guillermo V de Montferrato y casó con Andrónico II Paleólogo (1283). A la muerte de Juan I de Montferrato (1305) transmitió los derechos del ducado a su segundogénito Teodoro. Tras sus fracasos para asociar a sus hijos al trono en detrimento del heredero bizantino, Miguel III, se retiró a Salónica donde comenzó una serie de intrigas asociada al rey de Serbia Esteban VI Urosh II.

IRENE Dukas. Emperatriz bizantina (1066-1118) por su casamiento con Alejo Comneno I, sobre el que ejerció poderosa influencia. Era hija de Andrónico Dukas y a la muerte de su marido intentó dar el trono a su yerno Nicéforo Brienio, en detrimento de su hijo Juan II. Murió encerrada en un convento.

IRIGARAY, Luce. Psicoanalista, teórica feminista y filósofa francesa de origen belga (n. 1930). Seguidora de las ideas deconstruccionistas de J. Derrida, Irigaray es considerada una de las más prestigiosas teóricas del feminismo de la diferencia. Directora de investigación filosófica en el Centro Nacional de Investigaciones Científicas de París, su primer libro *Le Langage des déments* (1973), es un estudio de los modelos de desintegración lingüística en la demencia senil. En 1974 su tesis doctoral *Spéculum de l'autre femme* dio lugar a su inmediata expulsión de la École Freudienne de J. Lacan. Las críticas de Irigaray a la teoría de la feminidad de Freud y a las ideas sobre la diferenciación sexual femenina promulgadas por Lacan se han convertido en referencia obligada dentro del mundo teórico feminista. En 1985 publicó *Ese sexo que no es uno*, donde expone sus ideas sobre «escritura femenina». Entre sus libros destacan además *Amante Marine de Friedrich Nietzsche* (1980), *Éthique de la différence sexuelle* (1984), *Sexes et Parentés* (1987) y *Yo, tú y nosotras* (1992).

ISABEL, santa. Mujer de la Biblia (s. I). Esposa de san Zacarías, madre de san Juan Bautista y sobrina de santa Ana, madre de la Virgen María. Según la tradición, Isabel salvó milagrosamente a su hijo cuando la degollación de los inocentes y después se retiró a un desierto, en donde terminó sus días. El episodio bíblico donde aparece es en la Visitación, cuando María* va a atenderla del hijo que espera. En él la Virgen recita el *Magníficat*.

ISABEL de Angulema. Reina de Inglaterra (¿?, 1189-Fontevrault, 1246). Casada con el rey Juan Sin Tierra a principios del s. XIII, a la muerte de su esposo en 1216 contrajo segundas nupcias con Hugo de Lusiñán, conde de la Marca.

ISABEL de Aragón o de Portugal, santa. Reina de Portugal (Zaragoza, 1274-Estremoz, 1336). Era hija de Pedro III de Aragón, y fue desposada a los doce años con don Dionís, rey de Portugal. Pareció haber nacido para pacificadora de reyes y discordias civiles, siendo fundamental su excelente mediación en el conflicto surgido entre su marido, don Dionís, y su hijo, Alfonso el Bravo. Viuda en 1325, hizo una peregrinación a Compostela, vistió el hábito de la Orden Tercera de San Francisco y luego se retiró a un convento de Coimbra, por ella fundado, de donde sólo salió para evitar la guerra entre su hijo Alfonso el Bravo de Portugal y su nieto Alfonso XI de Castilla. Fue llamada en vida la Santa Reina y canonizada en 1625.

ISABEL de Austria. Reina de Dinamarca y Suecia (Bruselas, 1501-Gante, 1525). Hija de Felipe I y Juana I*, archiduques de Austria y reyes de Castilla. Se casó con Cristián II, rey de Dinamarca, Suecia y Noruega, el cual la abandonó obligándola a refugiarse al lado de su hermano Carlos I.

ISABEL de Baviera. Reina de Francia (Munich, 1371-París,

Isabel de Borbón, por Peter Pourbes

1435). Hija del duque de Baviera. Se casó con Carlos VI de Francia, y cuando éste perdió la razón en el año 1392, se puso al frente de un consejo de regencia. Su gobierno fue pródigo en violencias e iniquidades.

ISABEL de Bohemia. Princesa palatina (Heidelberg, 1618-Herford, 1680). Era hija de Federico V, elector palatino del Rhin y rey de Bohemia. Por razones políticas se refugió en La Haya, donde entró en relación con Descartes. Posteriormente se retiró al monasterio luterano de Herford (1661) y fundó una especie de academia, la primera escuela cartesiana.

ISABEL de Borbón. Reina de España (Fontainebleau, 1603-Madrid, 1644). Hija de Enrique IV de Francia, se casó con Felipe IV de España. Es célebre por haber sido la que valientemente se manifestó contraria al valido conde-duque de Olivares, siendo el agente principal de su caída.

ISABEL de Bosnia. Reina de Polonia y Hungría (1339-Novigrad, Croacia, 1387). En 1363 se casó con Luis el Grande. A la muerte de su esposo (1382) quedó de regente de Hungría sobre su hija María*, pero fue hecha prisionera y asesinada por Juan de Horwadt.

ISABEL de Braganza y Borbón. Reina de España, hija de los reyes de Portugal Juan VI y doña Carlota (Lisboa, 1797-

Isabel de Braganza, por Nicolás García

Aranjuez, 1818). En 1816 se casó con Fernando VII y murió a los veintiún años. Fue la inspiradora de la creación del Museo del Prado y de la abolición de la esclavitud de los negros en América, y apoyó la enseñanza de las Bellas Artes.

ISABEL de Brasil. Princesa brasileña (Río de Janeiro, 1846-¿?, 1921). Hija del emperador Pedro II y regente durante sus ausencias, Isabel pasó a la historia por haber aprobado en 1888 la ley áurea que terminó con la esclavitud en su país.

ISABEL de Farnesio. Reina de España (Parma, 1692-Aranjuez, 1776). Sobrina y heredera del duque de Parma, Antonio, que merced a las habilísimas gestiones del abate Alberoni, agente diplomático del duque en Madrid, se casó con Felipe V, en 1714. Bella, instruida y de gran entereza, aunque Alberoni la había pintado como una joven dócil e inexperta, su primera decisión fue hacer detener y desterrar a la famosa princesa de los Ursinos*, camarera de la reina anterior. Tomó parte activa en el gobierno, manejó al rey a su antojo y lanzó a España a varias guerras para conseguir territorios donde pudieran reinar sus hijos. Fue desterrada a La Granja por su hijastro Fernando VI y vuelta a llamar a la muerte de éste y la entronización de su hijo Carlos III.

Isabel de Farnesio, por J. Ranc

ISABEL de Francia. Reina de Inglaterra (París, 1292-Hertford, 1358). Hija de Felipe el Hermoso, de Francia, se casó en 1309 con Eduardo II de Inglaterra, pero conspiró contra su marido, haciéndole destituir por el Parlamento y asesinar después, valiéndose de su favorito Mortimer. Proclamado rey su hijo Eduardo III y regente ella, cometió tales excesos que al llegar éste a su mayoridad, la encerró en un castillo e hizo decapitar a su favorito y amante.

ISABEL de Francia. Reina de Navarra (m. en las islas Hyères, 1270). Hija de san Luis, rey de Francia, y esposa de Teobaldo II, conde de Champaña y rey de Navarra. Ambos esposos murieron con una diferencia de tres meses a consecuencia de un enfermedad contagiosa que contrajeron en África, adonde fueron acompañando a san Luis.

ISABEL de Francia, beata. Princesa francesa (París, 1225-Longchamp, 1270). Hija de Luis VIII de Francia y hermana de san Luis. Renunció a los placeres de la corte y a un buen matrimonio, fundando el monasterio de Longchamp, cerca de París, y vivió recluida en él hasta su muerte.

ISABEL de Hainaut. Reina de Francia (Lila, 1170-¿?, 1190). Hija de Balduino V, conde de Hainaut. En 1180 se casó con el rey de Francia Felipe II Augusto, dando a luz un hijo, que reinó después con el nombre de Luis VIII.

ISABEL de Hungría, santa. Princesa de Hungría (Presburgo, 1207-Marburgo, 1231). Hija de Andrés II, rey de Hungría. Casada con Luis IV, landgrave de Turingia, a la muerte de éste, en 1227, repartió la mayor parte de sus bienes entre los pobres, retirándose a un monasterio.

ISABEL de Lorena. Reina de Sicilia (h. 1410-Launay, 1453). Hija de Carlos II, duque de Lorena. Se casó con Renato de Anjou, conde de Guisa, proclamado más tarde rey de Nápoles, y al que llevó en dote la corona ducal de Lorena. Tomó parte muy activa en la gobernación de sus estados.

ISABEL Petrovna. Emperatriz rusa (Moscú, 1709-San Petersburgo, 1762). Hija del zar Pedro el Grande y Catalina* I, el reinado de Isabel Petrovna se caracterizó por una política antialemana y por la puesta en marcha de varias reformas institucionales, entre ellas el establecimiento del senado (1743), la creación de un consejo político supremo (1743), la abolición de las aduanas interiores (1754) y el desarrollo de la industria. Durante su reinado ganó la guerra con Suecia, que terminó con la firma del tratado de paz de Abo (1743), además de vencer en la guerra de Sucesión de Austria (1746) y en la guerra de los Siete Años con Prusia (1759). Fue aliada de Austria y Francia en contra del rey prusiano Federico II. En 1755 fundó la Universidad de Moscú y en 1758 la Academia de Bellas Artes de San Petersburgo.

ISABEL de Polonia. Reina de Hungría (1300-castillo de Buda, 1380). Era hija de Ladislao el Breve de Polonia y se casó en 1319 con el rey Carlos Alberto de Anjou, rey de Hungría. Después de la muerte de su marido, gobernó en nombre de su hijo como regente.

ISABEL de Portugal. Emperatriz de Alemania y reina de España (Lisboa, 1503-Toledo, 1539). Hija de los reyes de Portugal don Manuel y doña María* de Castilla, se casó con su primo Carlos I

(1526) y fue madre de Felipe II, de doña María*, que llegó a ser emperatriz de Alemania, y de doña Juana*, reina de Portugal y madre del rey don Sebastián. Su matrimonio obedecía a la política de unión entre Castilla y Portugal. Familiarizada con su nuevo reino, colaboró incansablemente en tareas de gobierno. Nombrada lugarteniente de Castilla y luego de Aragón, actuó como regente (1529-1532 y 1535-1539), gobernando con acierto y prudencia. En política exterior, intervino para solucionar el contencioso de las Molucas entre Castilla y Portugal (1529) y defendió la paz con Francia. Al morir, en plena juventud, su cadáver fue conducido a Granada para ser sepultado allí, y cuando el duque de Gandía (luego san Francisco de Borja), a quien se había encomendado esa misión, descubrió el féretro y apreció los estragos producidos por la muerte, se formó el propósito de renunciar al mundo, a lo que corrientemente se llama conversión del duque de Gandía.

ISABEL de Portugal. Reina de Portugal (m. 1455). Era hija de Pedro, duque de Coimbra, y se casó en 1447 con su primo el rey Alfonso V. Se supone que murió envenenada.

ISABEL de Trastámara. Reina de Portugal (Palencia, 1470-Arévalo, 1497). Hija de los Reyes Católicos, don Fernando y doña Isabel*, se casó en primeras nupcias con el príncipe Alfonso de Portugal, con el que había sido educada. Tras las sucesivas muertes de su marido (1491) y su hijo, volvió a Castilla jurando no volver a casarse. Pero, obedeciendo a la política matrimonial de sus padres, se casó en segundas nupcias, cuatro años después, con Manuel el Grande, elevado al trono de Portugal a la muerte de Juan II. Murió de sobreparto al año de su casamiento.

ISABEL de Valois. Reina de España (París, 1546-Aranjuez, 1568). Hija del rey de Francia Enrique II y de Catalina* de Médicis. Era la prometida del príncipe don Carlos, hijo de Felipe II, y al estar éste viudo de

Isabel de Valois, por Pantoja de la Cruz (copia de Sánchez Coello)

doña María* de Inglaterra, como condición de la paz firmada con Francia, se casó con el rey Prudente, por lo que se la llama con el sobrenombre de Isabel de la Paz, celebrándose la boda en Guadalajara. De este matrimonio nacieron las infantas Isabel* Clara Eugenia, gobernadora de los Países Bajos, y Catalina Micaela, hijas predilectas del rey. El carácter alegre de la reina cambió radicalmente las costumbres en la corte toledana, que, siendo insoportable para Isabel, fue trasladada a Madrid. Fue muy aficionada al lujo, las letras y las artes, teniendo como profesora de pintura a la célebre Sofonisba Anguissola*.

ISABEL de Wittelsbach. Emperatriz de Austria (Munich, 1837-Ginebra, 1898). Esposa de Francisco José, era hija del duque Maximiliano José de Baviera y conocida con el apelativo cariñoso de *Sisí*. De su matrimonio no nació más que un hijo varón, Rodolfo, que se suicidó en 1889. Desde su casamiento, convirtió la corte de Viena en la más brillante de Europa, pero los disgustos conyugales y las desgracias familiares la tuvieron alejada casi siempre de la vida pública a partir de 1860, recorriendo aquellos lugares que eran más de su agrado. Fue asesinada en Ginebra por el anarquista italiano Luigi Luccheni.

ISABEL I de Castilla, *la Católica*. Reina de Castilla (Madrigal de las Altas Torres, 1451-Medina del Campo, 1504). Fue hija de Juan II y de su segunda esposa Isabel de Portugal*, y hermana de Enrique IV, rey de Castilla. Durante las guerras entre la oposición nobiliaria y Enrique IV, luego de la muerte del infante Alfonso, hermano menor del rey y pretendiente al trono (1468), los partidarios de éste ofrecieron la corona a doña Isabel, que fue proclamada en algunas ciudades, en contra de los derechos de la hija del rey, Juana*, que se la consideraba ilegítima, por lo que se la llamaba *la Beltraneja*; pero la infanta se negó a la pretensión mientras viviera el rey, a pesar de que se consideraba su legítima heredera. Enrique IV, cediendo a las presiones nobiliarias, cada vez mayores, por el tratado de Guisando (1468) reconoció a la infanta Isabel como princesa de Asturias. Pero la decisión de Isabel de contraer matrimonio con don Fernando de Aragón, hijo de don Juan II y heredero de aquel reino (1469), molestó al soberano; entonces revocó su decisión y volvió a nombrar princesa de Asturias a doña Juana. La reconciliación de Enrique e Isabel no vino sino después del nombramiento del cardenal Mendoza, la presión pro isabelina de las ciudades y el fin de la guerra de Cataluña (1472): el rey castellano se entrevistó con Isabel en Segovia (1474), pero los planes de concordia quedan rotos a la muerte del rey, iniciándose la

Isabel I la Católica, por Federico de Madrazo

guerra civil en Castilla entre los partidarios de Isabel y de Juana. Proclamados doña Isabel y don Fernando reyes de Castilla, su división del poder fue resuelto por la reina mediante la Concordia de Segovia (1475), que reguló la participación de cada uno en el gobierno. Entre 1474 y 1478 se produjo la guerra, terminando con la expulsión de los portugueses, partidarios de *la Beltraneja*, y con la pacificación de la nobleza andaluza y extremeña (tratados de Alcáçovas, 1479). El final de la guerra coincide con la muerte de Juan II de Aragón y con el paso de Isabel a ser reina consorte de esta Corona. En esta situación, junto a su marido Fernando, comienzan la organización de lo que será llamado la *Polisinodia Hispánica*, el estado moderno español: reordenación legislativa en las Cortes de Toledo de 1480, promulgación de la *Ordenanzas reales de Castilla*, reforma de la Hermandad General en Castilla (1476), reforma de las finanzas de hacienda regia y ejército, asimilación de la levantisca nobleza por medio de un sistema de servicios a la Corona, absorción de los maestrazgos de las Órdenes Militares, generalización del mayorazgo, establecimiento de la Inquisición y del Patronato Regio (1478). Esta situación de paz interior y estabilidad internacional permitió el inicio de la guerra de Granada (1481-1492), que con las *Capitulaciones de Santa Fe* (octubre de 1492) termina con el último reducto musulmán en la Península. En este último año 1492 ocurren otros dos hechos cruciales en la historia de la Humanidad, con implicación directa de Isabel: por una parte, el descubrimiento de América por Cristóbal Colón, empresa bajo bandera castellana realizada con el apoyo explícito de la reina; y la expulsión de los judíos, según pragmática del mes de marzo (cumbre de la política de unificación político-religiosa de los reyes). En política interior, además de su marido, Isabel tuvo dos excelentes colaboradores, Hernando de Talavera y Ximénez de Cisneros, que la ayudaron en la aplicación del Patronato Regio, la reforma de la Iglesia española y la unificación religiosa. En política exterior, en compensación a la ayuda aragonesa en Granada, abandona la tradicional francofilia castellana, apoyando a su marido Fernando en las guerras de los condados pirenaicos e Italia. Las empresas africanas, tras la conquista de Melilla (1497), fueron casi abandonadas en favor de Portugal. En cuanto al Nuevo Mundo, una vez concertados los *Tratados de Tordesillas*, el interés principal de la reina se centró en el empeño de que se cristianizase a los indígenas y no se los esclavizara, estableciendo las normas jurídicas necesarias, con la declaración de los habitantes americanos como súbditos castellanos libres. En cuanto al arte y las letras, su período de gobierno supuso una renovación del espíritu castellano con la entrada plena del Renacimiento italiano, siendo su corte, aunque austera, una de las más interesantes de su tiempo. Fue madre de cinco hijos, con los que siguió la política trastámara de alianzas matrimoniales: Isabel*, Juana*, Juan, el heredero muerto antes de tiempo, Catalina* y María*. Su ejemplaridad de vida y su fama, que ya gozó entre sus contemporáneos, ha llegado hasta nosotros, siendo uno de los personajes históricos con mayor renombre. Murió en 1504, en Tordesillas, dejando un legado, su testamento, muestra última de su gran humanidad.

ISABEL I Tudor. Reina de Inglaterra (Palacio de Greenwich,

Isabel I Tudor, por G. Gorver

1533-Richmond, 1603). Hija de Enrique VIII y de Ana* Bolena, fue educada en el Cisma anglicano. Después de ilegitimizaciones y legitimizaciones sucesivas durante el reinado de su padre y su hermana María* I, subió al trono a la muerte de esta última (1558), siendo uno de sus primeros hechos el de restablecer la Iglesia anglicana. Irritada contra la reina de Escocia María* Estuardo, que había tomado el título de reina de Inglaterra, la llamó a Londres y allí la retuvo presa y la hizo decapitar en 1587. A su muerte nombró para sucesor a Jacobo, rey de Escocia e hijo de María Estuardo. Nunca se casó, pero tuvo varios favoritos, como el ministro Cecil. Fue, en política interior, una gobernante clarividente y muy enérgica, capaz de montar las bases de la moderna Inglaterra que nacería tras las diversas revoluciones tecnológicas. En política exterior, jugó dentro del campo protestante en las Guerras de Religión, con un constante enfrentamiento con España (que concluye con el fracaso de la Armada Invencible, 1588). En América, sin tener en cuenta los *Tratados de Tordesillas*, se fundó la colonia de Virginia, además de fomentar el corsarismo de sus marinos (como Drake o Hawkins). Culturalmente, su reinado fue muy rico, iniciándose el siglo de oro de Shakespeare y de Dowland.

ISABEL II de España. Reina de España (Madrid, 1830-París, 1904). Hija de Fernando VII y de María Cristina* de Nápoles. Pocos meses antes de su nacimiento se había publicado la *Pragmática Sanción de 1789*, con lo que se anulaba la *Ley Sálica* borbónica que impedía el reinado de mujeres y se volvía al derecho tradicional castellano: de esta manera, es jurada heredera (junio de 1833) y, cuando murió Fernando VII, subió al trono bajo la regencia de su madre. El primer período de su reinado está dominado por el estallido de la primera guerra carlista, promovida por el tío de la reina, Carlos María Isidro de Borbón, pretendiente al trono, guerra que fue llamada de los Siete Años (1833-1840), y por el funcionamiento sucesivo del *Estatuto Real* (hasta el motín de La Granja, 1836), y la Constitución de 1837. La

Isabel II, por J. Gutiérrez de la Vega

regente se hizo pronto impopular y una revolución la obligó a renunciar al gobierno y a ausentarse de España (1842), quedando la regencia en manos del general Espartero y la tutela de Isabel en las de Argüelles y la condesa de Espoz y Mina. La oposición contra el regente fue creciendo, y una sublevación militar le forzó a abandonar el poder y a expatriarse. Las Cortes, deseando prevenir los riesgos de una nueva regencia, declararon a la reina mayor de edad cuando contaba trece años (8 de noviembre de 1843). Los moderados, cuyo más destacado jefe fue el general Narváez, gobernaron entre 1844 y 1854, y en su tiempo se promulgó la Constitución de 1845 y se celebró el matrimonio de la reina, cuestión conflictiva en que las cortes de Austria, Inglaterra, Francia y Dos Sicilias aspiraron a que el rey consorte fuera de su estirpe. Don Francisco de Asís de Borbón, primo de la reina, fue el elegido, aunque la presión de Francia condicionó este matrimonio al de la infanta Luisa Fernanda, hermana de la reina, con don Antonio de Orleans, duque de Montpensier, quinto hijo del rey de Francia Luis Felipe (1846). La incompatibilidad de caracteres entre los reyes se puso pronto de manifiesto y acabó con la separación amistosa después de 1868. A raíz del matrimonio de la reina estalló en Cataluña la segunda guerra carlista, promovida por el conde de Montemolín, que duró desde 1846 hasta 1848. Años después se firmó un Concordato con la Santa Sede. Prosiguieron las luchas entre progresistas y moderados y la intromisón de los militares en la vida pública. La Unión Liberal estuvo en el poder desde 1858 hasta 1863, y su personaje más destacado fue el general O'Donnell; en este tiempo tuvo lugar la victoriosa guerra de África (1859-60), contra el imperio de Marruecos, y la fracasada intentona carlista del conde de Montemolín, en San Carlos de la Rápita (1860). La inestabilidad política era barrunto de mayores males; se produjeron nuevas sublevaciones militares, murieron O'Donnell y Narváez y quedaron como generales destacados Serrano y Prim. El 18 de septiembre de 1868 se inició la revolución con la sublevación de la escuadra. El general Serrano derrotó al general Pavía, marqués de Novaliches, en el puente de Alcolea, cerca de Córdoba, y la reina, que se hallaba en San Sebastián, se internó en Francia y fijó su residencia en París, donde vivió hasta su muerte. Poco después de su destronamiento, el 5 de junio de 1870, abdicó la corona en su hijo Alfonso XII.

ISABEL II Windsor. Reina del Reino Unido y Jefe de la Commonwealth (Londres, 1926). Contrajo matrimonio con Felipe Mountbatten, duque de Edimburgo, el 20 de noviembre de 1947, y su primer hijo, el príncipe Car-

Isabel II de Inglaterra con su esposo el duque de Edimburgo

los, nació el 15 de noviembre del siguiente año. Subió al trono al fallecer su padre, Jorge VI (1952), y fue coronada con extraordinario boato el 2 de junio de 1953. Por propia decisión, su hijo, que sería el primer soberano de la dinastía de Mountbatten, seguirá perteneciendo a la de los Windsor. Por la inestabilidad de su familia (divorcios o separaciones de su hermana y tres hijos mayores) y otros escándalos, diversos sectores políticos se han replanteado el papel de la monarquía en la sociedad británica de finales del siglo XX.

ISABEL ANA Bayley Seton, santa. Religiosa estadounidense (Nueva York, 1774-Maryland, 1821). Cooperó en la fundación de una sociedad para ayuda de las viudas pobres con hijos menores, en Nueva York (1797). En 1803 se trasladó a Italia, donde, a la muerte de su marido, se convirtió al catolicismo (1805). De regreso a EE.UU., fundó la Orden de las Hermanas de la Caridad de San José, en Emmitsburg (1809), de la cual fue primera superiora hasta su muerte. Fue canonizada por Pablo VI el 14 de septiembre de 1975, convirtiéndose en la primera santa estadounidense.

ISABEL CLARA EUGENIA. Infanta de España y gobernadora de los Países Bajos (Valsaín, 1566-Bruselas, 1633). Hija de Felipe II y de Isabel* de Valois (1566-1633), era la predilecta de sus hijos, e intentó hacerla reina titular de Francia, en lugar de Enrique IV de Navarra. Fue nombrada gobernadora de los Países Bajos junto con su marido el archiduque Alberto, hijo del

Isabel Clara Eugenia, por Peter Pourbes

emperador Maximiliano II. Su matrimonio, preparado por su padre, no tuvo lugar hasta el 18 de abril de 1599, ya muerto aquél, al mismo tiempo que el de su medio hermano Felipe III con Margarita de Austria. Mujer de altas dotes y claro talento, desempeñó el cargo gobernando con prudencia. Muerto su esposo, y no habiendo hijos del matrimonio, el dominio de Flandes revertió a España, que intervino en el país, aunque la infanta conservó sus atribuciones hasta que falleció.

ISABEL CRISTINA de Brunswick. Emperatriz de Alemania (Brunswick, 1691-Hungría, 1750). Se casó por poderes en 1708 con el archiduque Carlos, que disputaba la corona de España a Felipe V, acompañándole a la guerra de Sucesión. Luego, su marido fue llamado al trono de Alemania por muerte de su hermano José, tomando el nombre de Carlos VI. Isabel fue proclamada reina de Hungría en 1714, donde se trasladaría en 1740, luchando por los derechos a Austria de su hija María Teresa*.

ISABEL CRISTINA de Brunswick. Reina de Prusia (1715-1797). Hija de Fernando Alberto, duque de Brunswick, se casó con el príncipe de Prusia, después Federico II, del cual vivió separada durante muchos años. Cultivó las letras y escribió en alemán varias obras que después traducía al francés.

I'TIMAD AR-RUMAIKIYYA. Poeta y política andalusí (Sevilla, s. XI). Primero concubina y luego esposa del taifa sevillano al-Mu'tamid y madre de su heredero al-Rashid, compartió el poder con su esposo. Se dice de ella que fue una excelente poeta.

Glenda Jackson

JACKSON, Glenda. Actriz de cine y teatro británica (Birkenhead, 1936). Entre sus mejores filmes se encuentran *Marat-Sade* (1967), *Mujeres enamoradas*, por el que fue premiada con el Oscar a la mejor actriz (1971), *María, reina de Escocia* (1972), *Un toque de distinción*, por el que en 1973 obtuvo nuevamente el Oscar a la mejor actriz, *La pasión de vivir* (1973), etc. En 1986 interpretó en Londres, para el teatro, *La casa de Bernarda Alba*, de García Lorca, bajo la dirección de Núria Espert*.

JADIYA. Esposa de Mahoma (m. en La Meca, 619). Era una viuda con bastantes recursos de la tribu quraisí, cuando Mahoma estaba sirviendo en su casa y contrajo matrimonio con él. Le ayudó con su fortuna e influencia en la propagación de la nueva doctrina. Del matrimonio de Jadiya y Mahoma nacieron tres hijos y cuatro hijas, entre ellas Fátima*. El *Corán* presenta este matrimonio como la suprema dicha, ejemplo para todos los musulmanes.

JAKUBOSKA, Wanda. Directora de cine polaca (Varsovia, 1907). Comenzó haciendo documentales como *The Awakening* (1934), y tras la segunda guerra mundial se convirtió en una de las principales directoras polacas. La mayoría de sus películas se han centrado en sus experiencias en el campo de concentración en el que estuvo confinada: *The Last Stage* (1948), considerada su mejor película, *Bialy Mazur* (1973) y *Ludwik Warynski* (1978).

JANTIPA. Mujer ateniense (s. IV a. C.). Esposa de Sócrates y cuyo nombre se ha hecho proverbial como de mujer irritable. Platón, sin embargo, da fe de su desesperación aquel día en que Sócrates había de suicidarse bebiendo cicuta. Tuvo de él dos hijos.

JARS DE GOURNAY, Marie Le. Escritora francesa (París, 1566-íd., 1645). Fue discípula de Montaigne, que la llamaba su hija adoptiva. Publicó poesías, obras de moral y, sobre todo, obras de polémica literaria.

JARUCO, María de las Mercedes. V. **MERLÍN, condesa de.**

JEANMARIE, Zizi (Renée Marcelle, llamada). Bailarina francesa (París, 1924). Bailó con la Ópera de París, el ballet de Montecarlo y los Ballets de París; su interpretación de «Carmen» logró consagrarla como una de las principales figuras de la danza clásica. Dirigió con su marido la compañía de Roland Petit y la revista musical del Casino de París.

JESÚS, Carolina Maria de. Escritora brasileña (São Paulo, 1916-íd., 1977). Mientras trabajaba como trapera de papeles viejos, se dedicó a recopilar en un diario las miserias que se vio obligada a padecer a lo largo de su vida como habitante de una «favela». Sus escritos fueron descubiertos por un periodista y publicados bajo el título *Quarto do despejo*, considerado hoy como uno de los testimonios más conmovedores de la realidad social brasileña.

JESÚS, sor Ana de. Religiosa carmelita española (Medina del Campo, 1545-¿?, 1621). Habiendo ingresado como novicia en Plasencia (1560), se convirtió en la discípula favorita de Teresa* de Ávila, con la que realizaría sus votos perpetuos en la orden de las carmelitas descalzas (1571). Fue un componente fundamental en la amistad entre santa Teresa y san Juan de la Cruz y fue protagonista, junto a los reformadores, de las dificultades de la Orden en los primeros momentos. Sor Ana fundó el monasterio de Beas y el de Granada por encargo de san Juan de la Cruz. Luego siguió la obra teresiana con fundaciones en Madrid, Málaga y Segovia. En 1603 abandonó España y comenzó la fundación de monasterios carmelitas en Europa: París, Lovaina, Mons, Amberes y Bruselas. Como escritora, destacan sus obras de disputa con los reformadores de la Orden, entre ellas: *Cartas de la Vida de San Juan de la Cruz, Cartas al padre Francisco Salcedo, Cosas misteriosas que acontecieron en la última enfermedad de la madre Catalina de Jesús*, y, sobre todo, su *Declaración de la madre Ana de Jesús en las informaciones de Salamanca sobre la vida de santa Teresa de Jesús*.

JEZABEL. Reina de Israel (m. Jezrael, s. IX a. C.). Esposa de Acab, cuando el rebelde Jehú se apoderó del trono fue arrojada por una ventana de su palacio, siendo su cadáver pisoteado por los caballos y devorado por los perros, según había profetizado Isaías. Jezabel había introducido el culto de Baal y de Astarté y había perseguido el yahvismo; además mandó a matar a los profetas Elías y Nabot para apoderarse de sus bienes.

JIANG QING o CHIANG CHING. Política china (Shandog, 1914-Pekín, 1991). Jiang Qing, actriz de cine, en 1939 se casó con Mao Zedong y trabajó activamente durante la revolución cultural. Fue primera ayudante de la comisión de la revolución cultural, consejera del ejército para asuntos culturales y miembro del politburó del comité central del Partido. En 1976, después de la muerte de Mao Zedong, fue detenida y acusada de haber «desnaturalizado» las ideas de él y de haber intentado matarlo. En 1980, durante el proceso de la Banda de los cuatro (la facción de izquierda del Politburó), negó su culpabilidad, pero en 1981, acusada de crímenes contra su país, fue condenada a muerte, pena que le fue conmutada por cadena perpetua.

JIMENA, doña. V. **DÍAZ, Jimena.**

JIMENA FERNÁNDEZ. Reina de Pamplona y Aragón por su matrimonio con García Sánchez II *el Trémulo* o *Temblón*, que reinaría entre 994 y 1005. Jimena, hija del ricohombre leonés Fernando Vermúdez, y de Elvira, sobrevivió a su marido, formando parte por ello de la regencia que actuó durante los primeros años del reinado de su hijo Sancho III Garcés *el Mayor*, rey de Pamplona.

JOHN, Gwen. Pintora británica (1876-1939). Estudió arte en la Slade School de Londres, y en 1903 se radicó en Francia, donde comenzó trabajando como modelo para varios artistas, entre ellos A. Rodin, con quien posteriormente mantuvo relaciones íntimas. La obra de G. John, de texturas áridas, colorido opaco y esmeradas pinceladas, guarda una mayor vinculación con el grupo londinense de Camdem Town que con los modernistas franceses. Pintó sobre todo interiores sencillos bañados de luz suave (*Un rincón* *de la habitación de la artista*, 1907-1909), y figuras femeninas sobre fondos de fuerte textura (*Joven con gato negro en el regazo*, 1914-1915).

JOHNSON, Betsy. Diseñadora de moda estadounidense (n. 1942). Johnson descubrió, trabajando con el «neon nylon» y otros materiales novedosos, la posibilidad de combinar el algodón con la *lycra spandex*. A finales de los años 60, sus famosos modelos de ropa ajustada y a precios asequibles la convirtieron en «la M. Quant* estadounidense». En 1969 abrió en Nueva York su tienda *Betsy, Bunky and Nini*, en donde vende los patrones de sus diseños además de dedicarse a la venta por catálogo.

JOLIOT-CURIE, Irène. Física francesa (París, 1897-íd., 1956). Fue hija de Pierre y Marie Curie* y esposa de Jean Frédéric Joliot. Formada en el laboratorio de su madre, en el que trabajó hasta su matrimonio (1926). A partir de este momento, se dedicó a la investigación sobre la radiactividad del polonio y el torio, junto a su esposo, consiguiendo en 1935 el premio Nobel de Física. En 1932 fue nombrada directora del Instituto del Radium, en París. En 1936 fue subsecretaria de Estado en el Departamento de Investigaciones y premio Lenin de las Ciencias. Publicó más de 50 ensayos científicos.

JOLLEY, Elizabeth. Escritora australiana de origen inglés (n. 1923). Desde 1959 vive en Australia, donde se dedica a cultivar un pequeño huerto, mientras dirige seminarios de literatura en centros penitenciarios. Jolley es considerada una de las figuras clave de las letras australianas contemporáneas, y su narrativa, enmarcada en la corriente experimentalista, recrea un mundo grotesco y excéntrico: *Mr. Scobie's Riddle* (1982; premio Age Book of the Year), *The Well* (1986) y *Cabin Fever* (1990).

JONCOUX, Marguerite de. Pensadora jansenista francesa (1668-1715). Fue una ferviente adepta al jansenismo. Marguerite defendió con gran valentía su causa, perseguida por la Iglesia y las autoridades. Después de la partida de las últimas religiosas de Port-Royal (1709), entró en posesión de importantísimos manuscritos provenientes de la abadía (conservados actualmente en la biblioteca de Saint-Germain-des-Prés).

JONES, Jennifer (Phyllis Isley, llamada). Actriz de cine estadounidense (Tulsa, Oklahoma, 1917). Estuvo casada con el carismático productor cinematográfico David O'Selznick, cosa que le ayudó mucho en el desarrollo de su carrera, sumándose a sus excelentes dotes interpretativas y a una rara belleza, que la hacía capaz de interpretar papeles de mujeres de distintas razas (india, euroasiática, etc.). Películas: *La canción de Bernadette*, que le valió el Oscar a la mejor interpretación femenina en 1943; *Duelo al sol* (1946), *El pecado de Gluny Brown* (1947), *Madame Bovary* (1949), *Corazón salvaje* (1950), *Carrie* (1952), *Estación Términi* (1953), *Sur la roue de saline* (1969), *La torre del infierno* y *Águilas sobre Londres*.

JONG, Erica. Escritora estadounidense (Nueva York, 1942). En los años 70 y 80, las novelas de Jong se convirtieron en auténticos best-sellers, sobre todo a partir de la publicación de *Miedo a volar* (1974). Su narrativa, a la que algunos han llegado a calificar como «porno-cómica», se ha basado en la novelización de sus experiencias personales desde una perspectiva feminista: *Fanny* (1980), reinterpretación de las aventuras dieciochescas de Fanny Hill, *Paracaídas y besos* (1984) y *Canción triste de cualquier mujer* (1991).

JOPLIN, Janis. Cantante de rock estadounidense (Port Arthur, 1943- Los Ángeles, 1970). Dotada de una extraordinaria voz, con un timbre que podía cambiar desde frenéticos gritos y alaridos hasta gemidos, lamentos o susurros, Joplin ha sido una de las pocas mujeres blancas que ha logrado conjugar la angustia del *blues,* la suavidad de las baladas y el furor del rock. Gracias a ello, se ha consagrado como uno de los mitos del rock de los años 60. Su gran éxito internacional, junto a la actitud contestataria de creación y destrucción que corrían en esos años, la llevaron a convertirse en víctima de las drogas y el alcohol (llegó a beberse una botella de *bourbon* en cada actuación). Entre sus grandes éxitos cabe citar *Summertime* (1966) y *Me and Bobby McGee* (1970). Murió de una sobredosis de heroína.

JORGE, Lídia. Novelista portuguesa (Boliqueme, 1946). Considerada una de las principales figuras literarias de la generación posrevolucionaria portuguesa, la narrativa de Jorge explora el impacto de la modernización cultural sobre las tradiciones populares: *O Dia dos Prodígios* (1980), *Notícia da Cidade Silvestre* (1984; premio Lisboa) y *A Costa dos Murmúrios* (1988), basada en la colonización africana.

JOSEFINA Bonaparte (María Josefa Tascher de La Pagerie). Emperatriz de los franceses (La Martinica, 1763-Malmaison, 1814). Fue la primera esposa de Napoleón I. Hija del conde Tascher de La Pagerie, se casó primero con el conde de Beauharnais, que murió en la guillotina, y después, en segundas nupcias, con el entonces general Bonaparte, en 1796. Fue coronada como emperatriz en 1804 y repudiada como estéril en 1809. De su pri-

La emperatriz Josefina, por P. P. Prudhon

mer matrimonio tuvo a Eugenio y a Hortensia de Beauharnais.

JUANA. Papisa legendaria (s. IX). Heroína de una leyenda según la cual una joven francesa, disfrazada de hombre y con el nombre de Juan el Inglés, fue elegida Papa y ocupó la silla apostólica cerca de dos años y medio, entre los pontificados de san León V y Benedicto III, a mediados del s. IX o bien a la muerte de León IV (855). Las investigaciones posteriores han demostrado la imposibilidad de tal evento, aunque la leyenda, divulgada en el s. XIII, fue luego recogida por Dante, Petrarca, Boccaccio y la propaganda protestante, e incluso admitida por la Iglesia católica.

JUANA de Arco, santa. Heroína francesa, llamada *la Doncella de Orleans* (Domrémy-la-Pucelle, 1412-Ruán, 1431). Cuando Francia estaba en guerra con los ingleses y amenazada de caer en

Santa Juana de Arco antes de ser quemada, miniatura de Marcial de París

poder de ellos, se dice que Juana oyó una voz que le decía que estaba destinada a salvar a su patria. Después de vencer muchos obstáculos, hizo levantar a los ingleses el sitio de Orleans y coronar a Carlos VII en Reims, quien la autorizó para que se pusiera al frente del ejército (1429). A partir de entonces la animosa joven no se dio punto de descanso y alcanzó grandes triunfos sobre los ingleses, pero por fin cayó en poder de sus enemigos, que la quemaron viva. Fue beatificada en 1908 y canonizada en 1920.

JUANA de Austria. Infanta de España (Madrid, 1535-El Escorial, 1573). Hija de Carlos I y de Isabel* de Portugal, se casó con su primo el príncipe Juan Manuel de Portugal y fue la madre del rey Sebastián. Después, se trasladó a Madrid donde fundó el monasterio de la Descalzas Reales, ejerciendo la regencia de España en ausencia de su padre y de su hermano Felipe II.

JUANA de Castilla, ***la Beltraneja*****.** Princesa de Castilla (Madrid, 1462-Lisboa, 1530). Hija de Enrique IV de Castilla y de su segunda esposa Juana* de Portugal, a quien la maledicencia pública suponía hija ilegítima de Beltrán de la Cueva, de donde procede su apodo. Proclamada heredera de la corona, fue, no obstante, excluida debido a la debilidad de carácter del rey. Pretendió recuperar sus derechos al trono de Castilla, mas derrotadas sus huestes por Fernando de Aragón en la batalla de Toro, la corona pasó a la hermana del soberano, Isabel* la Católica. Doña Juana, acreditando su discreción, se retiró a un convento de Coimbra, en Portugal, titulándose reina de Castilla hasta su fallecimiento.

JUANA de Constantinopla. Condesa de Flandes y Hainaut (1188-1244). Sucedió en 1206 a Balduino IX, conde de Flandes y emperador de Constantinopla. Se casó en primeras nupcias con Fernando, príncipe de Portugal, y en segundas con Tomás II de Saboya.

JUANA de Lestonnac, santa. Religiosa francesa (Burdeos, 1556-íd., 1640). Al enviudar del barón de Lendiras (1595) se dedicó a la vida de caridad y fundó la Compañía de Nuestra Señora (1607), dedicada a la educación de jóvenes. Fue canonizada por Pío XII el 15 de mayo de 1949. Su fiesta, el 2 de febrero.

JUANA Manuel. Reina de Castilla y de León (¿?, 1333-Salamanca, 1384). Hija del infante Juan Manuel, se casó con el bastardo don Enrique de Trastámara, ocupando el trono después de la tragedia de Montiel. Participó activamente en la política de su esposo (sitio de Toledo, toma de Zamora, etc.) y cedió los derechos colaterales del señorío de Vizcaya a su hijo Juan I.

JUANA de Penthièvre. Duquesa de Bretaña (1319-1384). Hija de Guy de Bretaña, se casó con Carlos de Blois. Su tío Juan III de Bretaña la nombra heredera del ducado en 1341, en detrimento de Juan de Montfort, que, por las armas, se apodera de la mayor parte del territorio. Con la intervención a favor de Juana del rey Felipe VI, se provoca la llamada «guerra de las dos Juanas». En ausencia de sus maridos, Juana de Penthièvre y Juana de Flandes (esposa de Juan de Montfort) continuaron las hostilidades. Al final, tras la batalla de Auray (1364) y el tratado de Guérande (1365), cede los derechos de Bretaña a Juan IV, hijo de Juan de Montfort, conservando Penthièvre y Limoges.

JUANA de Portugal. Reina de Castilla (Almada, 1438-Madrid, 1475). Fue esposa de Enrique IV con quien se casó siguiendo la política de uniones dinásticas entre los estados hispanos. Mantuvo una relación muy especial con su marido, al que acompañó a Madrid en su lujosa corte de ambiente islamizante. En 1462 nació una hija, Juana* la Beltraneja, que fue reconocida como princesa de Asturias; pero durante las luchas civiles castellanas se atribuyó la paternidad de ésta a don Beltrán de la Cueva: al ser desheredada su hija, llamada la Beltraneja, huyó de palacio, reuniéndose nuevamente con su esposo al revocar éste el tratado de los Toros de Guisando. Pasó el fin de sus días unida a don Pedro de Castilla, de quien tuvo dos hijos.

JUANA de Valois o de Francia, santa. Reina y religiosa francesa (1446-Bourges, 1505). Hija de Luis XI de Francia, se casó en 1476 con su primo Luis de Orleans. Coronado su marido rey como Luis XII (1498), hizo que el papa Alejandro VI anulara su matrimonio, y Juana se retiró a Bourges. Allí, siguiendo los consejos de san Vicente de Paúl, funda en 1501 la Orden de la Anunciación. Fue beatificada en 1543 y canonizada en 1950 por Pío XII.

JUANA Grey. Reina de Inglaterra (Bradgate, h. 1537-Londres, 1554). Bisnieta de Enrique VII, rey de Inglaterra, fue proclamada reina a la muerte de Eduardo VI, en perjuicio de María* Tudor. A los nueve días de reinado cayó en poder de su rival, que entró en Londres con un numeroso ejército. María Tudor ocupó el trono e hizo ejecutar a su prisionera, a su marido, el duque de Guilddort, y a su padre, por haber participado este último en la rebelión de Wyat.

JUANA Seymur. Reina de Inglaterra, tercera esposa de Enrique VIII (Wolf Hall, 1509-Hampton Court, 1537). Se unió en matrimonio con Enrique VIII al día siguiente de la ejecución de Ana* Bolena (1536), de la que había sido dama de honor, pero murió a los diecisiete meses de casada, poco después del nacimiento de su hijo, que más tarde reinaría con el nombre de Eduardo VI.

JUANA I de Anjou. Reina de Nápoles (Nápoles, 1326-Aversa, 1382). Era hija de Carlos, duque de Calabria, y nieta y sucesora en 1343 de su abuelo, Roberto el Bueno. Después de un reinado muy accidentado y de haberse casado cuatro veces, la tercera con Jaime de Aragón, infante de Mallorca, fue despojada del trono por uno de sus sobrinos y ahogada después entre dos colchones.

JUANA I de Castilla, la Loca. Reina de Castilla (1505), de Aragón (1516) y de todos los dominios españoles (Toledo, 1479-Tordesillas, 1555). Hija segunda de los Reyes Católicos, se casó con Felipe El Hermoso, archiduque de Austria, hijo de Maximiliano I, emperador de Alemania, y de María de Borgoña, y presunto heredero de estos Estados (1496). La muerte sucesiva de sus hermanos don Juan y doña Isabel* hizo recaer en ella el derecho a las coronas de Castilla y Aragón. De su matrimonio nacieron cuatro hijas y dos hijos, Carlos I de España y V de Ale-

Juana I de Castilla, *la Loca*

mania, y Fernando II, emperador de Alemania. A partir del nacimiento del último comenzó a dar muestras de enajenación mental, agravada o producida por la larga ausencia y las infidelidades de su esposo, al que amaba apasionadamente. Se trasladó por fin a Flandes, para unirse con él, y allí llevó una vida de disgustos a causa de los celos. Parece ser que, en realidad, su enfermedad mental era crónica, tratándose de una esquizofrenia, de ahí sus momentos de absoluta lucidez. Al morir Isabel* la Católica fue proclamada reina de Castilla (1504), encargándose su padre de la regencia por disposición de la reina, a causa de su incapacidad. Personado el matrimonio en España, surgieron diferencias entre suegro y yerno, y Fernando el Católico entregó la regencia a don Felipe y se trasladó a Aragón; pero al poco tiempo falleció Felipe I (1506). Doña Juana vio acentuarse entonces los extremos de su locura y se negó a separarse de los restos de su esposo, que paseó por España en fúnebre cortejo. En 1509 la llevó su padre a Tordesillas y, por fin, fue depositado el féretro en el monasterio de Santa Clara, de forma que la reina pudiese verlo desde una ventana de su palacio. Desde entonces vivió retirada, e intervino ligeramente en los asuntos de gobierno, ya que su locura no se manifestaba totalmente sino en relación con el recuerdo de su esposo, y su nombre iba unido al de su hijo Carlos I en los documentos públicos. Murió asistida por san Francisco de Borja, al parecer con plena lucidez, el mismo año que su hijo abdicó en Bruselas, en el príncipe Felipe, la soberanía de los Países Bajos.

Juana Enríquez

JUANA Enríquez. Reina de Aragón (1425-Barcelona, 1468). Hija del almirante de Castilla, Fadrique Enríquez, se casó con el rey Juan I de Navarra y después II de Aragón. Ejerció gran dominio sobre su esposo, y por odio al príncipe de Viana, su hijastro, desencadenó la guerra civil entre los navarros, la insurrección de Cataluña y la guerra de los Remensas, a cuyo frente se puso en Gerona contra el ejército de la Generalidad de Barcelona; firmó en nombre de su esposo con los remensas la Concordia de Villafranca del Penedés (1461), acuerdo por el que se concedió al príncipe de Viana el gobierno efectivo de Cataluña. Muerto Carlos de Viana, fue nombrada tutora y teniente de Cataluña en nombre de su hijo Fernando. Mujer de talento, despiadada y ambiciosa, empeoró el clima político catalán, aunque lograra asentar la corona en las sienes de su hijo, Fernando.

JUANA I de Navarra. Reina de Navarra y de Francia (Bar-sur-Seine, 1270-Vincennes, 1305). Ocupó el trono bajo la tutela de su madre en 1274, y a causa de una revuelta, el rey de Francia se incautó del reino, hasta que, casada en 1284 con Felipe el Hermoso, hijo de Felipe el Atrevido, se reintegró en el trono, recuperando los territorios que le habían arrebatado aragoneses y castellanos. Fundó el Colegio de Navarra en la Universidad de París.

JUANA II de Évreux. Reina de Navarra (h. 1311-Conflans, 1349). Hija de Luis I Hutín, rey de Francia, fue desposeída del trono, a la muerte de su padre, por su tío Felipe de Valois (II de Navarra y V de Francia). Cuando falleció Carlos I de Francia y de Navarra, hermano del anterior, los navarros eligieron por soberana a doña Juana, casada con el conde de Évreux, conocido por Felipe III de Navarra, con quien comienza la dinastía de Évreux. Fueron coronados en Pamplona en 1329; sostuvieron una guerra con Castilla por cuestión de límites y auxiliaron a los franceses contra los ingleses.

JUANA II de Nápoles. Reina de Nápoles (Nápoles, 1371-íd., 1435). Sucedió a su hermano Ladislao en 1414. Su conducta fue escandalosa y, como no tuviera descendencia, a pesar de haberse casado y enviudado dos veces, fueron disputados sus estados entre Alfonso, rey de Aragón, y Renato de Anjou.

JUANA III d'Albret. Reina de Navarra (Saint-Germain-en-Laye, 1528-París, 1572). Era nieta de Juan de Albret y Catalina* de Foix, últimos reyes de la Navarra española, e hija de Enrique II de Albret, soberano de la Navarra francesa y de Margarita* de Angulema, hermana de Francisco I, rey de Francia. En 1541 se casó con el duque de Cléveris, y por segunda vez con Antonio de Borbón en 1548. Sucedió a su padre en 1550, y, a la muerte de su esposo, reinó sola, y abrazó la doctrina protestante, por lo que fue excomulgada por el papa Pío IV en 1565. Fue madre del rey Enrique IV de Francia. Junto con su hijo, rechazó una invasión católica de sus estados (1570).

JUANA ANTIDA Thouret, santa. Religiosa francesa (Sancey-le-Grand, 1765-Nápoles, 1826). Hija de la caridad de San Vicente Paúl antes de la Revolución, en 1799 fundó en Besançon un instituto hospitalario y de enseñanza, naciendo las Hermanas de la Caridad. Fue canonizada en 1934.

JUANA FRANCISCA Fremyot de Chantal, santa. Religiosa francesa (Dijon, 1572-París, 1641). Casada con el barón de Chantal en 1592, al enviudar (1600) se puso bajo la protección de san Francisco de Sales, a la sazón obispo de Ginebra. Junto a él fue la fundadora de la Orden de la Visitación de Nuestra Señora (Salesas) y se distinguió por sus muchas virtudes.

JUDIT. Heroína judía (s. VII a. C.). Ésta, cuando las tropas de Nabucodonosor, que acaudillaba Holofernes, sitiaban la ciudad de Betulia, se fue a la tienda del caudillo y, después de cautivarle con su hermosura, se aprovechó de su embriaguez para cortarle la cabeza, salvando así a su país en 658 a. C., ya que los asirios, privados de su jefe, se dispersaron. Su historia la narra la Biblia en el *Libro de Judit*.

JUDIT de Baviera. Emperatriz de los francos (800-Tours, 843). Segunda esposa del emperador Ludovico Pío, fue madre de Carlos el Calvo y se hizo célebre por su hermosura y por el papel que desempeñó en las discordias civiles de aquella época.

JUGAN, Juana. Religiosa francesa (Cancale, 1793-Saint-Servant, 1879). De simple sirvienta, fundó en Cancale la Congregación de las Hermanitas de los Pobres. Fue separada de su propia fundación, pasando su vida como una religiosa más, sólo reconociéndole sus méritos al fin de su vida. Está en proceso su beatificación.

JULIA. Princesa romana (Ottaviano, 39 a. C.-Regio, 14). Hija de Augusto y de Escribonia. Se casó con Tiberio en terceras nupcias; pero como llevase una vida de exceso y libertinaje, su propio padre la desterró a la isla de Pandataria y, su marido, al ascender al trono imperial, la condenó a morir de hambre.

JULIA Domna (Pía Félix Augusta). Emperatriz romana (Emesa, 158-Antioquía, 217). Era hija de un sacerdote del Sol, y se cuenta que Septimio Severo se casó con ella porque un oráculo había anunciado que sería esposa de un emperador. Fue madre de Caracalla y de Geta. Ejerció gran ascendiente sobre su marido y ella fue la que le incitó a que tomase las armas y se declarara emperador. Se dejó morir de hambre después de la muerte del último de sus hijos.

JULIA Livilla. Dama romana (18-43). Hija de Agripina* y de Germánico y hermana de Calígula, con quien mantuvo relaciones incestuosas. Claudio, inducido por Mesalina*, la hizo dar muerte, culpable de adulterio. Séneca, que pasaba por su amante, fue desterrado a Córcega.

JULIA Maesa. Dama romana (Edesa, ¿?-226). Cuñada del emperador Septimio Severo. De sus dos hijas, la una, Julia Saemías, fue madre de Heliogábalo, y la otra, Julia* Mammea, madre de Alejandro Severo.

JULIA Mammea. Princesa romana (m. Brittanicus, c. Maguncia, 235). Hija de Julia* Maesa, fue madre del emperador Alejandro Severo. Cuando la caída de Heliogábalo elevó a su hijo al trono, Julia ejerció la regencia, rodeándose de sabios y prudentes consejeros; pero después se hizo odiosa por su soberbia y fue muerta con su hijo por la soldadesca rebelde.

La reina Juliana de los Países Bajos con su marido el príncipe Bernardo

JULIANA (Luisa Emma María Guillermina). Reina de los Países Bajos (La Haya, 1909). Hija de Guillermina* y de Enrique de Mecklemburgo-Schwering. Contrajo matrimonio en 1937 con el príncipe Bernardo de Lippes-Biesterfeld, matrimonio del que han nacido tres hijas: Beatriz* (1938), Irene (1939) y Margarita (1943). Regente del reino por enfermedad de su madre, a partir del 14 de octubre de 1947, ocupó el trono al abdicar ésta el 4 de septiembre de 1948. En 1980 abdicó en favor de su hija Beatriz.

JULIANA, santa. Mártir hispano-cristiana (s. III). Sufrió el martirio durante la persecución de Diocleciano en San Cugat del Vallés. Es copatrona de Mataró.

JULIANA de Norwich. Escritora mística inglesa (Norwich, 1343-íd., 1416). En 1373, estando a punto de morir, fue sorprendida por varias visiones y experiencias místicas. Habiendo sobrevivido, se dice que pasó más de veinte años teniendo este tipo de experiencias, las cuales relató en una obra titulada *Sixteen Revelations of Divine Love*. En una fecha sin determinar, probablemente después de sus experiencias, se retiró del mundo y vivió como ermitaña, creciendo grandemente su fama. Es una de las escritoras religiosas más famosas de la Edad Media.

JUMEL DE BARNEVILLE, Marie-Catherine. V. **AULNOY, condesa de.**

JURADO, Rocío (Rocío Mohedano Jurado, llamada). Cantante española (Chipiona, 1945). Desde muy joven triunfó como cantaora de flamenco y logró el premio de fandangos de Huelva en el concurso internacional de Jerez de la Frontera (1962). Posteriormente renovó su repertorio, dedicándose a la canción española y a la balada, formando parte de las compañías del Príncipe Gitano y de Manolo Escobar. En su discografía destacan *Señora* (1979), *¿Dónde está el mar?* (1987), *Punto de partida* (1988), *Nueva Navidad* (1990), *Rocío de Blanca Luna* (1990), etc. Casada y separada del boxeador Pedro Carrasco, del que tiene una hija. Ha protagonizado también algunas películas.

JUSTA Y RUFINA, santas. Doncellas cristianas, a las que el pretor de Sevilla, Diogeniano, condenó a terrible martirio y muerte en la cárcel en el 287. Son veneradas ambas en Sevilla como patronas de la ciudad.

JUSTINA Augusta. Emperatriz romana (m. Tesalónica, 388). De origen siciliano, se casó sucesivamente con los emperadores Magencio y Valentiniano I (370). A la muerte de su segundo marido (375) ejerció la regencia sobre su hijo Valentiniano II, fijando su residencia en Milán y favoreciendo a los arrianos. Tras la usurpación de Máximo, apeló a Teodosio I y le ofreció en matrimonio a su hija Gala*.

KAEL, Pauline. Crítica de cine estadounidense (California, 1919). Estudió filosofía en Berkeley, y en la actualidad está considerada la crítica de cine estadounidense que mayor influencia ha ejercido en los últimos 50 años. Desde 1967 ha sido colaboradora de la famosa revista *The New Yorker*, en la que, combinando sus propias emociones con las de la opinión pública estadounidense, ha logrado crear un estilo muy personal que le ha merecido un amplio reconocimiento nacional e internacional. Las críticas de Kael se han centrado fundamentalmente en el rechazo de los filmes que la mayoría suele calificar como «cine de calidad», llegando incluso a mostrarse mucho más partidaria de películas que han conseguido ser auténticos éxitos de taquilla, como *Bonny and Clyde*, que de filmes catalogados como «cine de arte y ensayo» o «intelectuales» como *Blow-Up*.

KAHINA, Didya al-. Reina de la tribu beréber de los yasrwa, que habitaban el Aurès (m. Aurès, h. 702). Según la tradición, se enfrentó a los invasores árabes infligiéndoles una gran derrota al NO de Tebassa, estableciendo su poder en todo el territorio.

KAHLO, Frida. Pintora mexicana (Coyoacán, 1910-México, 1954). Comenzó estudios de medicina, que tuvo que abandonar tras un accidente que la dejó

Frida Kahlo, *Autorretrato*

inválida. Kahlo, admirada por Picasso, Breton y Trotski, entre otros, utilizó la pintura como un medio de explorar la realidad de su propio cuerpo y su mundo interior. Su pintura se caracterizó por elementos expresionistas y surrealistas con una temática folclórica, popular y autobiográfica. La violencia erótica (predominante en la obra de los artistas surrealistas) es un elemento recurrente en sus cuadros sobre alumbramiento y maternidad: *El hospital Henry Ford* (1932). En *La columna truncada* (1944) hizo uso del espejo para afirmar la dualidad vital de ser una misma observada y observadora. Kahlo, que mantuvo una relación tormentosa con su marido, el pintor Diego Rivera, ha sido redescubierta en los últimos años y convertida en un mito contemporáneo, no sólo por su producción artística, de gran originalidad, sino también por poseer una personalidad altamente carismática y por haber sido víctima de una serie de circunstancias morbosas que marcaron su vida. Entre sus obras destacan *Las dos Fridas* (1939) y *Autorretrato* (1945).

KALSUM, Om. Cantante egipcia (Daqahliyya, 1898-El Cairo, 1974). Kalsum, considerada la mejor cantante del mundo árabe, debutó en 1922 en El Cairo y a partir de 1926 su fama se extendió por todos los países árabes. Para el «ruiseñor del Nilo», como fue llamada, varios poetas compusieron canciones que alcanzaron gran popularidad. Desde el 1936 trabajó en la radio estatal de El Cairo, y su muerte causó enorme tristeza en la población árabe.

KAUFFMANN, Angelika. Pintora suiza (Grisons, 1741-Roma, 1807). A los diez años de edad dibujaba con gran soltura, y a los catorce se dio ya a conocer en Milán como pintora de retratos. Fue miembro de la Academia de Florencia y de la Royal Academy de Londres. Influida por los retratistas ingleses, pintó retratos con los que obtuvo merecida fama, y cuadros alegóricos, mitológicos y religiosos, con exquisita suavidad en el trazo y en el colorido y con delicado y gracioso clasicismo.

KEATON, Diane (Diane Hall, llamada). Actriz cinematográfica estadounidense (Los Ángeles, 1946). Comenzó trabajando en teatro universitario y debutó en la gran escena con comedias musicales. En 1972 realiza uno de los principales papeles de *El Padrino* de Coppola. Fue compañera sentimental de Woody Allen, con el que protagonizó siete filmes, hasta su separación: por uno de ellos, *Annie Hall* (1977), obtuvo el Oscar a la interpretación femenina.

KELLER, Helen Adams. Escritora estadounidense (Alabama, 1880-Connecticut, 1968). Ciega y sordomuda desde los 19 meses fue educada bajo la dirección de Anne Sullivan Macy*, del Perkins Institute de Boston, quien le enseñó el lenguaje de los sordomudos, el sistema de escritura inventado por L. Braille, el empleo de la máquina de escribir y la pronunciación del alfabeto. Su caso adquirió gran resonancia en el mundo convirtiéndose en uno de los ídolos de EE.UU. Heller conoció a la perfección varias lenguas clásicas y modernas, y en 1907 se graduó *Magna cum laude* de la Universidad de Radcliffe. Entre sus publicaciones destacan *Historia de mi vida* (1902), que se convirtió en un auténtico best-seller, *Luz en mi oscuridad* (1913), *Maestra* (1955) y *La puerta abierta* (1957).

KELLY, Grace. V. **GRACIA de Mónaco.**

KELLY, Petra. Activista alemana (Günzburg, Baviera, 1947-Bonn, 1992). Estudió en la American University de Washington y posteriormente en la Universidad de Amsterdam. Desde 1971 trabajó como funcionaria en Alemania y en la Comunidad Europea. Kelly, feminista, pacifista y ecologista, tras varios años de militancia en el Partido Socialdemócrata alemán, fundó en 1979 el partido los Verdes. De 1980 a 1982 fue portavoz de dicho grupo, y desde 1983 a 1990 diputada del Bundestag. En 1992 fue hallada muerta, junto a su compañero sentimental, J. Bastian, en circunstancias no aclaradas.

Petra Kelly

KENNEDY, Jacqueline. Ex primera dama estadounidense (Southampton, 1929). Estudio en Vassar, y posteriormente trabajó como periodista del *Times Herald* de Washington, donde entrevistaba a personalidades políticas. En 1953 se casó con J. F. Kennedy, convirtiéndose en 1960 en la primera dama de EE.UU. Durante el mandato de su esposo adquirió gran popularidad y fue una de las mujeres más fotografiadas del mundo. Después del asesinado de J. F. Kennedy (1963), contrajo matrimonio con el magnate griego A. Onassis (1968), causando un gran escándalo en la sociedad estadounidense. Desde 1975 trabaja para la editorial Doubleday.

KENNEDY, Margaret. Novelista británica (Londres, 1896-Oxfordshire, 1967). Tras licenciarse en Historia en la Universidad de Oxford, publicó en 1934 su primer trabajo, *A Century of Revolution: 1789-1920,* de contenido histórico. Posteriormente se dedicó de lleno al cultivo de la novela histórica, adquiriendo una gran popularidad por sus sagas femeninas: *La ninfa constante* (1926), estudio psicológico de la familia Sanger con la que alcanzó fama internacional, y *El tonto de la familia* (1930), continuación de la anterior obra. Ha sido además autora de *Return, I Dare Not* (1931), *Pronto* (1953), y de la pieza teatral *El cielo rojo por la mañana* (1928), escrita en colaboración con Basil Dean.

KENT, Victoria. Política española (Málaga, 1898-Nueva York, 1974). Estudió derecho, y en 1924 se convirtió en la primera mujer en ingresar en el Colegio de Abogados de Madrid, y en 1931 la primera en el mundo que ejercía como abogada en un tribunal militar. Afiliada al Partido Radical Socialista, consiguió un acta de diputada por Madrid en el primer Parlamento republicano y fue directora general de Prisiones, donde llevó a cabo una de las más importantes reformas penitenciarias. Kent se opuso al derecho electoral de las mujeres por considerar que éstas no votarían a favor de la República, postura que fue rechazada por C. Campoamor* y que inició una enérgica polémica ampliamente difundida en los periódicos madrileños de la época. En 1937 se trasladó a París como primera secretaria de la Embajada española y allí la sorprendió el estallido de la segunda guerra mundial, viéndose obligada a permanecer oculta para no ser detenida por la Gestapo y entregada a las autoridades franquistas. Posteriormente se trasladó a México y luego fijó su residencia en Nueva York, donde fundó y dirigió la revista *Ibérica.* Entre sus publicaciones destaca *Cuatro años en París* (1948).

KERR, Deborah (Deborah Jane Kerr-Trimmer, llamada). Actriz cinematográfica británica (Helensburg, Escocia, 1921). Educada en el teatro junto a la gran actriz inglesa Phyllis Smale, estudió arte dramático en Bristol y Londres. Su primera intervención cinematográfica data de 1940 *(Major Barbara).* Entre sus otras grandes películas destacan: *Tres vidas errantes, Las minas del rey Salomón, Quo Vadis?, Julio César, De aquí a la eternidad, Vivir un gran amor, El rey y yo, Rojo atardecer, Los héroes también lloran, La noche de la iguana, Mujer sin pasado, Divorcio a la americana, Días sin vida, Té y simpatía, El compromiso, Casino Royale* (1967) y *Prudencia, pru-*

dencia (1975). Desde 1953 ha actuado en el teatro, con giras por diversos países.

KHALED, Leila. Activista palestina (n. 1946). Khaled, conferenciante de éxito entre los palestinos refugiados en Jordania, en 1969 secuestró un Boeing de TWA con destino a Siria, convirtiéndose en una de las heroínas de los campos de refugiados. Posteriormente intentó secuestrar otro avión, siendo arrestada e ingresada en una cárcel británica. El Frente Popular de Liberación Palestina amenazó con hacer explotar dos aviones secuestrados si Khaled no era liberada; el primer ministro inglés, E. Heath, decidió deportarla a El Cairo.

KHALIFA, Sahar. Novelista palestina (Nablus, 1941). Su obra narrativa, centrada en la descripción de las experiencias de la población palestina residente en Jerusalén, critica a los dirigentes nacionalistas por su falta de solidaridad hacia la causa femenina: *Cactus* (1976), considerado el libro clave de la nueva literatura palestina, *Girasoles* (1980) y *Bab al-Saha* (1990), crónica basada en la valiosa participación que han tenido las mujeres en la *intifada*.

KIKI (Alice Prin, llamada). Modelo francesa (Borgoña, 1901-París, 1953). Tras pasar una infancia precaria, comenzó a posar a los 16 años y a relacionarse con el ambiente social de Montparnasse. En 1921 conoció al célebre fotógrafo Man Ray, convirtiéndose en su modelo exclusiva. Kiki, que frecuentaba el círculo surrealista de poetas (Tzara, Soupault, Denos, Rigaut), fue, además, cantante y *vedette* de cabaret en el *Jungle* y en el *Jockey* (primer cabaret de Montparnasse), y posteriormente regentó su propio club nocturno.

KINCAID, Jamaica. Seudónimo de la escritora caribeña Elaine Potter Richardson (San Juan, Antigua, 1949). En 1966 se trasladó a EE. UU., donde trabaja desde 1976 para la revista *New Yorker*. Entre sus obras, centradas en la realidad social del Caribe inglés, destacan su volumen de relatos *At the Bottom of the River*, y sus novelas *Annie John* (1985) y *Lucy* (1991).

KING, Billie-Jean. Tenista estadounidense (Long Beach, 1943). Campeona de la copa de Australia (1968), del torneo Roland Garros (1972), del de Wimbledon (1966, 1967, 1968, 1972, 1973 y 1975) y el de Forest Hill en EE.UU. (1967, 1971 y 1972), King, una de las fundadoras de la Asociación de mujeres tenistas (WTA), está considerada como la principal promotora de la igualdad de derechos de hombres y mujeres en el tenis mundial.

KING, Mary-Claire. Genetista estadounidense (n. 1946) de renombre internacional. Trabaja en la Universidad de California, en Berkeley, y logró su fama colaborando en Argentina con un grupo de derechos humanos, las *Abuelas de la Plaza de Mayo*, en el análisis de material genético para la identificación de los niños y niñas que fueron secuestrados a sus verdaderas familias por la junta militar argentina y entregados a otras. Este mismo método lo ha empleado en El Salvador para identificar los cadáveres de campesinos asesinados por soldados del ejército salvadoreño. Se ha dedicado también a investigar el gen que produce el cáncer de mama.

KIRCH, Marie-Marguerite. Astrónoma y matemática alemana (Panitz, 1660-Berlín, 1720). Iniciada en los estudios de matemáticas y astronomía, se casó con Gottfried Kirch, astrónomo famoso, convirtiéndose en su colaboradora. Al enviudar prosiguió sus estudios, descubriendo un cometa en 1702 y publicando almanaques. Fue autora, además, de *Sobre las conjunciones del Sol, Saturno y Venus* (1709) y *Sobre la posición de Júpiter y Saturno* (1712).

KIRKPATRICK, Jeane. Política y profesora estadounidense (Duncan, Oklahoma, 1926). Ha desempeñado diversos puestos docentes en varias universidades de Washington y, entre 1978 y 1980, el de profesora de Administración en la de Georgetown, asimismo en la capital federal. Ha dirigido entre 1981 y 1985 la delegación permanente de EE.UU. en la ONU y publicado, entre otras obras, *Mass Behavior In Batlle and Captivity* (1968), *The Peronist Movement in Argentina* (1972), *The New Presidential Elite* (1976), *Dismantling the Parties: Reflections On Party Reform and Party Decomposition* (1978) y *The Reagan Phenomenon* (1983).

KLEIN, Melanie. Psicoanalista británica de origen austriaco (Viena, 1882-Londres, 1960). Klein, discípula de S. Ferenczi y K. Abraham, es considerada una de las precursoras del psicoanálisis infantil. Elaboró una concepción original sobre psicología infantil opuesta a la de Anna Freud*. Sus innovaciones en la teoría y en la técnica psicoanalítica clásica freudiana influyeron el campo del psicoanálisis infantil e introdujeron nuevos métodos de tratamiento y de cuidados a los niños, y la técnica del juego como proceso para el análisis de las fantasías, ansiedades y los mecanismos de defensa precoces. Entre sus publicaciones destacan *Psicoanálisis infantil* (1923), *Contribución al psicoanálisis* (1948), *Desarrollos en psicoanálisis* (1952) y *Envidia y gratitud* (1957).

KOLLONTAI, Alexandra Mijáilivna. Revolucionaria y feminista rusa (San Petersburgo,

1872-Moscú, 1952). Kollontai, considerada una de las principales figuras del feminismo socialista, fue una de las teóricas de la *mujer nueva*. En 1899 se adhiere al movimiento social-demócrata, en 1906 a la fracción menchevique y en 1917 a los bolcheviques, dirigidos por Lenin. Formó parte del primer gobierno bolchevique, convirtiéndose en comisaria del pueblo para la Asistencia pública (1917-1918) y ocupó las embajadas de Noruega, México y Suecia (1923-1945). La emancipación de la mujer la concibió indisociable de la revolución política y reivindicó una revolución sexual que rompiera los moldes de una sexualidad represiva, promulgando el amor libre, lo que la alejó de las posiciones socialistas tradicionales de la época. Entre sus publicaciones destacan *Los fundamentos sociales de la cuestión femenina* (1909), *La nueva moral y la clase obrera* (1919), *La sociedad y la maternidad* (1921) y *Autobiografía de una mujer sexualmente emancipada* (1926).

KOLLWITZ, Käthe. Pintora, grabadora y escultora alemana (Königsberg, 1867-Dresde, 1945). Sus primeras pinturas, de estilo expresionista, fueron escenas de alto contenido social en las que reflejaba la profunda miseria de los barrios portuarios, de los obreros en las grandes ciudades y del campo: *Huelga de los tejedores* (1897), *Guerra de los campesinos* (1903-1908), *La obrera* (1906). Posteriormente realizó esculturas centradas en la problemática de la maternidad y fue autora de una serie de carteles y láminas humanitarias de temas pacifistas, por los cuales fue perseguida por los nazis. Kollwitz, fundadora de la Unión Artística Femenina (1913), fue la primera mujer elegida miembro de la Academia Prusiana de las Artes (1919) y la más eminente artista gráfica alemana de la primera mitad del siglo XX.

KÖNIGSMARK, Maria Aurora. Cortesana y escritora alemana (Stade, 1670-Quedlimbourg, 1728). Hija del conde Conrado de Königsmark, tuvo una esmerada educación, llegando a hablar cuatro lenguas y componiendo poesía y música con gran destreza. En 1694 se hizo amante de Federico Augusto, elector de Sajonia, del que tuvo un hijo. En 1698, el elector accede, gracias a sus consejos, a la corona de Polonia, provocando una guerra con Suecia. María Aurora va a la corte de Carlos XII como embajadora, pero no es recibida. En 1702, los dos amantes se separan, manteniendo una relación epistolar importante. Ella se retira y se dedica a la educación de su hijo. Escribió abundantes poesías en francés y alemán y un drama, *Cecrops*.

KOPLOWITZ, Esther y Alicia. Empresarias españolas (Madrid, 1950 y 1952, resp.). Hijas del empresario Ernesto Koplowitz, de origen judeoalemán. A su muerte quedaron bajo la protección del empresario español Ramón Areces, siendo herederas de una gran fortuna, con empresas en diversas áreas (construcción, medio ambiente, agua y entorno urbano, cementeras, inmobiliarias, etc.). Se casaron, respectivamente con Alberto Alcocer y Alberto Cortina, manteniendo una vida privada sin ningún eco periodístico. Tras sus respectivas separaciones, intervinieron activamente en los negocios familiares, ocupando en 1993 los cargos de vicepresidentas del grupo empresarial Fomento de Construcciones y Contratas, S. A. (FCC). Se encuentran en la lista de las mayores fortunas personales del mundo.

KORBUT, Olga. Gimnasta soviética (Bielorrusia, 1959). A la edad de 17 años ganó la medalla de oro en los Juegos Olímpicos de Munich (1972). Su brillante actuación gimnástica y su gran elasticidad la convirtieron en la «reinventora» de este milenario deporte y en el símbolo de millones de jóvenes que quisieron imitar sus proezas deportivas. En los Juegos Olímpicos de Montreal (1976), Korbut fue desplazada por la rumana N. Comaneci*, de 14 años, quien demostró poseer una mayor fuerza y elasticidad. Ese mismo año Korbut decidió retirarse de la competición y desde entonces ha trabajado como entrenadora de varios equipos de la antigua Unión Soviética y de la actual República de Bielorrusia.

KOVALIÉVSKAIA, Sofía o Sonya Vasilievna. Matemática rusa (Moscú, 1850-Estocolmo, 1891). A los 14 años comenzó a revelar un gran talento para las matemáticas, estudiando en la Academia Naval de San Petersburgo y posteriormente en Berlín con Weierstrass. En 1884 ejerció como profesora en la Universidad de Estocolmo. A Kovaliévskaia se le deben importantes aportaciones a la teoría de las ecuaciones diferenciales. En 1888 publicó la obra *Sobre el problema de la rotación de un cuerpo sólido alrededor de un punto fijo,* galardonada por la Academia de Ciencias de París y la de Suecia.

KRISTEL, Sylvia. Actriz holandesa (Utrecht, 1952). Famosa en los años 70 por su intervención en películas eróticas, destacando su actuación en el mayor clásico del género, *Emmanuelle* (1974), y sus dos continuaciones. Posteriormente ha participado en películas del mismo género, pasando a otro tipo de papeles a mediados de los 80.

KRISTEVA, Julia. Lingüista y teórica literaria francesa de origen búlgaro (Sofía, 1941). Asidua colaboradora de la famosa revista *Tel Quel*, Kristeva es considerada una de las figuras clave en la revitalización de los estudios semióticos. Entre sus contribuciones teóricas fundamentales destacan los conceptos de «semanálisis», «práctica significante» y «sujeto en proceso». Sus trabajos sobre lenguaje e identidad sexual han influido notablemente en ciertas áreas de la teoría feminista. Entre sus publicaciones figuran *Semiótica* (1969), *La revolución del lenguaje poético* (1974), *El texto de la novela* (1976), su artículo «Women's Time», y *El lenguaje, ese desconocido* (1981). *Los samurais* (1990) constituyó su primera incursión en el campo de la novela.

KRISTIANSEN, Ingrid. Atleta noruega (n. 1958). Plusmarquista mundial en las pruebas de maratón (2 horas, 21 minutos y 6 segundos; 1985), 10.000 m (30 minutos y 13,74 segundos; 1986) y 5.000 m (14 minutos y 37,33 segundos; 1986).

KRÜDENER, baronesa de (Barbara Juliane Krüdener). Aristócrata rusa de origen báltico (Riga, 1764-Karasubazar, 1824). Ejerció una gran influencia sobre el zar Alejandro II y de su inspiración nació la Santa Alianza.

KRUGER, Barbara. Fotógrafa estadounidense (n. 1945). Comenzó como directora de arte en varios periódicos feministas de los años 70, y posteriormente se ha dedicado a la realización de una serie de fotografías y vídeos artísticos en los que complementa la imagen con breves fragmentos textuales. Su obra, considerada una de las manifestaciones más representativas del arte estadounidense actual, examina la manipulación social ejercida por la publicidad, criticando con agudeza las falsas imágenes sobre poder, trabajo, sexualidad y riqueza. Entre sus obras destacan *Sin título (tu mirada choca con el lado de mi cara)* (1981) y *Yo compro, luego soy.*

KRÚPSKAIA, Nadiezhda Konstantínovna. Política y pedagoga rusa (San Petersburgo, 1869-Moscú, 1939). Estudió en San Petersburgo y posteriormente ejerció como profesora de una escuela nocturna para analfabetos. En 1890 se adhirió a las ideas revolucionarias y en 1894 conoció a Lenin, con quien se casó en 1897. Tras la revolución de 1917, Krúpskaia se convirtió en miembro del Comité Central del Partido Bolchevique, alcanzando los puestos más altos en el Ministerio de Instrucción Pública de la Unión Soviética. Es considerada la fundadora de la pedagogía bolchevique y una de las figuras más populares de su época. En 1929 fue nombrada miembro del Soviet Supremo, y en 1933 publicó sus memorias bajo el título de *Mi vida con Lenin.*

KUNCEWICZOWA, Maria. Escritora polaca (Samara, 1899-

Lublín, 1989). Se dio a conocer con el libro de relatos *Entretenimientos con el niño* (1927), consagrándose posteriormente con su novela *La extranjera* (1936), en la que narra la historia de una mujer que intenta abrirse un espacio en la sociedad. Su obra, de estilo sobrio y realista, manifiesta un mundo en continuo cambio. Es autora de otras novelas, un diario de guerra y una antología de literatura polaca.

KURTZ, Carmen (Carmen de Rafael Marés, llamada). Escritora española (Barcelona, 1911). Tras su estancia en Francia (1935-1943), comenzó a publicar relatos para niños, entre los que destacan *Color de fuego* y la serie sobre el personaje *Óscar,* cosmonauta, espía atómico, espeleólogo, etc. Paralelamente, ha desarrollado una obra narrativa de carácter realista y crítico, en la que describe conflictos humanos: *Duermen bajo las aguas* (1954), relato de sus vivencias en la segunda guerra mundial, *La vieja ley* (1956), sobre la prostitución de la juventud en la Barcelona de posguerra, *El desconocido* (1956, premio Planeta), *Detrás de la piedra* (1958), *Al lado del hombre* (1961), *En la punta de los dedos* (1968), *Entre dos oscuridades* (1970), alegato contra la pena de muerte, *Al otro lado del mar* (1973), *Cándidas palomas* (1975) y *El regreso* (1976).

LABÉ, Louise. Poeta francesa (Lyon, 1525-Parcieux-en-Dombes, 1566). Hija de un rico cordelero, recibió una refinada educación, influida por las modas italianas. Se casó en 1540 con E. Perrin, también cordelero, por lo que fue llamada «la bella cordelera». Conocedora del latín, el italiano y la música, reunió en su casa lo más selecto de la sociedad artística de su época (Maurice Scève, Pernette du Guillet, etc.). Su amor por el poeta Oliver de Magny le inspiró la mayoría de su obra, influida por la poesía petrarquista. Su poesía se caracteriza por la autenticidad y apasionamiento del sentimiento amoroso y por un acentuado sensualismo, que la convierte en una eminente representante del erotismo poético, lo que hizo que fuera llamada la «Safo lionesa». Su obra fue publicada en Lyon, a partir de 1555, con el título de *Obras* y comprende un *Debate entre locura y amor*, en prosa y de asunto alegórico, con personajes mitológicos, y un *Cancionero*, que fue aumentado progresivamente, y en el que destacan sus *Elegías* y *Sonetos*.

LABILLE DES VERTUS, Adélaïde. Pintora francesa (París, 1749-íd., 1803). Discípula de Quintin de Latour, fue gran retratista al pastel, oficio que desarrolló en la corte, rivalizando con Vigée-Lebrun*. Entre todos sus retratos destaca el de *Madame Adélaïde*, conservado en Versalles.

LABORAS DE MÉZIÈRES, Marie-Jeanne. Escritora francesa (París, 1714-íd., 1792). De apellido de casada Riccoboni, fue considerada en Francia como una de las mejores novelistas de su tiempo, después de haber sido durante veinte años una actriz mediocre. Entre sus obras pueden citarse *Historia del marqués de Cressy* y *Ernestina*.

LACHAPELLE, Marie-Louise Dugès de. Comadrona francesa (París, 1769-íd., 1821). Nombrada (1795) comadrona adjunta del Hôtel-Dieu, organizó y dirigió posteriormente el hospicio de la maternidad. Escribió el libro *Práctica de los partos* (1821) e introdujo en obstetricia la maniobra que lleva su nombre.

LACOMBE, Claire. Actriz y revolucionaria francesa (Pamiers, 1765-¿?, 1796). Trabajó como actriz y a partir de 1792 luchó a favor de la Revolución vestida de hombre y portando un sable. Fue presidenta de los Republicanos revolucionarios y una de la dirigentes de los llamados «enragés» o extremistas sociales. En 1794 se le acusó de ser colaboradora de la monarquía y fue encarcelada, siendo liberada posteriormente.

LADRÓN DE GUEVARA, María Fernanda. Actriz española (Madrid, 1896-íd., 1974). Desde su actuación en *La malquerida* (1913), de Benavente, recorrió numerosos teatros de España y América. Formó compañía con su marido y también actor Rafael Rivelles, con el que participó en la película *El proceso de Mary Dugan* (1931). Posteriormente formó su propia compañía.

LADY DI o LADY DIANA. V. **DIANA de Gales.**

LAFAYETTE, condesa de (Marie Madeleine Pioche de la Vergne). Novelista francesa (París, 1634-íd., 1693). Casada con el marqués de Lafayette, organizó en París uno de los principales salones literarios, frecuentado por Mme. Sévigné*, Segrais y La Rochefoucauld, con el que mantuvo una gran amistad. *La Princesa de Clèves* (1678) es una de las obras maestras de la novela psicológica. Escribió además *Zaïde* (1670), de asunto español, en colaboración con Segrais; *La condesa de Tende* (1724) y unas *Memorias de la Corte de Francia* (1731) entre otras muchas obras, la mayoría publicadas póstumamente. La actitud moral de la condesa evidencia en sus escritos la influencia de Racine y del jansenismo.

LAFFÓN, Carmen. Pintora española (Sevilla, 1934). Estudió en la Escuela de Bellas Artes de Sevilla y en la Academia de San Fernando de Madrid. En 1959 obtuvo una beca del Ministerio de Educación para estudiar en Italia y posteriormente formó parte del grupo reunido alrededor de la galería *La Pasarela* de Sevilla. Perteneciente a la escuela realista sevillana e interesada por los efectos cromáticos y por el impresionismo, sus temas son cotidianos y de un gran intimismo. Laffón, dedicada sobre todo al paisaje, ha ejercido una profunda influencia en la pintura andaluza y en pintores como F. Cortijo, C. Aguilar y C. Díaz. En 1982 recibió el premio Nacional de Artes Plásticas y en 1992 se realizó una exposición retrospectiva de su obra en el Museo Nacional Centro de Arte Reina

Sofía. Entre sus pinturas destacan *Paisaje* (1978) y *Figura de mujer* (1979).

Carmen Laforet

LAFORET, Carmen. Novelista española (Barcelona, 1921). Se dio a conocer con su novela *Nada* (1944; premio Nadal), que se convirtió en un auténtico éxito literario y que figura entre las obras clave del «tremendismo» literario y del realismo existencial que dominó el panorama narrativo europeo de los años 40. Esta obra se considera además como uno de los más fieles testimonios del desmoronamiento de la pequeña burguesía durante los primeros años de la posguerra española. Entre sus publicaciones posteriores destacan *La isla de los demonios* (1952), *La insolación* (1963) y *La niña y otros relatos* (1970).

LAGERLÖF, Selma. Escritora sueca (Marbacka, 1858-íd., 1940). Se dio a conocer con *La saga de Gösta Berling* (1891),

Selma Lagerlöf

inspirada en leyendas y canciones populares, y considerada su mejor novela. De formación naturalista, Lagerlöf intentó buscar en el paisaje y las tradiciones suecas la armonía entre realidad y fantasía. En 1909 se le concedió el premio Nobel de Literatura, y en 1914 se convirtió en la primera mujer en ser admitida a la Academia sueca. Otras novelas suyas son *Los milagros del Anti-*

cristo (1897), *El carretero de la muerte* (1912), llevada al cine por V. Sjöström, *El proscrito* (1920) y *Ana Svärd* (1927). Destacan además el libro infantil *El maravilloso viaje de Nils Holgersson a través de Suecia* (1906-1907), pensado originalmente como libro de texto de geografía, y los relatos recogidos en *El mundo de los trolls* (1915-1921).

LAIS o LAIDE. Cortesana griega (n. Hicarra, Sicilia, h. 420 a. C.). De la Magna Grecia pasó a vivir a Corinto, donde frecuentó a políticos y filósofos, siendo amante de Alcibíades. Murió asesinada por las mujeres tesalias, según la leyenda, celosas de su belleza.

LAISNÉ, Jeanne. Heroína francesa mejor conocida por Jeanne Hachette o Jeanne Fourquet (h. 1454-m. en Beauvais). Durante la guerra entre Luis XI y Carlos el Temerario, habiendo tomado las tropas de éste la ciudad de Beauvais, dio muerte al jefe de las fuerzas invasoras, con lo que, enardecidos los defensores, consiguieron expulsar a los de Carlos y salvar a la población. En 1851 se le erigió una estatua en Beauvais.

LALLA DAVIA (Marthe Franceschini). Sultana marroquí de origen corso (Corbara, h. 1750-Marrakech, 1799). Fue raptada con su familia por los piratas tunecinos y vendida como esclava. Entrando al servicio de Bey de Túnez, el padre de Marthe lo salvó de un complot por lo que éste liberó a la familia. Capturados de nuevo, fueron vendidos al sultán de Marruecos, Muhammad III, que la hizo entrar en su harén, donde tomó el nombre de Lalla Davia (la brillante). El sultán la tomó como favorita y tuvo de ella un hijo que reinó con el nombre de Muley Sliman (1792-1823). Tuvo gran influencia política sobre su marido, que la admitió en su consejo privado. Después de la muerte de Muhammad III (1790), se retiró a su palacio, donde murió de peste.

LAMARQUE, Libertad. Actriz y cantante argentina (Rosario, 1909). Lamarque, una de las figuras más relevantes del cine latinoamericano, se especializó en el género del melodrama musical, cuyas canciones eran interpretadas por ella misma. Protagonizó un sinnúmero de películas, entre ellas, *Tango* (1933), *El alma del bandoneón* (1935), *Gran casino* (1948), *Soledad* (1950), *La mujer X* (1954), *Perdóname mamá* (1966) y *La mamá de la novia* (1978), con la que retornó a la pantalla tras un paréntesis de inactividad como actriz y cantante.

LAMARR, Hedy (Hedwig Eva Maria Kiesler, llamada). Actriz de cine estadounidense de origen austriaco (Viena, 1915). Empezó su carrera artística en Checoslo vaquia, con su verdadero nombre, en las películas *Las maletas del señor O. F.* (1933) y *Éxtasis* (1934). Desde 1938 reside en EE.UU., donde se ha nacionalizado. Otras películas: *Lady of the Tropics* (1939), *Ziegfeld Girl* (1940), *Crassroads* (1942), *Argel* (1938 y 1944), *Noche en el alma* (1946), *No puedo vivir sin ti* (1947), *Cenizas de amor* (1948), *El camarada X* (1949), *Sansón y Dalila* (1952), *Fémina* (1953), etc.

LAMBALLE, princesa de (Marie-Thérèse Louise de Saboya-Carignan). Dama francesa de origen italiano (Turín, 1749-París, 1792). Amiga y confidente de la reina María* Antonieta, a la llegada de la Revolución fue encarcelada en la prisión de la Force (1792), pereciendo en las matanzas de septiembre. Su cabeza fue exhibida ante las ventanas del Temple, donde se encontraba encerrada la reina.

LAMBERT, marquesa de (Anne Thérèse de Marguenat de Courcelles). Escritora francesa (París, 1647-íd., 1733). Organizó uno de los grandes salones literarios de su época, en el que se trataban especialmente temas de política. Escribió para sus hijos dos tratados sobre moral, *Consejos de una madre a su hija y a su hijo* (1728). Sus *Obras completas* (1748) contienen, entre otras: *Reflexiones sobre las mujeres*, *Tratado de la amistad*, *La ermitaña* (novela), etc.

LANDOWSKA, Wanda. Clavecinista polaca (Varsovia, 1877-Lakeville, 1959). Estudió en el conservatorio de Varsovia y posteriormente en Berlín, y durante toda su vida se dedicó a interpretar y difundir la música antigua para clave y para piano, llegando a ser considerada la mejor clavecinista de su época. Compositores como Manuel de Falla o Francis Poulenc compusieron conciertos de clave para ella. En 1908 escribió *La música antigua.*

LANGE, Dorotea. Fotógrafa estadounidense (Nueva Jersey, 1895-San Francisco, 1965). Considerada una de las pioneras del llamado documentalismo social, Lange adquirió gran renombre por sus fotografías realistas del mundo miserable de los desposeídos. Posteriormente trabajó para la Administración estadounidense durante la recesión económica de los años 30, haciendo reportajes fotográficos que reflejaban los problemas de los agricultores sin trabajo y de los inmigrantes. La naturalidad de su obra se ve realzada por una fuerte luz solar. Desde 1945 realizó informes gráficos para la revista *Life* y reportajes sobre sus viajes a Asia, Latinoamérica y Oriente Próximo. Entre sus publicaciones destaca *An American Exodus: A*

Record of Human Erosion (1939), en colaboración con P. S. Taylor.

LANGE, Helene. Feminista alemana (Oldenburg, 1848-Berlín, 1930). Lange, famosa dirigente del movimiento feminista alemán, defendió especialmente la educación de las jóvenes, para quienes reclamaba una formación técnica. En 1893 fundó y editó la revista mensual *Die Frau* (*Las Mujeres*), que utilizó para difundir sus ideas y para poner la cultura al alcance de las mujeres. Desde 1894 formó parte del comité central de la Unión de Mujeres Alemanas, organismo a favor del sufragio femenino. Fue autora de varias obras pedagógicas y sociales, entre ellas, *Manual del movimiento feminista* (1893), que escribió junto con G. Baümer*.

LANVIN, Jeanne. Diseñadora de moda francesa (París, 1867-íd., 1946). Considerada una de las principales creadoras de la moda parisiense, en 1889 fundó su casa de alta costura en París y en los años 20 y 30 se consagró como modista de fama internacional. La empresa Lanvin, con sucursales en Biarritz, Cannes, Le Touquet y Deauville, comprendía ocho talleres, más de ochocientos empleados y quince modelos. Fue mundialmente conocida por sus bañadores, abrigos de pieles, sombreros, bordados, festones, plisados y por el uso de los colores malva, marfil y negro. Lanvin fue la primera en comercializar un línea completa de productos de belleza y en 1927 creó el perfume *Arpège*.

Alicia de Larrocha

LARROCHA, Alicia de. Pianista española (Barcelona, 1923). Muy joven aún actuó como solista con la Banda Municipal de Barcelona y a la edad de trece años se presentó en Madrid con la Orquesta Sinfónica de esta ciudad. Discípula predilecta de Frank Marshall, colaborador y heredero de Granados, es especialista en la interpretación de Albéniz y Granados. En 1985 se le concedió el premio Nacional de Música, y en 1994 el premio Príncipe de Asturias.

LAUDER, Estée. Empresaria estadounidense cuyo nombre real es Joséphine Esther Mentzer (Nueva York, 1908). En los años 30 funda una empresa cosmetológica cuyo producto principal era la crema *All Purpose Cream*, promocionada a partir de 1946 por los grandes almacenes *Sacks*, instalados en la Quinta Avenida de Nueva York. En 1960 la empresa de Lauder obtuvo ganancias por un millón de dólares, y en 1975 logró alcanzar más de mil millones de dólares en beneficios. Lauder, conocida como la «Blue Lady», ha sido además la creadora de las prestigiosas líneas *Clinique* y *Aramis*, de fama internacional.

LAURA de Noves. Dama provenzal inmortalizada por Petrarca en su *Cancionero* (¿1308?-1348). Su vida nos es casi desconocida: quizá fuera hija de Audivert, señor de Noves, casada en 1325 con Hugo de Sade. Petrarca la conoció en 1327 en Aviñón, pero el amor que el poeta le declarara no fue correspondido. Laura murió víctima de la peste (1348) el día de su aniversario, siendo sepultada en la iglesia de San Francisco de Aviñón.

LAURENCIN, Marie. Pintora francesa (París, 1885-íd., 1956). Estudió en el Lycée Lamartine, se formó en la Académie Humbert (donde conoció al pintor cubista Georges Braque) y tuvo un largo y borrascoso lance de amor con Apollinaire, quien la situó en el grupo de artistas que rodearon a Picasso. Conocida como la «Colette* de la pintura», realizó acuarelas, litografías y aguafuertes en tonos pasteles con un estilo muy personal e idiosincrásico que no encontró hueco en la vanguardia, siendo considerada su brillante originalidad como un mero producto de su condición femenina. Diseñó también figurines y decorados para la Comédie Française y los ballets rusos. Sus pinturas *Groupe d'artistes* (1908), *Femme à la colombe* (1909), *Portrait de la baronne Gourgaud* (1923) y *Portrait de la femme en rouge* (1941), forman parte de la colección del Museo Nacional de Arte Moderno de París.

LE BOUSIER DU CORDAY, Angélique Marie. Comadrona francesa (Clermont-Ferrand, 1712-íd., 1789). Advertida de los pocos conocimientos de las comadronas de su tiempo, escribió en francés una obra titulada *Abrégé de l'art des accouchements* (1759), que iba acompañada de láminas anatómicas en colores. En 1767 el rey le encargó que divulgara sus conocimientos por todo el reino: confeccionó un maniquí con dos piezas móviles representando el cuerpo de la mujer y recorrió con sus enseñanzas toda Francia, siendo la primera mujer en enseñar mediante artificios los mecanismos del parto.

LE GUIN, Ursula. Escritora estadounidense (California, 1929). Cultivadora del género de ciencia ficción, la obra de Le Guin se ha caracterizado por la originalidad con la que describe los ambientes utópicos que sirven de trasfondo a sus historias: *Los desposeídos* (1974) y la trilogía *Los libros de Terramar* (1968-1973).

LE PASTOUR, Marguerite. Mujer verdugo francesa (n. Cancale, 1720). Disfrazada de hombre, se enroló en el ejército de María Teresa* de Austria, pero desengañada de la guerra, se retiró a Estrasburgo con el verdugo, al que ayudaba en su trabajo. Más tarde pasó a Lyon, donde fue contratada en 1756 como verdugo, sin percatarse de que era una mujer. Descubierto su sexo por un sirviente, fue encarcelada (1759). Después de diez meses, salió de la cárcel y se casó con Noël Roche.

LE PRINCE DE BEAUMONT, Jeanne-Marie. Escritora francesa (Rouen, 1711-Annecy, 1780). Después de separarse de su marido (1743), se marcha a Inglaterra, trabajando de institutriz. Allí escribe su primera obra, *Le triomphe de la verité*, dándose a conocer y siendo contratada por un periódico londinense para escribir cuentos para jóvenes. Éstos fueron reunidos en las obras tituladas *Magasin des enfants* (4 vols., 1760) —uno de ellos el cuento de *La bella y la bestia*—, *Magasin des adolescentes* (4 vols., 1760) y *Magasin des pauvres* (2 vols., 1768). Vuelta a Francia, fijó su residencia cerca de Annecy y siguió escribiendo, contando a su muerte con sesenta y dos obras publicadas.

LEAKEY, Mary. Paleontóloga y antropóloga inglesa de origen keniano (Kabete, 1903-Londres, 1972). Conservadora del Corundon Memorial Museum de Nairobi, codirigió, ayudando a su marido Louis Seymur B. Leakey, numerosas expediciones arqueológicas y paleontológicas en África oriental, resultado de las cuales fue el descubrimiento de dos primates fósiles importantísimos en la garganta de Olduvai (Kenya): en 1959 el *zinjanthropus*, un australopitecino, y en 1962, el *homo habilis*, probablemente el más antiguo resto conocido de nuestra especie. Obras principales en colaboración con su marido: *Cultura de la edad de piedra en Kenia*, *Razas de la edad de piedra en Kenia*, *La garganta de Olduvai*, *Algunos residuos fósiles pleistocénicos de África oriental*, etc. Sus aportaciones a la hipótesis del evolucionismo humano han sido fundamentales para su desarrollo teórico.

LEAVITT, Henrietta. Astrónoma estadounidense (Massachusetts, 1868-íd., 1921). Estudió en el Radcliffe College, especializándose en fotografía estelar. En 1912 descubrió la ley que relaciona la magnitud y el período de las estrellas, que permitió calcular distancias estelares hasta entonces inevaluables. Sus investigaciones se conservan recopiladas en el *Harvard Observatory Circular* y en los *Annals of the Astronomical Observatory of Harvard College.*

LEBRÓN, Lolita. Política puertorriqueña. En 1954, junto a otros dos nacionalistas, disparó contra los congresistas estadounidenses reunidos en una sesión de la Cámara de Representantes en Washington, hiriendo a seis de ellos. Tras permanecer encarcelada 25 años, Lebrón consiguió ser indultada en 1979 por el presidente James Carter. Se le considera una de las presas políticas que más tiempo ha estado encarcelada en una prisión de EE.UU.

LEE, Sophia y Harriet. Escritoras británicas (Londres, 1750-Clifton, 1824; y Londres, 1757-Clifton, 1851, respectivamente). Escribieron conjuntamente la famosa obra *Los cuentos de Canterbury* (1797-1805), en 5 vols., 3 de Sophia y 2 de Harriet. El cuento *Kruitzner* proporcionó a Byron el tema de *Werner* y fue objeto de una dramatización escrita por Harriet, titulada *Los tres extranjeros* (1825).

LEE, Vernon. Seudónimo de la escritora británica Violette Paget (Boulogne, 1856-Florencia, 1935). Es autora de varios estudios sobre estética (*Euphorion*, 1884) y sobre el panorama musical y literario italiano, dando a conocer autores como Goldoni al público inglés. Escribió además varios ensayos en defensa del pacifismo y de los derechos de las mujeres (*Satán el devastador*, 1920), y colecciones de relatos fantásticos.

LEFEBVRE, Catherine. V. **HUBSCHER, Catherine.**

LÉGER, Nadia. Pintora francesa de origen ruso (Vitebsk, 1904-Grasse, 1982). Trabajó en Rusia con K. Malevitch, quien la inició en la pintura moderna, y en 1924 se radicó en París, entrando a formar parte del taller de F. Léger, con quien luego se casaría. Sus obras de los años 20 —*L'Institutrice* (1922), *Vase et Livres* (1925), *Le Pot* (1926)— estuvieron marcadas por un rigor y una desnudez muy cercanas al estilo de J. Arp, pero su producción posterior se distanció de la pintura abstracta y tendió más hacia el realismo popular ruso, regresando en su última etapa hacia la estética aprendida con Malevitch. Alrededor del matrimonio Léger se movió un grupo de renombrados pintores, historiadores y poetas, entre ellos J. Prévert y L. Mazenod. Tras la muerte de su marido (1955), N. Léger se dedicó a la creación del museo Fernand Léger.

LEHMANN, Lotte. Soprano estadounidense de origen alemán (Perleberg, 1888-Santa Bárbara, 1976). En 1916 ingresó en la Ópera Imperial y Real de Viena, en la que adquirió resonancia internacional. Tras el advenimiento del nazismo, la cantante hubo de escapar a Austria, en 1938. En 1939 se estableció en Santa Bárbara. Actuó en *El oro del Rhin* y Richard Strauss compuso, especialmente para ella, su ópera *Arabella*. Durante diez años, en Salzburgo, fue la intérprete de la mariscala en *El caballero de la rosa*. Prosiguió su carrera en el Metropolitan Opera House de Nueva York, retirándose en 1962.

LEIBOVITZ, Annie. Fotógrafa estadounidense (n. 1950). Considerada una de las figuras más relevantes del mundo de la fotografía contemporánea, Leibovitz fue jefa de fotografía de la revista *Rolling Stone*, y posteriormente de *Vanity Fair*. Sus originales fotografías de personajes famosos —J. Lennon, Y. Ono*, M. Jagger, D. Keaton*, Philip Glass, J. Foster*— la han dado a conocer internacionalmente.

LEIGH, Vivien (Vivian Mary Hartley, llamada). Actriz inglesa de origen indio (Barjeeling, 1913-Londres, 1967). En 1935 se divorció de su primer marido, Herbert Leigh Holmann, cuyo apellido conservó, para casarse después con el también actor Lawrence Olivier, con quien formó la mejor pareja de actores que ha tenido la escena inglesa. Encarnó los principales papeles shakespearianos y se le deben las siguientes películas: *Lo que el viento se llevó* (1939), cuya interpretación de Escarlata O'Hara fue premiada con un Oscar a la mejor actriz de ese año; *El puente de Waterloo*, *Lady Hamilton*, *César y Cleopatra*, *Ana Karenina* y *Un tranvía llamado deseo* (1954). En 1955 formó su propia compañía teatral, recorriendo con gran éxito los escenarios de todo el mundo. Fue distinguida por la corona británica con el título de *lady*.

Vivien Leigh

LEMPICKA, Tamara de. Pintora polaca (Varsovia, 1898-París, 1980). En 1912 se exilió en París donde estudió con M. Denis y A. Lhote. En 1927 ganó el premio de honor en Burdeos por su obra *Niño en el balcón*, trasladándose posteriormente a EE.UU. Su pintura se centra en los retratos y los desnudos, caracterizados por la estatuariedad, la elegancia de la pose, el contraste de colores brillantes y la sensualidad.

LENCLOS, Ninón o Anne. Cortesana francesa (París, 1620-íd., 1705). Considerada una de las mujeres más atractivas de su momento, entre sus amantes y admiradores se contaron los más importantes personajes de Francia de su época, entre ellos Coligny, Méré o el marqués d'Estrées. Conservó sus encantos hasta edad muy avanzada, y al morir legó a Voltaire una crecida cantidad de dinero para que la invirtiera en libros.

LENGLEN, Suzanne. Tenista francesa (París, 1899-íd., 1938). Lenglen, considerada la «reina del tenis» y la «campeona de campeonas», fue a los 15 años campeona del mundo en tierra batida y posteriormente su lista de premios fue excepcional. Ganó el torneo del Roland Garros en individuales y dobles en 1920, 1921, 1922, 1923, 1925 y 1926, en Wimbledon (individuales y dobles) en 1919, 1920, 1922, 1923 y 1925; en mixtos 1920, 1922 y 1925. Fue campeona del mundo en tierra batida en individuales en 1914, 1921, 1922 y 1923; en dobles en 1914, 1921 y 1922 y en mixtos en 1921, 1922 y 1923. Creó el vestuario moderno del tenis femenino y masculino instituyendo, entre otras prendas, la célebre banda blanca para sostener el cabello. Fundó una escuela de tenis y enseñó por varios años en Roland Garros. Murió de leucemia a los 40 años.

LEOCADIA, santa. Mártir hispana (m. Toledo, 304). Padeció martirio en tiempos de Diocleciano por orden del prefecto de Toletum, Daciano. Los toledanos recogieron su cuerpo y levantaron una basílica en su honor. Durante la Edad Media, su cuerpo fue trasladado a Oviedo y de allí a Flandes (monasterio de Saint-Ghislain). En tiempos de Felipe II fue devuelta a su ciudad, de la que es patrona.

LEÓN, María Teresa. Escritora española (Logroño, 1904-Madrid, 1988). Codirigió con su marido, el también escritor Rafael Alberti, la revista *Octubre* (1933-1934), y durante la guerra civil desempeñó una intensa actividad a favor de la República, destacando especialmente sus montajes para «Guerrillas de Teatro». En 1939 se exilió y regresó a España en 1977. En sus primeros libros mostró una tendencia hacia el relato onírico y legendario (*La bella del mal amor*, 1930; *Juego limpio*, 1942), evolucionando luego hacia la denuncia social y política (*Cuentos de la España actual*, 1935; *Contra viento y marea*, 1941). Es autora además de la obra teatral *Huelga en el puerto* (1933) y de varias biografías noveladas. En 1970 recopiló sus interesantes vivencias en *Memoria de la melancolía*.

LEONOR de Alburquerque, la Ricahembra. Reina de Aragón (m. Medina del Campo, 1455). Hija de don Sancho, hermano de Enrique II de Castilla, siendo heredera de grandes posesiones en Extremadura, La Rioja y Castilla (de ahí su sobrenombre). Se casó en Madrid en 1393 con Fernando de Antequera, matrimonio concertado en las Cortes de Guadalajara (1390), que era sobrino suyo. Tras la elección de su marido como rey de Aragón (1412) —gracias a su apoyo económico—, fueron coronados ambos reyes de Aragón en 1414. Nacieron del matrimonio los infantes de Aragón: Alfonso V, Juan II, Enrique de Villena, Sancho y Pedro; y dos infantas, María* —esposa de Juan II de Castilla— y Leonor* —esposa de Duarte de Portugal—. Una vez muerto su esposo, intentó mediar en el conflicto civil castellano entre Juan II y los infantes de Aragón, sus hijos, pero en 1430 fue encerrada en el convento de clarisas de Medina del Campo, que ella misma había fundado, siendo la mayor parte de sus tierras entregadas a Álvaro de Luna.

LEONOR de Aquitania. Duquesa de Aquitania y de Gascuña, condesa de Poitou, reina de Francia y después de Inglaterra (1122-1204). Hija primogénita de Guillermo X, duque de Aquitania, se casó en 1137 con Luis VII el Joven, rey de Francia, a quien acompañó a la segunda Cruzada y, divorciada de éste en 1152, contrajo segundas nupcias en 1155 con Enrique II Plantagenet, rey de Inglaterra. Fue madre de Ricardo Corazón de León, al que apoyó contra su marido en 1173, por lo que el rey la encerró durante más de quince años. Muerto Enrique II, apoyó a Ricardo I contra las aspiraciones de Juan sin Tierra; y muerto Ricardo, defendió a Juan sin Tierra frente a las pretensiones al trono inglés de Felipe Augusto de Francia. Siguiendo el ejemplo de su padre, protegió y ayudó a la difusión de la poesía trovadoresca, tanto en la Francia de Oïl como en Inglaterra y sus dominios.

LEONOR de Aragón. Reina de Castilla (1358-1382). Fue hija de Pedro IV de Aragón y de Leonor* de Sicilia y se casó con el rey Juan I, siendo coronados ambos en Burgos en 1379. Fue madre de Enrique III y de Fernando de Antequera. Ella es la que transmite a su segundo hijo los derechos sucesorios al trono de Aragón.

LEONOR de Aragón. Reina de Portugal (1405-Toledo, 1445). Hija de Fernando I de Aragón y de Leonor* de Alburquerque, se casó en 1428 con el príncipe Eduardo de Portugal, que subió al trono en 1433. Mujer de brillantes cualidades, ejerció la regencia en la minoridad de su hijo Alfonso el Africano, desde 1438, en que falleció su marido, hasta 1440, en que las Cortes nombraron a don Pedro y fue expulsada de Portugal. Se refugió en Castilla, donde murió.

LEONOR de Austria. Reina de Portugal y después de Francia (Lovaina, 1498-Talavera de la Reina, 1568). Hermana de Carlos I, se casó en 1519 con el rey Manuel de Portugal y, muerto éste en 1521, contrajo nuevo matrimonio cor Francisco I de Francia. Viuda por segunda vez, en 1547, regresó a España, en donde pasó el resto de sus días.

LEONOR de Castilla. Reina de Aragón (m. 1244). Hija de Alfonso VIII el de las Navas y de Leonor* de Inglaterra, se casó en Ágreda, en 1221, con Jaime I de Aragón, que la repudió en 1229, fallando el concilio de Tarragona (o de Lérida) el divorcio, pero considerando legítimo heredero a su hijo Alfonso. Hasta su muerte vivió retirada al lado de su hermana, doña Berenguela*, en el monasterio de Las Huelgas.

LEONOR de Castilla. Infanta castellana, condesa de Pontieu y de Montreuil, reina de Inglaterra (m. Hardeby, 1290). Fue hija de Fernando III el Santo y bisnieta de Leonor* de Inglaterra. Se casó en el año 1254 con Eduardo I de Inglaterra, de cuyo matrimonio nacieron el heredero, Eduardo II y cuatro hijas más. Acompañó a su esposo a Palestina con motivo de la octava cruzada. Es recordada en Inglaterra por su carácter dulce y por la armoniosidad de su matrimonio, así como por la buena relación que tuvo con sus súbditos. Muchas cruces inglesas están puestas en su memoria (The Charing Cross, Londres).

LEONOR de Castilla. Reina de Aragón (1307-Castrojeriz, 1359). Fue hija de Fernando IV el Emplazado y de Constanza* de Portugal; se casó en 1319 con el infante don Jaime de Aragón, quien al terminar la ceremonia se fugó para ingresar en la Orden de San Juan de Jerusalén; se casó nuevamente, en 1329, con Alfonso IV el Benigno, y a la muerte de éste, por defender sus derechos, fue causa de una guerra civil; se retiró a Castilla y favoreció la causa de Enrique de Trastámara. Pedro el Cruel la encerró en el castillo de Castrojeriz y mandó darle muerte.

LEONOR de Castilla o de Trastámara. Reina de Navarra (1387-1415). Hija de Enrique II de Trastámara, rey de Castilla, se casó en 1375 con el heredero de Navarra, proclamado rey con el nombre de Carlos III el Noble; pero pretextando enfermedad, Leonor se retiró a Castilla. En la corte castellana fue personaje importante en las intrigas de la minoridad de Enrique III, enfrentándose abiertamente al consejo de regencia. Cuando Enrique III llegó a la mayoría de edad, la devolvió a la corte navarra (1395), estableciendo ahora buenas relaciones con su marido. La reina fue coronada en 1403 y gobernó el reino en ausencia de su marido, manteniendo trato cordial con Enrique III de Castilla.

LEONOR de Guzmán. Dama castellana (¿?, 1310-Talavera de la Reina, 1351). Era la favorita de Alfonso XI el Justiciero, con quien compartió una larga e intensa pasión que sólo se vio interrumpida por la muerte del monarca. Al morir el rey fue perseguida, encarcelada y muerta por orden de la reina María* de Portugal. Uno de sus hijos reinó en Castilla con el nombre de Enrique II, siendo el origen de la dinastía Trastámara.

LEONOR de Inglaterra o Plantagenet. Reina de Castilla (1156-1214). Fue hija de Enrique II de Inglaterra y de Leonor* de Aquitania. Se casó con Alfonso VIII de Castilla en 1170, a quien dio los siguientes hijos: Berenguela*, Fernando, Enrique I de Castilla, doña Urraca*, reina de Portugal, Constanza*, Sancho, Blanca* de Castilla y Leonor* de Castilla. Se edificó bajo su patrocinio el célebre monasterio de Las Huelgas, de Burgos. La influencia sobre su marido hizo que éste casara a su hija Berenguela con Alfonso IX de León (procurando la posterior unión de Castilla y León con san Fernando) y que intentara hacer efectivo el dominio sobre el ducado de Gascuña (1203), que le había sido entregado como dote. Su corte, siguiendo el ejemplo de su madre, se llenó de trovadores, poetas y músicos.

LEONOR de Portugal. Reina de Aragón (1328-Teruel, 1348). Fue hija del rey Alfonso IV el Bravo, rey de Portugal, y de Beatriz* de Castilla. Se casó en 1347 con Pedro IV el Ceremonioso, del que fue la segunda mujer, celebrándose la boda en Barcelona.

LEONOR de Portugal. Emperatriz de Alemania (1434-1467). Fue hija del rey Duarte de Portugal y casó en 1452 con Federico III, duque de Austria y después emperador. Fue madre de Maximiliano I.

LEONOR de Provenza, santa. Reina de Inglaterra (1223-Amesbury, 1291). Hija del conde Ramón Berenguer IV de Barcelona y de Beatriz de Saboya, se casó en 1236 con Enrique III de Inglaterra. Ejerció considerable influencia en la política del país. Huyó a Francia, tras la derrota y prisión del rey en Lewes (1264) frente al partido de los Barones. Desde allí negoció con el rey de Francia el apoyo a la causa de su marido. Concertó el Tratado de París (1259) y regresó a Inglaterra en 1265. A la muerte de su marido se retiró al monasterio de Amesbury en 1286. Se le considera autora de poesías de estilo heroico provenzal. Aunque no ha sido canonizada ni tiene culto oficial, se celebra su fiesta el 1 de febrero.

LEONOR Téllez de Meneses. Reina de Portugal (n. Trás-os-Montes-m. Tordesillas, 1405). Anulado su primer matrimonio con João Lourenço da Cunha, se casó con Fernando I en el 1372, que la había raptado. Ya reina, hizo matar a los dos hijos de Inés de Castro y provocó la guerra entre Castilla y Portugal, terminando las hostilidades con el matrimonio de Juan I de Castilla con su hija Leonor. Regente después de la muerte del rey, intentó dar el trono a su hija, pero la nobleza portuguesa le enfrentó a Juan de Aviz, hermano natural de Fernando I. Ella llamó a su yerno Juan I de Castilla, iniciándose otra vez la guerra. Tras la paz, fue encerrada por su yerno en un monasterio de Tordesillas, donde murió.

LEONTION. Cortesana y filósofa ateniense (s. III a. C.). Fue discípula predilecta de Epicuro y esposa de su amigo Metrodoro. Abrió una escuela filosófica y escribió un tratado para refutar las ideas planteadas por Teofrasto.

LEPAUTE, Nicole Reine. Relojera y astrónoma francesa (Mogues, 1723-Saint-Cloud, 1788). Junto con su hermano Jean André inventó el péndulo de precisión completa, adoptado por todos los observatorios astronómicos de Europa. Publicó junto a él una *Historia de la relojería* y *Suplemento al Tratado de la relojería*, en el cual colaboró el astrónomo Lalande. También realizó unos cálculos bastante exactos del movimiento de la Tierra.

LESPINASSE, Julie de. Dama de letras francesa (Lyon, 1732-París, 1776). Hija natural de la condesa de Albon, fue dama de compañía de madame Deffanda, que mantenía un salón literario. J. de Lespinasse abrió el suyo propio en 1764, siendo frecuentado por Hérault, Turgot y, sobre todo, D'Alembert, que vivía en su propia casa. Se hicieron famosos sus amores con el marqués de

Mora y con el conde de Guibert. Sus cartas a este último se publicaron en 1809. Es la protagonista del *Sueño de D'Alembert* de Diderot.

LESSING, Doris. Escritora británica de origen iraní (Kirmansah, 1919). Tras realizar estudios en Rhodesia, vivió varios años en Sudáfrica, y desde 1949 está radicada en Londres. Defensora de los derechos humanos (en particular, los de la comunidad negra), la obra de Lessing se ha centrado fundamentalmente en el examen de la problemática sociopolítica africana, en la crítica de la vida tradicional británica y en la reflexión sobre la subjetividad femenina. Su escritura se ha movido entre los márgenes del realismo social y la ciencia ficción: *El cuaderno dorado* (1962), *Cuentos africanos* (1964), la serie *Canopus en Argos* (1979-1982), *Si la vejez pudiera* (1984), publicado bajo el seudónimo de Janet Sommers, *La buena terrorista* (1985) y *El viento se lleva nuestras palabras* (1987), crónica basada en los campos de refugiados pakistaníes en Afganistán.

LESTONNAC, Juana de. V. **JUANA de Lestonnac, santa.**

LEVI-MONTALCINI, Rita. Neurobióloga estadounidense de origen italiano (Turín, 1909). Doctora en medicina, en 1947 se trasladó a la Universidad de Washington para investigar con el bioquímico Victor Hamburger los factores de crecimiento del tejido nervioso. En 1986 fue galardonada, junto con el bioquímico S. Cohen, con el premio Nobel de Medicina. Sus hallazgos han sido fundamentales para la comprensión de los mecanismos de control que regulan el crecimiento de células y tejidos, permitiendo, a su vez, un mayor entendimiento de las causas de ciertos procesos patógenos como los defectos hereditarios, mutaciones degenerativas, etc. Levi-Montalcini es la cuarta mujer en obtener el premio Nobel de Medicina. En 1988 publicó *Éloge de l'imperfection.*

LEYSTER, Judith. Pintora holandesa (Harlem, 1600-íd., 1660). Se desconoce con exactitud si llegó a ser discípula de Hals, aunque en sus obras sigue la técnica creada por este maestro, habiéndose llegado a confundir las obras de ambos.

LI CHIN-CHAO o LI QING-ZHAO. Poeta china (Jinan, ss. XI-XII). Considerada una de las mejores poetas chinas de todos los tiempos, L. Chin-Chao compuso más de seis volúmenes de versos enmarcados en el género del *ci* (poemas musicales). De su vasta obra sólo han sobrevivido 30 poemas y algunos ensayos críticos sobre escritores coetáneos.

LISIEUX, Teresa de. V. **TERESA del Niño Jesús o de Lisieux, santa.**

LISPECTOR, Clarice. Escritora brasileña de origen ucraniano (Chechélnik, 1925-Río de Janeiro, 1978). Se dio a conocer con su novela *Cerca del corazón salvaje* (1944), adscrita a la corriente existencialista y con claras influencias de V. Woolf* y J. Joyce. Su continua experimentación con los modos del discurso narrativo convirtieron a Lispector en una de las renovadoras del panorama literario brasileño. Entre sus obras destacan además las novelas *La pasión según G.H.* (1964), *Agua viva* (1973), y *Un soplo de vida* (1978); y su libro de relatos *Lazos de familia* (1960), centrado en el mundo interior de los personajes femeninos.

LIVIA DRUSILLA Augusta. Emperatriz romana (55 a. C.-31 d. C.). Nacida en la gens Claudia, fue adoptada por la gens Julia. Se casó en primeras nupcias con Tiberio Claudio Nerón, de quien tuvo al general Druso y al futuro emperador Tiberio. Cuando Livia volvió a Roma, Octavio se enamoró de ella y le obligó a divorciarse y a casarse con él (38 a. C.). Livia soportó las infidelidades de Augusto, pero ejerció una gran influencia sobre él, interviniendo, en segundo plano pero muy activamente, en asuntos de estado. Fue acusada de haber agotado todos los medios —incluso el asesinato— para lograr el imperio para Tiberio. Durante el imperio de su hijo fue separada del gobierno, pero mantuvo el título de Julia Augusta y fue divinizada a su muerte.

LIVILA. Princesa romana (s. I). Hija de Druso, el hermano de Tiberio, y esposa del hijo de Tiberio, llamado también Druso, pero apodado Cástor, estuvo implicada, junto con Seyano, prefecto de la guardia y privado del emperador, en el asesinato de su marido, con el fin, por parte de Seyano, de usurpar el poder. Fue delatada por su madre Antonia* la Menor y su tío, el futuro emperador Claudio. Antonia la dejó morir de hambre.

LLOPART, Mercedes. Soprano española (Barcelona, 1895-Milán, 1970). De una calidad vocal extraordinaria, cantó con Toscanini en la Scala de Milán. Posteriormente frecuenta todos los escenarios europeos, cosechando grandes éxitos con un amplísimo repertorio. Retirada de la escena, fue profesora en la Escuela Superior de Canto de Madrid, dando origen a una de las escuelas operísticas españolas.

LLORCA VILLAPLANA, Carmen. Historiadora española (Alicante, 1921). Llorca Villaplana, doctora en Historia, fue la primera mujer en llegar a presidir el Ateneo de Madrid. Su valiosa obra historiográfica ha sido condecorada con la Orden de las Artes y las Letras de Francia y la de Alfonso X el Sabio. Entre sus ensayos figuran *¿Europa en la decadencia?* (1949), *La mujer en la historia* (1976), *Las mujeres de los dictadores* (1978) y *Del aperturismo al cambio: Mi testimonio* (1986).

LOCUSTA. Envenenadora romana (m. 68). Fue condenada a muerte y ejecutada en el reinado de Galba y fueron famosas sus actividades en la corte imperial julio-claudia, como colaboradora de excepción de la emperatriz Agripina*. Se le atribuye el envenenamiento de Claudio, y después el de Británico por orden de Nerón.

LOLLOBRIGIDA, Gina. Actriz de cine y fotógrafa italiana, conocida al principio de su vida artística por Diana Loris (Subiaco, 1927). Ha desarrollado una importante carrera en el cine italiano y estadounidense, pudiéndose destacar entre sus interpretaciones las de *Fanfán el Invencible* (1951), *Mujeres soñadas* (1953), *Pan, amor y fantasía* (1953), *La ley* (1958), *Cerveza para todos* (1968), *Sota, caballo y rey* (1972), etc. Prácticamente retirada de la interpretación, salvo algunas intervenciones estelares, se ha dedicado en los últimos años a labores de fotógrafa profesional, ganando una gran reputación, muy merecida.

Gina Lollobrigida

LOMBARD, Carole. Actriz de cine estadounidense (Fort Wayne, 1908-Los Ángeles, 1942). Tras un trabajo de excelente secundaria, ascendió al estrellato tras su interpretación en *Twentieth Century* (1934), convirtiéndose en uno de los ídolos favoritos del público. Otras películas suyas son: *Made of Each Other* (1939) y *To Be or Not to Be* (1942), su última película. Murió en accidente de aviación.

LONZI, Carla. Crítica de arte y feminista italiana (Florencia,

1931-Milán, 1982). Licenciada en historia del arte y autora de *La solitudine del critico* (1963) y *Autoritratto* (1969), en 1970 abandona la profesión de crítica de arte para dedicarse de lleno al movimiento feminista, trabajando con el grupo *Rivolta Femminile*. Escribió *Escupamos sobre Hegel*, *La donna clitoridea e la donna vaginale*, *Taci, anzi parla* (1978), *Diario di una femminista* y *Vai pure, dialogo con Pietro Consagra* (1980).

LOOS, Anita. Escritora estadounidense (California, 1893-Nueva York, 1981). Autora de numerosas piezas teatrales y guiones cinematográficos, Loos se dio a conocer sobre todo con su obra de tono satírico *Los caballeros las prefieren rubias* (1925), que se escenificó exitosamente como comedia musical en 1949, y que posteriormente el realizador H. Hawks inmortalizó en un filme protagonizado por Marilyn Monroe*. A manera de continuación, escribió en 1928 *Pero se casan con las morenas*, que también fue adaptada al cine. Sus memorias, *Adiós a Hollywood con un beso*, son una nostálgica y divertida evocación del mundo cinematográfico.

Carole Lombard

LOOTZ, Eva. Artista austriaca (Viena, 1940). Cursó estudios de filosofía, bellas artes, musicología y cinematografía, y posteriormente se radicó en España, donde comenzó a exponer con regularidad a partir de 1973. Destaca principalmente por su labor escultórica y por la utilización de materiales como el mercurio, el carbón, la arena, entre otros. Entre sus instalaciones figuran *Arenas* (1986), *Noche, decían* (1987) y *Arriba y abajo* (1989).

LÓPEZ, Charo (María del Rosario López Piñuelas, llamada). Actriz española (Salamanca, 1943). Tras cursar estudios de Filosofía y Letras y cinematografía, rueda su primera película, *Ditirambo*, en 1967, e interviene después en *La Regenta* (1974), *La colmena* (1982), *Epílogo* (1984), *Crimen en familia* (1985), *Los paraísos perdidos* (1985), *Vieja música* (1985), *Lo más natural* (1991), *Don Juan en los infier-*

nos (1992), y las series de televisión *Los gozos y las sombras* y *Los pazos de Ulloa*. En teatro ha interpretado: *El condenado por desconfiado*, *La marquesa Rosalinda* (ambas en 1968), *Los japoneses no esperan* y *Hay que deshacer la casa*.

LÓPEZ, Pilar. Bailarina y coreógrafa española (San Sebastián, 1912). Comenzó bailando con su hermana Encarna, mejor conocida como La Argentinita*, quien marcó la línea artística que posteriormente seguiría. López, que viajó por Europa y América, está considerada una de las protagonistas del baile español y la primera en unir las palabras «ballet» y «español». En su compañía, Ballet Español de Pilar López, de fama internacional, se formaron destacados artistas, entre ellos, José Greco, Manolo Vargas, Rafael Ortega, Elvira Real, Dorita Ruiz, Alicia Díaz y Antonio Gades. Entre sus coreografías sobresalen *El sombrero de tres picos* (1948), *El amor brujo* y *El concierto de Aranjuez*. En 1956 recibió el lazo de Isabel la Católica, y en 1981 la medalla de oro en Bellas Artes.

LÓPEZ DE CÓRDOBA, Leonor. Escritora española (Calatayud, Zaragoza, h. 1362-¿?, h. 1412). Descendiente de san Fernando, sufrió grandemente el cambio dinástico en tiempos de Pedro I, pero durante la regencia de Catalina* de Lancaster volvió a recuperar su lugar en la corte castellana. Su aportación fundamental son sus *Memorias* (terminadas en 1402), que constituyen un acta notarial con fines jurídicos, dictado por ella. Aun así, destaca por la fuerza de la narración y su estilo preciosista, tratándose del primer ejercicio autobiográfico en lengua española.

LORAINE, Catherine-Marie de. V. **MONTPENSIER, duquesa de.**

LORDE, Audrey. Escritora afroamericana (Nueva York, 1934-íd., 1993). De ascendencia caribeña, su primeros textos aparecieron publicados en revistas literarias y en antologías de literatura afroamericana. Entre sus títulos destacan *From a Land Where Other People Live* (1973), *The Black Unicorn* (1978), su novela autobiográfica *Zami* (1986), y su colección de ensayos *A Burst of Light* (1988), centrados en la relación entre poesía, política y erotismo.

LOREN, Sofia (Sofia Scicolone, llamada). Actriz italiana (Roma, 1934). Entró en el cine gracias a un concurso de belleza (1949), pero fue catapultada a la fama por el productor Carlo Ponti, con el que se casó. Entre sus películas destacan *El oro de Nápoles* (1954), *Pan, amor y...* (Risi, 1955), *Dos mujeres* (*La ciocciara*, 1960), por la que consiguió el Oscar de ese año; *La condesa de Hong Kong* (Chaplin,

Sofia Loren

1966), *El viaje* (Sica, 1973), etc. En los últimos tiempos realiza papeles para cine y televisión de gran contenido dramático. En 1979 publicó *Sofía, vivir y amar*, sus memorias.

LORENGAR, Pilar (Lorenza Pilar García, llamada). Soprano española (Zaragoza, 1928). En 1951 hizo su presentación con *El canastillo de fresas*, que le valió la concesión del premio Ofelia Nieto para intérpretes líricos. Representó *El retablo de Navidad* (1952) y *El giravolt de Maig* (1953), y el Círculo de Bellas Artes le concedió la medalla de oro. En 1955 alcanzó un gran éxito en Londres con *La Traviata*, y en 1957 obtuvo el premio Enriqueta Cohen por sus actuaciones en los festivales de Glyndebourne, Inglaterra. Desde 1961 actúa como primera figura en la Ópera de Berlín, habiéndose especializado su repertorio en las partituras de mayor dificultad, tanto de Wagner como de Verdi (es inigualable su interpretación del *Requiem* de este último). En 1965 le fue concedida el lazo de Dama de Isabel la Católica y en 1991 el premio Príncipe de Asturias de las Artes.

LORME, Marion de. Cortesana francesa (Baye, Champaña, 1611-París, 1650). Fue amante del famoso ateo y libertino Des Barreaux, al que abandonó por el consejero de Luis XIII Cinq-Mars. Entre sus amantes se encuentran Saint-Evremond, el duque de Buckingham, Condé y el propio cardenal Richelieu. Su vida inspiró a Víctor Hugo el drama *Marion Delorme*.

LOY, Myrna. (Myrna Williams, llamada). Actriz de cine y política estadounidense (Montana, 1905-Nueva York, 1993). Debutó en el cine con la película *What Price Beauty* (1925), pasando a ser una de las más destacadas mujeres fatales de la pantalla, como en *The Crimson City* (1928). Otras películas suyas son: *El gran Ziegfeld*, *Topaze* (1932), *Mademoiselle Doctor*, *Los Blanding ya tienen casa*, *Los mejores años de nuestra vida* (1946) y *Un grito en la niebla*. En los años 50 se retiró del cine, salvo alguna

Myrna Loy

colaboración aislada. Fue, a partir de 1949, representante de EE.UU. en la UNESCO.

LOYNAZ, Dulce María. Poeta cubana (La Habana, 1903). Su obra poética, enmarcada en la corriente posmodernista, se ha caracterizado por un profundo carácter introspectivo mediante el cual intenta dar expresión al sujeto femenino, y por la creación de un mundo simbólico altamente sugerente: *Versos 1920-1938* (1938), *Poemas sin nombre* (1953), considerada su obra cumbre, y *La novia de Lázaro* (1991). Es directora de la Academia Cubana de la Lengua; en 1986 le fue otorgado en Cuba el premio Nacional de Literatura, y en 1993 recibió en España el premio Miguel de Cervantes.

LOZANO CASTRO, María. Pedagoga y filóloga española (Lanjarón, Granada, 1924). Estudió magisterio en Valencia, comenzando su labor profesional en la localidad levantina de Chirivella, y posteriormente realizó los estudios de pedagogía y filología española en la Universidad Complutense (Madrid). Fue directora de la Escuela Normal de Teruel (1968-1972) y concejala de este ayuntamiento. Trasladada a Madrid, fue catedrática de Lengua y Literatura españolas en la Escuela Normal María Díaz Jiménez, de la Universidad Complutense. Se le concedió la medalla de plata de dicha universidad.

LUCÍA, santa. Virgen y mártir cristiana (281-304). Según la tradición y las actas de martirio, era perteneciente a una familia pagana y abrazó el cristianismo a espaldas de sus padres; denunciada a Pascasio, gobernador de Siracusa, éste la hizo degollar. Es considerada abogada de la vista.

LUCRECIA. Dama romana (n. Roma, 510 a. C.). Esposa de Colatino, fue violada por Sexto Tarquino, hijo de Tarquino el Soberbio y se suicidó de una puñalada en el corazón para no sobrevivir a su deshonra. El pueblo, sublevado por el hecho, derribó la monarquía de los Tarquinos.

LUCY. Nombre dado a los restos del primer preohomínido descubierto (3.000.000 a. C. aprox.). Los restos de Lucy, una hembra de *Australopithecus afarensis,* fueron descubiertos en 1974 en la garganta de Afar (Etiopía) por una expedición arqueológica francoamericana dirigida por Coppens, Johanson y Taieb. Se trata de unas cincuenta piezas de un esqueleto: parece que tenía 20 años de edad y medía 1,20 m, piernas cortas, estando aún sin erguir.

LUISA de Marillac, santa. Dama francesa (París, 1591-íd., 1660). Cuando enviudó (1625), se consagró a la práctica de las obras de caridad bajo la dirección de san Vicente de Paúl; junto con él fundó la Compañía de Hijas de la Caridad. Beatificada por Benedicto XV en 1920, fue canonizada por Pío XI en 1934.

LUISA de Mecklemburgo-Strelitz. Reina de Prusia (Hannover, 1776-Hohenzieritz, 1810). Esposa del rey Federico Guillermo III. Sus brillantes cualidades y su patriotismo la convirtieron en una de las mujeres más populares de su tiempo.

LUISA de Saboya. Reina y regente de Francia (Pont-d'Ain, 1476-Grez-sur-Loing, 1531). Fue madre del rey Francisco I. Cuando su hijo partió para Italia en 1515, ella desempeñó la regencia, gobernando con celo e inteligencia. Al regreso de la expedición, se retiró por completo de los asuntos del reino, aunque conservando gran influencia sobre el soberano.

LUISA CARLOTA de Borbón. Infanta de España (Portici, 1804-Madrid, 1844). Era hermana de María Cristina* de Nápoles, cuarta esposa de Fernando VII, y se casó con el infante Francisco de Paula, hermano del rey. Influyó en las decisiones testamentarias del monarca y fue ella la que abofeteó al ministro absolutista Calomarde («manos blancas no ofenden»), en una divulgada anécdota de dudosa autenticidad. De ideas progresistas, como su marido, participó activamente en la formación de algunos gabinetes. Entre sus numerosos hijos hay que destacar a Francisco de Asís, primo hermano y futuro esposo de Isabel II.

LUISA FRANCISCA de Guzmán. Reina y regente de Portugal (Sanlúcar de Barrameda, 1613-Xabregas, 1666). Hija del duque de Medina-Sidonia, se casó en 1633 con el duque de Braganza, más tarde rey de Portugal con el nombre de Juan IV. Muerto su esposo, ejerció la regencia durante la minoridad de su hijo, retirándose después a un convento.

LUISA ISABEL de Orleans. Reina de España (Versalles, 1709-París, 1742). Se casó con Luis I, hijo de Felipe V, en 1721 quien, por sus ligerezas, mandó encerrarla en una cámara de palacio.

LUISA MARÍA de Gonzaga. Reina de Polonia (París, 1612-Varsovia, 1667). De brillantes cualidades, se casó en 1645 con el rey de Polonia Ladislao IV, y luego con el hermano de éste, su sucesor Juan Casimiro. Murió sin dejar hijos.

LUISA ULRICA. Reina de Suecia (Berlín, 1720-Svartejo, 1782). Esposa de Adolfo Federico. Atractiva y ambiciosa, Luisa Ulrica dominó a su débil esposo y llevó una existencia brillante ocupada en arte y en literatura. A la muerte de su esposo fue arrojada de la corte y terminó sus días en el retiro.

LUPE, La (Yolanda Guadalupe Victoria Raimon, llamada). Cantante cubana (Santiago de Cuba, 1936-Nueva York, 1992). Considerada la «Reina del Latin Sound» y una de las cantantes más carismáticas de América Latina, La Lupe debutó en La Habana en 1959 y adquirió fama en el programa televisivo «Álbum Musical», presentado por O. Guillot*. Tras el éxito obtenido en Nueva York con su canción *Qué te pedí* (1965), acompañada de la orquesta de Tito Puente, se consagró como una de las mejores voces latinoamericanas. Se la recuerda como la intérprete de *La vida es puro teatro* y *Cada cual en este mundo cuenta el cuento a su manera.*

LUPINO, Ida. Directora y actriz de cine inglesa (Londres, 1918). En 1932 debutó como actriz cinematográfica y en 1934 se traslada a Hollywood, contratada por la Paramount, actuando en filmes como *Sueño de amor eterno* (1935), *Pasión ciega* (1940), *El último refugio* (1941), *El halcón de los mares* (1941), *On Dangerous Ground* (1952) y *Mientras Nueva York duerme* (1956). En 1948 se da a conocer como directora de cine con la película *Not Wanted* (1949). Lupino, realizadora de un gran número de películas de temática feminista, está considerada la única mujer directora de los años 50 en Hollywood.

LUTYENS, Elisabeth. Compositora británica (Londres, 1906-íd., 1983). Estudió viola y composición en el Royal College of Music londinense y se perfeccionó en París con Caussade. Desde 1936 adoptó el sistema dodecafónico, realizando una importante producción de música vocal e instrumental, en la que destacan *Concierto de cámara n.º 1* (1936), *Tres preludios sinfónicos* (1942, de inspiración neorromántica), *Catena* (1960, cantata), *The valley of Hatsuse* (1965, sobre poemas japoneses), *The pit* (1947, ópera) o *Isis and Osiris* (1970, ópera).

LUXEMBURGO, duquesa de (Madeleine Angélique de Neuville-Villeroy). Mecenas francesa (París, 1707-íd., 1787). Casada primero con el marqués de Boufflers, viuda de él, volvió a casarse con Charles-François de Montmorency, duque de Luxemburgo, quien murió en 1764. Dotada de un espíritu amable y cándido, dio un gran apoyo a Rousseau tras la muerte de madame d'Épinay*. En su salón fueron leídas por primera vez sus obras *El Emilio* y *La nueva Eloísa*.

LUXEMBURGO, Rosa. Revolucionaria alemana de origen polaco (Zamosc, 1870-Berlín, 1919). Estudió economía y leyes en Zürich, y fue periodista y fundadora del *Sprawa Robotnicza* y del movimiento revolucionario espartaquista, junto con K. Liebknecht y C. Zetkin*, que tenía como meta principal la lucha contra la guerra imperialista. Tras colaborar en la revolución de 1905, en Varsovia, dedicó el resto de su vida a la defensa de una participación democrática de las masas en la actividad revolucionaria, optando por un socialismo internacional pacifista opuesto a la orientación chauvinista de la Internacional Socialista. Fue una de las fundadoras del Partido Comunista alemán (1918), contribuyó además a la reformulación de las teorías económicas de la época, y tras ser asesinada por la policía en 1919, se convirtió en una de las figuras emblemáticas del s. XX. Entre sus libros destacan *¿Reforma social o revolución?* (1899), *La acumulación del capital* (1913), análisis del capitalismo en su fase imperialista, y *La revolución rusa* (1922) e *Introducción a la economía política* (1925), póstumos.

LYNCH, Marta. Escritora argentina (Buenos Aires, 1930-íd., 1985). Se dio a conocer con la novela *La alfombra roja* (1962), centrada en el periodo peronista y en la que introduce la problemática sociopolítica que caracterizará toda su obra. Es autora, entre otros títulos, de *La señora Ordóñez* (1968), *Un árbol lleno de manzanas* (1976) y *No te duermas, no me dejes* (1985).

LYON, Emma. V. **HAMILTON, Lady.**

LYRA, Carmen. Seudónimo de la escritora costarricense María Isabel Carvajal (San José de Costa Rica, 1888-México, 1951). Perteneció a la cúpula intelectual del Partido Comunista y tras la revolución de 1948, se exilió en México. Lyra, formada en la corriente modernista, ganó fama nacional con una obra de marcado carácter realista y popular entre la que destacan títulos como *Las fantasías de Juan Silvestre* (1916) y *Cuentos de mi tía Panchita* (1920).

M

MACBETH, Lady Grouch. Reina de Escocia (s. XI). Hija menor de Kenneth III, se casó con Macbeth, conde de Moray. Mujer ambiciosa, pretendió el trono escocés para su esposo. Después de ganarse el favor popular, hizo que su marido asesinara a Duncan I, rey legítimo, y se proclamara rey en 1040. Su reinado duró diez años, dando rienda libre a los instintos sanguinarios: entre los muertos se halla su compañero Radcliff, que le había ayudado a asesinar a Duncan. La historia de Lady Macbeth inspiró a Shakespeare su célebre tragedia *Macbeth*.

Maria Antonietta Macciocchi

MACCIOCCHI, Maria Antonietta. Política y escritora italiana (Roma, 1924). Considerada una de las personalidades más relevantes del mundo político y cultural europeo, Macciocchi tomó parte en la Resistencia italiana, y, afiliada al Partido Comunista hasta 1972 (cuando fue expulsada), dirigió importantes publicaciones políticas como *Noi Donne* y *Vie Nuove*. Fue diputada del primer Parlamento europeo, en el que realizó una valiosa labor sobre la condición de las mujeres europeas, y en 1986 fue designada por el Gobierno de su país representante en la Fundación Europea. Es autora además de *Por Gramsci* (1974), *Las mujeres y los patronos* (1979), *Dos mil años de feli-*

cidad (1984) y *La mujer de la maleta* (1987).

MACLAINE, Shirley. (Shirley Beatty, llamada). Actriz estadounidense (n. Richmond, 1934). Se dio a conocer en el teatro con las obras *Me and Juliet* (1953) y *Pijama Game* (1954), y en el cine ha participado en numerosos filmes de éxito que han logrado consagrarla como una de las actrices más renombradas de las últimas décadas: *¿Pero... quién mató a Harry?* (1954), *La vuelta al mundo en 80 días* (1956), *Como un torrente* (1959), *El apartamento* (1960), *Cualquier día en cualquier esquina* (1962), *Irma la Dulce* (1963), *El Rolls-Royce amarillo* (1964), *Ladrona por amor* (1966), *Los pecados de la Sra. Blossom* (1967), *Sweet Charity* (1968), *The Turning Point* (1977), *La fuerza del cariño* (1983), con la que obtuvo el Oscar a la mejor actriz; *Magnolias de acero* (1988) y *Postales desde el frío* (1991). Formó pareja artística con el actor Jack Lemmon, con el que interpretó varios de sus mejores filmes.

MACY, Anne Sullivan. Pedagoga estadounidense (Massachusetts, 1866-m. 1936). Macy, ciega en su juventud, logró recuperar la visión tras una serie de operaciones. Profesora del Perkins Institute de Boston, en 1887 conoció a H. A. Keller*, joven ciega y sordomuda, a quien enseñó a leer y escribir a través de diversos métodos.

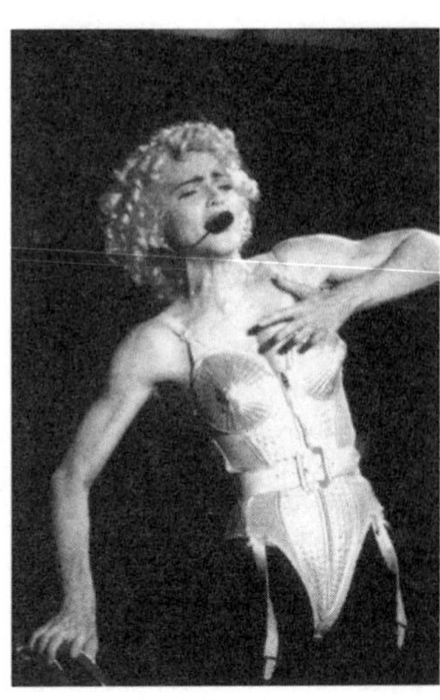

Madonna

MADONNA (Louise Veronica Ciccone, llamada). Cantante estadounidense (Detroit, 1958). Madonna, considerada uno de los mitos musicales de los años 80 y una de las mayores *sex-symbol* que ha tenido el mundo del rock estadounidense, ha sabido conjugar magistralmente sus dotes físicas y su visión contestaria y escandalosa con una programación inteligente del *marketing*, construyendo una de las más potentes imágenes contemporáneas. En 1984 se consagró en el mundo del espectáculo con el disco *Like a Virgin*, del que vendió 9 millones de copias en un año, y posteriormente *Who's That Girl* (1987), *Like a Prayer* (1989) y *Erótica* (1992), que se comercializó junto al libro de fotografías *Sex*, la convirtieron en una de las figuras más controvertidas y admiradas internacionalmente. Ha participado además en varios filmes, entre ellos, *Buscando a Susan desesperadamente* (1985).

MAEZTU Y WHITNEY, María. Pedagoga española (Vitoria, 1882-Mar del Plata, Argentina, 1948). Fue maestra de escuela, profesora de Escuela Normal y fundó la primera residencia de estudiantes para señoritas (1915) y el Lyceum Club (exclusivamente para mujeres). Dirigió a partir de 1918 el Instituto Escuela y fue profesora en la Facultad de Filosofía y Letras de la Universidad de Madrid. Al estallar la guerra civil se exilió en Argentina, donde impartió didáctica de la educación en la Universidad de Buenos Aires y fue agregada cultural en la Embajada de España. Como publicista y conferenciante sobre temas educativos, gozó de gran prestigio nacional e internacional. Entre sus obras figuran *El problema de la ética y la enseñanza de la moral*, *El trabajo de la mujer. Nuevas perspectivas* (1933) y *Antología del siglo XX, prosistas españoles, semblanzas y comentarios* (1943).

MAGNANI, Ana. Actriz cinematográfica italiana de origen egipcio (Alejandría, 1908-Roma, 1973). Estudió en la academia de Silvio D'Amico, con el que comenzó su carrera artística. Entre sus interpretaciones destacan las realizadas en: *Roma, ciudad abierta* (1945), de Rossellini, en la que se consagró como estrella internacional; *Amor* (1948), *La voz humana*, *Bellísima* (Visconti, 1950), *La carroza de oro* (Renoir, 1952), *La rosa tatuada*, premiada con el Oscar de Hollywood (1956); *Infierno en la ciudad* y *Viento salvaje* (1958); y *Mamma Roma* (Pasolini, 1962). Se le consideró la encarnación del temperamento trágico en el cine italiano.

MAHLER, Alma Maria. Compositora y musicóloga austriaca cuyo nombre de soltera era Alma Maria Schindler (Viena, 1879-¿?, 1964). Estudió composición con J. Labor, y fue la autora de dos cuadernos de canciones, y de un libro basado en la vida de su primer marido, el compositor G. Mahler. Estudios recientes han demostrado que la brillante producción musical de este compositor se hizo posible, en su mayoría, gracias a la valiosa colaboración de A. Mahler. Posteriormente se casó con el arquitecto Walter Gropius y con el escritor Franz Werfel, y fue amante del artista de vanguardia Oskar Kokoschka. Pasó los últimos años de su vida en Nueva York, rodeada por algunos de los más importantes directores de orquesta e intérpretes de la época.

MAJEROVÁ, Marie. Seudónimo de la novelista checa Marie Bartosova (Úvaly, 1882-Praga, 1967). La primera etapa narrativa de Majerová estuvo influida por los cánones del naturalismo francés (*Virginidad,* 1907), pero se dio a conocer sobre todo por sus novelas enmarcadas en el realismo social: *El más bello de los mundos* (1923) y *Sirena* (1935), en la que describe los ambientes mineros del Kladno de finales del siglo XIX. Ha sido además autora de numerosos relatos infantiles (*La pequeña Robinson,* 1940), de novelas de temática femenina (*Hijas de mi patria,* 1910) y de la obra autobiográfica *Páginas íntimas* (1966).

MAILLY, condesa de (Louise-Julie de Mailly). Cortesana francesa (1710-París, 1751). Favorita de Luis XV, fue la mayor de tres hermanas que se fueron sucediendo en el favor del monarca. Hija del marqués de Nesle y casada con un primo suyo, se convirtió, a los veintidós años, en la amiga oficial del rey. Su favor duró ocho años; fue sustituida por sus hermanas, la marquesa de Lauraguais y la duquesa de Châteauroux, sucesivamente.

MAINTENON, madame de o marquesa de (Françoise d'Aubigné). Dama cortesana francesa (Niort, 1635-Saint-Cyr, 1719). Huérfana y sin recursos, a

Françoise d'Aubigné, marquesa de Maintenon

los diecisiete años contrajo matrimonio con el poeta Scarron, contertulio de su madre. Viuda ocho años más tarde y con una reputación sin mácula, se encargó de la educación de los hijos que madame de Montespan* había tenido del rey Luis XIV. Bella y virtuosa, resistió las solicitudes del soberano, hasta que, muerta la reina, éste se casó con ella secretamente. Ejerció gran influencia en el ánimo del rey y dio a la vida de la corte una inesperada austeridad.

MAKÁROVA, Natalia Románovna. Bailarina estadounidense de origen soviético (Leningrado, 1940). Estudió en la escuela de danza del Kirov y posteriormente fue una de sus más célebres bailarinas. En 1970 durante una gira del Kirov en Londres se exilió en el oeste. Trabajó en el Royal Ballet y más tarde ingresó en el American Ballet Theatre en EE.UU., convirtiéndose en una de sus principales protagonistas. La mejor intérprete de *Giselle* de los años 70, creó entre otras *Epílogo* (1975), y ha bailado *El lago de los cisnes*, *Don Quijote*, *El pájaro de fuego*, *Onegin* y *Mephisto Valse*. En 1979 publicó *Dance Autobiography*, y en 1980 fundó su propia compañía.

MAKEBA, Miriam. Cantante sudafricana (Johannesburgo, 1932). Tras ofrecer varios conciertos en África central, en 1957 se trasladó a Nueva York en donde introdujo el patrimonio folclórico de la cultura zulú, convirtiéndose más adelante en una de las grandes cantantes de EE.UU. y en una de las figuras clave del panorama musical internacional, contando entre sus éxitos la canción *Pata, Pata*. Su vestuario de colores brillantes y sus canciones de ritmos africanos crean una atmósfera muy particular en sus actuaciones en vivo. Activa militante de la lucha antiapartheid, a Makeba se le prohibió la residencia en su país natal.

MAKEDA. V. **SABA, reina de.**

MAKIN, Bathsua. Educadora inglesa (s. XVII). Fue la primera mujer en introducir métodos personales en la enseñanza. Carlos I le encargó la educación de sus hijos, pero a Makin se le recuerda, sobre todo, por haber sido una de las primeras defensoras de la educación de la mujer inglesa y por haber fundado una escuela en Tottenham High Cross orientada hacia estos fines. Su labor ha sido comparada a la de Mary Wollstonecraft Godwin*, Sarah Fielding y Hannah More. Escribió además la obra *Ensayo a favor de revivir la antigua educación de las mujeres* (1673), y fue la autora de numerosos poemas en griego, hebreo, francés y español.

MALASAÑA, Manuela. Heroína española (Madrid, 1791-íd., 1808). Bordadora de oficio, Manuela Malasaña luchó en la guerra de la Independencia escondiendo en su falda el repuesto de cartuchos para los que peleaban contra los franceses, entre los cuales estaba su propio padre. Murió en medio de uno de los combates al ser alcanzada por un disparo de los oponentes. Su figura ha pasado a ser el símbolo de la resistencia del pueblo madrileño contra la dominación napoleónica, durante el levantamiento del 2 de mayo.

MALIBRÁN, La (María Felicidad García, llamada). Cantante española (París, 1808-Manchester, 1836). Era hija del tenor español Manuel del Popolo

María de la Felicidad García, la Malibrán, por H. Decaise

Vicente García y hermana de Paulina García Viardot* y de Manuel Vicente García. Recorrió triunfalmente los principales teatros de Europa y se la considera la cantante más notable del siglo XIX, incluso la mejor de la historia. Era mezzosoprano, pero cantaba de soprano: artista de gran espontaneidad, inspiración y expresividad poética, Alfred de Musset se inspiró en ella en algunos de sus poemas. Se casó con el banquero francés Malibrán, y contrajo segundas nupcias con el célebre violinista belga Bériot. Falleció a los veintiocho años a consecuencia de una caída de caballo.

MALINCHE. India azteca, amante de Hernán Cortés, cuyo verdadero nombre era Malinal o Malintzin (n. en Paynala, principios del s. XVI). Era hija de un cacique azteca y fue vendida como esclava a la muerte de su padre y regalada por el cacique de Tabasco a Hernán Cortés, a quien prestó grandes servicios como intérprete y como consejera. Convertida al cristianismo, tomó el nombre de Marina, y dio al conquistador español un hijo que se llamó Martín. Posteriormente se casó con el caballero Juan de Jaramillo, que la llevó a vivir a España.

MALLO, Maruja (Ana María González Mallo, llamada). Pintora española (Vivero, 1909). En 1928 expuso por primera vez en Madrid, en una muestra organizada por Ortega y Gasset en los salones de la Revista de Occidente. En 1932 viajó a París, pensionada por la Junta de Ampliación de Estudios y, desde 1934, se dedicó a la enseñanza en Arévalo y Madrid. El nuevo salón de los Amigos de la Artes Nuevas le dedicó la segunda (1936) de sus exposiciones (la primera fue a Picasso). Ha efectuado diversas muestras en Europa y América, y en 1949 se editaron en Madrid sus *Arquitecturas*, cuyos dibujos fueron prologados por J. Cassou. Su pintura ha estado sometida a importantes variaciones formales y conceptuales. A la naturaleza festiva y ornamental de sus primeras obras *(Verbenas, Espantajos, Basuras, Cardos, Fósiles* y *Campanarios)*, sucedió una mayor severidad formal, donde las relaciones geométricas, tan vivas siempre en su pintura, están vinculadas a la corriente surrealista *(Arquitecturas minerales, Canto de las espigas, Retratos bidimensionales).*

MANCE, Jeanne. Misionera y pionera francesa (Langres, 1606-Quebec, 1673). Educada por las ursulinas, sintió la vocación de misionera y se trasladó a Nueva Francia. Llegada en 1642 a Quebec (Canadá), se instaló en la isla de Montreal, contribuyendo a la fundación de Ville-Marie. Particularmente, se encargó de la creación del Hospital de Dios. Para seguir con sus labores de colonización, volvió a Francia en 1658 para reclutar religiosas, llevándose también mujeres para casarlas con colonos. También se ocupó de la evangelización de los indios, a partir de la Sociedad de Ntra. Sra. de Montreal.

MANCINI, Ana María. V. **BOUILLON, duquesa de.**

MANCINI, Laura. V. **MERCOEUR, duquesa de.**

MANCINI, María. V. **COLONNA, princesa de.**

MANCINI, Olimpia. V. **SOISSONS, condesa de.**

MANCINI, Ortensia. V. **MAZARINO, duquesa de.**

MANDELA, Winnie. Política sudafricana (n. 1935). Considerada un símbolo de la lucha contra el *apartheid* en Sudáfrica, W. Mandela perteneció a la Liga de Mujeres del Congreso Nacional Africano, y tras el encarcelamiento en 1963 de su marido y activista político Nelson Mandela, fue obligada a abandonar Johannesburgo. Confinada dentro de su casa, le fue prohibido, además, reunirse con más de una persona, y que su nombre o fotografía aparecieran en algún medio de comunicación. En 1991 fue acusada de promover el secuestro y la tortura de unos jóvenes negros, lo que provocó su marginación por parte del Congreso Nacional Africano.

Winnie Mandela

MANGANO, Silvana. Actriz italiana de cine (Roma, 1930-Madrid, 1989). Elegida Miss Roma en 1946, intervino poco después en una película en un papel insignificante; hizo luego el segundo papel femenino en *Arroz amargo* (1949), y ya consagrada filmó *Il lupo della Sila*, *El bandido calabrés*, *Ana*, etc. Entre sus últimas interpretaciones, revelando su gran carácter, destacan *El oro de Nápoles* (1954), *Muerte en Venecia* (1970), *El Decamerón* (1971), *Ludwig, o el crepúsculo de los dioses* (1972) y *Violencia y pasión* (1975). Trabajó con los principales realizadores italianos, entre ellos De Sica, Comencini, Pasolini y Visconti.

MANGESHKAR, Lata. Cantante india (n. 1928). Mangeshkar, que empezó a cantar para mantener a su familia, es posiblemente la persona que más canciones ha grabado en el mundo. Desde 1960 ha realizado para la industria de cine de Bombay casi todos los *play back* de los innumerables filmes musicales que allí se producen, logrando en 1980 el récord de 25.000 grabaciones. Es una de las figuras más populares del mundo asiático, y su fama la ha llevado incluso a conquistar con éxito varios escenarios del mundo occidental.

MANSFIELD, Katherine. Escritora británica de origen neozelandés cuyo nombre real era Kathleen Mansfield Beauchamp (Wellington, 1888-Fontainebleau, 1923). Considerada una de las figuras más relevantes de la narrativa inglesa de principios de siglo, la fama de Mansfield se debe principalmente a los relatos de estilo impresionista animados por intensos personajes femeninos. Se le atribuye además haber creado un nuevo estilo de novela corta con profundidad psicológica y escasa acción, que ha sido comparado a la narrativa de A. Chéjov. Entre sus obras destacan *En un balneario alemán* (1911), *Felicidad* (1920), *El nido de la paloma* (1923), y sus *Cartas*, recopiladas y publicadas póstumamente por su segundo marido, J. M. Murry.

MARCOS, Imelda. Política filipina de origen hawaiano (Hawai, 1929). Desempeñó cargos públicos de gran relevancia, entre ellos ministra de Asentamiento y Ecología y la jefatura del departamento para el Desarrollo del Sur de Filipinas. Tras veinte años como primera dama de Filipinas (1965-1986) se exilia en EE.UU. como consecuencia de la revuelta que destituyó a su marido, Ferdinand Marcos, de la presidencia de aquel país. I. Marcos se ha enfrentado a decenas de cargos de corrupción en los tribunales de su país acusada de haber saqueado la economía filipina durante la dictadura de su marido. En las elecciones de 1992

Imelda Marcos junto a su esposo Ferdinand

presentó sin éxito su candidatura a la presidencia filipina.

MARGARITA de Angulema o de Navarra. Reina de Navarra (Angulema, 1492-Odos, 1549). Era hija de Carlos de Orleans, conde de Angulema, y de Luisa* de Saboya. Casada en primeras nupcias con Carlos III, duque de Alenzón, se convirtió en el centro de la corte francesa a la subida al trono de su hermano Francisco I, entrando en las negociaciones entre su hermano y el emperador Carlos V en España. Se casó en segundas nupcias con el rey de Navarra, Enrique de Albret, quien la trató desconsideradamente. Muy inteligente y culta, fue decidida protectora de los humanistas protestantes, procurando la difusión de las ideas evangélicas y del neoplatonismo. También fue muy aficionada a las letras, escribiendo numerosas poesías y una colección de cuentos, y fue llamada por sus contemporáneos la *divina musa*. Entre sus obras destacan *Las margaritas de la Margarita de las princesas* (1547), obra publicada dos años antes de su muerte; *Últimas poesías*, de inspiración religiosa; *Espejo del alma pecadora* (1531); la colección de cuentos el *Heptamerón* (1558-1559); y un misterio de la *Natividad* y varias comedias de tema profano.

MARGARITA de Anjou. Reina de Inglaterra (Pont-à-Mousson, 1430-castillo de Dampierre,

1482). Hija de Renato, conde de Anjou y de Provenza, se casó con el rey de Inglaterra Enrique VI, pero cuando su esposo perdió la razón, en 1453, no pudo obtener del Parlamento la regencia, a pesar del nacimiento del príncipe de Gales. Proclamado Ricardo, y restablecido el rey de su enfermedad, estalló una guerra civil, llamada «guerra de las Dos Rosas», en la que fue derrotado el rey en Towton (1461) y en Tewkeshury (1471), y que terminó con la muerte del príncipe de Gales y de Enrique VI y el destierro de Margarita, que murió casi en la miseria.

MARGARITA de Antioquía, santa. Virgen y mártir cristiana (Antioquía de Pisidia, 255-íd., 275). Después que su padre, que era sacerdote de Júpiter, la hubiera echado de su casa tras de su conversión al cristianismo, se retiró al campo y se puso a servir como criada. Acusada de cristiana, fue detenida y sometida a los más crueles suplicios y después decapitada.

MARGARITA de Austria. Duquesa de Saboya y gobernadora de los Países Bajos (Bruselas, 1480-Malinas, 1530). Fue hija del emperador Maximiliano I y de María* de Borgoña, esposa del príncipe Juan, hijo de los Reyes Católicos, y posteriormente del duque Filiberto de Saboya. A la muerte de este último no quiso contraer nuevo enlace y fue encargada por su padre de la regencia de los Países Bajos (1507-1515), cargo en que la confirmó después su sobrino el emperador Carlos V (1518-1530). Fue la tutora de Carlos y junto a éste hizo labores de excelente diplomática: presidió el acuerdo para la liga de Cambrai (1508), favoreció la elección imperial de Carlos (1519), concertó el matrimonio de éste con María* de Inglaterra (1521) y lo representó como mediadora en la paz de las Damas (1529).

MARGARITA de Austria. Reina de España (Gratz, 1584-El Escorial, 1611). Hija del archiduque Carlos de Estiria y de María* de Baviera, se casó en 1599 con el rey Felipe III, en Valencia, contando apenas catorce años.

Margarita de Austria, reina de España

Para asegurar su posición, el duque de Lerma, valido del rey, hizo despedir a su servidumbre alemana y la rodeó de personas de su confianza. En esta situación, la reina se dedicó a labores piadosas y a la protección de los pobres. En 1606 se enfrentó ya directamente a Lerma, a quien logró que se procesara por varios delitos. Luego, con el apoyo de fray Luis de Aliaga, confesor del rey, intentó procesar también a Rodrigo Calderón, duque de Uceda, pero no logró sus propósitos. Murió de sobreparto en su octavo embarazo, sin haber recibido los cuidados médicos necesarios, de lo que se acusó a Calderón.

MARGARITA de Borbón. Reina de Navarra (m. 1256). Era hija del duque Ascembaldo de Borgoña y se casó con Teobaldo I de Champaña y Navarra en 1232. Fue mujer de gran talento político, que demostró al lograr defender el trono de su hijo, Teobaldo II, aliándose, durante su regencia, con Jaime I de Aragón y su heredero en contra de las pretensiones de Alfonso X de Castilla que quería la asimilación del reino pirenaico.

MARGARITA de Borbón y Borbón-Parma. Reina pretendiente a España y princesa de Parma (Luca, 1847-Viareggio, 1893). Contrajo matrimonio en 1867 con don Carlos María de los Dolores de Borbón y Austria-Este, pretendiente carlista al trono español, y en 1874 pasó a España, fijando su corte en Estella. Fundó las ambulancias de la Caridad y el Hospital de Irache, en que asistía personalmente a los heridos de ambos bandos contendientes, mereciendo de todos el título de «Ángel de la Caridad». Terminada la guerra carlista se retiró a Venecia y luego a Viareggio.

MARGARITA de Borgoña. Reina de Navarra (Château-Gaillard, 1290-íd., 1315). Se casó en 1305 con Luis el Turbulento, que había heredado el título de rey de Navarra; pero acusada de adulterio, fue encerrada en una prisión, y ahogada más tarde entre dos colchones por orden de su esposo.

MARGARITA de Cortona, santa. Cortesana italiana de origen catalán (Alviano, 1247-Cortona, 1297). Después de llevar una vida de disipación durante diez años, cambió cuando asesinaron a su amante, arrepintiéndose de sus culpas y tomando en Cortona el hábito de los hermanos menores. Pasó el resto de sus días en oración y penitencia.

MARGARITA de Escocia, santa. Reina de Escocia (Hungría, 1045-Edimburgo, 1093). Sobrina de Eduardo el Confesor, rey de los anglosajones, en 1070 contrajo matrimonio con el rey de Escocia Malcolm III. Fue ejemplo de virtudes cristianas, y modelo de madre y de reina. Sus reliquias se guardan en El Escorial, donde Felipe II hizo construir una capilla.

MARGARITA de Francia. Reina de Inglaterra y después de Hungría (1158-Acre, 1198). Hija de Luis VII y de Constanza* de Castilla. Se casó con Enrique Court-Mentel, a quien su padre, Enrique II de Inglaterra, asoció a la corona en 1172. Muerto su marido en 1183, Margarita se casó dos años después con el rey de Hungría, Bela III, a quien acompañó en la tercera cruzada, donde falleció.

MARGARITA de Parma. Duquesa de Parma y gobernadora de los Países Bajos (Oudenarde, 1522-Ortona, 1586). Era hija natural de Carlos I y de Margarita van der Gheist. Se casó con Alejandro de Médicis en 1536 y en segundas nupcias con Octavio Farnesio en 1538; fue gobernadora de los Países Bajos (1559-1567), cesando al cundir la rebelión y ser nombrado el duque de Alba. Fue además la madre del célebre general español Alejandro Farnesio.

MARGARITA de Prades. Reina de Aragón (h. 1388-1422). Educada en la corte de la reina María* de Luna, se casó en 1409 con Martín I el Humano en Bellesguart (Barcelona), siendo bendecida su unión por el papa aviñonés Benedicto XIII. Quedando viuda de éste al siguiente año, Margarita intervino en la querella sucesoria por la corona de Aragón, en contra de Jaime de Urgel y a favor de Luis de Anjou. Era admirada por sus brillantes cualidades y pasaba por ser la mujer más hermosa de su tiempo. Viuda de su segundo matrimonio, profesó como religiosa.

MARGARITA de Provenza. Reina de Francia (1221-Saint-Marcel, 1295). Fue hija del conde de Provenza, Ramón Berenguer. Casada con Luis IX en 1234, ejerció después de la muerte de Blanca* de Castilla cierta influencia sobre su esposo, al que acompañó a Egipto en la cruzada y rescató cuando cayó prisionero. Durante el reinado de su hijo Felipe III, apoyó los intereses de su cuñado Enrique III de Inglaterra, intentando destruir a Carlos de Anjou.

MARGARITA de Saboya. Reina de Italia (Turín, 1851-Bordighera, 1926). Hija del duque de Génova y sobrina de Víctor Manuel II, se casó en 1868 con su primo el entonces príncipe heredero y luego rey Humberto I.

MARGARITA de Valois (la reina MARGOT). Reina de Navarra (Saint-Germain-en-Laye, 1553-París, 1615). Hija menor del rey de Francia Enrique II y de Catalina* de Médicis. Por razones de Estado se casó en 1572 con Enrique de Navarra, pero vivió en completa independencia conyugal y tuvo numerosos amantes. Rey de Francia su esposo con el nombre de Enrique IV, se prestó al divorcio, mas conservó el título de reina y se hizo asignar una cuantiosa pensión.

MARGARITA de York. Duquesa de Borgoña (Fotheringay, 1446-Malinas, 1503). Era hija de Ricardo de York y hermana de Eduardo IV y de Ricardo III, reyes de Inglaterra. Se casó en 1468 con Carlos el Temerario, duque de Borgoña. Al enviudar de él, defendió los derechos de María* de Borgoña, su hijastra, a quien casó con el emperador Maximiliano I. Luchó siempre contra Enrique VII Tudor, a quien consideraba un usurpador.

MARGARITA I. Reina de Dinamarca, Noruega y Suecia (Soborg, 1353-Flenburg, 1412). Hija menor de Valdemar IV, rey de Dinamarca, en 1363 se casó con Haakon VI, rey de Noruega, con quien tuvo un hijo, Olav V, que en 1375 sucedió a su abuelo en Dinamarca y en 1380 a su padre en Noruega. En 1387, a la muerte de su hijo, se hizo reconocer reina, gobernando en Dinamarca y Noruega desde 1387 hasta 1396, y en Suecia desde 1389 hasta 1396. En 1396 cedió la corona a su sobrino, Eric de Pomerania, e impuso la unificación de los tres reinados bajo el nombre de Unión de Kalmar (1397).

Margarita II de Dinamarca

MARGARITA II. Reina de Dinamarca (Copenhague, 1940). Hija del rey Federico IX y de la princesa Ingrid de Suecia, fue proclamada heredera del trono en 1958, al cumplir los dieciocho años de edad. En 1967 contrajo matrimonio con el diplomático francés Henri de Laborde de Montpezat. En 1972 fue coronada reina, por fallecimiento de Federico IX.

MARGARITA II de Constantinopla. Condesa de Flandes y de Henao (Valenciennes, 1202-Lille, 1280). Era hija de Balduino IX, conde de Flandes y de Henao y emperador de Constantinopla, y se casó con Bucardo de Avesnes en 1212 y en 1223 con Guillermo II de Dampierre. En 1244 heredó el condado de Flandes y Henao. Reinó durante treinta y cinco años, distinguiéndose por su actividad y cualidades políticas. Algunos historiadores, contrarios a su ejercicio como reina, le dieron el sobrenombre de *Negra*.

MARGARITA MARÍA de Alacoque, santa. Religiosa salesa francesa (Verosvres, Charolais, 1647-Paray-le-Monial, 1690). Dijo haber tenido tres visiones de Cristo en las que le encomendó extender la devoción al Sagrado Corazón, labor que realizó auxiliada por su director espiritual el jesuita beato Claudio de la Colombière. Su mensaje se oponía al pensamiento jansenista del s. XVIII, pero adquirió gran fuerza en los siglos XIX y XX, logrando una gran extensión de la adoración al Sagrado Corazón y la instauración de una fiesta dedicada a ella. Fue canonizada en 1920.

MARÍA o VIRGEN MARÍA. Madre de Jesucristo (Nazaret o Jerusalén, 19 a. C.-Éfeso, después del 33 d. C.). Según la tradición cristiana (contenida en los *Evangelios Canónicos*, en los *Apócrifos*, sobre todo el *Protoevangelio de Santiago*, y otros textos), pertenecía a la tribu de Leví y era hija de Joaquín y de Ana. Al llegar a la edad de casamiento, se desposó con el carpintero José, de la tribu de Judá y estirpe de David, con quien se estableció en Nazaret. Allí ocurrieron los episodios de la Encarnación y sus desposorios. Se trasladó con su marido a Belén, embarazada de Jesús, a cumplir el empadronamiento mandado por Augusto, y allí dio a luz. Después del nacimiento de Jesús, huyó con su esposo y su Hijo a Egipto para librar al Niño de la persecución de Herodes. En los Evangelios es protagonista de los siguientes episodios: la Anunciación y Encarnación, la Visitación, el Nacimiento de Cristo, la Epifanía y la Huida a Egipto; durante la vida de Jesús aparece mencionada en los siguientes episodios: en Jerusalén, donde encuentra a su Hijo entre los doctores; en Caná, donde obtuvo de Él su primer milagro; en Galilea, durante el curso de sus predicaciones, y, por último, en el Calvario, al pie de la cruz. Después de la muerte de Cristo siguió a Éfeso al apóstol san Juan y murió a edad muy avanzada. La Iglesia católica le dedica el culto especial de hiperdulía y la invoca en sus oraciones como intercesora para con su Hijo. Desde el punto de vista de la fe católica, la figura de María tiene un valor muy singular, como se refleja en el *Nuevo Testamento*: en el *Evangelio de San Marcos*, al llamar a Jesús «hijo de María» y no de José —única formulación semítica posible— nos transmite en clave religiosa que la filiación de Jesucristo forma parte de su misterio; de la misma manera, el *Evangelio de San Juan* nos presenta la idea de una asociación de

María a la obra de Jesucristo (episodio de la bodas de Caná y María al pie de la cruz), como lo hace san Lucas por medio de las palabras del profeta Simeón (Lc., 2, 35). Dogmáticamente, la Iglesia ha ido definiendo sus características: la Maternidad divina en el Concilio de Éfeso (431), su Perpetua Virginidad en el I Concilio de Letrán (649) y en la *Epístola del papa Agatón* (680); su exención completa de pecado en el Concilio de Trento (1547); su Inmaculada Concepción, definida por Pío IX en 1854; y su Asunción en cuerpo y alma al cielo, definida por Pío XII en 1950. Entre las fiestas que le están consagradas, las principales son: la Concepción, el 8 de diciembre; la Natividad, el 8 de septiembre; la Asunción, el 15 de agosto, y la de su Realeza universal, proclamada por Pío XII en 1954, el 22 de agosto. Es ejemplo de virtudes para todos los cristianos; madre de Dios y de los hombres para los anglicanos, católicos y ortodoxos; y una mujer excepcional para los musulmanes, que le dedican un gran respeto. La mariología es la rama de la teología cristiana dedicada a su estudio.

MARÍA da Gloria. V. **MARÍA II de Braganza.**

MARÍA de Alania. Emperatriz bizantina (m. Constantinopla, h. 1100). Se casó en 1071 con el emperador Miguel VII, a quien dio un hijo. Destronado Miguel, el nuevo emperador, Nicéforo III Botaniato, se enamoró de ella y la obligó a convertirse en su esposa en 1078, cuestión que aceptó para salvaguardar los derechos de su hijo. María vivió algún tiempo al lado de su nuevo marido, pero contribuyó a su derrocamiento en favor de Alejo I Comneno (1081). Con la intención de que reinara su hijo, conspiró también contra este último (1081) y fue obligada a retirarse a un convento.

MARÍA de Antioquía. Emperatriz bizantina (m. Constantinopla, 1183). Hija de Raimundo I de Poitiers, príncipe de Antioquía, se casó en 1161 con Manuel I Comneno, a quien dio un hijo, que fue Alejo II. Tras la muerte de Manuel (1180), fue regente en nombre de su hijo, favoreciendo a los latinos, lo que produjo el descontento de sus súbditos. El usurpador Andrónico I, después de sublevarse, la hizo estrangular.

MARÍA de Aragón. Reina de Sicilia (Catane, 1361-Lentini, 1399). Sucedió a su padre, Fadrique III, en 1377, pero su abuelo, el rey de Aragón Pedro IV, la retuvo prisionera. Casada en 1390 con Martín el Joven, nieto de Pedro IV, y a quien correspondía el trono de Sicilia, como heredero de su padre Martín, rey de Sicilia, recobró la corona.

MARÍA de Aragón. Reina de Castilla (m. Villacastín, Segovia,

1445). Era hija de Fernando I de Aragón y de Leonor* de Alburquerque y se casó con su primo carnal Juan II de Castilla en 1420. Participó activamente en las disputas internas castellanas, apoyando a los infantes de Aragón contra la privanza de Álvaro de Luna. Firmó con su hermano Juan de Navarra un pacto de confederación contra el privado real (1440), que, con el apoyo de la nobleza, logró su retiro. En 1444, cuando los castellanos abandonaron a su hermano Juan, logró liberar a su marido del encierro al que se le sometía en Rámaga (1443). De su matrimonio con el rey nació el futuro Enrique IV.

MARÍA de Austria. Reina de Hungría y de Bohemia (Bruselas, 1505-Cigales, 1558). Era hija de Felipe el Hermoso y de Juana* la Loca. Se casó con Luis II de Hungría y Bohemia (1522) y enviudó sin haber tenido hijos (1526). En 1531 fue encargada por su hermano, Carlos V, del gobierno de los Países Bajos hasta 1555. Junto con su hermana Leonor* intervino en la firma del armisticio de 1538 que terminaba con la tercera guerra entre Francisco I de Francia y el emperador Carlos, que llevaría a las paces de Bosny, Monzón y Niza. Junto a su hermano, sometió el motín de Gante (1539-1540). Inteligente y enérgica, secundó los proyectos de Carlos V, y, al retirarse éste, ella renunció a la regencia de los Países Bajos y volvió a España. Fue una gran protectora de los artistas y reunió una rica colección de manuscritos.

MARÍA de Austria. Emperatriz de Alemania y reina de Bohemia y Hungría (Madrid, 1528-íd., 1603). Era hija de Carlos V y de Isabel* de Portugal y se casó con el emperador Maximiliano II de Alemania y rey de Bohemia y Hungría. Partió para Alemania en 1551 y regresó ya viuda a España en 1581, entrando como terciaria franciscana en el convento de las Descalzas Reales, junto con su

La emperatriz María de Austria,
por Antonio Moro

hija Margarita*. De los dieciséis hijos de la reina, sólo sobrevivieron ocho; los más destacados fueron: Ana*, futura reina de España; Rodolfo II, emperador de Alemania; Isabel*, reina de Francia, y Matías, emperador de Alemania.

MARÍA de Austria. Emperatriz de Alemania y reina de Hungría (El Escorial, 1606-Linz, 1646). Era hija de Felipe III de España y de Margarita* de Austria. Se casó con Fernando III en 1531.

MARÍA de Borgoña. Duquesa de Borgoña (Bruselas, 1457-Brujas, 1482). Era hija de Carlos el Temerario y de Isabel* de Borbón, y esposa de Maximiliano de Austria. A la muerte de su padre, en 1477, Luis XI, su padrino trató de apoderarse de sus Estados. Éstos se resistieron, con el apoyo de su madrastra la duquesa Margarita*, y María, necesitada de apoyo, se casó con Maximiliano de Austria, teniendo entonces principio la guerra de sucesión de Borgoña. Fue madre de Felipe el Hermoso, por el que pasan a España todas sus posesiones europeas.

MARÍA de Castilla. Reina de Aragón (Segovia, 1401-Valencia, 1458). Era la primogénita de Enrique III de Castilla y de Catalina* de Lancaster. Fue heredera de Castilla hasta el nacimiento de su hermano Juan (1403). Se casó con el futuro Alfonso el Magnánimo de Aragón (1415), con el que nunca mantuvo buenas relaciones. En 1420 fue nombrada lugarteniente general de Aragón, gobernando en las ausencias peninsulares de su marido. Intervino como mediadora en los conflictos castellano-aragoneses, pero Alfonso V la retiró de las negociaciones (1433). En 1435 convocó las Cortes de Monzón para lograr el rescate del rey, prisionero tras la batalla de Ponza (1435). Al año siguiente fue desposeída de la lugartenencia, pero mantuvo la de Cataluña, donde hizo posible la política italiana de su marido. En los conflictos catalanes, apoyó a los remensas y a la Biga (en el gobierno barcelonés desde 1453). En este último año abandonó también la lugartenencia de Cataluña y regresó a Castilla, logrando la paz de Valladolid (1453) entre Juan de Aragón y Carlos de Viana. Murió en Valencia sin haber tenido hijos, poco después de su marido.

MARÍA de Cervelló, santa. Religiosa mercedaria española (Barcelona, 1230-íd., 1290). Vivió retirada de sus padres desde 1248 tomando el hábito de mercedaria. A la muerte de éstos, fundó (1265) el Beatería de monjas mercedarias, origen de la segunda orden de Ntra. Sra. de la Merced. Es patrona de los marineros y muy venerada en Barcelona, en cuyo templo de la Merced se conservan sus restos.

MARÍA de Cleofás, santa. Prima de la Virgen María* (s. I). Según la tradición cristiana, casada con Cleofás, tuvo cuatro hijos, que siguieron las doctrinas de Cristo y fueron santos: Simeón, Judas, José y Santiago, llamado el Menor. Es una de las Tres Marías, y fue una de las santas mujeres que acompañaban a Jesús y asistió a su suplicio.

MARÍA de la Encarnación (Marie Guyart, en religión llamada). Ursulina y misionera francesa (Tours, 1599-Quebec, 1672). Viuda, profesó en 1631 en las ursulinas de Tours y en 1639 se trasladó a Canadá. Allí fue fundadora y primera superiora de las ursulinas de Quebec. Escribió varias obras para dar a conocer los inicios de la historia de Nueva Francia, páginas llenas de misticismo: dos libros de *Relaciones* (Tours, 1633, y Quebec, 1653) y sus *Cartas*, publicadas por su hijo en 1681.

MARÍA de Francia. Poeta francesa (s. XII). Vivió en Inglaterra, en la corte de Enrique II que Leonor* de Aquitania había convertido en el centro de la cultura francesa —tanto en lengua de oïl como de oc—. De ella se conservan ciento tres *Fábulas*, traducción al francés de un texto latino titulado *Romulus*. Pero lo más famoso son sus *Lais*, dedicados a Enrique II, que son narraciones en verso, inspiradas en motivos bretones, inscritas de lleno en el amor cortés, y donde lo maravilloso desempeña un importante papel.

MARÍA de Lorena. Reina de Escocia (Bar, 1515-Edimburgo, 1560). Hija de Claudio, primer duque de Guisa, se casó en primeras nupcias con el duque de Longueville, y en segundas con Jacobo V, rey de Escocia. En 1542 fue madre de una niña (María* Estuardo) y, muerto su esposo poco tiempo después, ejerció la regencia en nombre de su hija. De carácter enérgico, logró mantener el catolicismo gracias a la ayuda francesa, pero cuando murió, y debido a la intromisión inglesa, su pueblo se hallaba en plena anarquía, fanatizado por Knox.

MARÍA de Médicis. Reina de Francia (Florencia, 1573-Colonia, 1642). Hija del gran duque de Toscana, se casó en 1600 con Enrique IV, con el cual, a causa de sus veleidades amorosas, no vivió en buena armonía. Regente del reino a la muerte de su esposo en 1610, siguió una política contraria a la que éste llevó, buscando la alianza con España. Alcanzando la mayoría de edad su hijo Luis XIII, e impulsado por Luynes, hizo asesinar a Concini (consejero de la reina) y en 1617, María de Médicis fue desterrada al castillo de Blois, del que se evadió para trasladarse a los Países Bajos, donde continuó conspirando y se levantó en armas contra su hijo (1620). Gracias a Richelieu, se reconcilió con su hijo y volvió a formar parte del Consejo, pero pronto se enemistó con el cardenal. En 1638 pasó a Inglaterra, y en 1641, a Alemania, muriendo en Colonia. Gran protectora de las artes, embelleció la capital con magníficas construcciones, comenzó el palacio de Luxemburgo e hizo pintar a Rubens la colección que se conserva hoy en el Louvre.

MARÍA de Módena. Reina de Inglaterra (Módena, 1658-Saint-Germain-en-Laye, 1718). Era hija de Alfonso IV d'Este, duque de Módena. Casada en 1673 con el duque de York, más tarde Jacobo II (1685), ejerció gran influencia sobre su marido y le impulsó a la reacción ultracatólica que le costó el trono en 1688.

MARÍA de Molina. Reina de Castilla (1265-Valladolid, 1321). Era hija del infante Alfonso de Molina, hijo de Fernando III de Castilla. En 1281, sin tener la dispensa papal oportuna, se casó con su primo carnal, el futuro Sancho IV. A éste lo apoyó en la lucha contra su padre, Alfonso X, y los dos fueron coronados en 1284. Opuesta al partido aragonés, logró que las Cortes de Toro (1288) aceptaran la alianza franco-castellana, con el fin de lograr la dispensa matrimonial. En 1295 murió Sancho IV, comenzando la regencia de María de Molina sobre su hijo Fernando IV. Esta

María de Molina

circunstancia fue aprovechada por Jaime II de Aragón, que invadió el reino de Murcia, apoyado por la nobleza, que adoptó una posición levantisca, y por Dionís de Portugal, quien declaró la guerra a Castilla. A don Dionís terminó por imponerle la paz de Alcañices (1296), favorable a Castilla; en 1300 logró de las Cortes de Valladolid el dinero necesario para la legitimización de Fernando IV. Otro problema surgió con la conjuración urdida por su corregente, el infante don Enrique, y el infante don Juan, a quienes sólo Jaime II de Aragón logró detener. Pero el mayor peligro se hallaba en que el rey aragonés y el emir de Granada se unieran para apoyar la rebelión de los infantes de la Cerda. Esto obligó a María a pactar con

Jaime II. Finalmente, en 1301 consiguió del papa Bonifacio VIII la legitimación de su matrimonio y de Fernando IV. Pero el rey, al ser declarado mayor de edad, se dejó llevar por las instigaciones de los infantes Juan, Enrique y Juan Núñez de Lara, alejándose de la influencia materna, y ésta sólo se mantuvo gracias al apoyo del estamento popular de las Cortes. La energía de María de Molina en las Cortes, en el Consejo y ante Jaime II, logró salvar la situación, a lo que se sumó la muerte de don Enrique. Hasta 1312 hubo una relativa paz, pero en este año muere Fernando IV y en 1313 su esposa, quedando un rey de apenas dos años, Alfonso XI, por lo que fue llamada doña María de Molina de nuevo al Consejo de Regencia, junto a los infantes don Juan y don Pedro. Éstos murieron en 1320, durante la campaña de la vega de Granada, y se formó un nuevo consejo, con don Juan Manuel, el infante Felipe y María de Molina, lo que acentuó la guerra civil entre las facciones castellanas. La reina enfermó en 1321 y murió sin ver a Castilla en paz.

MARÍA de Montpellier. Condesa de Comenge y reina de Aragón (m. en Roma, 1218). Hija de Guillermo VII de Montpellier y de Eudoxia Comneno, se casó primero con Barral de Marsella y, al quedar viuda (1197), con el conde de Comenge, Bernardo, que la repudió por parentesco (1204). Heredera de Montpellier (1203), se casó con Pedro II de Aragón, en 1204, pero a los dos años el aragonés pidió el divorcio para contraer matrimonio con María de Montferrato, heredera de Jerusalén. El papa Inocencio III, por petición de la reina María, no se lo concedió. En 1208, fruto de una momentánea unión con su marido, nació el futuro Jaime I, que estuvo con su madre hasta el 1211, año en que Pedro II se lo arrebató. María fue a buscar la ayuda del papa Inocencio III y se dirigió a Roma, donde murió. En su testamento, declaró heredero de Montpellier a Jaime I y lo puso bajo protección pontificia.

MARÍA de Navarra. Infanta de Navarra y reina de Aragón (m. en Valencia, 1347). Hija de Felipe de Évreux y de Juana* II, se casó en 1338, en Zaragoza, con Pedro IV el Ceremonioso, siendo su primera esposa. Fue la madre de las infantas Constanza*, Juana* y María* de Aragón.

MARÍA de Portugal. Reina de Castilla (1313-Évora, 1357). Era hija de Alfonso IV el Bravo y de Beatriz* de Castilla. Se casó en 1328 con Alfonso XI, pero pronto se retiró la reina a un monasterio de Sevilla. La reina creó una corte particular, separada de la de su marido, siendo adicta al partido francófilo castellano, acaudillado por Gil de Albornoz; favoreció la carrera de algunos nobles de este partido, como Juan Alonso de Alburquerque, y promovió el matrimonio de su hijo Pedro con Blanca* de Borbón. Muerto Alfonso XI, parece mandó asesinar a Leonor* de Guzmán, favorita del rey, y quedó tutora de su hijo Pedro I, aunque la conducta depravada de éste le obligó a formar una Liga contra su hijo; pero éste tomó por asalto a Toro, en 1356, en donde se hallaba refugiada, y al tener que presenciar el terrible espectáculo de cómo daban muerte a sus caballeros en su misma presencia, maldiciendo a don Pedro se retiró a Portugal hasta su muerte.

MARÍA de Saboya-Nemours. Reina de Portugal (París, 1646-Palhavá, 1683). Hija del duque de Nemours, se casó en 1666 con el rey de Portugal Alfonso VI, y aquel mismo año hizo que se declarase nulo el matrimonio por impotencia de su esposo. Alfonso fue depuesto y María se casó en 1668 con su cuñado Pedro, que había tomado el título de regente y luego el de rey con el nombre de Pedro II.

MARÍA de Sajonia-Coburgo-Gotha. Reina de Rumania (Eastwell Park, 1875-Sinaia, 1938). Era hija de Alfredo, duque de Edimburgo (hijo segundo de la reina Victoria), y la gran duquesa María de Rusia. Se casó en 1892 con el futuro rey Fernando de Rumania. Subió al trono al lado de su esposo, en 1914, y se identificó con el pueblo rumano. Favoreció las letras y escribió varias obras, entre ellas la titulada *Mi país*, en la que describe sugestivamente a Rumania.

MARÍA Egipcíaca, santa. Penitente egipcia (Egipto, h. 345-Palestina, 421). A la edad de doce años abandonó la casa paterna y se trasladó a Alejandría, donde llevó una vida desordenada. Convertida al cristianismo después de una visión ante el Santo Sepulcro, se retiró al desierto, en el que vivió en penitencia durante cuarenta y siete años.

MARÍA Feodorovna. Emperatriz de Rusia (Copenhague, 1847-íd., 1928). Era hija de Cristián IX de Dinamarca. Se casó con Alejandro III en 1866, y fue la madre del desdichado Nicolás II.

MARÍA Goretti, santa. Joven italiana (Corinaldo, 1890-Nettuno, 1902). Desde muy pequeña tuvo que trabajar ayudando a su padre, cargado de una numerosa familia. Habiendo resistido a un joven campesino que quería abusar de ella, fue asesinada por éste. Fue beatificada en 1947 y canonizada en 1950. Es una de las santas modernas que más popularidad ha tenido. El realizador italiano Augusto Genina contó el episodio de su martirio en la película *Cielo sobre el pantano*.

MARÍA la Judía. Filósofa griega (ss. III-IV). Contemporánea de Zósimo el Panopolitano, fue iniciada en los misterios del hermetismo en el templo de Menfis por Ostanes, junto a otros filósofos (entre ellos, Demócrito de Abdera y Parmeno). La Biblioteca Nacional francesa conserva un manuscrito suyo titulado *Discursos de la sapientísima María sobre la piedra filosofal.*

MARÍA Leszcynska. Reina de Francia (Breslau, 1703-Versalles, 1768). Era hija del rey de Polonia Estanislao Leszcynski, y se casó con el rey de Francia Luis XV. En 1725 tuvo que tolerar las insolencias de las favoritas de su esposo, viviendo retraída y entregada a la caridad y a las prácticas religiosas. Tuvo diez hijos: dos varones y ocho mujeres, de los que sólo sobrevivió el delfín Luis. Aunque no se inmiscuyó en asuntos políticos, se formó un partido de adeptos alrededor de ella y su hijo.

MARÍA Rodríguez. Condesa de Barcelona (m. h. 1106). Hija del Cid y de Jimena Díaz*. Se casó con Ramón Berenguer III, conde de Barcelona, al que transmitió el liderazgo en la reconquista oriental, como heredera de su padre al reino de Valencia. De él tuvo dos hijas, María —casada con Bernardo III de Besalú— y Jimena —casada con Roger III de Foix.

MARÍA I de Braganza. Reina de Portugal (Lisboa, 1734-Río de Janeiro, 1816). Hija de José I, elevada al trono en 1777, se casó con su tío don Pedro, con quien compartió el trono. Despidió al ministro Pombal e intentó algunas reformas de corte ilustrado, creando la Academia de Ciencias de Lisboa (1779). Después de la muerte de su marido Pedro III (1786) y de su hijo primogénito (1788), se volvió loca y dejó el poder en manos de su hijo, el príncipe de Brasil, en 1792, regentándolo éste, hasta que lo ocupó por derecho propio, como Juan VI. Éste la llevó con él a Brasil durante la invasión francesa (1807), donde murió.

MARÍA I Estuardo. Reina de Escocia y de Francia (Linlithgow, 1542-Fotheringay, 1587). Era hija de Jacobo V y de María de Guisa. Soberana de Escocia

María I Estuardo, por Serrur

bajo la tutela de su madre, se casó en Francia con el rey Francisco II, en 1558, y muerto éste al poco tiempo, volvió a su país y se encargó de su gobierno. Se casó en segundas nupcias con el conde Darnley, en 1565, y, asesinado éste, se casó por tercera vez con Bothwell, a quien se acusaba del asesinato de Darnley. Por tal motivo la nobleza se sublevó y María tuvo que buscar refugio en Inglaterra, donde fue apresada por orden de la reina Isabel* I. Con ella estableció unos pactos, pero después fue encerrada en una prisión durante diecinueve años. Desde allí mantuvo relación epistolar con príncipes católicos, sobre todo con Felipe II de España y con don Juan de Austria, con quien proyectaba casarse. Descubierto el caso, fue condenada a muerte y ejecutada por supuesta complicidad en un atentado contra la soberana inglesa. En los tratados con Isabel I, previos a su prisión, estableció que su hijo Jacobo heredaría su reino y el de Inglaterra, posibilitando así la unión en un solo gobierno de las Islas Británicas.

María I Tudor, por Antonio Moro

MARÍA I Tudor. Reina de Inglaterra y de Irlanda (Greenwich, 1516-Londres, 1558). Era hija de Enrique VIII y de Catalina* de Aragón. Tras la separación de sus padres, fue humillada en numerosas ocasiones, llegando a ser deslegitimada en favor de sus hermanastros menores. Esto la hizo unirse profundamente a la memoria de su madre y a la práctica de un catolicismo a ultranza. Sólo durante la última enfermedad de Enrique VIII fue vuelta a llamar a la corte. Durante el reinado de su hermanastro Eduardo VI (1547-1553) fue perseguida por católica y sólo se salvó gracias a la ayuda de Carlos I, confiando en que la única ayuda fiable era la española. Al llegar al trono, hizo ejecutar a Northumberland, quien había intentado usurpar sus derechos en favor de Juana* Grey, y desató una represión antiprotestante, ordenando la prisión de los obispos anglicanos, aboliendo las leyes de Eduardo VI y dominando la insurrección que estas medidas provocaron, con la ejecución de más de 300 personas. Esto le valió el sobrenombre de *la Sanguinaria*. Aliada con el papa Pablo IV, guerreó contra Francia y perdió Calais, a la vez que casaba con el futuro Felipe II, quien se ausentó de Inglaterra en 1555 para ocupar el trono de España. Murió a los 42 años de edad, amargada y con el rencor de gran parte de su pueblo.

MARÍA II de Braganza. Reina de Portugal (Río de Janeiro, 1819-Lisboa, 1853). Tenía siete años cuando su padre, Pedro I, emperador de Brasil, renunció a su favor el trono de Portugal (1826) y la desposó con su tío Miguel, al que nombró regente. Miguel se hizo proclamar rey en 1828, y María tuvo que huir a Brasil. Poco después Pedro I renunció a la corona de Brasil, volvió a Europa, venció a su hermano (1833) y devolvió el trono a su hija. María se casó en 1835 con el príncipe Eugenio de Lèuchtenberg, y después con el duque de Sajonia-Coburgo, el futuro Fernando II, de cuya unión nació Pedro V. Se le denomina corrientemente por su nombre completo de pila, María da Gloria.

MARÍA AMALIA de Sajonia. Reina de Nápoles y de España (Dresde, 1724-Madrid, 1760). Hija de Augusto III, rey de Polonia y duque de Sajonia, se casó con el rey de Nápoles Carlos VII, luego rey de España con el nombre de Carlos III. En Nápoles apoyó las medidas reformistas de Tanucci, con quien mantuvo un importante epistolario. Ya en España, continuó en la misma línea, sosteniendo al ministro Ricardo Wall, con miras pacifistas. Sus relaciones con la reina madre, Isabel* de Farnesio, fueron muy tensas. Tuvo con Carlos III trece hijos, de los que Carlos Antonio fue proclamado príncipe de Asturias y Fernando, rey de Nápoles.

MARÍA ANTONIETA de Austria. Reina de Francia (Viena, 1755-París, 1793). Era hija del emperador Francisco I de Alemania y de la emperatriz María Teresa*. Se casó en 1770 con el delfín de Francia, el futuro Luis XVI. Reina después de la muerte de Luis XV, en 1774, tuvo una influencia política como ninguna otra consorte francesa. La sospecha de servir a intereses austriacos, la oposición a ministros reformistas y su carácter ligero, hicieron posible que sus enemigos iniciaran una campaña calumniosa en folletos y libelos que la desacreditaron y la hicieron odiosa al pueblo, sobre todo a partir de 1785, con el famoso «asunto del Collar». Desde 1789 impulsó a su marido a oponerse a la causa revolucionaria, ganándose la simpatía de los realistas, pero su rechazo a pactar con los revolucionarios moderados agravó el caos en Francia. A partir de agosto de 1792 fue encerrada con su familia en El Temple: de ella partieron los planes de huida y la petición de ayuda a Austria. Tras

La reina María Antonieta en el juicio que le costaría la vida

la ejecución de Luis XVI en enero de 1793, fue separada de sus hijos y trasladada a la Conserjería, compareció ante el Tribunal revolucionario y fue condenada a pena de muerte y guillotinada el 16 de octubre de dicho año.

MARÍA CAROLINA de Austria. Reina de Nápoles y de las Dos Sicilias (Viena, 1752-Schönbrunn, 1814). Hija del emperador Francisco I y de la emperatriz María Teresa*. Ejerció el poder en nombre del débil Fernando IV, con quien se casó en 1768, dejándose gobernar por Acton; y a instigaciones suyas se debió el que Fernando tomara parte en la coalición contra Francia. Destronada por Napoleón, se refugió en Sicilia, bajo la protección británica. En 1812, sus protectores la obligaron a abondonar la isla, y María Carolina se refugió en Viena, donde moriría dos años más tarde.

MARÍA CASIMIRA. Reina de Polonia (1641-Blois, 1716). Hija de Enrique, marqués de Lagrange, acompañó a María Luisa* de Gonzaga a Polonia, casándose con el anciano príncipe de Zamoyski. Viuda, se casó con

Juan Sobieski, en 1665, que fue rey de Polonia en 1674 con el nombre de Juan III. La reina desacreditó con su conducta el poder y entristeció los últimos años de su marido. A la muerte de Sobieski fue expulsada de Varsovia por la Dieta, ya que intentó imponer la elección de su hijo Jacobo.

MARÍA CRISTINA de Borbón-Dos Sicilias. Reina y regente de España (Palermo, 1806-Sainte Adresse, 1878). Hija de Francisco I, rey de las Dos Sicilias. Se casó en 1829 con Fernando VII, siendo su cuarta esposa, al que dio sus dos únicas hijas. La necesidad de defender los derechos de su primogénita al trono, hicieron que se aproximara a los liberales moderados, contra

María Cristina de Borbón, por Federico de Madrazo

los absolutistas que apoyaban la candidatura de su cuñado Carlos María Isidro. Su intervención fue decisiva para la resolución favorable a su hija de los sucesos de La Granja (1832). A la muerte del rey (1833), se hizo cargo de la regencia en nombre de su hija, Isabel* II. En el mismo año contrajo matrimonio morganático con Fernando Muñoz, guardia de Corps, que mantuvo secreto para no perder la regencia. En medio de enconadas luchas políticas, promulgó el Estatuto Real o Carta Constitucional (1834), y dos años después, a consecuencia del motín de La Granja se vio obligada a aceptar la Constitución de 1812. Convocadas Cortes extraordinarias, se elaboró la Constitución de 1837, de tipo conciliador. Al mismo tiempo se desarrollaba la primera guerra carlista, llamada de los Siete Años (1833-40), cuyo héroe, el general Espartero, convertido en político, se enfrentó con la reina gobernadora. Esta enemistad, unida a la oposición de la reina a los avances liberales, llevaron a un estallido de descontento (1840), que terminó con la renuncia de María Cristina a la regencia, de la que se hizo cargo el general. La reina marchó a Francia acompañada de su esposo (1840) y abandonando a sus hijas Isabel II y Luisa Fernanda, aún niñas. Desde su destierro conspiró contra Espartero (golpe frustrado de 1845) y luego del fracaso de Espartero y de la mayoría de edad de Isabel II, regresó a España (1844) y gozó de gran influencia política. Su descrédito aumentó al meterse en negocios sucios, mas la revolución de 1854 la obligó a expatriarse nuevamente y se volvió a establecer en Francia, en donde residió hasta su muerte, volviendo sólo ocasionalmente a España.

MARÍA CRISTINA de Habsburgo-Lorena. Archiduquesa de Austria y reina de España (Gross-Seelowitz, Moravia, 1858-Madrid, 1929). Era abadesa de las Damas Nobles de Santa Teresa, en Praga, cuando fue elegida para segunda esposa de Alfonso XII, a causa de sus virtudes, inteligencia y esmerada educación. La boda se celebró en 1879 y a la muerte del rey, en 1885, fue nombrada regente, y como se hallaba encinta, se aplazó el nombramiento de sucesor hasta el alumbramiento, por ser mujeres las dos hijas primeras. Alfonso XIII fue, por tanto, rey desde su nacimiento, y hasta su mayoría, el 17 de mayo de 1902, ejerció la regencia su madre. Este período se caracterizó, en política, por el turno de los partidos liberal y conservador, fruto del pacto de El Pardo, aunque su favoritismo por Sagasta hizo que los liberales gobernaran largos períodos, fructíferos en reformas: sufragio universal, ley de asociaciones, etc. Esto hizo posible el fortalecimiento del régimen de La Restauración, cuya constitución (1876) respetó en todo momento. Tuvo que hacer frente a una nueva sublevación en Cuba y en Filipinas que, luego de la intervención de EE.UU. de América a favor de los sublevados y de las derrotas de la escuadra española por la americana en Santiago de Cuba y en Manila, se perdieron Cuba, Puerto Rico y Filipinas (Tratado de París, 1898), provocando la llamada «crisis del 98». Durante la regencia de María Cristina se siguió una política vacilante en los asuntos de Marruecos, con motivo de la primera guerra de Melilla (1893), y, de acuerdo con Francia, se fijaron los límites de la Guinea continental española

María Cristina de Habsburgo, por Ricardo de Madrazo

(1900). María Cristina se distinguió en su regencia por su gran discreción y tacto, y desde la mayoría de edad de su hijo se consagró exclusivamente a la vida familiar y a las obras de beneficencia, mereciendo el respeto de todos.

MARÍA DE LAS MERCEDES de Orleans. Reina de España (Madrid, 1860-íd., 1878). Se casó con Alfonso XII en 1878, y murió ese mismo año, después de conquistar el afecto de los españoles por su bondad y brillantes cualidades.

María de las Mercedes de Orleans

MARÍA LEONOR de Brandeburgo. Reina de Suecia (Koenigsberg, 1599-Estocolmo, 1655). Era hija del elector Juan Segismundo de Brandeburgo y se casó en 1620 con el rey Gustavo II Adolfo. Los suecos le quitaron la tutela de su hija Cristina (1640) y hubo de refugiarse en Brandeburgo hasta la mayoría de edad de ésta, en que volvió a Suecia.

MARÍA LUISA GABRIELA de Saboya. Reina y regente de España (Turín, 1688-Madrid, 1714). Era hija del duque de Saboya Víctor Amadeo II y se casó a los trece años con Felipe V. Llegó a España en 1701 acompañada por la princesa de los Ursinos y el cardenal Portocarrero, bajo cuya influencia se mantuvo. Fue nombrada en 1702 regente y lugarteniente del Reino, al marcharse Felipe V a Italia, dando pruebas de una energía impropia de sus años. Por su bondad y sentimientos caritativos atrajo el cariño de sus súbditos, muriendo antes de ver solucionada del todo la sucesión española.

MARÍA LUISA de Gonzaga. Reina de Polonia (París, 1612-Varsovia, 1667). Era hija de Carlos de Gonzaga, duque de Nevers y de Mantua, y estuvo casada, sucesivamente, con Wladislao IV (del que enviudó en 1648) y con su hermano y sucesor Casimiro V. Intentó, sin éxito, la elección para el trono polaco del duque de Enghien, con quien se había casado su sobrina.

MARÍA LUISA de Habsburgo-Lorena. Emperatriz de Francia y duquesa de Parma, Piacenza y Guastalla (Viena, 1791-Parma, 1847). Hija del emperador de Austria Francisco I, tenía dieciocho años de edad cuando Napoleón, divorciado de Josefina*, exigió de manera imperiosa su mano. Casada con el emperador, fue nombrada regente cada vez que Napoleón se ausentó, revelando en estas funciones una incapacidad absoluta. Después de la abdicación de su esposo, nombrada regente en 1813 y separada de su hijo el rey de Roma, se trasladó a sus estados de Parma, en 1814, donde se casó secretamente, primero con el general Neipperg, y muerto éste, con el conde Bombelles. De su matrimonio con Neipperg tuvo tres hijos.

MARÍA LUISA de Orleans. Reina de España (París, 1662-El Escorial, 1689). Hija de Felipe, hermano del rey de Francia Luis XIV, se casó con Carlos II de España en 1679. Odiada por su suegra Mariana* de Austria, algunos atribuyeron su muerte al envenenamiento (ingestión del «agua de la vida», inventada por el curandero Luis Alderete), pero según las investigaciones hechas, su fallecimiento se debió a una peritonitis apendicular.

MARÍA LUISA de Parma. Reina de España (Parma, 1751-Roma, 1819). Era hija de Felipe, duque de Parma y se casó con Carlos, príncipe de Asturias y futuro Carlos IV en 1765. Se la consideró caprichosa, frívola y poco culta, y es recordada como una reina intrigante y de conducta liviana. Desde el primer momento dominó a su marido y lo sometió, como ella misma, a la voluntad de Godoy, su amante. La conducta del valido terminó provocando la entrada de Napoleón, y fue expatriada, junto con el resto de la familia real, siguiendo a Carlos IV a Francia y luego a Roma, donde murió un mes antes que su marido.

Retrato ecuestre de la reina María Luisa de Parma, por F. de Goya

MARÍA LUISA JOSEFINA de Borbón. Reina de Etruria (Madrid, 1782-Roma, 1824). Era hija de Carlos IV de España y se casó con Luis de Borbón, rey de Etruria, en 1798. Viuda ocho años después, ejerció la tutela de su hijo Luis II, siendo su corte una de las más brillantes de Europa. Destronada por Napoleón, en 1807, se refugió en España y después en Roma. El Congreso de Viena de 1815 le otorgó el ducado de Lucques.

MARÍA MAGDALENA o de Magdala, santa. Mujer judía, una de las primeras discípulas de Jesucristo (s. I). Los Evangelios citan a tres mujeres identificables con ella: la pecadora pública (Lc. 7, 36-40), María de Betania, hermana de Lázaro (Lc. 10, 38-42. y Jn. 11, 1-44) y María de Magdala (Lc. 8, 2., Mt. 27, 56, y Jn. 20, 1-18). La tradición occidental las identifica en una sola persona: convertida por su predicación, se uniría a las Santas Mujeres, estando en momentos clave de la vida de Jesús (pasión y muerte) y primera a la que éste se aparecería tras la Resurrección. Sobre su vida, después del Pentecostés, no se sabe nada, aunque hay una tradición que la sitúa en el desierto haciendo penitencia hasta su muerte.

MARÍA MAGDALENA de Pazzi, santa. Religiosa italiana (Florencia, 1566-íd., 1604). Entró en la Orden de las Carmelitas en 1584 y se distinguió por su rigurosa austeridad, a pesar de su mala salud. Fue estigmatizada y llegó a un alto grado de misticismo. La ciudad de Florencia la honra como a una de sus patronas.

MARÍA MANUELA de Portugal. Princesa de Asturias (Coimbra, 1527-Valladolid, 1545). Hija del rey de Portugal Juan III y de Catalina*, hermana de Carlos V. En 1543 contrajo matrimonio en Salamanca con Felipe, después II de su nombre, y murió de parto al dar a luz a su hijo, el desdichado Carlos.

MARÍA MICAELA del Santísimo Sacramento, santa (Micaela Desmaisières, vizcondesa de Jorbalán). Religiosa española (Madrid, 1809-Valencia, 1865). Fundó varios colegios de niños y asilos para desamparados, así como el Instituto de Adoratrices y Esclavas del Santísimo Sacramento y de la Caridad, aprobado por la Santa Sede en 1858. Murió víctima del cólera, atendiendo a sus hermanas. Fue canonizada en 1934.

MARÍA SOLEDAD Torres Acosta, santa. Religiosa española (Madrid, 1826-íd., 1887). En 1856 fue nombrada superiora general de la congregación de las Siervas de María, que en 1855 promocionó el vicario Miguel Martínez Sanz, y a la que dio una nueva vida y organización, consiguiendo su aprobación definitiva en 1873. Fue beatificada por Pío XII en 1950 y canonizada por Pablo VI en 1970.

MARÍA TERESA de Austria. Reina de Francia (Madrid, 1638-Versalles, 1683). Hija del rey

María Teresa de Austria con el Gran Delfín, por Pierre Mignard

de España Felipe IV, se casó en 1660 con su primo hermano Luis XIV de Francia a instancia francesa, según lo acordado en la Paz de los Pirineos. La inconstancia del rey le impuso a María Teresa una vida de aislamiento y de tristeza que soportó con admirable resignación. Conmovido Luis XIV por sus virtudes, volvió de nuevo a ella, cuando una enfermedad la llevó rápidamente al sepulcro. Sólo tuvo un hijo, llamado el Gran Delfín. Aunque en las capitulaciones matrimoniales tuvo que renunciar a sus posibles derechos a la sucesión española, su marido Luis XIV se apoyó en ellos para imponer como rey de España a su descendiente Felipe de Anjou.

MARÍA TERESA de Habsburgo. Emperatriz de Alemania y reina de Hungría y de Bohemia (Viena, 1717-íd., 1780). Hija del emperador Carlos VI y de Isabel* de Brunswick-Wlofenbüttel. Fue educada dentro de los cánones de la primera Ilustración y acudió a los consejos de ministros desde la edad de quince años. Carlos VI la hizo reconocer heredera por las potencias proclamando la *Pragmática Sanción* que evitaba el fraccionamiento de los estados Habsburgo. Se casó en 1736 con Francisco Esteban, duque de Lorena, y después de la muerte de su padre, en 1740, combatió contra el rey de Prusia y los electores de Baviera y de Sajonia, que le disputaron la sucesión. Intervino en la guerra de los Siete Años (1756-63) y, firmada la paz en 1763, cedió definitivamente Silesia a Prusia: sólo gracias al apoyo inglés y a la fidelidad de sus súbditos húngaros pudo salvaguardar la corona. Conseguida la paz, se consagró a la administración de sus Estados, evitando nuevas amputaciones territoriales. Aunque de talante conservador, figura entre los más grandes soberanos ilustrados: hizo concesiones de autogobierno a Hungría (1741) y reformó la administración y gobierno del resto de sus estados; con la ayuda de los ministros Haugwitz y Kaunitz, simplificó los organismos del estado central y disminuyó los poderes locales, realizó un catastro y reorganizó el ejército. En el tema religioso, persiguió a judíos y protestantes, tendiendo también a disminuir la autonomía del clero y la autoridad de Roma. Intervino en el poder durante el reinado de su hijo José II, debido a las pocas capacidades que en él detectó. A José le dejó amplios poderes en ejército y diplomacia (intervención en los repartos de Polonia —1772—, intento de anexión de Baviera —1778-1779—), pero le impidió su actuación en asuntos internos.

MARÍA VICTORIA. Duquesa de Aosta y reina de España (París, 1847-San Remo, 1876). Se casó con don Amadeo, llamado a ocupar el trono español en 1871, y se distinguió por sus virtudes. Tuvo tres hijos: Manuel, duque de Aosta; Víctor, conde de Turín, y Luis, duque de los Abruzzos. Animó a su marido a abandonar el trono de España, acompañándole en su vuelta a Italia, donde murió de tuberculosis.

MARIANA de Austria. Reina de España (Viena, 1634-Madrid, 1696). Era hija del emperador Fernando III y de la emperatriz María* de Austria y se casó con su tío Felipe IV en 1649, a la muerte de la primera esposa de éste, Isabel* de Borbón. Del matrimonio nació el futuro Carlos II. Durante la regencia de la reina, tras la muerte del rey en 1665, actuó en el gobierno el padre Nithard, encontró la oposición de Juan José de Austria y asistió a la guerra de Devolución (1667-68) con Luis XIV y a la firma del tratado de paz de Aquisgrán en 1668. Fernando Valenzuela consiguió el favor de la reina en 1673. En 1675 cesó en la regencia por la mayoría de Carlos II, pero influyó significativamente en su débil hijo hasta 1677, en que Juan José de Austria se hizo con el poder y la confinó en Toledo, hasta 1679, en que murió éste.

MARIANA de Jesús, santa. Religiosa peruana (Quito, 1618-íd., 1645). De noble familia, ingresó en la comunidad de Carmelitas, consagró su vida a la oración y a la mortificación e hizo candorosas profecías acerca del destino de su bienamada ciudad. Ha sido llamada la «Azucena de Quito» y la «Santa de los Andes». La casa que sirve actualmente de convento en Quito a las religiosas del Carmen perteneció a Mariana de Jesús. Fue canonizada el 9 de julio de 1950.

MARIANA de Neoburgo. Reina de España (Neoburgo, 1667-Guadalajara, 1740). Era hija del duque de Baviera-Neoburgo, Felipe Guillermo, y fue elegida como segunda esposa de Carlos II debido a la fama de prolífica que tenía su familia. Ávida de dinero, llegó a la corte madrileña con la intención de enriquecerse, dejándose aconsejar por su camarilla (Enrique Wiser, fray Gabriel de la Chiusa, etc.), enfrentándose con la reina madre, Mariana* de Austria, y logrando la desaprobación de todos los españoles. Fue aliada del archiduque Carlos, como sucesor a la corona. Sin embargo, el dictamen del cardenal Portocarrero favoreció al príncipe de Baviera, José Fernando, pero, muerto éste en 1699, se hizo necesaria una nueva designación. Nuevamente Portocarrero logró imponer su parecer sobre el rey moribundo, que nombró heredero a Felipe de Anjou. La reina salió de Madrid, vivió en Toledo (1701-05) y en Bayona (1706-1738), volviendo a la corte tras la boda del rey con Isabel* de Farnesio, sobrina de la reina, enferma ya mortalmente de gangrena seca.

MARIEMMA (Guillermina Martínez Cabrejas, llamada). Bailarina española (Valladolid, 1912). Sus padres, residentes en París, la apuntaron a la edad de nueve años en la Escuela de Danza del Teatro de Chatelet. El maestro Francisco Miralles la inició en la enseñanza de la Escuela Bolera Española, y con el guitarrista Amalio Cuenca se introdujo en el baile flamenco. Completó su formación y conocimiento en la Escuela Isadora Duncan* y Martha Graham*. En 1936 creó su primera coreografía, *El amor brujo*, de Manuel de Falla, presentada en el Teatro de la Ópera de Ruán y en la Ópera de Burdeos. En 1943 hizo su presentación profesional con un recital de baile español en el Teatro Español (Madrid), continuando sus recitales por España, Portugal y Marruecos, y en 1955 creó su propia compañía con el nombre de Mariemma Ballet de España. Tras crear su propia escuela de danza en 1960, fue nombrada por el Ministerio de Información y Turismo miembro del Consejo Superior del Teatro. En 1983 estrenó en el Teatro de la Zarzuela la obra *Ibérica*, aportando conceptos coreográficos innovadores. En 1969 entró a dirigir la sección de danza española en la Real Escuela Superior de Arte Dramático y Danza de Madrid, y en 1980 se convirtió en directora de dicha escuela. Un año más tarde, el rey Juan Carlos le impuso la medalla de oro de Bellas Artes. En septiembre de 1987 se le rindió un homenaje internacio-

Mariemma

nal en Pisa, siendo Mariemma una de las siete bailarinas elegidas mundialmente con el título de *La Divine*. A lo largo de su trayectoria artística también ha protagonizado y montado, entre otras, las obras *El sombrero de tres picos* (1952); *Capricho español* (1952); *Voyage vers l'amour* (1958); *Carmen* (1966); *La vida breve* (1966); *El tricornio* (1973); *El amor brujo* (1976); *Bolero de Aranjuez*, sobre música de Ravel (1976); *Ballet vasco*, sobre música de Guridi (1979); *Fandango* (1979) y *Danza y Tronío* (1981).

MARINA, doña. V. **MALINCHE.**

MARINA, santa. V. **MARGARITA de Antioquía, santa.**

MARISCAL, Ana (Ana María Rodríguez Arroyo, llamada). Actriz y directora de cine española (Madrid, 1923). Fue primera actriz del teatro nacional María Guerrero, donde triunfó con el drama *Dulcinea*, convirtiéndose luego en una de las grandes de la escena de la posguerra, y actuando principalmente en España y Argentina. Debutó en la pantalla con *El último húsar* (1940) y luego fue protagonista en *La florista de la reina* (1941), a la que siguieron películas como *Raza* (1941), *Vidas cruzadas* (1942), *Pacto de silencio* (1949), *La princesa de los Ursinos* (1947), *La fuente encerrada* (1951), *Jeromín* (1953), *Morena Clara* (1954), *El cinematógrafo 1900* (1979) y *El polizón de Ulises* (1987). En 1959 fundó una productora de cine y dirigió varios filmes, entre los que destacan *Con la vida hicieron fuego* (1957), *La quiniela* (1959), *El camino* (1963) y *El paseíllo* (1968). Es autora, además de los guiones de sus películas, de una extensa obra ensayística, y de varias colecciones de poesías y novelas *(Hombres)*.

MARISOL. V. **FLORES, Josefa o Pepa.**

MARKOVA, Alicia (Alicia Marks, llamada). Bailarina inglesa (Londres, 1910). Formó parte del ballet ruso de S. Diaghilev (1925-1929) y del Rambert Ballet Club (1930), y participó en la creación de los primeros ballets de F. Ashton y en el Vic Wells ballet (1931-1935). Junto con A. Dolin, fundó la compañía Markova-Dolin (1935-1939) y en EE.UU. actuó con el ballet ruso de Montecarlo (1938-1941) y con el Ballet Theater (1941-1946). En 1950 fundó una nueva compañía, junto con Dolin, el Festival Ballet, de la que fue primera bailarina hasta 1952. En 1963 dejó de bailar y se convirtió en directora del Metropolitan Ballet Opera de Nueva York, dedicándose posteriormente a la enseñanza.

MARRON, Marie Anne Carrelet de. Dramaturga y pintora francesa (Dijon, 1725-íd., 1778). Pintora de gran talento, algunas de sus obras se encuentran en Notre Dame de Dijon. También diseñó y decoró porcelana, pero su actividad más famosa fue la literaria: a los veintidós años comenzó a escribir obras en verso, que suman un total de ocho tragedias y dos comedias, de las que sólo se publicó *La condesa de Fayel* (1770), una tragedia de sociedad, que fue recibida con grandes críticas.

MARTA, santa. Mujer de la Biblia (s. I). Hermana de Lázaro y de María Magdalena*. Acompañó a Jesús hasta el Calvario, y su actitud representa la fe religiosa activa en contraposición a la contemplativa, simbolizada por su hermana María.

MARTÍN GAITE, Carmen. Escritora española (Salamanca, 1925). Se dio a conocer con *El balneario* (1955; premio Café Gijón), consolidándose posteriormente con *Entre visillos* (1958; premio Nadal), en la que describe las experiencias de unas jóvenes provincianas de clase media durante la España franquista. Martín Gaite, considerada una de las máximas exponentes de la narrativa española contemporánea, examina en sus obras la soledad humana y reivindica el lenguaje como el único instrumento que posibilita la integración del individuo en la colectividad social: *Retahílas* (1974), *Fragmentos de interior* (1978) y *El cuarto de atrás* (1978; premio Nacional), su novela más conocida. La reflexión metanarrativa y autobiográfica dominan el discurso de *El cuento de nunca acabar* (1983) y *Desde la ventana* (1987), libros que se mueven continuamente entre la ficción y el ensayo. Completan su obra los textos de investigación histórica *Usos amorosos del siglo XVIII español* (1972) y *Usos amorosos de la posguerra española* (1987), centrados en las costumbres sexuales de épocas pasadas; su drama *A palo seco* (1988); y sus novelas *Caperucita en Manhattan* (1988), en la que explora la relación existente entre los moti-

Carmen Martín Gaite

vos de los cuentos infantiles y la simbología hollywoodense, y *Nubosidad variable* (1992). En 1988 le fue concedido el premio Príncipe de Asturias de las Letras españolas.

MARTINA. Emperatriz bizantina (590-652). Era sobrina del emperador Heraclio, que se casó con ella después de la muerte de su primera esposa. Al morir Heraclio participó del poder con su hijo y con su hijastro.

MARTINEAU, Harriet. Economista, abolicionista y escritora inglesa (Norwich, 1802-Westmoreland, 1876). Martineau, considerada una de las primeras economistas políticas, sociólogas y periodistas inglesas, se dio a conocer con la *Rebelión* (1826), texto en el que defendió el liberalismo (las doctrinas económicas de T. Malthus, J. Mill y D. Ricardo) y a las clases trabajadoras. En 1830 ganó los primeros tres premios en un certamen de ensayos otorgado por The Central Unitarian Association. De 1832 a 1834 escribió *Aclaraciones sobre la economía política*, y en 1850 publicó *Historia de Gran Bretaña durante la paz de treinta años*. Abogó por la actividad de la mujer en la industria, denunció la educación diferenciada según el sexo y luchó por la abolición de la esclavitud. Martineau fue una de las personalidades más consultadas en su época sobre materias sociales, económicas y políticas, y fue además autora de varias novelas y libros de relatos infantiles. Su *Autobiografía* fue publicada póstumamente en 1877.

MARTÍNEZ DE PERÓN, Isabel o María Estela. V. **PERÓN, María Estela Martínez de.**

MARTÍNEZ SIERRA, María (María de la O Lejárraga García, llamada). Escritora, feminista y socialista española (Logroño, 1874-Buenos Aires, 1974). Aunque se le considera como una de las principales dramaturgas españolas, la mayor parte de su obra se publicó bajo el nombre de su marido, Gregorio Martínez Sierra. Fiel defensora del feminismo y pionera del socialismo español, M. Martínez Sierra se convirtió en unas de las primeras mujeres diputadas durante la Segunda República al igual que Matilde de la Torre, Dolores Ibárruri*, Margarita Nelken*, Victoria Kent* y Clara Campoamor*. Entre sus publicaciones destacan *La torre de marfil* (1908), *Canción de cuna* (1911), una de las piezas teatrales españolas de mayor éxito internacional, y *Cartas a las mujeres de España* (1916).

MARTÍNEZ-BORDIÚ FRANCO, María del Carmen. Mujer de la alta sociedad española (Madrid, 1951). Hija de Carmen Franco y nieta del general Francisco Franco, fue casada, por intereses familiares, con don Alfonso de Borbón, duque de Cádiz (1971), del que tuvo dos hijos. Se separó de él en 1978, obteniendo la nulidad matrimonial. Posteriormente se casó con el anticuario francés Jean Marie Rossi, con quien convive desde su separación. Profesionalmente está vinculada al mundo de la moda española, siendo comentarista de la revista *Hola* desde 1986.

MARTINS, María. Escultora, ceramista y grabadora brasileña (Campanha, 1900-Río de Janeiro, 1973). Cursó sus estudios en Río de Janeiro y, después de haber iniciado la carrera de piano, empezó a esculpir sobre madera en 1926. De 1936 a 1939 realiza en Japón sus primeras terracotas y cerámicas; habiéndose desplazado después a Bruselas, tiene ocasión de establecer contacto con el escultor Oscar Jespers. Su tema preferido es el cuerpo femenino, y formalmente sus obras tienen mucho que ver con la vegetación tropical de su país de origen. En 1942 expuso en Washington; en ese mismo año y los dos siguientes exhibe su obra en Nueva York, culminando esta rápida difusión con la muestra del Museum of Modern Art neoyorquino. Obtuvo en 1957 el primer premio de escultura de la Bienal de São Paulo.

MARUOKA HIDEKO. Ensayista y activista política japonesa (Nagano, 1903-¿?, 1990). Su ensayo *Problemas de las mujeres agricultoras de Japón* (1937) es considerado como el primer estudio sistemático sobre la explotación de las mujeres campesinas japonesas. M. Hideko dirigió el movimiento de madres japonesas de la posguerra y fue la coeditora de los diez volúmenes publicados bajo el título de *Asuntos de la mujer japonesa contemporánea* (1976-1980).

MASCÓ, Judit. Top-model española (Barcelona, 1969). Con un físico norteamericano, pero con un toque europeo, ha fascinado las pasarelas españolas en los últimos años de la década de los 80, pasando a ser conocida internacionalmente a partir de 1989, gracias a su aparición en la portada de la revista *Sports Illustrated.* Habitual en las pasarelas europeas, ha probado también suerte en el cine.

MASINA, Giulietta. Actriz de cine italiana (Bolonia, 1920-Roma, 1994). Comenzó en el tea-

Giulietta Masina

tro, y tras participar en varios programas de TV, debutó en el cine en 1946. Se consagró internacionalmente con la interpretación de su personaje de «Gelsomina» en *La Strada* (1954), filme dirigido por su esposo, F. Fellini, y con el que obtuvo el premio a la mejor interpretación femenina en el festival de Cannes. Masina, actriz de extraordinaria sensibilidad y talento, ha protagonizado además *Il bidone* (1955), *Las noches de Cabiria* (1957; Oscar a la mejor interpretación femenina), *Julieta de los espíritus* (1965), *La loca de Chaillot* (1970) y *Ginger y Fred* (1986).

MATA HARI (Margaretha Geertruida Zelle, llamada). Bailarina y espía holandesa (Leeuwarden, 1876-Vincennes, 1917). Mata Hari (el ojo del día), considerada una de las figuras más enigmáticas del siglo XX, ha causado fascinación por el misterio que rodeó su vida. En 1906 se consagró como bailarina de danzas orientales en el Music Hall, el Olympia y el Casino de París, así como en otras capitales europeas. Trabó amistad con altas personalidades políticas de diversos países y, además, tuvo un sinnúmero de amantes célebres. Durante la primera guerra mundial fue acusada de pertenecer al espionaje alemán, por lo que fue juzgada, condenada a muerte y fusilada a la edad de 41 años.

MATILDE, santa. Reina de Germania (Engern, 890-Quedlinburgo, 968). Esposa del rey Enrique el Pajarero, se distinguió por su piedad, y hacia el fin de su vida se retiró a un monasterio, donde murió. Fue madre de san Bruno.

MATILDE o MAUD, santa. Reina de Inglaterra (¿?, 1080-Westminster, 1118). Hija de santa Margarita*, reina de Escocia, se casó en 1100 con el rey de Ingla-

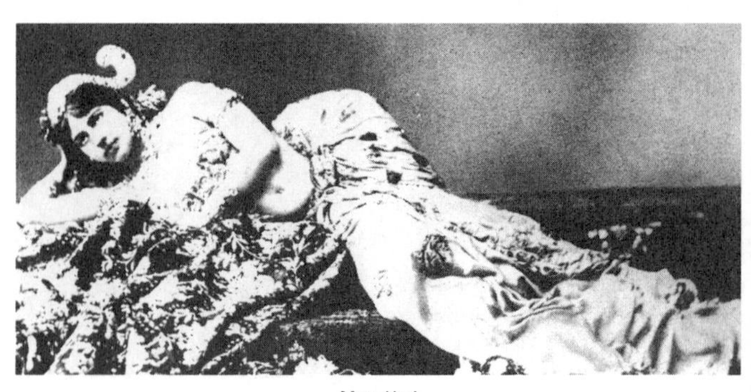

Mata Hari

terra Enrique I. Se distinguió por sus actividades de beneficencia, y fundó en Londres los hospitales del Cristo y de San Gil.

MATILDE o MAHAULT. Emperatriz de Alemania y reina de Inglaterra (Londres, 1102-Ruán, 1167). Hija del rey de Inglaterra Enrique I, se casó con el emperador de Alemania Enrique V. Viuda en 1125, volvió al lado de su padre, a quien sucedió en el trono de Inglaterra. Posteriormente, contrajo matrimonio con Godofredo de Anjou, de quien tuvo al futuro rey de Inglaterra, Enrique II. Fue Matilde la que defendió los derechos de su hijo a la corona inglesa.

MATILDE o MAHAULT. Condesa de Artois (m. 1288). Hija del duque de Brabante, Enrique II, se casó en primeras nupcias con Roberto de Artois, hermano de san Luis, y en segundas con Guido III de Châtillon, conde de San Paul.

MATILDE de Artois. Condesa de Artois y de Borgoña (m. 1329). Pasó la vida en lucha con su sobrino Roberto, que le disputaba la posesión de sus estados.

MATILDE de Toscana. Duquesa de Toscana y de una parte de Lombardía (Canosa, 1046-Bondeno, 1115). Hija de Bonifacio II el Piadoso, apoyó al papa Gregorio VII contra Enrique IV, y a su muerte legó al pontífice romano todos sus estados.

MATTO DE TURNER, Clorinda. Escritora peruana que utilizó ocasionalmente el seudónimo de *Carlota Dumont* (Cuzco, 1854-Buenos Aires, 1909). En 1887 regentó en Lima el salón literario más importante del s. XIX peruano, cuyas tertulias estuvieron siempre dirigidas por mujeres. Considerada una de las pioneras de la novelística peruana, M. de Turner cultivó además el relato, la crónica y el drama. Entre sus obras destacan *Tradiciones cuzqueñas* (1884-1886) y *Aves sin nido* (1889), primera novela indigenista hispanoamericana publicada en la era contemporánea.

MATUTE, Ana María. Novelista española (Barcelona, 1926). La obra de Matute, considerada una de las aportaciones más significativas de la narrativa de posguerra, ha oscilado entre el retrato de la realidad histórica, la recreación imaginativa y la profundización en varios temas recurrentes (la injusticia, el paso de la infancia a la adolescencia, la denuncia social, etc.). Entre sus novelas destacan *Los Abel* (1948), *Pequeño teatro* (1954; premio Planeta), *Los hijos muertos* (1958; premio Nacional de Literatura) y la trilogía *Los mercaderes*, considerada su mejor obra (*Primera memoria*, 1960; *Los soldados lloran de noche*, 1964; *La trampa*, 1969). En 1959 recibió el premio Nadal por *Primera memoria*. Es autora además de varios libros de cuentos para niños, entre los que destaca *Sólo un pie descalzo* (1983), por el que obtuvo el premio Nacional de Literatura Infantil y Juvenil.

MAURA, Carmen. Actriz española (Madrid, 1945). Descendiente del político conservador Antonio Maura y Montaner, inició su carrera artística en el mundo del café-teatro y en giras europeas para emigrantes antes de acceder a un nivel superior, primero como intérprete de *Las manos sucias* y después en los montajes del Centro Dramático Nacional *Abre el ojo*, *Noche de guerra en el museo del Prado*, *Tartufo* y *El proceso*. También ha actuado en televisión, tanto en series dramáticas como en el programa *Esta noche*, que la hizo muy popular entre el público. En cine fue la musa de Fernando Colomo en *Tigres de papel* (1977), *¿Qué hace una chica como tú en un sitio como éste?* (1978) y *La mano negra* (1980), y de Pedro Almodóvar, desde su «ópera prima» *Pepi, Lucy, Bom y otras chicas del montón* (1980) y sucesivamente en sus filmes *Entre tinieblas* (1983), *¿Qué he hecho yo para merecer esto?* (1984), *La ley del deseo* (1986) y *Mujeres al borde de un ataque de nervios* (1987), por el que fue elegida mejor actriz del año en los premios del Cine Europeo y recibió el premio Nacional de Cinematografía en 1988. Especializada en el género de la comedia, también ha intervenido en filmes de José Luis García Sánchez en *El love feroz* (1972); de Fernando Trueba en *Sé infiel y no mires con quién* (1985); y de José Luis Borau en *Tata mía* (1986), sin desdeñar algunas incursiones en filmes pertenecientes a otros géneros, como *Extramuros* (1985), *Batton Rouge* (1988), *¡Ay!, Carmela* (1989), de Carlos Saura, por el que volvió a ganar el premio Nacional de Cinematografía (Goya); *Cómo ser mujer y no morir en el intento* (1991), de Ana Belén; *Le saut périlleux* (1992) y *Sombras en una batalla* (1993), de M. Camus.

Carmen Maura

MAURI, Rosita. Bailarina española (Reus, 1855-París, 1923).

Fue discípula de Dervine, y en 1868 debutó en Barcelona, en ballet español y clásico; en 1870 actuó en Hamburgo, perfeccionando la técnica clásica en París los años siguientes. En 1873 fue contratada por el Liceo barcelonés como primera bailarina y realizó giras por Europa occidental. Desde 1877 fue primera figura de la Ópera de París y, al retirarse, pasó a enseñar en el Conservatorio de esta ciudad.

MAURIER, Daphne du. Novelista inglesa (Londres, 1907-condado de Cornwall, 1989). En 1931 publicó su primera novela, *Loving Spirit*. Escribió también novelas históricas, obras teatrales y una guía de Cornualles (*Vanishing Cornwall*, 1967). Su obra más importante es *Rebeca* (1938), llevada a la pantalla con el mismo título en 1940. Dentro de su producción novelística merecen citarse también *Gerald, a Portrait* (1934), *Jamaica Inn* (1936), *The King's General* (1946), *The Parasites* (1949) y *The Scapegoat* (1957). En su teatro destacan *The Years Between* (1945) y *September Tide* (1948).

MAYOR o MUNIA. Condesa de Castilla y reina de Navarra (m. d. 1052). Primogénita del conde Sancho Garcés de Castilla y casada con Sancho III de Navarra, a la muerte de su hermano García Sánchez heredó Castilla (1028), cediendo el gobierno a su marido. Tras enviudar en 1032, siguió viviendo en Navarra y luego pasó a Castilla (1045), con su hijo Fernando I, donde murió.

MAZARINO, duquesa de (Ortensia Mancini). Dama italiana (Roma, 1646-Chelsea, 1699). Era sobrina del cardenal Mazarino y una de las famosas hermanas Mancini*. Se casó con el duque de la Meilleraye, a quien abandonó después para recorrer diversas cortes europeas, en las cuales tuvo numerosas aventuras amorosas.

McCARTHY, Mary. Escritora estadounidense (Seattle, Washington, 1912-Nueva York, 1989). La agudeza de sus crónicas y ensayos literarios hicieron de esta escritora una de las primeras figuras de la vida intelectual estadounidense. Su primera novela, *The Company She Leeps* (1942), insinuaba ya el universo imaginario de su narrativa posterior, pero no fue hasta la publicación de *The Groves of Academe* (1952), relato satírico sobre un colegio de mujeres, cuando logró darse a conocer. La celebridad internacional alcanzada en 1963 con la novela *The Group* vino a confirmarse en la excelente versión cinematográfica de la misma. Las desventuras de ocho alumnas del Vassar College, en plenos años treinta, permiten a la autora hacer uso de un refinado sentido del humor, a la vez que presentar, con cierta irónica crueldad, los pormenores del rito de una graduación. La toma de conciencia de la intelectualidad estadounidense frente al drama del pueblo vietnamita fue el móvil principal de dos de sus libros más comprometidos, *Vietnam* (1967) y *Hanoi* (1968), reportajes periodísticos en los que denunciaba las atrocidades derivadas de esta guerra. Fue autora además de *A Charmed Life* (1955), *Sights and Spectacles* (1957), artículos de 1937 a 1956; *On the Contrary* (1961), *The Writing of the Wall* (1970), *Ideas and the Novel* (1980), *Occasional Prose* (1985) y su autobiografía *How I Grew* (1987).

McCLINTOCK, Barbara. Científica estadounidense (Connecticut, 1902-Nueva York, 1992) y premio Nobel de Fisiología y Medicina en 1983. Recibe este premio treinta años después de que publicara los resultados de sus estudios sobre los elementos genéticos móviles del maíz, contribuyendo al avance de la biología molecular. B. McClintock fue la tercera mujer en recibir un premio Nobel de Medicina y la primera que lo ganó a título individual.

Barbara McClintock

McCULLERS, Carson Smith. Novelista estadounidense (Columbus, 1917-Nyack, 1967). Fuertemente influida por Faulkner, ha sabido expresar el sentimiento de soledad y la dificultad de comunicación entre los hombres. En su novelística domina un simbolismo poético y filosófico, dados en una atmósfera de violencia. Su primera obra y por la crítica juzgada la mejor, *El corazón es un cazador solitario* (1940), le granjeó el premio de la Academia de Artes y Letras (1943), y la situó entre las figuras literarias más relevantes de su generación. Cultivó el cuento en *La balada del café triste* (1951), donde uno de los relatos, *Frankie y la boda*, fue adaptado por su autora al teatro.

McLEOOD BETHUNE, Mary. Educadora estadounidense (Mayesville, 1875-Daytona Beach, 1955). Luchó por los derechos civiles de la raza negra y de otras minorías. En 1904 fundó el Instituto Industrial para el Entrenamiento de Jóvenes Negras de Daytona y en 1935 el Concilio Nacional de Mujeres Negras. De 1936 a 1944 fue directora de la Administración Nacional de Jóvenes, y consejera especial del presidente Franklin D. Roosevelt en temas afroamericanos.

MEAD, Margaret. Antropóloga estadounidense (Filadelfia, 1901, Nueva York, 1978). Estudió psicología y antropología en la Universidad de Columbia, por la que se doctoró en 1929, y donde posteriormente fue profesora de etnología. Colaboró en el departamento de psiquiatría de la Universidad de Cincinnati y fue conservadora de etnología del Museo de Historia Natural de Nueva York. En 1928 su primera obra, *Coming of Age in Samoa*, se convirtió en un auténtico best-seller y ella en una celebridad internacional. Mead realizó un gran número de trabajos de campo en Oceanía, sobre todo en Nueva Guinea, Samoa y Bali, para investigar los comportamientos en las sociedades primitivas, en particular el temperamento y el sexo, y también estudió los hábitos sociales en la moderna sociedad estadounidense. Fue galardonada en 1971 con el premio Kalinga por sus aportaciones al campo de la etnología. Entre sus publicaciones destacan además *Keep Your Power Dry* (1943), *Male and Female* (1949), *New Lives for Old* (1956) y *Family* (1965).

Margaret Mead

MECHTILDE de Magdeburgo. Religiosa mística alemana (h. 1210-h. 1290). Nacida en la diócesis de Magdeburgo, hacia 1230 se retiró a una comunidad de beguinas. A partir de 1250, siguiendo los consejos de su confesor Enrique de Halle, redactó su obra maestra, *La luz que emana de la Divinidad*, versos llenos de lirismo, a veces diálogos entre el alma y Dios, que relatan sus experiencias místicas. En la obra aparecen algunas críticas al poder temporal de la Iglesia, cuestión que le creó muchos enemigos. En 1270 profesó en el monasterio cisterciense de Helfta, representando un importante papel en el desarrollo del culto al Sagrado Corazón.

MEDIO, Dolores. Escritora y periodista española (Oviedo, 1912). Trabajó como maestra, y luego de trasladarse a Madrid (1953) se dedicó al periodismo y la literatura. Obtuvo fama nacional con su novela *Nosotros, los Rivero* (1953; premio Nadal), retrato de la burguesía asturiana, y con los relatos recopilados en *Andrés* (1963; premio Sésamo). Su obra se ha caracterizado por un marcado componente testimonial y por la abundancia de personajes melancólicos y frustrados. Es autora además de *Diario de una maestra* (1961), *El urogallo* (1982) y de varias biografías.

MEINHOF, Ulrike. Revolucionaria alemana (Oldenburg, 1934-Stuttgart, 1976). Destacó como activista en los movimientos de protesta de 1968, colaborando además en importantes publicaciones de extrema izquierda. En 1968 conoció a A. Baader, con quien crearía la Rote Armee Fraktion (Fracción del Ejército Rojo), más conocida por Banda Baader-Meinhof, organización que propugnaba la lucha armada como única vía para destruir la sociedad neocapitalista. En 1970 dirigió en Berlín la operación que consiguió la liberación de Baader, acusado de colocar bombas en varios almacenes, y tras participar en varios atentados terroristas, fue detenida y encarcelada en 1972. En 1976 apareció ahorcada en su celda, en circunstancias no aclaradas.

MEIR, Golda. Política israelí de origen ucraniano (Kiev, 1898-Tel Aviv, 1978), cuyo nombre verdadero era Golda Maboritz. De familia judía, Meir fue educada en EE.UU., donde llegó a la edad de ocho años. Se adhirió al movimiento sionista desde muy temprana edad, y en 1921 se trasladó a Palestina, donde posteriormente cambiaría su apellido por Meir. Fue embajadora en Moscú (1948-1949), ministra de Trabajo y de Asuntos Sociales (1949-1956) y ministra de Asuntos Exteriores (1956-1966). En 1969 fue elegida primera ministra de Israel y tras el enfrentamiento árabe-israelí de 1973 y el descalabro militar con

Golda Meir con Richard Nixon

que se cerraba la conflagración, se convirtió en blanco de todas las críticas de la oposición, por lo que presentó la dimisión y se retiró de la política activa en 1974.

MEITNER, Lise. Física sueca de origen austriaco (Viena, 1878-Cambridge, 1968). Estudió en Alemania y en Austria y fue directora de la sección de física del instituto Kaiser Wilhelm y profesora de física de la Universidad de Berlín, además de ayudante de investigación de M. Planck, M. Siegbah y O. Hahn. Siendo una de las figuras más importante de la física moderna, le fue injustamente negado el premio Nobel de Química de 1944, otorgado al químico alemán O. Hahn, a pesar de sus largos años de colaboración con éste en el descubrimiento de la fisión nuclear. Recibió cinco doctorados *honoris causa* y varias condecoraciones como la medalla de oro Max Plank (1949), el premio Otto Hahn de física y química (1955) y el premio Enrico Fermi (1966). Abogó toda su vida por la utilización pacífica de la energía atómica.

MELBA, Nellie (Helen Porter Mitchell, llamada). Soprano australiana (Melbourne, 1861-Sydney, 1931). De voz pura y rica, educada en Francia, obtuvo sus principales éxitos en *Fausto*, *Romeo y Julieta*, *Lucía de Lamermoor*, *La Traviata* y *Rigoletto*. En el Reino Unido despertó tal entusiasmo, que se le concedió título de nobleza en homenaje a su mérito artístico.

MELLER, Raquel (Francisca Marqués López, llamada). Cantante y *vedette* española (Zaragoza, 1888-Barcelona, 1962). Recorrió triunfalmente los principales escenarios de Europa y América, llevando el calor y la emoción de la canción genuinamente española. Actuó también en el cine en las películas *Violetas imperiales*, *Carmen* y otras.

Raquel Meller

MEMBRIVES, Lola (Dolores Membrives, llamada). Actriz argentina (Buenos Aires, 1888-

íd., 1969). Fue una de las máximas figuras del teatro hispánico y representó en los principales escenarios de Europa y América, obteniendo grandes éxitos, especialmente como intérprete de obras españolas, y con mayor asiduidad las de Jacinto Benavente (*La Malquerida, Señora ama,* etcétera). Junto con Margarita Xirgu*, está considerada una de las más destacadas intérpretes del teatro de García Lorca. En 1956 le fue concedida una medalla especial del Círculo de Bellas Artes de Madrid, como intérprete del teatro benaventino, y en 1961, la medalla del Mérito al trabajo, en España. En 1962 fue elegida miembro del Instituto de Cultura Hispánica y en 1964 se le rindió un homenaje en Madrid con motivo de su despedida de la escena española, y fue nombrada presidenta de honor de la cátedra Tirso de Molina. Poseyó también las condecoraciones españolas de Isabel la Católica y Alfonso X el Sabio.

Rigoberta Menchú

MENCHÚ TUM, Rigoberta. Líder indígena guatemalteca (Chimel, Uspatán, 1959). Esta mujer maya-quiché constituye el símbolo de resistencia de todos los grupos indígenas de Guatemala. Hija de un campesino, fue testigo del asesinato de su hermano de 16 años, víctima de terratenientes que querían despojar a los indígenas de sus terrenos. Este crimen, junto con la actuación social de su padre, Vicente Menchú, y de numerosos vecinos del barrio, constituyeron el primer motivo de concienciación social por parte de Rigoberta. En 1980 su padre murió carbonizado en la embajada de España en Guatemala durante el asalto policial lanzado contra esta sede diplomática. Es entonces cuando Rigoberta se compromete de lleno en la lucha, denuncia y reivindicación de los derechos humanos de la población guatemalteca y en especial de los pueblos indígenas, decisión que le costó numerosas amenazas y persecuciones, y finalmente el exilio en 1981. En 1982 se convirtió en la primera indígena en participar en la formación del Grupo de Trabajo sobre poblaciones indígenas en la ONU, y en 1983 publicó su libro autobiográfico *Me llamo Rigoberta Menchú y así nació mi conciencia.* En 1992 le fue concedido el premio Nobel de la Paz por su trabajo en favor de la justicia social y la reconciliación entre los diferentes grupos étnicos de Guatemala.

MENDIETA, Ana. Artista cubana (1948-1985). Utilizó por primera vez la sangre en un espectáculo de *performance* en el que protestaba contra la violación de las mujeres. Con posterioridad comenzó a plasmar las huellas de su cuerpo de poco más de metro y medio en la tierra de los alrededores de Ohio City, de México y de otros lugares, silueteándolas con pólvora encendida, guijarros, flores, fuegos artificiales, o bien envolviéndose en tiras de tela y haciéndose enterrar en barro y piedra. Su obra dio lugar a vigorosas identificaciones entre la mujer y la tierra: *Sin título* (serie de siluetas, 1977).

MENDOZA, María de. Noble dama española (s. XIV). Hija y heredera universal de Lope Díaz de Mendoza y de una dama de la familia Haro. Se casó, para no salirse del linaje, con su primo Juan Hurtado de Mendoza, cediendo el matrimonio todo el legado Mendoza a su primogénito, Diego Hurtado de Mendoza.

MENDOZA DE LA CERDA, Ana. V. **ÉBOLI, princesa de.**

MENÉNDEZ PIDAL, Jimena. Profesora española (Madrid, 1901-íd., 1990), hija del ilustre filólogo e historiador Ramón Menéndez Pidal. Vinculada desde su niñez al Instituto-Escuela de la Institución Libre de Enseñanza, estuvo casada con el eminente físico Miguel Catalán y fue a lo largo de su vida la colaboradora más cercana de su padre (éste le dedicó la hermosa *Flor nueva de romances viejos,* 1928), atendiéndole sobre todo a raíz de la muerte de su madre, María Goyri (1954) y de su propia viudez (1957). Fundadora y directora del colegio Estudio, heredero del Instituto, en el que impartió una enseñanza de corte profundamente liberal, es autora de *Auto de Navidad* (1965).

MENESES, Juana Josefa de. Escritora española (1651-1709). Fue la tercera condesa de la Ericera y publicó obras en prosa y en verso. Entre ellas destacan: *Octavas castellanas*, *Despertador del alma al sueño de la vida* (1695), las tragedias *Dividido imperio de amor* y *El duelo de las finezas*; y dos autos sacramentales. También realizó traducciones del francés y tiene una importante obra poética manuscrita.

MENKEN, Isaacs Adah (Dolores Adiós Fuertes, llamada). Actriz y amazona estadounidense (Nueva Orleans, 1835-

París, 1868). Menken, que poseía una excelente educación y conocía varios idiomas, debutó en 1855 como bailarina en el French Opera House de Nueva Orleans, y posteriormente como actriz teatral en Nueva York con *The Lady of Lyons*, *Fazio* y *The Soldier's Daughter*. Años más tarde se convirtió en amazona alcanzando gran renombre en EE.UU y en Europa con su número ecuestre que ejecutaba sobre un caballo blanco y vestida con una malla semitransparente que ponía de relieve su extraordinaria belleza.

MERCÉ, Antonia. V. **ARGENTINA, La.**

MERCEDES de Orleans. V. **MARÍA DE LAS MERCEDES de Orleans.**

MERCOEUR, duquesa de (Laura Mancini). Dama italiana (Roma, 1636-París, 1657). Era sobrina del cardenal Mazarino y una de las famosas hermanas Mancini*. Se casó en 1651 con el duque de Mercoeur, hijo natural de Enrique IV, y llevó una vida virtuosa y austera. Tuvo dos hijos, que fueron el célebre general Vendôme y el gran prior Vendôme. Su esposo se afligió tanto con su muerte, que abrazó la carrera eclesiástica y murió siendo cardenal.

MERCOURI, Melina. Actriz y política griega (Atenas, 1929-Nueva York, 1994). Excelente actriz dramática, se reveló en *Stella* (1955), de M. Cacoyannis, y posteriormente se convirtió en la intérprete preferida de J. Dassin, con el que se casó en 1966: *El que debe morir* (1957), *La ley* (1958), *Nunca en domingo* (1960), *Fedra* (1962), *Topkapi* (1964), *Las diez y media de una noche de verano* (1966), *La promesa al amanecer* (1970) y *Gritos de pasión* (1978). En 1967 fue privada de la nacionalidad griega por sus actividades políticas fuera del país, y la recobró al subir Karamanlis al poder. Fue elegida diputada socialista en 1977 y nombrada ministra de Cultura (1981-1989). Ha escrito *Nací griega* (1972).

Melina Mercouri

MERIAN, Maria Sybilla. Pintora y entomóloga alemana (Francfort del Main, 1647-Amsterdam, 1717). De familia de pintores, se casó con otro pintor, André Graff, en 1665. Pero lo abandona y se traslada primero a Francfort y luego a Amsterdam. En 1698 entró a formar parte de los gabinetes de Historia Natural de la ciudad y marchó a Surinam acompañando a sus hijos, donde dibujó gran cantidad de especies animales y vegetales. Publicó las siguientes obras: *Der raupen wunderbare verwandlung* (1679-1683), sobre la historia de los insectos de Europa; *Florum fasciculi III as vivum dipicti* (1690) y *Metamorphosis insectorum Surinamensium* (1706).

MERLÍN, condesa (María de las Mercedes Jaruco). Cantante española de origen cubano (La Habana, 1789-París, 1852). Pertenecía a una aristocrática familia, y en 1811 se casó en Madrid con el general conde de Merlín, jefe de la guardia del rey José Bonaparte. Fue protectora de todos los artistas principales, debiéndole Mario y la Grisi* el haber podido cantar en la Ópera de París.

MERLÍN, condesa de (María de las Mercedes Santa Cruz Montalvo). Escritora cubana (1789-1852). Residió en París, donde regentó uno de los principales salones literarios de su tiempo. Escribió en francés interesantes obras sobre su país.

MERNISSI, Fatima. Ensayista y activista feminista marroquí (Fez, 1941). Considerada una de las figuras más relevante del movimiento feminista islámico actual, Mernissi defiende la tesis de que el sometimiento de la mujer musulmana no se deriva del Corán, sino de la lectura malintencionada que de éste se ha hecho. Ha realizado numerosos estudios sobre la condición de la mujer marroquí basados en testimonios orales y en la cultura popular de su país. Entre sus publicaciones destacan *Le Harem Politique* (1987), *Sexe, Idéologie et Islam* (1983) y *Marruecos a través de sus mujeres* (1990).

MÉRODE, Cléo de (Cléopâtre Diane, llamada). Bailarina francesa de origen belga (Bruselas, 1875-París, 1966). Ingresó en el Conservatorio de Danza de la Ópera de París a los trece años. Su precoz personalidad llamó la atención de reputados coreógrafos, que crearon para su exclusivo lucimiento numerosos ballets. Alcanzó gran popularidad, contando entre sus más fervientes admiradores al rey Leopoldo II de Bélgica, con el que se le atribuye un idilio, y realizó numerosas giras artísticas por Europa y América. Impuso la moda del peinado con raya central y dos bandas que cubrían las orejas, que se llamó *a lo Cléo.* Publicó su autobiografía con el título *El ballet de mi vida* (1955).

MESALINA, Statilia. Emperatriz romana (n. 35). Fue la tercera esposa de Nerón (66), el cual mató a su primer marido, Ático Vestino, para casarse con ella. Repudiada por Nerón, fue, tras su muerte, amante del emperador Otón.

MESALINA, Valeria. Emperatriz romana (15-48). Era hija de Valerio Mesala y fue la tercera esposa del emperador Claudio I. Después de ser madre de Británico y de Octavia* llevó una vida de vicio y desenfreno, que fue el escándalo de Roma. Intervino activamente en las tareas de gobierno, siendo pieza fundamental en la elaboración de los censos del estamento senatorial y en el establecimiento de la administración de los libertos. Cuando el emperador se hallaba fuera de Roma, en la supervisión de las obras del puerto de Ostia, Mesalina aprovechó para casarse con Cayo Silio, en medio de una gran orgía, sin haber redactado repudio o haberse realizado un divorcio previo, celebrándose la ceremonia y festejo en los famosos jardines de Valerio Asiático. Claudio, avisado por Calpurnia, confió su venganza a los pretorianos y Mesalina fue degollada por un soldado. Su persona ha llegado a nuestros días como ejemplo de la ninfomanía y la infidelidad conyugal.

METELA, Cecilia. V. **CECILIA METELA.**

MICHEL, Clemence Louise. Anarquista francesa (Vroucourt-la-Côte, 1830-Marsella, 1905). En 1870 se afilió a la Internacional y participó activamente en la Comuna de París como miembro del comité de Montmartre. Acusada de querer matar a Thiers fue deportada a Nueva Caledonia (1871). En 1880 le concedieron la amnistía y regresó a Francia donde se convirtió en una importante dirigente y teórica del anarquismo revolucionario francés, lo que le valió nuevamente algunos encarcelamientos (1883, 1886). Creó la Liga internacional de mujeres revolucionarias contra la guerra. Entre sus publicaciones destacan *Mémoires* (1886) y *La Commune, histoire et souvenirs* (1898).

MIGENES-JOHNSON, Julia. Soprano estadounidense de origen greco-puertorriqueño (Nueva York, 1948). Debutó de niña en *shows* televisivos, formando pareja con su hermana (*Migenes Kids*). Más tarde estudió canto en Nueva York, representando papeles en comedias musicales y en la Ópera. Paralelamente, trabajaba en la Ópera de San Francisco y en Houston, debutando en el Metropolitan de Nueva York en 1981 con *Lulu* de Berg, haciéndose mundialmente famosa por su interpretación de la *Salomé* de Strauss en Ginebra. Protagonizó el filme sobre la ópera *Carmen* de Bizet (Francesco Rossi, 1984).

MILLER, Agatha. V. **CHRISTIE, Agatha.**

MILLET, Kate. Feminista y crítica literaria estadounidense (Minnesota, 1934). En los años 70, su libro *Política sexual* se convirtió en el eje teórico del movimiento feminista estadounidense. En él Millet denunció el sexismo existente en la literatura y estableció una estrecha relación entre los conceptos de sexo, poder político e ideología patriarcal. Es autora además de las novelas *Sita* (1977) y *The Loony Bin Trip* (1991).

MINNELLI, Liza. Actriz y cantante estadounidense (Hollywood, 1945). Hija del director cinematográfico Vincente Minnelli y de la también actriz Judy Garland*. Comenzó su carrera como actriz infantil, pero pronto se convertiría en la intérprete preferida de muchos realizadores. Entre sus películas destacan: *Charlie Bubbles* (Finney, 1968), *El cuco estéril* (Pakula, 1969) y *Cabaret* (Fosse, 1972), por la que obtuvo el Oscar a la mejor actriz. Ha protagonizado otras películas, pero sus mayores éxitos los ha obtenido en el mundo de la canción.

MIRABAI. Poeta y princesa hindú (ss. XV-XVI). De familia aristocrática, se casó con el rey de Udaïpur, pero no tardó en dejar a su marido, preocupada por asuntos religiosos. Con su gurú, es expulsada de la corte y se refugia en las colinas de Vrindâvan, donde murió a edad avanzada. Escribió un gran número de *pada* o *pads*, poemas cortos destinados a recitar con música, escritos en lengua hindí (dialecto brâj o bharajaní). Sus cantos en honor de Krishna son muy apreciados entre sus devotos.

MIRANDA, Carmen (Maria do Carmo Miranda da Cunha, llamada). Bailarina, cantante y actriz de cine brasileño de origen portugués (Oporto, 1914-Los Ángeles, 1955). Alcanzó fama internacional interpretando películas musicales donde bailaba samba y mambo. Miranda aparecía en público bajo una auténtica coraza de collares, inmensos pendientes y la cabeza coronada por un extravagante tocado compuesto principalmente de flores y plátanos. Entre su filmografía destaca *Aquella noche en Río* (1941), *Springtime in the Rockies*, *Something for the Boys* y *Copacabana* (1947).

MIRANDA, Lucía. Heroína española en América (n. Écija, s. XVI). En 1531 se hallaba en territorio de La Plata con su marido Sebastián Hurtado y despertó el amor de los caciques timbúes Mangoré y Siripo. Mangoré atacó a los españoles para raptarla y murió en el ataque. Quedó Miranda en poder de Siripo, que se casó con ella. Hurtado, que se hallaba ausente cuando el ataque, se constituyó prisionero de los indios, para estar cerca de Lucía. Aunque prometieron no tratarse, Siripo los sorprendió juntos y los hizo ejecutar. Se ha discutido la verdad de estos hechos, contados por primera vez en *La Argentina*, de Ruy Díaz de Guzmán. De todos modos, han dado origen a novelas y dramas.

MIRIAM. Mujer israelita de la tribu de Leví, hermana mayor de Moisés y Aarón. Según el relato del *Éxodo*, contaría unos diez años de edad cuando salvó a Moisés. Se las ingenió para que su propia madre fuese escogida como nodriza para el niño por la hija del faraón. Después del paso del mar Rojo, contando más de noventa años de edad, fue animada del espíritu profético y compuso el cántico que lleva su nombre. Murió, y fue sepultada, en Cadés, al sur del lago Asfaltites.

MIRÓ, Pilar. Directora de cine española (Madrid, 1940). Tras cursar estudios de derecho y periodismo, se licenció en 1968 en la Escuela Oficial de Cinematografía, en la especialidad de guión. Comienza trabajando como guionista para Televisión Española, convirtiéndose en 1983 en la primera directora general de Cinematografía y de 1986 a 1989 en directora general de Radiotelevisión Española. Ha dirigido las películas *La petición* (1976), *El crimen de Cuenca* (1979), *Gary Cooper que estás en los cielos* (1980), *Hablemos esta noche* (1982), *Werther* (1986), *Beltenebros* (1991) y *El pájaro de la felicidad* (1993).

MISTINGUETT (Jeanne Bourgeois, llamada). Actriz francesa de *music-hall,* teatro y cine (Enghien-les-Bains, 1975-Bougival, 1956). Mistinguett obtuvo rotundos éxitos en el Moulin Rouge (club del que fue propietaria durante algún tiempo), el Folies-Bergère y el Casino Royal. Formó pareja con prestigiosos artistas, especialmente con Maurice Chevalier, con quien creó varias revistas musicales de gran importancia. Las canciones *C'est mon homme* (1920), *J'en ai marre* (1921) y *En douce* (1922) le otorgaron una inmensa popularidad. En 1949 se despidió de la escena y en 1954 publicó sus memorias bajo el título de *Toda mi vida.*

MISTRAL, Gabriela. Seudónimo de la escritora chilena Lucila Godoy Alcayaga (Vicuña, 1889-Nueva York, 1957), con el que reflejó su admiración por los poetas Gabriele D'Annunzio y Frédéric Mistral. Considerada una de las más importantes poetas hispanoamericanas, G. Mistral ha sido elogiada además como una de las figuras más relevantes de las letras mundiales. Sus primeros

Gabriela Mistral

versos, que aparecieron recogidos bajo el título de *Desolación* (1922), tuvieron por tema un trágico y frustrado amor que, una vez sublimado, se transformó en una honda y patética ternura hacia los más débiles y desprotegidos. Su siguiente libro, *Tala* (1938), tradujo poéticamente su profundo amor por las tierras chilenas. Aprovechó además las premisas del posmodernismo poético para manifestar la problemática de las mujeres y poetizar la vida popular y cotidiana. Concorde con sus ideas fue su enérgica actividad pedagógica, desde su modesto comienzo como maestra rural hasta la brillante labor desplegada en Santiago de Chile, EE.UU. y México, donde junto con Vasconcelos, reorganizó la enseñanza pública. Desempeñó varios cargos consulares en Madrid, Lisboa, Petrópolis (Brasil), Los Ángeles y Rapallo (Italia). Entre sus poemas posteriores destacan *Ternuras* (1924), recopilación de canciones para niños, y *Recados contando a Chile*, publicados póstumamente en 1966. Su prosa, aunque menos conocida, tiene momentos de brillantez insuperable, como bien lo demuestran sus artículos periodísticos y la *Oración de la maestra*. En 1945 fue galardonada con el premio Nobel de Literatura.

MITCHEL, Juliet. Feminista y teórica política británica (n. 1940). Influida por las teorías de L. Althuser, los escritos de F. Fanon y las investigaciones feministas, Mitchel escribió *Women: the Longest Revolution* (1966) que abrió el camino para los posteriores estudios sobre la opresión de las mujeres y que se ha convertido en uno de los textos fundamentales del movimiento feminista. Militante de la Nueva Izquierda, desde los años 70 está estrechamente vinculada al psicoanálisis y, al igual que M. Montrelay, L. Irigaray* y H. Cixous*, defiende las ideas poslacanianas sobre la necesidad de desarrollar políticas radicales que tomen en cuenta las teorías del deseo y del inconsciente.

MITCHELL, Joan. Pintora estadounidense (Chicago, 1926). Mitchell, como todos los artistas implicados en el expresionismo abstracto, se identificó en el proceso de generar imágenes de la naturaleza, siendo las referencias atmosféricas y de paisajes notables en su obra. Realizó un sinnúmero de exposiciones particulares y colectivas, tanto en EE.UU. como internacionalmente, y sus pinturas figuran en el Museo de Arte Moderno de Nueva York, el Whitney Museum de Nueva York, el Art Institute de Chicago y la Phillips Gallery of Art de Washington. Entre sus obras destacan *Sin título* (1950), *Sección transversal de un puente* (1951) y *Field Series* (1971-1972).

MITCHELL, Joni. Cantautora canadiense (n. 1943). Mitchell, poseedora de una inimitable voz y creadora de una música reflexiva, pesimista y bien pensada, se hizo famosa en el Festival de Woodstock, a pesar de no haber estado presente. A comienzos de los años 70 formó parte de un grupo de cantautores de música *folk* radicados en la costa oeste de EE.UU., y de todos ellos Mitchell es la única que aún se continúa escuchando con cierta regularidad.

MITCHELL, Margaret. Escritora estadounidense (Georgia, 1900-íd., 1949). Alcanzó un éxito sensacional con su única novela, *Lo que el viento se llevó*, publicada en 1936 y llevada posteriormente a la pantalla. Obra voluminosa que describe los campos del sur de EE.UU., la guerra de Secesión, la vida de los negros, etc. Se tradujo a varios idiomas, se le otorgaron varios premios e hizo rica y famosa a su autora, pues sólo en 1943 se vendieron en EE.UU. cuatro millones de ejemplares.

MNOUCHKINE, Ariane. Directora de teatro francesa (Boulogne-sur-Seine, 1939). En 1959 fundó la Asociación teatral de estudiantes de París, y en 1964 el Théâtre du Soleil, compañía que funciona como una cooperativa de creación colectiva e improvisación. Mnouchkine está considerada una de las mayores representantes del teatro popular, al cual ha dotado de una importante dimensión política. Entre sus principales obras destacan *La Cuisine* (1967), *Les Clowns* (1968), *1798* (1974), adaptada por ella misma al cine, y dos piezas de Hélène Cixous*, *L'Histoire terrible mais inachevée du prince Norodom Sihanouk* (1985) y *L'Indiade* (1985). En 1985 su compañía fue galardonada con el premio Europa de teatro.

MODEL, Lisette (Elise Seybert, llamada). Fotógrafa estadounidense de origen austriaco (Viena, 1906-Nueva York, 1983). En 1940 se trasladó a EE.UU. donde trabajó en la revista *Harper's Bazaar*. Model desmitificó «el sueño americano» retratando los defectos físicos de la población estadounidense, y su brillante trabajo ha ejercido una gran influencia sobre la obra de fotógrafos posteriores, entre ellos D. Arbus*.

MODERSOHN-BECKER, Paula. Pintora alemana (Dresde, 1876-Worpswede, 1907). Sus primeras obras estuvieron influidas por el realismo de la comunidad de artistas de Worpswede, en el norte de Alemania, evolucionando posteriormente hacia el expresionismo, del cual es considerada precursora. Modersohn-Becker es una de las primeras artistas que trabajó a fondo el desnudo femenino, y sus cuadros no sólo se atrevieron con esas configuraciones, sino que las desafiaron. Sus autorretratos desnudos son posiblemente los primeros óleos de ese tipo realizados por una mujer. Los temas predominantes de sus obras son la infancia, la maternidad y la vejez. Sus últimas pinturas se inspiraron en la obra de Gauguin: *Autorretrato con collar de ámbar* (1906) y *Madre y bebé tumbados y desnudos* (1907).

MODOTTI, Tina. Actriz y fotógrafa mexicana de origen italiano (Udine, 1896-México, 1942). Comenzó como actriz de cine mudo en Hollywood, convirtiéndose luego en una fotógrafa de fama internacional. Su fotografía, de marcada denuncia social, está considerada como precursora del fotoperiodismo. Abandona su carrera artística por la militancia política y en 1930 es expulsada del país acusada de atentar contra la vida del presidente mexicano Pascual Ortiz. En 1936 participó, junto a los republicanos, en la guerra civil española. Murió en México de manera misteriosa.

MOI, Toril. Teórica feminista noruega (n. 1953). Ha sido directora del Centro de Investigaciones Feministas de Bergen (Noruega) y profesora de literatura comparada en la Universidad de Duke (EE.UU.). Su libro *Teoría literaria feminista* (1985) se ha convertido en uno de los textos más representativos de la crítica literaria feminista actual. Las investigaciones de Moi se han centrado fundamentalmente en las aportaciones de las teóricas francesas, y especialmente en los trabajos de J. Kristeva*.

MOIX, Ana María. Escritora española (Barcelona, 1947). Su primera novela, *Julia* (1947), se centró en el retrato de la burguesía catalana de la posguerra, tema que se repite en sus libros de relatos *Call Me Stone* (1969), de tono existencialista, y *Las virtudes peligrosas* (1985). Sus poemas aparecen recopilados en *No Time For Flowers* (1970) y *A imagen y semejanza* (1983).

MOLINA, Josefina. Directora de cine española (Córdoba, 1936). Diplomada en dirección cinematográfica, Molina fue asistente de producción de Claudio Guerín y Pilar Miro* en TVE y directora de los documentales

Aquí España y *Fiesta* para TVE. Ha adaptado y producido más de cincuenta programas para TVE y ha sido crítica de cine en Radio Popular de Madrid. En su filmografía se destacan *Vera... un cuento cruel* (1973), *Cuentos eróticos* (1979), *Función de noche* (1981), *Esquilache* (1988), *Lo más natural* (1990) y *La Lola se va a los puertos* (1993). En 1979 debuta como directora de teatro con *Cinco horas con Mario* y en 1984 dirige *Santa Teresa de Jesús* para TVE.

MOLINA, Ángela. Actriz y cantante española (Madrid, 1956). Hija del cantante Antonio Molina, está dotada de una gran sensibilidad e intuición para los papeles dramáticos, en los que ha alcanzado gran popularidad: *No matarás* (1974), *Ese oscuro objeto de deseo* (1977), filme de L. Buñuel que la consagró internacionalmente; *El corazón del bosque* (1978), de M. Gutiérrez Aragón; *La sabina* (1979), de J. L. Borau; *Demonios en el jardín* (1982), de M. Gutiérrez Aragón; *Los ojos, la boca* (1982), de M. Bellocchio; *Fuego eterno* (1985), *La mitad del cielo*, de M. Gutiérrez Aragón (1986), entre otros.

MOLINER, María. Lexicógrafa española (Paniza, 1900-Madrid, 1981). Formada en la Institución Libre de Enseñanza, fue bibliotecaria de varias instituciones y perteneció al cuerpo facultativo de Archivos, Bibliotecas y Museos. En 1966 publicó su *Diccionario de uso del español*, considerado actualmente como una de las mejores aportaciones hechas al campo de la lexicografía española contemporánea. Por su obra le fue concedido el premio Lorenzo Nieto López, otorgado por la Real Academia Española.

MÓNICA, santa. Mujer afrorromana (Tagaste, 332-Ostia, 388). Madre de san Agustín, es celebérrima como modelo de madres cristianas. Se había casado con Patricio, gentil, al que convirtió al cristianismo. Posteriormente, su dedicación se volcó sobre su hijo Agustín a quien, con la ayuda del obispo de Milán, san Ambrosio, terminó también convirtiendo.

MONJA ALFÉREZ. V. **ERAUSO, Catalina de.**

MONJA DE LAS LLAGAS. V. **QUIROGA, María de los Dolores Rafaela.**

MONNIER, Sophie, marquesa de (Marie-Thérèse Richard de Ruffey). Cortesana francesa (Pontarlier, 1754-Gien, 1789). Casada a los diecisiete años con el marqués de Monnier, que tenía sesenta. Fue famosa por sus asuntos amorosos, especialmente con Mirabeau. Harto de su vida escandalosa, su marido la intentó encerrar, pero ella huyó a Holanda, mientras Mirabeau era encerrado en Vincennes. Su separación (1777-1781) produjo una importante correspondencia, publicada con el título de *Cartas de Sophie* (1780). Posteriormente su hizo amante del capitán Pothrat; muerto éste de tuberculosis, ella se suicidó.

MONROE, Marilyn (Norma Jean Mortenson, llamada). Actriz cinematográfica estadounidense (Los Ángeles, 1926-íd., 1962). Comenzó a darse a conocer como modelo de fotógrafo. Después destacó como actriz de comedias, convirtiéndose en el mito erótico de los años cincuenta. Entre sus películas figuran: *Niágara* (Hathaway, 1953), *La tentación vive arriba* (Wilder, 1955), *Los caballeros las prefieren rubias*, *Cómo casarse con un millonario*, *Río sin retorno*, *Bus Stop*, *El príncipe y la corista*, *Con faldas y a lo loco* (Wilder, 1959) y *Vidas rebeldes* (Huston, 1961), su última película. Su vida privada estuvo llena de problemas sentimentales, con tres matrimonios, ninguno de ellos feliz. Parece ser que estuvo relacionada sentimentalmente con el presidente J. F. Kennedy. Murió a consecuencia de una sobredosis de somníferos. Se ha convertido en uno de los grandes mitos del siglo XX.

Marilyn Monroe

MONSERDÀ, Dolors. Escritora española en lengua catalana (Barcelona, 1845-íd., 1919). Participó en el movimiento feminista catalán y en organizaciones filantrópicas, época a la que pertenecen sus libros *Estudi feminista* y *Labores sociales* (1916). Cultivó varios géneros literarios, pero su fama se debió fundamentalmente a su obra novelística: *La fabricanta* (1904), *La Quitèria* (1906) y *Teresa o un jorn de prova.*

MONTAGU, Lady Mary Wortley. Escritora inglesa (Nottingham, 1689-Londres, 1792). Conocida por las cartas que desde Turquía enviaba a intelectuales de la sociedad inglesa y en las que retrató minuciosamente la cultura oriental de esa época *(Embassy to Constantinople).* Resultan memorables además las polémicas literarias sostenidas con A. Pope, así como su introducción en Inglaterra de la vacuna antivariólica que había conocido en Turquía.

MONTERO, Rosa. Periodista y novelista española (Madrid, 1951). Desde 1969 trabaja en los medios de comunicación, y en 1976 comenzó a colaborar con el periódico *El País*, cuyo suplemento dominical dirigió de 1980 a 1981. Su valiosa labor como periodista le ha hecho merecedora de varios premios, entre ellos el premio Nacional de Periodismo (1981). Es considerada además como una de las representantes más significativas de la nueva narrativa femenina española: *Crónica del desamor* (1977), *Te trataré como a una reina* (1983), retrato de los ambientes decadentes madrileños, *Amado amo* (1988), centrada en las relaciones de poder, *Temblor* (1990) y *Bella y oscura* (1993).

Rosa Montero

MONTES, Conchita (María de la Concepción Carro Alcaraz, llamada). Actriz española de teatro y cine (Madrid, 1915). Es licenciada en derecho. En sus numerosos trabajos de actuación ha destacado por su naturalidad y la identificación con los personajes que interpreta. Uno de sus mejores triunfos lo consiguió en *El baile*, de Neville. Ha traducido algunas obras teatrales, como *El árbol del amor*, de Lawrence Roman (1962).

MONTES o MONTEZ, Lola. (Elisa Gilbert Montes, llamada). Bailarina y aventurera irlandesa (Limerick, 1818-Nueva York, 1861). Usó, además de los citados, los nombres de María Porris y Montes y Elisa Gilbert, y estuvo casada tres veces. Existe una gran incertidumbre sobre todos estos extremos, pues también se dice que nació en Sevilla, hija de una criolla y de un capitán escocés, y que su progenitor la llevó a Inglaterra a los catorce años. Tres años después se fue a la India con un capitán amigo de su padre; en 1843 hizo su presentación en Londres, como bailarina española, sin éxito, pero luego triunfó en París y en Alemania, Polonia y Rusia; en 1847 pasó a Munich, donde gozó del favor del rey Luis I de Baviera, quien la nombró baronesa de Rosenthal y condesa de Landsfeld y, a causa de sus intrigas políticas, acabó siendo desterrada poco antes de la abdicación del soberano (1848); de nuevo en Inglaterra, contrajo matrimonio, que fue anulado judicialmente, y, procesada, desapareció del país; estuvo en EE.UU. (1852) y en Australia (1855-56), y con ocasión del terremoto de San Francisco (California), donde se encontraba, perdió a su tercer marido en este último año; finalmente se estableció en Nueva York.

MONTESPAN, marquesa de (Françoise Athénais de Rochechouart de Mortemart). Dama francesa (Lussac-les-Châteaux, 1640-Bourbonl'Archambault, 1707). Era hija del duque de Mortemart y esposa del marqués de Montespan. Con la ayuda de madame de Montausier se convirtió en la favorita de Luis XIV quien, prendado de su belleza, la separó de su marido, durando su unión unos ocho años. Dio al rey diez hijos, ocho de los cuales fueron reconocidos por el monarca. Sustituida en el favor real por madame de Maintenon*, al morir la reina (1684) se la relegó y abandonó en Versalles en 1691, para retirarse al convento de Saint-Joseph, que ella había fundado en París.

MONTESSORI, Maria. Pedagoga italiana (Chiaravalle, 1879-Holanda, 1952). Fue la primera mujer italiana en obtener el título de doctora en medicina (1894), y en 1907 fundó la primera *Casa dei Bambini*, escuela para niños de tres a seis años, en la que puso en práctica su célebre método de enseñanza basado en fundamentos psicopedagógicos: respeto a la espontaneidad del niño, al patrón de desarrollo individual, libertad, autoactividad, disposición adecuada del ambiente, y en materiales orientados a la educación de los sentidos y de la inteligencia por medio de ejercicios y juegos. Entre sus publicaciones destacan *Trattato sull'Antropologia pedagogica* (1907), *Il metodo della pedagogia scientifica applicata all'educazione infantile* (1909) y *Manuale de Pedagogia scientifica* (1935).

MÓNTEZ, María (María Antonia Gracia Vidal de Santo Silas, llamada). Actriz de cine estadounidense de origen hispano (Barahona, República Dominicana, 1919-París, 1951). Hija de un diplomático español, pasó de las pasarelas de la moda neoyorquina a los platós californianos debutando en *Aquella noche en Río* (1941), junto a Carmen Miranda*. Pronto se convirtió en el símbolo del escapismo orientalista y el exotismo del Hollywood de los años cuarenta. Entre sus películas principales destacan: *Moonlight in Hawai* (1941), *Las mil y una noches* (1942), *La salvaje blanca* (1943), *Alí Babá y* *los cuarenta ladrones* (1944), *Alma zíngara* (1944), *La reina de Cobra* (1944), *Sudán* (1945) y *La Atlántida* (1947). Alejada de Hollywood realizó algunas películas de escaso renombre en Europa y, finalmente, fue hallada muerta en su bañera el 7 de septiembre de 1951. Su entierro parisino, presidido por su marido Jean-Pierre Aumont, fue multitudinario.

MONTIEL, Sara (María Antonia Abad Fernández, llamada). Actriz española de cine (Campo de Criptana, Ciudad Real, 1933). Debutó en el cine en 1944, destacando por su actuación en *Locura de amor* (Orduña, 1948). Posteriormente se convirtió en una actriz de fama internacional, trabajando en México y EE.UU.

Sara Montiel en *La violetera*

—*Veracruz* (Aldrich, 1954)—. A su vuelta a España obtuvo gran éxito con *El último cuplé* (Orduña, 1957), seguida de una serie de películas musicales de contenido melodramático: *La violetera*, *La reina del Chantecler*, *Varietés*, etc. Realizó una gran contribución a la revalorización de la música popular de los años 20. Mantuvo relaciones con muchos grandes de la pantalla y de la literatura. Se casó con José Tous y desde el año 1991 desarrolla un importante trabajo de variedades en televisión (programa *Ven al Paralelo*).

MONTMORENCY, Charlotte Marguerite. Cortesana francesa, princesa de Condé (1594-Châtillon-sur-Loing, 1650). Hija de Enrique I de Montmorency, fue presentada en la corte parisiense a los quince años. El rey Enrique IV se sintió apasionadamente atraído por ella e intentó lograr la anulación del matrimonio de ésta con Enrique II de Condé. El matrimonio, huyendo de las presiones del rey, abandonó la corte en 1609 y fijó su residencia en Bruselas. Muerto Enrique IV, volvieron a París, donde la princesa se enfrenta a Richelieu. Quedó viuda en 1646, habiendo tenido tres hijos.

MONTPENSIER, duquesa de (Ana María Luisa de Orleans). Política francesa, llamada «la Grande Mademoiselle» (París, 1627-íd., 1693). Heredera de una gran fortuna, intentó casarse con Luis XIV, pero el proyecto fue abortado por la oposición de Mazarino. Durante la Fronda (1651), apoyó a los rebeldes y en 1652 entró en Orleans y convenció a Condé para que diera el combate en Bléneau. Luis XIV se opuso a su proyecto de matrimonio con el marqués de Puyguillem, futuro duque de Lauzun, quien fue encarcelado (1671). Después de ceder al duque de Maine el principado de Dombes y el condado de Eu, pudo casarse al fin con Lauzun (1681). Escribió sus *Memorias* (1729 y 1735), llenas de espiritualidad y muy interesantes para conocer su época.

MONTPENSIER, duquesa de (Catherine-Marie de Loraine). Política francesa (1552-1596). Hija del duque Francisco de Guisa y casada en el año 1570 con Luis II de Borbón, duque de Montpensier, desempeñó un importante papel político en su época. Se distinguió durante la Liga por su odio a Enrique III de Francia, en cuyo asesinato parece que estuvo implicada.

MONTSENY MAÑÉ, Federica. Anarquista española (Madrid, 1905-Toulouse, 1994). De 1923 a 1936 escribió sobre filosofía, literatura y feminismo en la *Revista Blanca* que dirigían su padre, Juan Motseny, y su madre, Teresa Mañé (Soledad Gustavo*). Desde 1936 formó parte del comité

Federica Montseny

regional de Cataluña de la CNT y durante la guerra civil fue ministra de Sanidad y Asistencia Social en el gobierno de L. Caballero (1936-1937), convirtiéndose en la primera mujer española en dirigir un ministerio. Al terminar la guerra civil se exilió en Francia, y en 1977 regresó a España y participó en la reconstrucción de la CNT. Entre sus publicaciones destacan *La mujer, problema del hombre* (1932), *Cien días en la vida de una mujer* (1949), *Crónicas de la C.N.T.* (1974), *El anarquismo* (1976) y *Mis primeros cuarenta años* (1987).

MOOREHEAD, Agnes. Actriz estadounidense (Boston, 1907-Rochester, Minnesota, 1974). Alumna de la American Academy of Dramatic Art, trabajó en Broadway y en los medios radiofónicos, donde conoció a Orson Welles. Con él colaboró en la célebre emisión de *La guerra de los mundos* y en sus primeras películas, destacando desde entonces como excelente actriz secundaria. De su filmografía, que abarca más de setenta títulos, cabe destacar: *Ciudadano Kane* (1940), *El cuarto mandamiento* (1942), *Alma rebelde* (1944), *Estirpe de dragón* (1944), *La senda tenebrosa* (1947), *Belinda* (1948), *El gran pecador* (1949), *Obsesión* (1954), *Canción de cuna para un cadáver* (1964). En televisión aumentó su popularidad con la interpretación del papel de madre de Samantha en la serie *Embrujada* (1964-1969).

MORA Y ARAGÓN, Fabiola. V. **FABIOLA de Mora y Aragón.**

MORANDI-MANZOLINI, Ana. Escultora y anatomista italiana (Bolonia, 1716-íd., 1744). Formada como pintora y escultora, se casó en 1740 con el profesor de medicina Juan Manzolini, descubriendo la anatomía, disciplina de la que fue una apasionada. Dedicada a la disección de numerosos cadáveres, realiza importantes descubrimientos (inserciones de los músculos del ojo, etc.) y esculpe en cera numerosas reproducciones para las clases de su marido. Enfermo su esposo, lo reemplaza en la universidad y a su muerte se la confirma en el puesto (1757).

MORANTE, Elsa. Escritora italiana (Roma, 1912-íd., 1985). En 1941 se casó con el escritor A. Moravia, de quien se separó en 1962. Tras trabajar varios años como cronista cultural de diversas revistas, publicó en 1941 su primer libro de relatos *El juego secreto*, consolidándose posteriormente con *Mentira y sortilegio* (1948), novela ambientada en el sur de Italia y en la que Morante describe con imágenes fantasmagóricas la soledad y las frustraciones de tres generaciones de mujeres. La soledad fue también el eje de su novela *La isla de Arturo* (1957), que describe el paso a la madurez de un adolescente. *El mundo salvado por los niños* (1968) marca un giro en la poética de la escritora, manejando un lenguaje que recuerda al experimentalismo de la neovanguardia con el que recrea un universo utópico, aspectos que se reflejarán más tarde en *La historia* (1974), su libro más polémico, y en el que retrata con brillantez y dureza los horrores de la segunda guerra mundial. Su poder narrativo se hace aún más intenso en *Aracoeli* (1983), donde el protagonista se empeña en reconstruir la amada figura materna, ya perdida e inalcanzable. Morante es considerada una de las figuras más relevantes de la narrativa italiana contemporánea.

MORDÓ, Juana. Galerista española de origen griego (Salónica, 1899-Madrid, 1984). En

1943 se radicó en Madrid, colaborando para la emisión francesa de Radio Nacional bajo el seudónimo de Carmen Soler. Posteriormente su casa se convirtió en punto de encuentro de un sinnúmero de intelectuales, escritores y artistas como Fernández del Amo, Carlos y Antonio Saura, José Luis de Aranguren, entre otros. En 1958, desde la Galería Biosca, promocionó el arte contemporáneo y se relacionó con los artistas del grupo *El Paso*. En 1964 abrió su propia galería, la cual llevaba su nombre, y en donde expusieron sus obras los artistas más importantes e interesantes de las últimas tres décadas. Mordó recibió numerosos premios por su labor en la creación artística, entre ellos la medalla de plata del Ministerio de Cultura (1981) y la medalla de oro a las Bellas Artes (1993). Legó su importante colección privada al Círculo de Bellas Artes de Madrid.

MOREAU, Jeanne. Actriz teatral y cinematográfica francesa (París, 1928). Comenzó su carrera actuando en la Comedia Francesa y en el Teatro Nacional popular. En el cine debutó en 1948, interviniendo posteriormente en *Los amantes* (Malle, 1958), *Moderato cantabile* (Brook, 1960), por la que obtuvo el premio de Cannes de ese año; *Diálogo de carmelitas*, *Jules y Jim* (Truffaut, 1961), *La noche* (Antonioni, 1961), *Eva* (Losey, 1962), *Campanadas a medianoche*, *Diario de una camarera* (Buñuel, 1964), *Una historia inmortal* (Welles, 1969), *Nathalie Granger* (Margueritte Duras*, 1972) y otras muchas. Como directora se estrenó con *Lumière* (1977) y *La adolescente* (1978).

Jeanne Moreau

MORENO, María. Pintora española (Madrid, 1933). Estudia entre 1955 y 1960 en la Academia de Bellas Artes de San Fernando de Madrid, donde se vinculará al grupo de artistas que serán conocidos como «realistas madrileños»: Amelia Avia*, Isabel Quintanilla* y Antonio López (quien posteriormente se convertirá en su esposo). De 1969 a 1979 fue profesora en la Escuela de Oficios de Alcalá de Henares. Moreno realiza una pintura intimista, donde resaltan escenas cotidianas, platos de comida, dormitorios, paisajes urbanos, etc. (temas que comparte con el pintor A. López) y donde predominan la soledad y el silencio, la casi ausencia de figuras, de movimiento y de gestos. Destacan, además, en sus pinturas jardines florecidos, plantas igualmente florecidas en sus macetas, árboles en los jardines de las casas, etc. Aunque no ha desarrollado una intensa labor expositiva ha participado en prestigiosas muestras internacionales.

MORENO, Rita. Actriz, cantante y bailarina puertorriqueña (Humacao, 1931). Debutó en Hollywood en 1945, y fue aclamada por su actuación en en el musical *West Side Story* (1961), que la convirtió en la primera actriz en recibir el mismo año un Oscar, un Tony y un Emmy. Entre sus películas figuran *Samar* (1962), *Marlowe* (1969), *Popi* (1969), *The Four Seasons* (1981) y *Life in the Food Chain* (1991).

MORGAN, Lina (María de los Ángeles López Segovia, llamada). Actriz y empresaria teatral española (Madrid, 1938). Comenzó su carrera a los trece años en la compañía de «Los chavalillos de España», trabajando posteriomente como chica de conjunto hasta llegar a ser *vedette* cómica, como pareja de Juanito Navarro. Actúa en el cine desde 1961; su primer gran papel es en *La tonta del bote* (Orduña, 1969), pasando a protagonizar una serie de películas hasta 1975: *La graduada* (Ozores, 1971), *La llamaban la Madrina* (Ozores, 1972), *Los pecados de una chica casi decente* (Ozores, 1975), etc. Abandona el cine para dedicarse íntegramente a la revista, forma su propia compañía y adquiere el teatro madrileño de La Latina, logrando un inmenso éxito popular con todos sus espectáculos, haciendo de ella un verdadero fenómeno sociológico del espectáculo.

MORI HANAE. Diseñadora de moda y empresaria japonesa (Shimade, 1926). Considerada una de las mujeres más célebres del Japón actual, Hanae estudió literatura y diseño, y debutó creando vestuario para el cine. Posteriormente exportó a EE.UU. vestidos de muselina estampada que obtuvieron gran éxito, y en 1977 abrió una casa de alta costura en París. En Tokio, sede de sus negocios, su actividad no se limita al mundo de la moda, sino que ha creado además un imperio comercial que cuenta con antigüedades, seguros, inmobiliaria, vídeo, restauración, y es propietaria de un grupo editorial que publica las versiones japonesas de revistas como *Women's Wear* e *Interview* .

MORISOT, Berthe. Pintora francesa (Bourges, 1841-París, 1895). Pintora impresionista que estableció unas relaciones de cierta paridad con colegas varones como E. Manet (por quien fue pintada en *Le Balcon*, 1868), A. Renoir, C. Monet, E. Degas y C. Pisarro. Sus pinturas se centraban en asuntos de la vida doméstica —jardines privados, veraneos a la orilla del mar— y su estilo evolucionó hacia la utilización más luminosa de los colores y unos trazos más amplios. En 1941, centenario de su nacimiento, se organizó una retrospectiva de su obra en el Musée de l'Orangerie. Entre sus pinturas destacan *Psique* (1876), que gira en torno a la contemplación de su propia imagen, *La madre y la hermana de la artista* (1870) y *La Cueillette des cerises*, la más célebre de todas.

MORRISON, Toni. Novelista estadounidense (Ohio, 1942). Tras haber trabajado como actriz y bailarina, se dedicó a la literatura, y hoy es considerada una de las figuras más relevantes de la narrativa afroamericana. Su novelística, caracterizada por un agudo componente metafórico, se centra en los problemas de las comunidades negras estadounidenses. Entre sus publicaciones destacan *Sula* (1973), basada en la compleja situación de las mujeres afroamericanas, *La canción de Salomón* (1981), *Beloved* (1988; premio Pulitzer), cuyo argumento explora la relación entre historia, poder e identidad, y *Jazz* (1992). En 1993 fue galardonada con el premio Nobel de Literatura.

MOSER-PROELLM, Anne Marie. Esquiadora austriaca (n. 1953). A Moser-Proellm se le considera una de las mejores campeonas en descenso; obtuvo en 1971, 1975 y 1979 la Copa del Mundo y en 1980 una medalla de oro en Lake Placid.

MOTT, Lucretia Coffin. Abolicionista y feminista estadounidense (Massachusetts, 1793-c. Filadelfia, 1880). Estudió en la escuela cuáquera de Nueva York y en 1917 fundó su propia escuela. En 1833 se unió a la American Anti-Slavery Society, creando posteriormente la Female Anti-Slavery Society de la cual fue presidenta toda su vida. Mott, activa defensora de los derechos de la mujer, organizó en 1848, junto a E. C. Stanton*, el primer congreso en defensa de los derechos de la mujer, celebrado en Seneca Falls, y en 1870 fue nombrada presidenta de la Pennsylvania Peace Society. Sus discursos sobre los derechos de la mujer fueron publicados por Stanton en el primer volumen de su *History of Woman's Suffrage* (1881-1922).

MOURA GURGEL, Beatriz de. Editora brasileña radicada en España (Río de Janeiro, 1939). Se licenció en Ginebra en traducción literaria e historia, además de haber cursado estudios de intérprete y de ciencias sociales y políticas. En 1961 se radicó definitivamente en España, trabajando en las editoriales Gustavo Gili y Salvat (1961-1964). De 1964 a 1968 trabajó en la editorial Lumen, y en 1969 fundó la editorial Tusquets, convirtiéndose en su directora literaria. Es autora de la novela *Suma* (1974).

MOZART, Constanza. Soprano austriaca (Zell, Wiesenthal, 1762-Salzburgo, 1842). Hija de Fridolin Weber, poseía gran talento musical. Se casó con Mozart en 1782, cantando en Salzburgo la *Misa en Do menor* (1783). Después de la muerte de su marido (1791), queda con una pequeña pensión y organiza las representaciones de las óperas de Mozart, *La clemenza di Tito* e *Idomeneo*. En 1801 se vio obligada a vender los manuscritos de su marido al editor André. En 1809 se vuelve a casar con el diplomático danés Georg Nissen, volviendo a Salzburgo con él, que quería escribir una biografía de Mozart. Muerto en 1826, ella se encargó de completar el trabajo y darle difusión.

MUMTÂT-I MAHAL. Princesa mogola de la India (1592-1631). Hija de Âsaf Khan III, se casó en 1612 con el futuro Shâh Jahân, con quien tuvo catorce hijos, muriendo en el parto del último. Su marido, sintiendo un gran dolor, mandó construir para ella el gran mausoleo del Tâj Mahal, regalo para la posteridad.

MUNIA. V. **MAYOR.**

MURASAKI SHIKIBU. Novelista japonesa (975-1025). Debe su celebridad a una novela titulada *La historia de Genji*, comparada por los especialistas en literatura japonesa con obras como *El Quijote* y el *Decamerón*. En dicha obra, con primor técnico que recuerda sorprendentemente *A la busca del tiempo perdido*, de Proust, es evocado el esplendor cortesano de Japón del s. X con irónica sutileza y melancólica emoción, atendiendo más al afán artístico que al designio moral.

MURDOCH, Iris. Seudónimo de la escritora británica Jean O.

Iris Murdoch

Bayley (Dublín, 1919). Fue profesora de filosofía en el Saint Anne's College de Oxford, y en los años 50 decidió dedicarse de lleno a la literatura. Su obra, marcada por un componente filosófico-simbólico, se centra en el amor y en el análisis de la culpabilidad, la soledad, la responsabilidad y las pasiones humanas: *Bajo la red* (1954), *El unicornio* (1963), *El mar, el mar* (1978) y *El buen aprendiz* (1985).

MUSIDORA (Jeanne Roques, llamada). Actriz, guionista y directora de cine francesa (París, 1889-íd., 1957). Estudió bellas artes y declamación, y en 1913 debutó en el Théâtre de Montparnasse y en el Folies-Bergère. Musidora adquirió gran popularidad con la película *Les Vampires* (1915), en la que creó el personaje de la «vampiresa», mujer fatal y maléfica. Posteriormente dirigió varios filmes, entre los que destacan *Vicenta* y *La Vagabonde*, ambos de 1918, y *La Flamme cachée* (1919), sobre un guión de su amiga Colette*. En 1946 ocupó la secretaría de la Commission des Recherches Historiques de la Cinémathèque Française, donde realizó valiosos estudios para la historia de la cinematografía. Entre sus publicaciones destacan *Paroxysme* (1934), *Auréoles* (1939) y la *Vida sentimental de George Sand* (1946).

MYRDAL, Alva. Política sueca (Upsala, 1904-Estocolmo, 1986). Feminista y socialista, defendió los derechos de la mujer y de los desposeídos, y participó activamente en la lucha contra el armamentismo y por la paz. Fue directora de la Comisión de Asuntos Sociales de la UNESCO (1949), ministra para el desarme (1966-1972), para Asuntos Eclesiásticos (1969-1972) y sin cartera (1972-1973). En 1970 recibió, junto con su esposo Karl Gunnar, el premio A. Einstein para la paz, y en 1982 compartió el Nobel de la Paz con A. García. Entre sus publicaciones destacan *Desarme; realidad y utopía* (1965), *El juego del desarme y guerra, armamentismo y violencia cotidiana* (1972) y *Dinámica del desarme nuclear europeo* (1981).

Alva Myrdal

NAIR, Mira. Directora de cine india (Orissa, 1957). En 1985 ganó el premio de la American Film Festival al mejor documental con *India Cabaret*, sobre bailarinas que se desnudan en un club nocturno de Bombay. Con su primera película *Salaam Bombay* (1988) fue aclamada internacionalmente, recibiendo la Camera D'Or por su «opera prima» y el Premio del Público en el Festival de Cannes. Entre su filmografía destaca, además, *Children of a Desired Sex* (1987) y *Mississippi Masala* (1991).

NAPIR-ASU. Reina de Elam (s. XIII a. C.). Soberana por su casamiento con Untash-Gal, rey de Elam, que gobernó durante un período especialmente brillante para este pueblo. De ella se conserva una gran estela que representa sus bodas con Untash y una estatua de bronce, conservada en el Museo del Louvre.

NAVRATILOVA, Martina. Tenista estadounidense de origen checo (Praga, 1956). Considerada una de las mejores tenistas del mundo por su fuerza y vitalidad en su juego de saque y volea, Navratilova ha pasado a la historia por haber sido la única tenista que ha logrado ganar el torneo de Wimbledon nueve veces (1978, 1979, 1982, 1983, 1984, 1985, 1986, 1987 y 1990). Ha conseguido también el campeonato de Australia (1981, 1983 y 1985), el open de EE.UU. (1983, 1984,

Martina Navratilova

1986 y 1987), el Roland Garros (1982 y 1984) y ha conquistado el Masters (1980, 1981, 1982, 1984, 1985, las dos ediciones de 1986 y finalista en 1992), y el Flushing Meadow (1983, 1984, 1986 y 1987). Navratilova es una de las pocas figuras públicas que se ha atrevido a declarar sus relaciones sentimentales con mujeres.

NECKER, Germaine. V. **STAËL, madame de.**

NECKER, Louise Suzanne Curchod de. Escritora suiza en lengua francesa (Crassier, Vaud, 1739-Beaulieu, Lausana, 1794). Era hija de un pastor protestante y esposa del político francés Jacques Necker. Se dedicó a la beneficencia, escribiendo varias obras en relación con esta actividad: *Memoria sobre la fundación de hospicios* (1786), *Consideraciones sobre el divorcio* (1794), etc.

NEFERTARI. Reina de Egipto. (1304 a. C.-1223 a. C.). Esposa favorita del gran faraón Ramsés II, muy famosa por su belleza y sus buenos consejos. El faraón le hizo construir un templo, junto al suyo, en Abu Simbel y una estatua monumental en el templo de Karnak. Su tumba, en el Valle de los Reyes, en Tebas, es una de las más decoradas y mejor conservadas del período.

NEFERTITI, NEFRETETE o NOFRETETE. Reina de Egipto (s. XIV a. C.). Esposa del faraón

Nefertiti

Akhenatón o Amenofis IV, el cual reinó entre 1375 y 1358 a. C. Colaboró con su marido activamente en la reforma religiosa que supuso la revolución de Tell el-Amarna y la instauración del culto al disco solar Atón. Junto con su marido, fueron los modelos de un nuevo estilo de vida y de gobierno en el antiguo Egipto. Los últimos historiadores han establecido que la separación de los esposos se debió a razones de índole religiosa: Akhenatón quiso reinstaurar el culto a Amón —por razones políticas— y ella, fiel atonista, se retiró a su palacio del N de Tell el-Amarna, muriendo en él, ya en el reinado de su hijo político, Tutankamón, el restaurador de la antigua religión.

NEGRI, Ada. Escritora italiana (Lodi, 1870-Milán, 1945). De familia humilde, comenzó su carrera profesional ejerciendo como maestra en Lombardía. Fue colaboradora de numerosas revistas y periódicos, y en 1892 publicó su primer libro de poemas, *Fatalidad,* en el que denunció las míseras condiciones de vida de las clases pobres italianas. Sus poemas posteriores se centraron fundamentalmente en la temática de la mujer y en los problemas existenciales, en especial la soledad humana: *Tempestades* (1984), *Maternidad* (1904) y *Exilio* (1914). En su última etapa poética reflejó una concepción cristiana de la vida, suavizando la violencia y el tono desgarrado de sus primeros versos con sentimientos de resignación y serenidad *(Vespertina,* 1930; *El don,* 1936). Negri logró adquirir gran notoriedad en los ambientes literarios, y en 1940 se convirtió en la primera mujer en ser elegida miembro de la Academia de Italia. Fue autora además de varias obras en prosa, entre las que destacan *Las solitarias* (1917) y su novela autobiográfica *Estrella matutina* (1921), en la que rememora sus dolorosos años de infancia.

NEGRI, Pola (Barbara Apolonia Chalupiec, llamada). Actriz alemana de origen polaco (Janowa, 1894-San Antonio, Texas, 1987). Tras cursar sus estudios en la Escuela Dramática de Varsovia, fue la primera figura del Ballet Imperial Ruso. Más tarde se dedicó al cine, en la época de los filmes mudos. Se casó con el príncipe Serge Mdivani. Entre sus interpretaciones merecen citarse: *Carmen* (Lubitsch, 1918), *Madame Du Barry** (Lubitsch, 1919), *Sumurum* (Lubitsch, 1920), *La frivolidad de una dama* (Lubitsch, 1924) y *Hotel Imperial* (Stiller, 1927). Fue una de las grandes figuras del cine mudo, declinando su fama con la llegada del sonoro. En 1973 publicó sus memorias con el título de *Memorias de una estrella.*

NELKEN Y MAUSBERGER, Margarita. Política y escritora mexicana de origen español (Madrid, 1896-México, 1968). Cursó estudios de pintura con E. Chicharro y M. Blanchard*, dedicándose durante un tiempo a la pintura y posteriormente se convirtió en crítica de arte, colaborando con *Le Mercure* de Francia, y con *The Studio* de Londres. Nelken, interesada por los problemas de las mujeres, en 1919 publicó *La condición social de la mujer española*, donde reivindicaba los derechos de éstas. Afiliada al PSOE, militó en el ala izquierda de dicho partido y fue diputada en las Cortes por Badajoz en tres legislaturas republicanas (1931-1936), y en 1937 ingresó en el Partido Comunista.

En 1939 se exilió a México, donde ejerció como crítica de arte en el *Excelsior* y desempeñó un puesto burocrático en el Ministerio de Educación.

NELL, Alice. Pintora estadounidense (1900-1984). Participó en la realización de murales para varios edificios públicos, retratando en ellos las miserables condiciones de vida durante la depresión de los años treinta en EE.UU. Se dedicó más adelante al arte figurativo, destacando especialmente sus cuadros sobre mujeres embarazadas (*María, encinta*, 1964), pero no fue hasta los últimos años de su vida cuando Nell logró ser reconocida como una de las mejores pintoras estadounidenses contemporáneas. En 1974 el Museo de Arte Moderno de Nueva York organizó una retrospectiva de toda su obra.

NEVELSON, Louise. Escultora estadounidense de origen ucraniano (Kiev, 1899-Nueva York, 1988). Comenzó en la pintura y, a partir de los años 40, se dedicó exclusivamente a la escultura. Sus composiciones denotan influencia del arte precolombino y sus obras escapan a cualquier definición, pues funde armoniosamente el cubismo con el constructivismo, y los patrones prefabricados dadaístas con el sueño-objeto surrealista, como bien demuestra su *Juegos y lugares de la antigüedad* (1955), primer conjunto ambiental por el que fue aclamada. Nevelson compuso murales ensamblando diferentes materiales (aluminio, bronce, plexiglás) con canastas, cajas, fragmentos arquitectónicos, piezas de pianos, barandillas de escaleras, barrotes, sillas y otros objetos de desechos. El negro mate de los elementos, pintados antes de conjugarlos, unificaba la forma y la superficies. Entre sus obras figuran *El jardín de la luna* (1958), *Totem II* (1959) y *Open Zag* (1974).

NIETO IGLESIAS, Ofelia. Soprano lírica española (Santiago de Compostela, 1899-Madrid, 1931). Junto a su hermana Ángeles Otein, fue discípula de Simonetti. Debutó con la zarzuela *Maruxa* en 1914. Estrenó en varios teatros *Amaya*, *Bohemios* y *Parsifal*. Sus óperas favoritas eran *Manon*, *La Gioconda*, *Aída* y *Madame Butterfly*. Fue la cantante preferida del público español en el período de entreguerras.

NIGHTINGALE, Florence. Enfermera inglesa (Florencia, 1820-Londres, 1910). Realizó algunas prácticas en los hospitales de Londres, Edimburgo y Kaiserswerth (Alemania), y en 1853 trabajó en el Hospital for Invalid Gentlewomen de Londres. En 1854 ofreció sus servicios en la guerra de Crimea y con un grupo de enfermeras voluntarias se presentó en los campos de batalla, siendo la primera vez que se permitía la entrada de personal femenino en el ejército británico. La brillante labor de Nightingale consiguió bajar la mortalidad en los hospitales militares de un 42 a un 2%. En 1856 enfermó de cólera en el campo de batalla y tuvo que regresar a Londres donde fue recibida con grandes honores. A Nightingale se le considera la fundadora de las escuelas de enfermeras profesionales y fue además la primera mujer en recibir la British Order of Merit (1907).

Bronislava Nijinska

NIJINSKA, Bronislava. Coreógrafa, bailarina y maestra de danza polaca (Varsovia, 1891-Pacific Palisades, 1972). Era hermana de Vaslav Fomitch Nijinski. Inspirada al principio en el medievalismo, evolucionó después hacia lo abstracto, mezclando también elementos del folclore ruso. Entre sus más célebres creaciones figuran *La bella durmiente del bosque*, *La siesta de un fauno* y *Las bodas*.

NIN, Anaïs. Escritora estadounidense de origen francés (París, 1903-Los Ángeles, 1977). Tras el abandono de su padre (el compositor español Joaquín Nin), se trasladó con su familia a Nueva York (1914). Su extenso *Diario: 1931-1977* (1966-1980; 7 volúmenes) suele tomarse como el punto de partida de su creatividad literaria. En él desarrolla los temas que caracterizarán el resto de su obra: pérdida del padre, desarraigo, afirmación de la expresión femenina, erotismo e identidad sexual. Su escritura, entretejida en el lenguaje de los sueños y de los símbolos, está influida por el movimiento surrealista (que Nin conoció en

Anaïs Nin

París), por la experiencia psicoanalítica guiada por Otto Rank, y por su estrecha amistad con Henry Miller y su esposa June. Entre sus títulos destacan *La casa del incesto* (1936), *Invierno del artificio* (1939), centrado en la figura de la escritora D. Barnes*, *Una espía en la casa del amor* (1954) y su libro de relatos eróticos *Delta de Venus* (1977).

NIÑA DE LA PUEBLA, La (Dolores Jiménez Alcántara, llamada). Cantaora española (Sevilla, 1908). Ciega de nacimiento, comenzó a cantar a los 10 años e hizo del cante su vida profesional. Su éxito más popular lo consiguió con una canción, «En los pueblos de mi Andalucía» («Los campanilleros»), y destacó en la interpretación de tonadillas, fandangos y malagueñas. Actuó formando parte de las más importantes compañías de espectáculos flamencos. Casada con otro notable cantaor, Luquitas de Marchena, ha residido durante los últimos años en Málaga.

NIÑA DE LOS PEINES, La (Pastora Pavón, llamada). Cantaora española (Sevilla, 1890-íd., 1969). De familia gitana, fue una de las más geniales intérpretes del cante flamenco. Enriqueció la mayoría de las especies flamencas, desde las primitivas *siguiriyas* y *soleares*, hasta las derivaciones como *tangos*, *tientos*, *peteneras*, etc. Realizó numerosas interpretaciones de creación personal, dotando a algunos cantes secundarios de la más pura personalidad flamenca. Se casó con el cantaor Pepe Pinto.

NOFRET. Princesa egipcia (h. 2700 a. C.). Noble egipcia casada con el príncipe real Rahotep y, posiblemente, una de las favoritas del faraón Senefru. Los dos esposos han pasado a la historia gracias a las estatuas que de ellos se descubrieron, en un perfecto estado de conservación. Se trata de una de las obras maestras de la IV dinastía y se muestran en el Museo de El Cairo.

NORDENFLYCHT, Hedvig Charlotta. Escritora y poeta sueca (Estocolmo, 1718-Lugnet, c. Skokloster, 1763). Fundó el primer salón literario sueco y bajo el nombre de *Urania* fue inspiradora de «La orden de los constructores del pensamiento» (1753) y alma del círculo literario de Gyllenborg y Creutz (1755-1763). Entre sus obras destacan *La tórtola desolada* (1743), *Juegos del pensamiento de una mujer, por una pastora del Norte* (1744-1750), *Svea salvada* (1746), poema épico; *Cánticos poético-religiosos* (1758), *La defensa de la mujer* (1763), refutación de las ideas de Rousseau. Sus obras preconizan la era académica del reinado de Gustavo III.

NORMAN, Jessye. Soprano afroamericana (Augusta, Georgia, 1945). Habiendo estudiado en diversas universidades norte-

Jessye Norman

americanas, ganó en 1968 el primer premio en un concurso internacional de las radios alemanas, debutando al año siguiente en la Ópera de Berlín con *Tannhäuser* de Wagner. A partir de este momento, actúa en las mejores salas internacionales. Realiza tanto actuaciones operísticas como recitales, conciertos y grabaciones. Su repertorio es ecléctico, incluyendo desde el espiritual negro *(godspel* o *blues),* pasando por los románticos a Schönberg. Tiene una voz de excelente calidad y timbre, apreciada especialmente para papeles trágicos y oratorio.

NOVAK, Kim (Marilyn Novak, llamada). Actriz de cine estadounidense (Chicago, 1933). Comenzó a trabajar para el cine en la película *Pushover* (*La casa número 392*, 1954), y posteriormente ha filmado: *El hombre del brazo de oro* (1956), *Vértigo* (Hitchcock, 1958) y *Picnic* (1961). Entre sus películas posteriores destacan *Me enamoré de una bruja*, *Bésame tonto* (1965), *The White Buffalo* (1977), *El espejo roto* (1980) y series de televisión, junto a películas de gran reparto.

NOVARO, María. Directora de cine mexicana (México D.F., 1951). Estudió sociología en la Universidad Autónoma de México y posteriormente cine. Novaro ha realizado varios cortos y dos largometrajes centrados fundamentalmente en la experiencia femenina. Sus películas han recibido numerosos premios nacionales e internacionales: *Una isla rodeada de agua* (1985), *Azul Celeste* (1987), *Lola* (1989) y *Danzón* (1991).

NOZIÈRE, Violette. Criminal francesa (París, 1915-íd., 1966). En 1933 envenenó a su padre y a su madre, aunque esta última salvó la vida. Su juicio tuvo un enorme eco dentro de la sociedad, y Nozière se convirtió en un monstruo para algunos, y para otros, en una heroína que se había rebelado contra la opresión familiar. P. Picasso le dedicó una pintura, Colette* la defendió, los surrealistas reunieron una colección de poemas y dibujos tomándola como tema central, y C. Chabrol la consagró en su película *Violette Nozière* (1978). Condenada a muerte, su pena fue conmutada a cadena perpetua, quedando posteriormente reducida a doce años de cárcel.

OAKLEY, Annie. Campeona de tiro inglesa (1860-1926). Oakley, considerada una de las leyendas del oeste americano, ha pasado a la historia como una de las mejores tiradoras al blanco de todos los tiempos. Acertaba el 100% del tiro al plato, y a 20 m de distancia era capaz de disparar a un cigarrillo o de partir un naipe en dos pedazos. Fue una de las grandes atracciones en los espectáculos de Buffalo Bill.

OATES, Joyce Carol. Escritora estadounidense (Nueva York, 1938). Su obra conjuga el realismo social con la narrativa neogótica y retrata con crudeza la violencia y el deterioro de la sociedad norteamericana contemporánea. Entre sus títulos destacan *El jardín de las delicias* (1967), desmitificación del «sueño americano», *Ellos* (1969), sobre la doble discriminación —racial y sexual— que padecen las mujeres en los barrios marginados, *Belle-fleur* (1980) *Apetitos americanos* (1989) y *Aguas negras* (1992).

OCAMPO, Silvina. Escritora argentina (Buenos Aires, 1906-íd., 1993). Hermana menor de Victoria Ocampo*, se unió tempranamente al grupo de escritores vinculados a la revista *Sur*. Sus relatos, llenos de misterio y suspense, crean un universo de elegante crueldad en el que alternan el realismo costumbrista con la escritura fantástica: *Autobiografía de Irene* (1948), *Las invitadas* (1961) e *Y así sucesivamente* (1987). Autora además de una importante obra poética, S. Ocampo es considerada una de las figuras principales de la literatura argentina contemporánea. Publicó en 1940, junto a J. L. Borges y a su marido, A. Bioy Casares, una *Antología de la literatura fantástica* (1940).

OCAMPO, Victoria. Escritora argentina (Buenos Aires, 1891-íd., 1979), hermana menor de Silvina Ocampo*. Cosmopolita y viajera, V. Ocampo es una de las figuras que más ha contribuido al desarrollo cultural de su país. Fue fundadora de la revista *Sur* y de

Victoria Ocampo

la editorial del mismo nombre, responsables ambas durante varias décadas de difundir en el ámbito nacional la obra de autores argentinos y extranjeros. Sus reflexiones sobre la realidad social, política y cultural fueron recopiladas en diez volúmenes agrupados bajo el título de *Testimonios*, y publicados entre 1939 y 1977. Fue autora además de estudios sobre importantes personalidades de aquel momento (las hermanas Brontë*, V. Woolf*, L. de Arabia) y de varias traducciones de A. Camus, W. Faulkner y Colette*, entre otros.

OCHOA, Elena Fernández López de. Psicopatóloga española (Orense, 1958). Realizó estudios posdoctorales en la Universidad de California, especializándose en Psicología Clínica y Psicopatología. Es profesora titular de Psicopatología en la Universidad Complutense de Madrid y, a su vez, ha ejercido como asesora, guionista y conductora del programa de Televisión Española *Hablemos de sexo* (Premio Ondas 1990) y como colaboradora habitual en los periódicos *El Mundo* y *El País*. Además de numerosos artículos en revistas y obras especializadas, es autora de los libros *Psiquiatría, psicología médica y psicopatología* (1990) donde aparecen recogidos sus trabajos sobre anorexia, ansiedad y obsesiones, *Doscientas preguntas sobre sexo* (1991) y *El libro de la sexualidad* (1991).

O'CONNOR, Flannery. Escritora estadounidense (Georgia, 1925-íd., 1964). Su obra narrativa, rica en imágenes expresionistas y grotescas, recrea el complejo universo del Sur estadounidense: los pequeños núcleos urbanos, la violencia racial, la enajenación de las familias campesinas, la falsa moral y la proliferación del fanatismo religioso. Considerada una de las figuras principales de la narrativa sudista posfaulkneriana, O'Connor se rebeló, sobre todo, contra los roles a los que han sido relegadas las mujeres sureñas: *Sangre sabia* (1952), *Un hombre bueno es difícil de encontrar* (1955) y *The Complete Stories* (1979), publicado póstumamente.

OCTAVIA. Dama romana (70-11 a. C.). De la gens Julia, era hermana del emperador Augusto. Se casó en primeras nupcias con Marcelo y en segundas con el triunviro Marco Antonio, que se separó de ella para seguir sus amores con Cleopatra*. A la muerte de Marco Antonio y de la amante de éste, Octavia se dedicó a la educación de los hijos de esta apasionada pareja. Fue venerada como mujer de grandes virtudes sociales.

OCTAVIA. Emperatriz romana (42-62). Hija del emperador Claudio I y de Valeria Mesalina*, fue desposada con su hermanastro, el emperador Nerón, a instancias de Agripina. A instigación de Popea* Sabina, su marido la repudió y la desterró a la isla Pandataria, donde fue asesinada a la edad de veinte años.

O'HARA, Maureen (Maureen Fitzsimmons, llamada). Actriz teatral y cinematográfica estadounidense de origen irlandés (Dublín, 1920). En 1934 y con catorce años, comenzó su carrera en el teatro con la Academia del Abbey Theatre de Dublín, donde se forjó una merecida fama. Inicia su carrera cinematográfica en Londres junto a Charles Laughton en *Posada Jamaica* (Jamaica Inn, 1939). De allí pasa a Hollywood, donde debutó en el papel de «Esmeralda» en *El jorobado de Notre Dame* (1940), también

Maureen O'Hara

junto a Laughton. Entre su amplísima filmografía podemos destacar *Aventuras de Buffalo Bill* (1948), *Débil es la carne, Simbad el marino, El cisne negro, Niñera moderna* (1949), *La isla de los corsarios* (1953), *Nuestro hombre en La Habana, Tú a Boston y yo a California, Un optimista en vacaciones, El gran MacLintock* y *Una dama entre vaqueros.* Fue la actriz favorita del director John Ford, que la eligió numerosas veces para interpretar heroínas de gran carácter, destacando sus maravillosas caracterizaciones en *¡Qué verde era mi valle!* (1941), *El hombre tranquilo* (1952), *The Long Gray Line* (1955) y *The Wings of Eagles* (1957). Interpretó varias películas realizando pareja con el actor John Wayne, entre las que destaca *El hombre tranquilo,* de ambiente irlandés.

O'KEEFFE, Georgia. Pintora estadounidense (Wisconsin, 1887-Nuevo México, 1986). Cursó estudios de dibujo con J. Vanderpoel en el Art Institute de Chicago (1905) y pintura en la Art Students' League de Nueva York (1907). O'Keeffe, artista modernista y creadora de un estilo muy personal con todo un abanico de influencias, ejecutó estudios preciosistas de edificios de Nueva York con sus rascacielos y sus siluetas destacando en el cielo, paisajes de Nuevo México con sus destiladas formas y sus intensos colores, así como muchos cuadros de flores sencillas trabajados en el límite de la abstracción. Estuvo vinculada al círculo de A. Stieglitz, con quien comenzó a vivir en 1919. Entre su obra figuran *Iris negro* (1926), *El edificio radiador americano* (1927), *Ventana sobre el lago* (1929) y *Malva real negra, espuela de caballero azul* (1930).

OLGA, santa. Princesa ucraniana, gran duquesa de Kiev (Vybuti, 890-íd., 969). Viuda del príncipe Igor de Kiev, ejerció la regencia en nombre de su hijo Sviatoslav, y se bautizó más adelante. Realizó un viaje a Bizancio (957) y solicitó del emperador Otón I un obispo alemán. La Iglesia rusa la venera como santa.

OLGA Constantinovna. Reina de Grecia (Pávlovsk, Rusia, 1851-Roma, 1926). Era sobrina del zar Nicolás I y se casó con el rey de Grecia Jorge I (1867). Tras la revolución que hizo caer a Venizelos, procuró la entronización de su hijo Constantino I (1920). Tras la revolución de 1922 se exilió a Italia, donde moriría.

OLIMPIA u OLIMPÍADE. Reina de Macedonia (m. 316 a. C.). Se casó en el año 357 a. C. con el rey Filipo, del cual tuvo a Alejandro Magno. Tras ser repudiada por Filipo II, se retiró al Épiro, guardando un gran rencor a Cleopatra*, la nueva reina de Macedonia: desde allí tomó parte en la conspiración que acabó con la vida de su marido y de Cleopatra y su hija. Dotada de una rara belleza, pero ambiciosa, durante las campañas de Alejandro disputó el poder al regente Antípatro; y en el período inmediatamente después de la muerte de su hijo, intervino directamente en las luchas por el poder que se establecieron entre los capitanes helenos: primero se alió con Poliperconte, sucesor de Antípatro, y llegó a ser regente de Macedonia, pero Casandro, hijo de Antípatro, se rebeló contra su tiranía, tomó Pidna, donde ella se había refugiado, la apresó y la ejecutó. Durante su vida hizo asesinar a los miembros de la familia real macedónica.

OLIVIER, Fernande. Inspiradora del período rosa de P. Picasso (¿?, 1881-Cognac, 1966). Mantuvo en Francia una turbulenta relación con el pintor P. Picasso, que duró desde 1905 hasta 1911. Fue modelo de varios pintores de renombre, y trabó una estrecha amistad con Apollinaire, M. Laurencin*, G. Stein*, M. Jacob, H. Matisse, J. Braque, A. Derain, entre otros. Al final de su vida, Olivier quedó en la absoluta miseria, y Picasso la mantuvo económicamente hasta que murió.

ONO, Yoko. Artista de *performance* y empresaria estadounidense de origen japonés (n. 1930). Posiblemente la viuda más famosa del mundo, Ono era ya una artista de éxito cuando conoció y se unió a J. Lennon, miembro de los Beatles. Sus primeras obras de *performance* estuvieron relacionadas con los llamados «happenings» (danzas y acontecimientos teatrales de carácter experimental) y con el arte conceptual y minimal. Realizó, además, *Smile*, una película de 51 minutos sobre tres minutos de sonrisas de John Lennon, *'bed-ins'* (Lennon y Ono en la cama desnudos) y la campaña para la paz y la no violencia *War is Over if You Want*, junto a Lennon. A comienzos de los 70 publicó varios discos individuales y posteriormente con J. Lennon. Ono fue acusada injustamente de haber sido la responsable del rompimiento de los Beatles.

ONO NO KOMACHI. Poeta japonesa (834-880). Gran dama de la corte, fue famosa por sus leyendas y obras de teatro. En 922, el emperador Daigo recogió miles de poemas japoneses de los siglos IX y X, figurando Ono No Komachi como uno de los seis genios de la poesía japonesa.

ORLEANS Y ORLEANS-BORBÓN, Luisa Francisca. Infanta de España (Cannes, 1882-Sevilla, 1958). Era nieta de don Antonio de Orleans, duque de Montpensier, y de doña Luisa Fernanda de Borbón*, hermana de Isabel* II; hija de Luis Felipe de Orleans, conde de París, y hermana de la reina Amelia* de Portugal. En 1907 contrajo matrimonio con el infante español don Carlos de Borbón, hijo del conde de Caserta, y enraizada en Sevilla, donde su esposo desempeñó el cargo de capitán general de Andalucía, fue muy estimada por su caridad, especialmente como dama de la Cruz Roja. Una de sus hijas, Mercedes, estuvo casada con don Juan de Borbón y de Battenberg, conde de Barcelona.

ORTEGA, Simone. Escritora española de origen francés (Barcelona, 1919). Es autora de numerosos libros gastronómicos, entre los que destaca *1.080 Recetas de cocina* (1972), que desde su publicación se convirtió en el libro de cocina más popular entre las nuevas generaciones españolas. Otras obras son *Nuevas recetas de cocina* (1984), *Quesos españoles. Descripción* y *recetas* (1987) y *El libro de los potajes, las sopas, las cremas y los gazpachos* (1988), escrito en colaboración con su hija Inés Ortega.

ORTEGA PARDO, Encarnación. Dirigente del Opus Dei española (Puente Calderas, Galicia, 1920). En 1941 conoce al beato Jose María Escrivá de Balaguer, fundador del Opus Dei, con quien trató durante treinta y cinco años; es una de las tres primeras mujeres de la Obra. En 1946 se traslada a Italia para iniciar tareas apostólicas en Roma y, entre 1953 y 1961, es secretaria central del Opus Dei. Declaró como testigo en el proceso de canonización de su fundador. Desde los años 80 reside en España, dedicada a tareas de orientación familiar e iniciativas en el mundo de la moda.

ORTIZ DE DOMÍNGUEZ, Josefa de. Patriota mexicana, conocida como «la Corregidora de Querétaro» (Morelia, 1764-México, 1829). Actuó como enlace entre los caudillos de la independencia mexicana y fue la responsable de mandar el aviso a Hidalgo para que adelantara la fecha de la proclamación de la independencia, por lo que fue detenida (sept. 1810) y recluida durante tres años en el convento de dominicas de Santa Catalina de Siena.

ORZESZKOVA, Eliza. Escritora polaca (Milkovscizna, 1841-Grodno, 1910). Su narrativa, enmarcada en el realismo naturalista y social, se centró fundamentalmente en los acontecimientos de mediados del siglo XIX en Polonia —abolición de la servidumbre, revolución polaca— y en la nueva situación política, económica y social. De formación autodidacta, llegó a adquirir una profunda cultura que puso al servicio de la actuación social en favor de los oprimidos y desamparados. Sus primeras novelas denunciaron la frivolidad de las clases nobles y defendieron la educación de la mujer: *Cuadros de los años de hambre* (1866), *El señor Graba* (1869) y *Marta* (1873). La temática judía sirvió de inspiración a *Meir Ezofowicz* (1878) y *Mirtala* (1886), y en su última etapa se volcó en la naturaleza y en los problemas sociales de las clases campesinas y obreras (*Los bajos fondos*, 1883; *En una tarde de invierno*, 1887, y *En el Niemen*, 1888).

O'SHEA ARTIÑANO, Paloma. Mecenas española (Bilbao, 1937). Casada con Emilio Botín, presidente del Banco de Santander, fundó en 1972 el Concurso de Piano de Santander; gracias a su labor, este certamen adquirió *status* internacional (1974 y 1976). Desde 1981 dirige las sección musical del Ateneo de Santander.

OSORIO, Ana de Castro. Feminista y escritora portuguesa (Mangualde, 1872-¿?, 1935). Considerada una de las pioneras del movimiento feminista portugués, Osorio fue además cofundadora de la Liga Republicana de Mujeres Portuguesas. Luchó por crear una legislación que beneficiara a la mujer trabajadora, y ocupó durante varios años el cargo de *subinspectora de trabalho femenino*. Publicó ensayos sobre temas educativos *(O Bem da Pátria)* y varias colecciones de relatos infantiles.

OTEIN, Ángeles (Ángeles Nieto Iglesias, llamada). Soprano ligera española (Santiago de Compostela, 1895-Madrid, 1981). Discípula de Simonetti y hermana de Ofelia Nieto*, debutó con la zarzuela *Marina* en 1914; otras interpretaciones que le dieron especial fama fueron *Lucía de Lammermoor*, *El barbero de Sevilla*, *La Traviata* y *Rigoleto*. Para ella escribió Conrado del Campo la ópera de cámara *Fantochines*. En 1942 abandonó el teatro para dedicarse a la enseñanza del canto; entre sus discípulas hay que citar a Marimí del Pozo y Pilar Lorengar*.

OTERO, La bella. V. **BELLA OTERO, La.**

OTTO-PETERS, Louise. Feminista alemana (Meissen, 1819-Leipzig, 1895). Otto-Peters, considerada una de las más destacadas defensoras de la igualdad de la mujer y fundadora del movimiento feminista alemán, luchó por mejorar las condiciones de trabajo de las obreras, proponiendo al Gobierno un plan para la organización del trabajo femenino y una reforma en el ámbito educativo. Dirigió el movimiento feminista alemán durante treinta años y fue la fundadora de la Liga de Mujeres de Leipzig (1865). Entre sus obras destaca *Kanthinka* (1844), en la que abogó por la emancipación de la mujer.

OUKA LELE (Bárbara Allende, llamada). Fotógrafa española (Madrid, 1959). Su obra, caracterizada por el coloreado de fotos en blanco y negro y por un tratamiento surrealista de la realidad cotidiana, ha sido expuesta en el Museo Español de Arte Contemporáneo de Madrid (1987), en la Bienal Internacional de Arte Contemporáneo de São Paulo (1987), en la Fondation Cartier de París (1988), en la Shibuya Seibu de Tokio (1989) y en la Spanish Fine Arts Photography de Londres (1990).

PACHECO, María. Comunera castellana (m. Oporto, 1531). Era hija del conde de Tendilla y se casó con el caballero toledano Juan de Padilla. Tras la derrota de Villalar (1521) y el ajusticiamiento de su marido (en abril de ese mismo año), sostuvo, junto al obispo Acuña, la rebelión comunera en Toledo. En octubre firmó una concordia con el prior de San Juan, pero poco después prosiguió las hostilidades. En febrero de 1522, una traición permitió que el ejército real entrara en Toledo y María tuvo que huir, refugiándose en Portugal, bajo la protección del arzobispo de Braga. Por su enconada resistencia, fue excluida de las amnistías otorgadas por Carlos I a los comuneros. Su valor y sus hazañas la hicieron grandemente famosa entre el pueblo castellano, que la llamó «La leona de Castilla».

PADILLA, María de. Dama castellana (h. 1337-Sevilla, 1361). Fue amante del rey Pedro I de Castilla, con el que posteriormente se casó en secreto. No obstante, el rey contrajo nupcias, por razón de Estado, con Blanca* de Borbón, pero la abandonó a los tres días de la boda. Muerta doña María en 1361, declaró solemnemente Pedro I en las Cortes, reunidas en Sevilla, que había sido su legítima esposa y pidió y obtuvo que se le diera el título de reina y se reconocieran como legítimos los cuatro hijos habidos de esta unión. De ellos, murió Alfonso al poco tiempo, Beatriz ingresó en un convento y Constanza e Isabel se casaron, respectivamente, con los duques de Lancaster y de York, hijos de Eduardo III de Inglaterra, quienes, por esa razón, sobre todo el primero, fueron pretendientes al trono de Castilla. La Padilla no quiso intervenir en los asuntos del gobierno, y si alguna vez lo hizo, fue llevada de sus sentimientos para templar los rigores del soberano; en cambio, sus parientes supieron beneficiarse de su ventajosa situación.

PALATINA, princesa (Ana de Gonzaga). Cortesana y política francesa (París, 1616-íd., 1684). Era hija de Carlos I, duque de Nevers. Mantuvo relaciones con Enrique II de Guisa, arzobispo de París, que la abandonó al obtener dispensa papal para su matrimonio (1638). Se casó posteriormente con Eduardo de Baviera (1645), duque palatino del Rhin, del que tuvo tres hijos. Durante la Fronda, en 1650, intervino con éxito en política, siendo clave en el regreso de Mazarino a la corte francesa.

PALATINA, princesa (Carlota-Isabel de Baviera, duquesa de Orleans). Cortesana y escritora francesa de origen alemán (Heidelberg, 1659-Saint-Cloud, 1722). Era hija de Carlos Luis, elector palatino del Rhin y se casó, en 1671, con Felipe de Orleans, hermano de Luis XIV. Su presencia en la corte no era muy bien aceptada, por sus críticas a la misma y, especialmente, a Mme. Maintenon*. Sus relaciones con Luis XIV y el delfín, sin embargo, fueron excelentes. Sus *Cartas* dan una pintoresca y clara visión de la corte del Rey Sol.

PALLADINO, Eusapia. Medium italiana (Minervo-Murges, 1854-Nápoles, 1918). Tenía aptitudes telequinésicas y la capacidad de descargar los electroscopios a distancia, produciendo centelleos. Estos fenómenos no pudieron ser explicados científicamente, siendo estudiado su caso por grandes especialistas (Richet, los Curie*, Gramont, etc.). Fue centro de vivas polémicas.

PÀMIES, Teresa. Escritora española en lengua catalana (Balaguer, Lleida, 1919). Hija del dirigente marxista Tomàs Pàmies, estuvo exiliada en Francia, República Dominicana, Cuba y México. Retornó a Europa en 1947 y vivió durante doce años en Checoslovaquia, donde fue redactora de las emisiones en castellano y catalán de Radio Praga. En París colaboró con el periodismo militante en el exilio. Participó activamente en el PSUC, junto con su marido Gregorio López Raimundo, dirigente del partido. A su vuelta a Cataluña (1971), inició su carrera literaria, publicando novelas, dietarios, reportajes, etc., casi siempre con un fondo autobiográfico y testimonial. Entre su producción hay que destacar, en el género narrativo, *Testament a Praga* (1971), *Quam érem capitans* (1974), *La dona de pres* (1975), *Si vas a París papá...* (1975), *Aquel vellet gentil i pulcre* (1978), *Va pleure tot el dia* (1981); en la poesía, *Cróniques de náufragi* (1977), *La chivata y Sagrest amb Filipina* (1986); en el ensayo, *Una española llamada Dolores Ibárruri* (1976), *Memoria de los muertos* (1981), *Cartes al fil recluta* (1984), *Gente del meu exili* (1975), y en el teatro, *Opinió de dona* (1983).

Irene Papas en *Electra*

PANKHURST, Emmeline Goulden. Sufragista británica (Manchester, 1858-Londres, 1928). Pankhurst, considerada una de las pioneras del feminismo inglés, militó en el Partido Liberal y desde 1894 en el Partido Laborista. En 1903 fundó la Unión Femenina Social y Política, junto a sus tres hijas, que luchó a favor del derecho al sufragio femenino. Fue encarcelada repetidas veces y condenada a raíz de los atentados feministas de 1913. Durante la primera guerra mundial se exilió en EE.UU., donde hizo propaganda a favor de los aliados. Entre sus publicaciones destacan *The Powers and Duties of Poor Law Guardians in Times of Exceptional Distress* (1895) y su autobiografía *Mi propia historia* (1914).

PANTOJA, Isabel. Cantante española (Sevilla, 1956). De las fiestas populares de Triana pasó a debutar en el teatro Calderón de Madrid en 1974, consiguiendo gran fama con sus primeras grabaciones. Pasó a ser una estrella de la prensa «del corazón» desde su matrimonio con el torero Paquirri y su posterior viudedad (1984). De sus últimos trabajos destacan *Marinero de Luces* (1985) y *La canción española* (1990). Ha protagonizado dos filmes: *Yo soy ésa* (Sanz, 1990) y *El día en que nací yo* (Olea, 1991).

PAPAS, Irene. Actriz griega (Chilimodion, 1926). Comenzó su carrera en el cine griego, debutando en Hollywood en

1955 con *Tributo a un hombre malo* (1955). Su categoría de gran actriz se afianzó tras su interpretación en *Zorba el griego* (Cacoyannis, 1964). Su carácter fuerte y su energía la han convertido en la gran trágica del cine mundial. En su filmografía podemos destacar *Antígona* (1961), *Los cañones de Navarone* (1961), *Z* (Costa-Gavras, 1969), *La troyana* (1971), *El león del desierto* (1980) y *Crónica de una muerte anunciada* (1987).

PAPPENHEIM, Bertha. V. **ANNA O.**

PARADIS, Maria Teresa von. Pianista austriaca (Viena, 1759-íd., 1824). Discípula de Leopoldo Kozeluch, llegó a hacerse una famosísima pianista, pese a sus problemas físicos. Fue una excelente intérprete de Mozart, que le dedicó el *Concierto en Si bemol Mayor* (1783). Hizo giras por toda Europa y en 1786 se retira de la escena, dedicándose a componer. Utilizó una notación especial para ciegos y compuso, entre otras, *Ariadna y Baco* (1791), *Renaud y Alcinta* (1797), cantatas, *lieder* y numerosas obras para piano. Su obra, muy influenciada por Salieri, se caracteriza por la fluidez de las notas.

PARADIS, Marie. Empleada doméstica francesa y primera mujer en escalar el Mont Blanc (ss. XVIII-XIX). Paradis, persuadida por unos amigos, y sin contar con conocimiento alguno sobre alpinismo, decidió escalar el Mont Blanc acompañada por un grupo de amigos (todos hombres), logrando sorprendentemente alcanzar su cima (1880). Treinta años más tarde, Henriette de Beaumont Angeville (1794-1871), una verdadera alpinista, se convirtió en la segunda mujer en alcanzar dicha cima.

PARDO BAZÁN, Emilia. Escritora española (La Coruña, 1852-Madrid, 1921). Considerada una de las figuras más relevantes del s. XIX español, el prestigio de P. Bazán no se debe sólo a su extraordinaria actividad literaria, sino también a su significativa participación en los movimientos sociales y culturales, y a su defensa de los derechos de la mujer española. De familia acomodada, a su padre le fue concedido el título pontificio de conde, que su hija heredó en 1890. En 1867 se trasladó a Madrid con su marido, y tras viajar por varios países europeos, en 1876 se dio a conocer como escritora con un estudio sobre Feijoo. La influencia del realismo galdosiano y la lectura de varios novelistas franceses coetáneos, en especial de E. Zola, serán decisivas en el desarrollo de sus planteamientos narrativos. Su adhesión al naturalismo se hace evidente en el prólogo de su novela *Un viaje de novios* (1881), pero fue su colección de artículos *La cuestión palpitante* (1882-1883) la que con-

Emilia Pardo Bazán

virtió a P. Bazán en la más activa promotora de las premisas de Zola en España. Esta toma de postura se ve reflejada en sus siguientes novelas: *La tribuna* (1883), sobre la vida de las empleadas de una fábrica de tabaco en La Coruña; *Los pazos de Ulloa* (1886), su obra cumbre, y *La madre naturaleza* (1887). Estas dos últimas, junto con sus relatos *Insolación* y *Morriña* (ambos de 1889), retratan con dureza las miserias del mundo rural gallego y de unos personajes cuya trayectoria vital los conducía inevitablemente a la desolación. Aparte de sus logros como escritora, participó intensamente en numerosas actividades sociales y culturales: colaboró con el proyecto «La España Moderna» de L. Galdiano; se enfrentó a la Real Academia por negar el ingreso a las mujeres, y en 1892 fundó la Biblioteca de la Mujer; publicó durante varios años su revista personal *Nuevo teatro crítico*; presidió la sección literaria del Ateneo de Madrid desde 1906; y en 1916 fue nombrada profesora de literatura de la Universidad de Madrid. Su vida íntima fue calificada de escandalosa, siendo conocidas sus relaciones con Galdós y L. Galdiano. Sus novelas posteriores se acercan más a la estética modernista de finales de siglo: *Una cristiana* (1890), *Doña Milagros* (1894) y *Memorias de un solterón* (1896). P. Bazán perteneció a un grupo de mujeres escritoras que con su esfuerzo consiguieron superar las limitaciones impuestas a la mujer española de aquella época. Entre ellas se encuentran C. Böhl de Faber*, G. Gómez de Avellaneda*, R. de Castro* y C. Arenal*.

PARISATIS. Reina de Persia (n. 450 a. C.). Hija de Artajerjes I y esposa de Darío II Oco, n. en 450 a. C. Fue madre de Artajerjes II y Ciro el Joven. Logró para Ciro el mando del ejército de Asia Menor, siendo proclamado rey Artajerjes II en su ausencia. A su regreso, Ciro urdió una conspiración para asesinar a su hermano, la cual fue abortada: Ciro fue salvado gracias a la intervención de Parisatis, que le ayudó en la preparación de una campaña que terminó con la batalla de Cunaxa (401), donde Ciro murió. Desaparecido su hijo preferido, Parisatis tomó venganza, infligiendo horrorosos tormentos a cuantos creyó culpables de su muerte. Posteriormente envenenó a su nuera Statiria, por lo que fue desterrada a Babilonia.

PARRA, Teresa de la. Escritora venezolana cuyo nombre verdadero era Ana Teresa Parra Sanojo (París, 1889-Madrid, 1936). Colaboró en varios periódicos y revistas, y en 1920 comenzó a publicar sus primeros relatos. Se inicia como novelista con *Ifigenia* (1924), retrato de la Caracas de principios de siglo, y premiada en el certamen para autores americanos de París. Los recuerdos de su infancia son el punto de partida de *Memorias de Mamá Blanca* (1929), su obra más conocida. Dejó inconcluso un libro sobre la vida de Bolívar.

PARRA, Violeta. Cantante, poeta y pintora chilena (San Carlos Nuble, 1917-Santiago de Chile, 1967). En 1930 comenzó cantando canciones folclóricas, *corridos* y *tonados*, en barrios de clase trabajadora y a partir de 1950 ejerció una gran influencia artística a través de su programa de radio *Chile ríe y canta*. El trabajo poético de Parra ha sido comparado al de Gabriela Mistral* y sus pinturas llegaron a ser expuestas en el Museo del Louvre. La última canción que compuso se tituló *Gracias a la vida* y a los pocos días se suicidó en el centro alternativo de música, *La carpa de la reina*, que ella había creado.

PASCAL, Jacqueline. Religiosa jansenista francesa (Clermont-Ferrand, 1625-París, 1661). Perteneciente a una rica familia burguesa de Auvernia, entró en contacto con los jansenistas de Saint-Cyran y Antoine Arnauld, junto con su hermano, el filósofo Blaise Pascal. Acompañó a éste en sus experimentos y compartió sus entrevistas con Descartes (1647), hasta que en 1652 profesó en el convento de Port-Royal, donde desempeñó importantes cargos. Allí recibió de nuevo a su hermano a partir de 1655 e influyó en él para que adoptara posturas del jansenismo intransigente, muriendo en plena crisis de conciencia del jansenismo, cuando sus mayores defensores se veían obligados a aceptar la condena de Jansenio (1661).

PASIONARIA. V. **IBARRURI, Dolores.**

PASTA, Giuditta (Giuditta Negri, llamada). Cantante de ópera italiana (Saronno, 1789-Brevio, Como, 1865). Estudió en el Conservatorio de Milán y posteriormente con el maestro Giuseppe Scappa, y en 1822 era ya una de las cantantes más célebres de Europa. Cantó principalmente en París y Londres. Dotada de una poderosa y bien timbrada voz, se distinguió especialmente por su temperamento dramático y por la elegancia y distinción de sus gestos. Los grandes compositores de su tiempo escribieron para ella, como Bellini con *Norma* y *Sonnambula;* Puccini, con *Niobe;* Donizetti, con *Anna Bolena,* y sobresalió también en las obras de Rossini.

PASTOR DE TOGNERI, Reyna. Historiadora hispano-argentina (n. en Buenos Aires). Doctora por la universidad de Córdoba y profesora de historia moderna e historia de España en Rosario. Está especializada en alta edad media española, particularmente en las relaciones económicas, sociales y culturales entre las comunidades cristiana y musulmana. Metodológicamente, ha recibido una gran herencia de la escuela de *Annales* francesa y del marxismo historiográfico, desarrollando sus propias ideas. Ocupa una de las cátedras de Historia Medieval en el C.S.I.C. español. Entre sus obras destacan: *Poblamiento, frontera y estructura agraria en Castilla la Nueva (1085-1231)*, publicada en 1968; *Problemas de asimilación de una minoría: los mozárabes de Toledo (de 1085 a fines del s. XIII)*, (1970); *Conflictos sociales y estancamiento económico en la España medieval* (1973) y *Del Islam al Cristianismo* (1975).

PATITZ, Tatjana. Top-model alemana (Hamburgo, 1964). Lanzada a la fama mundial desde su presentación en el concurso *The Look of the Year* de la revista *Elite*, es participante habitual en las principales muestras de moda. Su altura (1,80 m) hace de ella un verdadero espectáculo en pasarela, aprovechado por muchos diseñadores.

PATROCINIO, sor. V. **QUIROGA, María Rafaela.**

PATTERSON, Alicia. Periodista estadounidense (1906-1963). Su entorno familiar la vinculó desde muy temprana edad al mundo del periodismo, y especialmente a los famosos diarios *Chicago Tribune* y *Daily News*. Para el *Daily News* trabajó como reportera y crítica literaria, y ocupó uno de los puestos directivos durante varios años. En 1940, Patterson fundó en Long Island el diario *Newsday*, que le hizo merecedora del premio Pulitzer en 1954.

PATTI, Adelina. Cantante italiana (Madrid, 1843-Craig-y-Nos Castle, cerca de Brecknock, Gales, 1919). De padres italianos, hija de un tenor y profesor de música y de una *prima donna,* estudió canto en Nueva York y dio su primer concierto siendo una niña, cantando la «Casta Diva» de la ópera *Norma.* Debutó en 1859 con *Lucia di Lammermoor,* cuyo éxito le hizo recorrer las principales ciudades de EE.UU., y continuó su carrera en el Covent Garden, de Londres, donde interpretó el papel de Amida en *La Sonambula* (1861). Triunfó durante más de cincuenta años en los principales escenarios de Europa y América como soprano ligera, interpretando un repertorio italiano adecuado a su voz *(Elisir d'amore, Lucia di Lammermoor, La Sonambula, Rigoletto, La Traviata, Linda, Il barbiere di Sevilla, Aida)*. En 1906 se despidió del público con un concierto en el Albert-Hall, de Londres.

PAUKER, Ana. Política rumana (1893-1960). Desde 1922 fue miembro del Comité Central del Partido Comunista, y tras la ilegalización de éste se refugió en Suiza y posteriormente en la URSS. Regresó a Rumania con las tropas rusas ejerciendo los cargos de secretaria general del Partido Comunista (1944) y ministra de Asuntos Exteriores (1947) hasta que en la purga de 1952 fue destituida de todos sus cargos.

PAULA, Inima de. Pintora brasileña (Minas Gerais, 1918). Paula, considerada la principal representante del arte no figurativo de su país, en 1955 obtuvo una beca de estudios que le permitió estar dos años en Europa y mantener contacto con un círculo de reconocidos pintores. Su obra se caracteriza por una gran originalidad plástica y un sorprendente colorido. Ha participado en numerosas exposiciones colectivas y en la primera Bienal de São Paulo.

PAULINA, Pompeya. Dama romana de origen hispano (m. h. 65). Segunda mujer de Séneca, comprometida en la conjura de Pisón. Nerón ordenó a Séneca que se suicidara y Paulina quiso morir con él, pero el emperador ordenó que la salvaran. Paulina vivió algunos años más, siempre fiel al recuerdo de su marido.

PÁVLOVA, Anna. Bailarina rusa (San Petersburgo, 1885-La Haya, 1931). En 1891 ingresó como alumna de ballet en la Escuela Imperial y en 1906 se convirtió en *prima ballerina*, interpretando todos los grandes roles del repertorio clásico. En 1907 emprendió su primer viaje al extranjero con su pareja de baile, A. Bolm, y en 1909 recorrió toda Europa con los Ballets Rusos de S. Diaghilev, debutando en 1910 en EE.UU. En 1913 abandonó Rusia y se instaló en Inglaterra donde montó su propia compañía de baile que posteriormente trasladaría a EE.UU. y con la que se dio a conocer internacionalmente. Pávlova se convirtió en una leyenda viviente con el solo *La muerte del cisne*, coreografiado para ella por Fokine con música de Saint-Saens. Su aportación al ballet no se basa en innovaciones técnicas o estilísticas, sino en sus grandes dotes interpretativas y su lirismo que dieron un nuevo aire a las viejas suites de repertorio. Está considerada la inspiradora de toda una generación de bailarines clásicos.

PÁVLOVA, Karolina Karlovna. Escritora y traductora rusa

(Jaroslav, 1810-Dresde, 1894). Considerada una de las figuras más relevantes de la literatura rusa decimonónica, Pávlova logró transformar en fino lenguaje poético sus amargas experiencias amorosas. Rechazó abiertamente el sometimiento y pasividad de la mujer rusa en una sociedad guiada por leyes hechas por y para los hombres. Su valiosa producción literaria quedó en el olvido y ha sido recuperada por la crítica literaria feminista de los últimos años. Tradujo al alemán varias obras de Tolstoi, y al francés las de Schiller.

PEETERS, Catharina. Pintora flamenca (Amberes, 1615-íd., h. 1676). Hermana de los también pintores Gillis, Bonaventura y Jan, los cuatro eran expertos paisajistas, conservándose sus obras en los principales museos de Bélgica y Holanda.

PEETERS, Clara. Pintora flamenca (Amberes, 1594-h. 1660). Fue muy famosa pintora de conjuntos florales y naturalezas muertas, en las que se aprecia una técnica muy depurada y una gran capacidad de observación del detalle. En el Museo del Prado se conservan sus mejores obras, destacando entre ellas *Flores y golosinas* (1611), *Caza y marisco*, etc.

PELÁEZ, Amelia. Pintora, ceramista y muralista cubana (Yaguajay, 1897-La Habana, 1968). Discípula de A. Exter, Peláez es considerada una de las artistas más representativas de la pintura caribeña. Su arte pictórico conjuga el criollismo, la luz del trópico y el elemento cubista europeo. En 1942 expuso en el Museo de Arte Moderno de Nueva York y a partir de 1950 comenzó a trabajar la cerámica. Realizó numerosos murales para edificios públicos como el expuesto en el Museo de Arte Moderno de Nueva York. Entre sus pinturas destacan *Muchacha rubia* (1931), *Juego de cartas* (1936) e *Interior con columnas* (1951).

PEMBROKE, condesa de (Mary Herbert). Escritora inglesa (c. de Bewdley, Worcestershire, 1561-Londres, 1621). Tradujo al inglés los *Salmos* y la tragedia de Robert Garnier, *Marco Antonio*, e hizo una elegante versión en tercetos de la obra de Petrarca, *Triunfo de la muerte*. Por la admiración y respeto que causó entre sus contemporáneos mereció ser llamada «sujeto de todos los versos», como dice su epitafio. A ella le dedicó sir Philip Sidney su célebre novela *Arcadia*.

PENALBA, Alicia. Escultora argentina (Buenos Aires, 1918-Saint-Geours-de-Marenne, 1982). Estudió pintura en la Escuela de Bellas Artes de su país, y en 1948 se trasladó a París dedicándose posteriormente a la escultura. Penalba, situada en el grupo de artistas abstractos, trabajó con diversos materiales (bronce, arcilla, piedra o poliéster) y con formas dispuestas horizontal o verticalmente en amplios espacios. Desde 1964 se dedicó a la creación de joyería y tapicería.

PÉREZ, María. Heroína castellana (s. XII). Guerreó constantemente con sus hermanos contra los musulmanes, y tomando partido en favor de su reina, Urraca* de Castilla, luchó contra los aragoneses, y retó a desafío y desarmó al rey de Aragón, Alfonso I el Batallador, en los campos de Barahona. Cuando se conoció su verdadero sexo, fue designada con el apodo de *La Varona*, y ennoblecida más tarde por doña Urraca, casó con el infante don Vela, renunciando a sus empresas guerreras.

PERI ROSSI, Cristina. Escritora uruguaya (Montevideo, 1941). Ejerció la docencia y el periodismo, y en 1972 se exilió en España. Su obra se caracteriza por un discurso metafórico cargado de simbolismo y por una temática centrada en la experiencia del exilio, el mundo infantil y el rechazo al orden establecido y a la moral convencional. Entre sus poemarios, de gran intensidad erótica, destacan *Descripción de un naufragio* (1975), *Diáspora* (1976) y *Babel Bárbara* (1991). Es autora además de las novelas *La nave de los locos* (1984), *La última noche de Dostoievski* (1992) y del libro de relatos *La rebelión de los niños* (1980).

PERKINS, France. Política estadounidense (Boston, 1880-New Castle, 1965). Destacó por la defensa de reformas sociales, siendo posteriormente nombrada miembro de la comisión de investigaciones sobre las condiciones de trabajo en las fábricas, y en 1919 presidió el comité de industria de Nueva York. En 1933, bajo la Administración Roosevelt, se convirtió en la primera mujer en EE.UU. en obtener la cartera ministerial del Trabajo, cargo que desempeño hasta 1945. De 1946 a 1956 fue miembro de la comisión administrativa de EE.UU. Es autora de varias obras, entre ellas *The Roosevelt I Knew* (1946).

PERÓN, María Estela Martínez de. Política argentina (La Rioja, Argentina, 1931). Profesora de música y baile clásico, contrajo matrimonio con Perón en 1961. Colaboró con su marido por el triunfo justicialista, ocupando la vicepresidencia de la República de Argentina el 12 de octubre de 1973, con el retorno de Perón a la presidencia. Invitada por los gobiernos de España e Italia, y por la OIT, realizó una gira oficial en junio de 1974. El 29 del mismo mes tomó los poderes presidenciales, cedidos por su marido, al encontrarse enfermo. Muerto Perón, continuó ejerciendo el cargo de presidenta, en virtud de la Constitución, hasta su derrocamiento por una Junta militar en marzo de 1976. Posteriormente fue procesada por irregularidades en los fondos públicos y condenada a ocho años de cárcel en marzo de 1981, pero, en julio del mismo año, fue puesta en libertad y se trasladó a España, desde donde intentó representar al Partido Justicialista. En 1984, a fin de entablar un diálogo con el Gobierno presidido por Alfonsín, regresó a Argentina. En 1985 renunció a la presidencia de su partido.

PERÓN, María Eva Duarte de. Política argentina (Jujuy, 1919-Buenos Aires, 1952). Actriz y cantante, se casó en octubre de 1945 con Juan Domingo Perón, convirtiéndose en su principal colaboradora política y organizadora de la campaña electoral del Partido Justicialista (1946). De estas elecciones, con Perón en la presidencia, pasa a ocupar el puesto de primera dama de Argentina y organizó (1951) la rama femenina del partido peronista. Creó una Ciudad Infantil y una Fundación Social a la que dio su nombre y fue nombrada ministra de Asuntos Sociales. En 1947 hizo un viaje oficial por Europa y fue recibida por el papa Pío XII y por varios jefes de Estado. Trabajó por la obtención del voto para la mujer y presentó su candidatura a la vicepresidencia de Argentina en 1951, cayendo al poco tiempo gravemente enferma. Es autora de una obra titulada *La razón de mi vida.* Su cadáver, que tras el óbito había sido embalsamado por el médico español Pedro Ara, fue trasladado a Argentina, desde Madrid, el 16 de noviembre de 1974.

María Eva Duarte de Perón, *Evita*

PERPETUA, santa. Mártir africana (m. Cartago, 203). De familia aristocrática, su nombre completo era Vibia Perpetua. Estaba casada y era una simple catecúmena, cuando fue encarcelada junto al hijo que aún amamantaba. Resistió a las exhortaciones de su padre y su marido y se hizo bautizar, padeciendo al poco tiempo el martirio. Las *Actas* de su martirio son especiamente valiosas, ya que, en parte, fueron redactadas por ella misma. Fue compañera de martirio de santa Felicidad*.

PERRICHOLI, La (Micaela Villegas, llamada). Actriz peruana (Lima, 1748-1819). Fue amante del virrey de Perú Manuel Amat y Junyent, amores que han dado lugar a numerosas leyendas, novelas y piezas teatrales.

PETACCI, Clara. Dama italiana (1912-fusilada en Dongo, cerca del lago de Garda, 1945). Era hija de un médico del Vaticano. A partir del primer encuentro con Mussolini en 1932 se desató en ella una admiración romántica por el Duce, por otra parte casado y padre de cinco niños. La relación entre ellos fue a veces tempestuosa por los continuos devaneos amorosos de Mussolini. Tras la derrota del ejército de Hitler en Italia, ambos trataron de pasar a Suiza, camuflados entre un grupo de soldados alemanes en retirada, pero fueron reconocidos y detenidos. Después del fusilamiento, los cuerpos de los dos amantes, suspendidos de los pies, fueron expuestos a los milaneses. Los restos de Clara se encuentran actualmente en Roma.

PETERS, María Liberia. Política de las Antillas holandesas. Líder del Partido Popular Nacional, de orientación conservadora, Peters ocupa el cargo de primera ministra desde 1984.

PETRONILA de Aragón. Reina titular de Aragón y condesa de Barcelona (Barcelona, 1135-íd., 1173). Hija de Ramiro II el Monje y de Inés* de Poitiers, al poco tiempo de nacer, su padre, deseando dejar el trono para volver a abrazar el sacerdocio, la entregó a Alfonso VII de Castilla, que la intentó casar con su hijo Sancho. Pero la nobleza aragonesa y Guillermo Ramón de Montcada, senescal de Cataluña, le aconsejaron el matrimonio de Petronila con Ramón Berenguer IV de Barcelona, asegurando así la independencia de Aragón y solventar el pleito con la Santa Sede (planteado éste por el incumplimiento del testamento de Alfonso I de Aragón, que dejaba sus reinos a las órdenes militares) ya que el catalán era templario. Los esponsales se celebraron en Barbastro (1137) y Ramiro dejó el gobierno de Aragón en manos de su yerno, con el título de príncipe de Aragón. La boda se efectuó en 1150 en Lérida, cuando doña Petronila contaba quince años y treinta y cinco don Ramón; de este modo tuvo lugar la unión de Aragón y Cataluña, y prevaleció aquel nombre por la mayor categoría del reino sobre el condado. Quedó así establecida la corona de Aragón. Doña Petronila se consagró exclusivamente a la educación de sus hijos, hasta la muerte de su esposo, en 1162, y en 1163 renunció a sus estados de Aragón en favor de su hijo primogénito,

Ramón, que entonces tomó el nombre de Alfonso II y en 1164 abdicó en él, acto que la aristocracia aragonesa aprovechó para presentarla como verdadera poseedora del trono.

PHLIPON, Jeanne-Marie o Manon. V. **ROLAND, madame.**

PIAF, Edith (Edith Gassion, llamada). Cantante francesa (París, 1915-íd., 1963). Comenzó a trabajar a los quince años en una fábrica parisina, que luego abandona para dedicarse a cantar por los cafés de París, y no fue hasta muchos años después cuando logró cantar en un cabaret. A partir de entonces su fama progresó vertiginosamente, y desde 1939 actuó en los principales escenarios del mundo, cosechando triunfos sin precedentes y grabando numerosos discos. Piaf fue considerada la más pura expresión del París callejero y popular, y entre sus canciones destacan: *La vie en rose*, *Padam-padam*, *Mon légionnaire*, *Un monsieur m'a suivie dans la rue*, *Je m'en fous* y *Non, je ne regrette rien*.

PICASSO, Jacqueline. Inspiradora de gran parte de la obra de P. Picasso (¿?, 1926-Mougins, 1986). En 1952 conoció al pintor P. Picasso, y de 1954 a 1963 fue su modelo exclusiva apareciendo retratada en más de 160 cuadros. En 1961 se casaron, y ella se convirtió en la traductora, conductora y cocinera del célebre pintor. Tras la muerte de éste, J. Picasso fue la organizadora de numerosas exposiciones sobre el valioso legado picassiano. En 1986 se suicidó, cediendo su colección privada al Museo Picasso de París.

PICASSO, Paloma. Diseñadora de joyas y perfumes francesa (n. 1949). Hija de los pintores P. Picasso y F. Gilot*, comenzó trabajando como decoradora de teatro, pero ha sido la creación de joyas y perfumes lo que le ha ganado renombre internacional. Establecida en Nueva York desde 1982, cuenta con la colección privada de obras de Picasso más famosa del mundo.

PICKFORD, Mary (Gladys Mary Smith, llamada). Actriz cinematográfica estadounidense de origen canadiense (Toronto, 1893-Hollywood, 1979). Comenzó a los cinco años como actriz de teatro y debutó en el cine en 1908 a las órdenes de D. W. Griffith, con quien actuaría en repetidas ocasiones. Creó un arquetipo cinematográfico de muchacha ingenua de ojos claros y pelo rubio con tirabuzones, siendo apodada por el público como «Our Mary» (Nuestra Mary) o «La novia de América». Fue la primera actriz que se disputaron encarnizadamente los productores y su fama aumentó gracias a su matrimonio con el también actor Douglas Fairbanks. En

Mary Pickford

1919 fundó, con su marido, Chaplin y Griffith, la productora United Artists. Realizó durante la época muda del cine más de doscientas películas, decayendo su popularidad a principios del sonoro. Entre sus más grandes éxitos figuran: *Cenicienta* (1914), *Madame Butterfly* (1915), *Papá piernas largas* (1919), *Pollyana* (1920), *El pequeño Lord* (1921), *Rosita* (1923), *La pequeña Anita* (1925), *Gorriones* (1926), *Coqueta* (1929), *La fierecilla domada* (1929), etc.

PIMENTEL, Eleonora de. V. **FONSECA, marquesa de.**

PIMENTEL, Juana. Dama castellana (s. XV). Fue hija de Rodrigo Alonso Pimentel, segundo conde de Benavente, y se casó con don Álvaro de Luna, condestable de Castilla (1431). Acompañó a su marido en todas sus venturas y desventuras, participando activamente en los entresijos de la política castellana de tiempos de Juan II. Después de la ejecución del condestable (3 de abril de 1453), se retiró a sus dominios, oponiéndose a la política de los antiguos enemigos de su marido. Está enterrada, junto a don Álvaro, en la capilla de Santiago de la catedral de Toledo.

PIMENTEL, María Josefa de. Mecenas española (1755-Madrid, 1837). Condesa-duquesa de Benavente, última del linaje de los Pimentel, que se extingue con ella al morir sin descendencia. Fue mujer culta e ilustrada, siendo mecenas habitual de científicos, escritores y artistas, entre ellos Francisco de Goya.

PINAL, Silvia. Actriz de teatro, cine y televisión mexicana (Guaymas, 1931). Comenzó su carrera en el teatro y en 1948 filmó su primera película, *Bamba,* trabajabando posteriormente con el cómico Mario Moreno *Cantiflas* en varios filmes. En 1954 obtuvo gran éxito con *Un extraño en la escalera,* consagrándose como actriz, y en 1957 obtuvo un Ariel por *Locura pasional* y otro en 1958 por *La dulce enemiga.* Sus películas más conocidas son *El ángel exterminador* (1962), *Viridiana* (1963) y *Simeón del desierto* (1970), todas dirigidas por L. Buñuel.

PINAR, Florencia. Poeta española (h. 1470-m. 1530). Coetánea

Mariana Pineda, por Alejo Vera Calvo

de T. de Cartagena*, los datos sobre su vida no han podido ser esclarecidos. Entre sus poemas, recopilados por Hernando del Castillo en el *Cancionero General* (1511), destaca «Destas aves su nación», cuyo erotismo resultó escandaloso para su época.

PINEDA, Mariana. Heroína española (Granada, 1804-íd., 1831). Viuda de un terrateniente, fue detenida por bordar en una bandera la leyenda «Ley, Libertad, Igualdad», suponiéndose destinada a alguna conspiración liberal. Uno de los miembros de la Audiencia de Granada, Pedrosa, intentó que delatara a sus cómplices, ya que estaba enamorado de ella. Al no conseguirlo fue llevada, primero, a la cárcel de mujeres de Granada y, después, a la de casa y corte, recibiendo la sentencia de muerte. Fue agarrotada en el Campo del Triunfo, mientras se quemaba ante sus ojos la bandera causante de su detención. El rechazo del pueblo a esta ejecución fue grande, y ha quedado su memoria como heroína de la causa liberal.

PINITO DEL ORO (María Cristina del Pino Segura, llamada). Trapecista española (Las Palmas de Gran Canaria, 1925). Se dio a conocer en 1950 en Nueva York, donde actuó con el circo Ringling, y desde entonces sus acrobacias en el trapecio la han hecho mundialmente famosa. Reina del Festival Mundial del Circo (1956), en 1960 abandonó la vida circense, reapareciendo nuevamente en 1968, y en 1970 cesó definitivamente en su vida profesional. Intervino en el filme *El mayor espectáculo del mundo* (1951), de C. B. de Mille, y ha sido autora de algunos cuentos y la obra titulada *Trapecio* (1968). En 1990 se le concedió el premio Nacional de Circo.

PINO, Rosario. Actriz española (Málaga, 1870-Madrid, 1933). De talento versátil, que le permitía adaptarse a todos los géneros, sobresalió, no obstante, en el repertorio moderno y, dentro de él, en las obras de Benavente y los hermanos Álvarez Quintero. Primero trabajó en la compañía de María Tubau*, pasando al teatro Lara de Madrid y en 1896 al teatro de la Comedia, datando de estos años su rivalidad con María Guerrero. Fue durante muchos años la primera figura de la alta comedia moderna. Hizo brillantes temporadas en América, especialmente en Buenos Aires. Terminó formando su propia compañía junto a Enrique Borrás y luego con Emilio Thuillier. Entre las obras de las que dejó recuerdo por su maravillosa interpretación figuran: *El marido de la Téllez*, *Rosas de otoño*, *Malvaloca*, *El nido ajeno*, *La ley de los hijos*, etc.

PIÑON, Nélida. Escritora brasileña de origen gallego (n. 1936). Se dio a conocer con su novela *Guia-Mapa de Gabriel Arcanjo* (1961), consolidándose con *A casa da paixao* (1972). Su estilo suele enmarcarse dentro del realismo mágico latinoamericano: *A força do destino* (1978) y *O calor das coisas* (1980). Es miembro de la Academia de Letras Brasileñas.

PIOCHE DE LA VERGNE, Marie Madeleine. V. **LAFAYETTE, condesa de.**

PIQUER, Concha. Cantante y actriz española (Valencia, 1908-Madrid, 1990). En América empezó su actividad teatral y de regreso en España se consagró a la canción y obtuvo en ella gran-

Concha Piquer

des éxitos. También ha sido intérprete de varias películas, entre ellas: *El negro que tenía el alma blanca* (1927), *La Dolores* (1939) y *Filigrana* (1949). Casada con el torero José Márquez, se retiró en el año 1957, abandonando toda actividad artística. Es madre de la también cantante Conchita Márquez-Piquer.

PISAN, Christine de. V. **CHRISTINE DE PISAN.**

PITA, María. Heroína española (s. XVI). Luchó, junto con otras mujeres del pueblo, contra los ataques de una escuadra inglesa al mando del almirante Norris y del corsario Drake por la defensa de La Coruña (1589). Posteriormente fue nombrada alférez por Felipe II.

PLAIDY, Jean. Seudónimo de la novelista británica Eleanor Alice Burford Hibbert (Londres, 1906), quien además ha publicado bajo los seudónimos de Victoria Holt, Ellalice Tate, Elbur Ford y Kathleen Kellow. Plaidy es considerada como la figura más representativa de la narrativa popular histórico-romántica inglesa. Ha publicado más de 80 novelas, entre las que se incluyen una docena de sagas familiares. El seudónimo de V. Holt lo ha reservado sólo para los romances de carácter gótico.

PLATH, Sylvia. Escritora estadounidense (Boston, 1932-Londres, 1963). Tras cursar estudios en el Smith College, se trasladó a Inglaterra donde conoció al poeta T. Hughes, con quien se casó en 1956. La vida y obra de Plath, eje de numerosos debates feministas actuales, revelaron el estrecho vínculo entre la mujer escritora, la locura y la historia. La esclavitud de la condición femenina y la pasión de la inspiración poética fueron temas recurrentes en su escritura. Antes de su temprana muerte había publicado ya un libro de poesías, *El coloso* (1960), y una novela autobiográfica *La campana de cristal* (1963), ambientada en el Nueva York de los años 50. Entre sus libros póstumos destacan *Ariel* (1965) y *Árboles invernales* (1971), que la consolidan como una de las figuras más relevantes del panorama literario estadounidense. A su fama mundial contribuyeron además el eco de su suicidio a la edad de 30 años y su condición de mujer emblemática. En 1981 se le concedió póstumamente el premio Pulitzer por *The Collected Poems*.

PLISETSKAYA, Maya Mijailovna. Bailarina soviética (Moscú, 1923). Estudió en la escuela coreográfica de Moscú y en 1943 ingresó en la compañía del Bolshoi, convirtiéndose en 1945 en su primera bailarina. Plisetskaya, considerada una de las más destacadas representantes de la escuela rusa de ballet y una de las mejores intérpretes del solo

Maya Plisetskaya

de *La muerte del cisne*, ganó en 1949 el primer premio del concurso internacional de danza de Budapest. En 1964 le fue concedido el premio Lenin por su labor durante 20 años con el Bolshoi, siendo también artista de honor de la RFSSR y del pueblo de la Unión Soviética (1959). En 1972 participó en París en los ballets de Marsella (fuera del marco del Bolshoi) con *La rose malade*, de R. Petit, y ese mismo año debutó como coreógrafa con *Anna Karenina*, inspirada en la obra de Tolstoi. Ha bailado con Béjart *Bolero de Ravel* (1975), *Isadora* (1977) y *Leda* (1979), y fue directora del Ballet del Teatro Lírico Nacional Español (1987-1989).

PLOTINA Pompeya. Emperatriz romana (Nîmes, 70-129). Casada con el general Trajano, antes de su elevación al imperio (98). Modesta e inteligente, adscrita a las doctrinas epicúreas, su fuerza fue un gran apoyo para el emperador. Desempeñó un importante papel en la adopción de Adriano por parte de Trajano. Cuando Adriano accedió al poder (117) siguió manteniendo el rango de emperatriz y a su muerte fue divinizada.

POISSON, Jeanne Antoinette. V. **POMPADOUR, marquesa de.**

POITIERS, Diane de. V. **DIANA de Poitiers.**

POLE, Margaret. Dama inglesa (Farley, 1473-Londres, 1541). Hija de George, duque de Clarence, se casó en 1491 con Richard Pole, del que tuvo cinco hijos, entre ellos el cardenal Pole. Enrique VIII la nombró gobernanta de la princesa María, futura María I* Tudor, y la hizo condesa de Salisbury (1513). Al desaprobar su hijo el cardenal Pole el divorcio del rey, éste la hizo condenar por alta traición y fue ejecutada.

POLETTI, Syria. Escritora argentina de origen italiano (n. 1921). Pasó su infancia y adolescencia en Italia, y en 1945 se radicó en Buenos Aires, donde comenzó a colaborar en importantes periódicos y revistas. Sus escritos se han centrado en la experiencia de los inmigrantes italianos residentes en Argentina: *Gente conmigo* (1962; premio Losada) y *Extraño oficio* (1971), su novela más conocida. Es autora además de una extensa obra dedicada al público infantil: *Inambú busca novio* (1966) y *El rey que prohibió los globos* (1987).

POMPADOUR, marquesa de (Jeanne Antoinette Poisson). Cortesana francesa (París, 1721-Versalles, 1764). Era de familia burguesa, hija de un financiero. Se casó con el asentista general Le Normant d'Étioles (1741) y entró a ser persona habitual de los salones literarios de París, donde conoció a Luis XV. En 1745 se convirtió en amante de este monarca, y desde entonces, con su talento y su gran ambición, gozó de extraordinaria influencia política. En 1750 dejó de ser la amante real, pero conservó su «reinado» hasta su muerte, logrando abortar la conjura urdida contra ella tras el atentado de Damiens (1757). La alianza de Francia con Austria se debió al odio que la Pompadour tenía a Federico II. Reunió una considerable fortuna; en el año 1752 fue elevada a la categoría de marquesa y en 1756 nombrada dama de honor de la reina. La Pompadour fue gran protectora de los artistas y escritores, y ella misma poseía conocimientos de

La marquesa de Pompadour por François Boucher

música, pintura y grabado: importante cliente de los talleres de artistas para la decoración de su palacio de Évreux (el Elíseo) de París y sus otras posesiones en Crécy La Celle, Bellevue, Champs y Ménars. Aconsejó a Luis XV que impulsara la fábrica de porcelana de Sèvres e introdujo a su hermano Abel en la dirección de Edificios. También organizó espectáculos de aficionados en la corte y protegió a numerosos escritores, incluidos los enciclopedistas.

POMPEYA. Dama romana (s. I a. C.). Esposa de Julio César e hija de Quinto Pompeyo. Su esposo la repudió por sospechas de que estaba en relaciones con Clodio, pronunciando aquella célebre frase de que «a la mujer de César no le basta con ser honrada, sino que tiene que parecerlo».

PONIATOWSKA, Elena. Periodista y escritora mexicana de origen francés (París, 1933). Su ficción narrativa, fuertemente influida por el *nuevo periodismo* estadounidense, se nutre de noticias, reportajes, entrevistas, declaraciones, etc.: *La noche de Tlatelolco* (1970) y *Nada, nadie* (1987), centrada en el terremoto que asoló la capital mexicana en 1985. Es autora además de otras obras que se alejan de su labor periodística, entre las cuales destacan *Querido Diego, te abraza Quiela* (1978), *La casa en la tierra* (1980), *La flor de lis* (1988).

POPEA AUGUSTA, Sabina. Emperatriz romana (m. 65). Célebre por su belleza y crueldad. Se casó primero con el prefecto del pretorio, Rufio Crispino, y luego con Salvio Otón, compañero del emperador Nerón. Llegando a los oídos del emperador los encantos de Popea, la mandó llamar a la corte (58) y envió a su marido a Lusitania. Sus intrigas en la corte comenzaron, logrando que Nerón despidiese a su amante, la liberta Acté* y, acusando a la emperatriz Octavia* falsamente de adulterio, hizo que el emperador la repudiara y se casara con ella (62). Su influencia sobre él fue inmensa. Murió de un puntapié en el vientre que, estando encinta, el emperador le había dado. Rodeada continuamente de rabinos, parece que en secreto se había convertido al judaísmo.

POPOVA, Liubov. Pintora rusa (Ivanovskoie, 1889-Moscú, 1924). Estudió pintura en Moscú, y en París trabajó con La Fauconnier y Metzinger (1912-1913) y conoció a N. Udaltsova con quien posteriormente colaboró combinando principios cubistas con el arte popular ruso. Popova, que participó en todas las manifestaciones de la vanguardia de su país, estuvo influida en un principio por el cubofuturismo, desarrollando más adelante la abstracción que denominó «arquitectura pictórica», centrada en la utilización del color y la textura. Entre sus publicaciones destaca *El vestido de hoy es el vestido industrial* (1923), en la que defendió el vestido como función y no como objeto. *Arquitectónica pictórica* (1918) es una de sus obras más conocidas.

PORÈTE, Marguerite. Mística y escritora francesa (m. París, 1310). Escribió el libro *Le Miroir des simples âmes* (El espejo de las almas sencillas), obra de carácter esotérico, en la que describe el proceso de liberación del alma hasta llegar a la felicidad del paraíso. La obra fue acogida por la Iglesia y la autora la presentó al obispo de Châlons para su examen. Pero el inquisidor de Lorena la condenó. Huyó a París y fue condenada a muerte por relapsa y quemada viva.

PORTER, Katherine Anne. Escritora estadounidense (Texas, 1890-Maryland, 1980). Tras trabajar como periodista en Chicago y Denver, se trasladó a México (1918-1921) para colaborar con el movimiento revolucionario, y luego se radicó en París y Alemania. En los relatos recogidos en *El árbol de Judas* (1930), *Pálido caballo, pálido jinete* (1939) y *La torre inclinada* (1944), las experiencias mexicana y europea son el punto de partida argumental que permite a Porter incursionar en una serie de técnicas narrativas, desde la narración objetiva e impersonal, hasta el fluir de conciencia, pasando por el discurso onírico. El «ciclo de Miranda», presente en los tres libros, revela con brillantez el punto de vista femenino e irónico de la autora, a la vez que explora el pasado legendario del Sur y el presente oscuro y decadente. Su única novela, *La nave de los locos* (1962), narra, en clave satírica, un viaje transatlántico desde México hasta la Alemania nazi; en 1966 se le concedió el premio Pulitzer por *Collected Stories*.

PORTINARI, Beatrice o Beatriz. Doncella florentina (s. XIII). Vivió en la segunda mitad del siglo y fue inmortalizada por Dante en su *Divina Comedia*.

PORTOCARRERO, María Francisca de Sales. Escritora española, condesa de Montijo (Madrid, 1754-Logroño, 1808). La procesó la Inquisición por haber traducido la obra de Tourneux *Instrucciones cristianas sobre el sacramento del matrimonio*, de tendencia jansenista. El proceso, sin embargo, no siguió adelante, porque se decía que los inquisidores que debían juzgarla «eran más jansenistas que la acusada».

POTTER, Beatrix. Escritora e ilustradora británica (Londres, 1866-Lancastershire, 1943). Su amplia producción, orientada exclusivamente al público infantil, revela a Potter como una minuciosa observadora de la naturaleza y como la creadora de un universo en miniatura poblado de curiosos habitantes, entre los que destacan el conejo Peter Rabbit y el pato Jemima Puddle-Duck.

POUGY, Liane de. Cortesana y novelista francesa cuyo nombre verdadero era Anne-Marie Cassagne (La Flèche, 1869, Lausanne, 1953). De familia burguesa, Pougy fue una de las más célebres cortesanas o *demi-mondaine* de la «Belle-Époque» parisiense. Tras un breve matrimonio con un oficial de caballería, se convirtió en una asidua asistente del Folies-Bergère, donde conoció al príncipe de Gales, quien encabezó su larga lista de amantes. Además mantuvo relaciones sentimentales con varias mujeres, entre ellas la escritora N. Barney*, relación que dio origen a la novela *Idylle Saphique* (1901), en la que Pougy defiende el lesbianismo como la forma más elevada del amor. Su enorme popularidad la llevó a rivalizar con renombradas figuras femeninas, entre ellas la Bella Otero*. Pasó sus últimos años recluida en un convento de Suiza.

PRADERA, María Dolores (María Dolores Fernández Pradera, llamada). Actriz y cantante española (Madrid, 1924). Comienza su carrera tras la guerra civil, tanto en cine como en teatro. Entre sus actuaciones cinematográficas destacan la de *Mi vida en tus manos* (1943), *Altar Mayor* (1944), *Los habitantes de la casa deshabitada* (1947), *Fuego en la sangre* (1953), *La danza de los deseos*, etc., a las que hay que añadir sus grandes interpretaciones teatrales, como la inolvidable *Mariana Pineda* de García Lorca. A partir de 1954 se reveló como excelente cantante melódica, faceta por la que es más conocida, soliendo ir acompañada por el dúo Los Gemelos. Su producción discográfica es numerosísima, destacando canciones como *Amarraditos*, *La flor de la canela*, *El rosario de mi madre*, etc. Estuvo casada con el actor Fernando Fernán-Gómez. En 1985 volvió al teatro con *Cándida*, de G. B. Shaw.

PREYSLER, Isabel. Periodista y modelo publicitaria española de origen filipino (Manila, 1951). Fue colaboradora de la revista *Hola* (1984-1988), y en la actualidad trabaja como modelo para la firma Porcelanosa. Ha sido una de las figuras más atendidas por la crónica social de los últimos años, especialmente por sus tres famosos matrimonios, el primero con el cantante Julio Iglesias, el segundo con Carlos Falcón, marqués de Griñón, y el tercero con el economista Miguel Boyer.

PRIE, marquesa de (Jeanne Agnès Berthelot de Pléneuf). Política francesa (París, 1698-Normandía, 1727). Casada con el marqués de Prie (1713), embajador en Turín, a su regreso a París (1719) se hizo amante del duque de Borbón, gobernando Francia desde que éste fue nombrado primer ministro (1723). Hizo devolver a España a María Ana Victoria, para que Luis XV se casara con María* Leszczynska. Se hizo muy impopular por la subida del precio del grano y fue separada de la corte al conspirar contra Fleury. En 1726 se retiró a sus posesiones y se suicidó al poco tiempo.

PRIMO DE RIVERA Y SÁENZ DE HEREDIA, María del Pilar. Política española (Madrid, 1912-íd., 1991). Primo de Rivera, hermana y colaboradora de José Antonio, fundador de la Falange, fue jefa de la Sección Femenina de la Falange desde 1933. Durante la guerra civil se encargó de organizar los servicios femeninos (más de medio millón de afiliadas) en hospitales, talleres y centros de asistencia social. Finalizada la guerra, siguió al frente de la Delegación de la Sección Femenina hasta su cese en mayo de 1977. Fue, además, presidenta de la junta central coordinadora de los círculos culturales femeninos de Hispanoamérica y Filipinas, miembro del Consejo nacional del Movimiento, de la Junta política, procuradora en las Cortes, vocal del Consejo nacional de educación y del Instituto de Cultura Hispánica. Suprimido el Movimiento, se unió al partido político de la Falange. En 1983 publicó sus memorias *Recuerdos de una vida*.

PRISCILA o PRISCA, santa. Dama romana (s. I). Hospedó a san Pedro en Roma y se convirtió al cristianismo, seguramente por la acción de este santo. Es muy probable que fuera quien donó el cementerio de la vía Salaria que lleva su nombre. Una leyenda asegura que fue madre del senador Prudencio.

PRÓCULA, Claudia. Dama romana (s. I). Perteneciente a la gens Claudia, era la esposa de Poncio Pilato, procurador de Judea cuando se celebró el juicio contra Jesucristo. En la Biblia protagoniza la escena en que advierte a su marido de que debe dejar a Jesús en libertad, ya que había sufrido en sueños por Él (Mt. 28, 19). La tradición oriental la presenta convertida posteriormente al cristianismo y muerta mártir.

Soledad Puértolas

PUÉRTOLAS, Soledad. Escritora española (Zaragoza, 1947). Considerada una de las figuras más relevantes dentro del panorama de las letras españolas contemporáneas, Puértolas ha sabido retratar con fina precisión la falsedad que rige la sociedad moderna. El objetivismo narrativo, la riqueza de sus personajes, las historias de familia y la búsqueda de una armonía vital caracterizan la mayoría de sus novelas: *El bandido doblemente armado* (1980; premio Sésamo), *Burdeos*

(1986), *Todos mienten* (1988) y *Queda la noche* (1989; premio Planeta). Es además la autora de las colecciones de relatos *Una enfermedad moral* (1983) y *La corriente del golfo* (1993). En 1993 se le concedió el premio Anagrama de ensayo por *La vida oculta*, reflexiones sobre literatura y vida cotidiana.

PULQUERIA, santa. Emperatriz de Oriente (Constantinopla, 399-453). Era la primogénita del emperador Arcadio y gobernó como regente (414-416) de su hermano Teodosio II, al que casó con Eudoxia*, que terminó siendo su rival, disputándole la influencia sobre el emperador. Cuando Teodosio II murió (450), Pulqueria compartió el gobierno con un viejo senador, Marciano, con el que se casó y que tomó el título de emperador. Llevó una vida ascética y luchó por la defensa de la ortodoxia ante el influjo de las herejías cristológicas.

PURROY, baronesa de (Luisa Dara). Heroína española (Tortosa, 1808-íd., 1888). Organizó la defensa de la plaza de Gandesa, sitiada por el general Cabrera durante la guerra carlista, convirtiéndose en el alma de los sitiados. Acompañaba a éstos en sus salidas al campo enemigo, siempre montada a caballo y vestida de amazona.

PUTIFAR, mujer de. Mujer de la Biblia. Según el relato del *Génesis* (c. 39), era la esposa de Putifar (Petefré, en egipcio), a cuyo servicio entró José a su llegada al país del Nilo. Ésta intentó seducir al israelita, pero fue rechazada. Despechada, le acusó de violación y José fue encarcelado.

QUANT, Mary. Diseñadora británica (Londres, 1934). Revolucionó el mundo de la moda con la creación de la minifalda (falda ceñida y corta) que combinada con botas altas se convirtió en uno de los símbolos de los años 60, proclamando una nuevo concepto de libertad sexual.

QUIMBY, Harriet. Aviadora estadounidense (California, 1881-Nueva York, 1912). En 1911 se convirtió en la primera mujer piloto de los EE.UU., y fue la primera además en atravesar el Canal de la Mancha (1912). En 1912, tratando de batir el récord de velocidad en la bahía de Nueva York, su avión cayó en picado y murió ahogada.

QUINTANILLA, Isabel. Pintora española (Madrid, 1938). Entre 1954 y 1959 estudió en la Escuela de Bellas Artes de San Fernando, en Madrid. Vinculada al grupo de artistas conocidos como «realistas madrileños», su pintura se mueve en paisajes interiores en los que la luz eléctrica establece claros contrastes. Quintanilla, becaria de la Academia de Bellas Artes en Roma entre 1961 y 1964, ha realizado numerosas exposiciones individuales y colectivas tanto a nivel nacional como internacional. Entre su obra destaca *Interior de la casa* (1974).

QUIROGA, Elena. Novelista española (Santander, 1919). Su obra narrativa se ha movido entre el realismo de la posguerra y la tendencia psicologista y formalis-

Elena Quiroga

ta de la novelística contemporánea. *Viento del Norte* (1951; premio Nadal), su primera novela, utiliza como escenario las tierras gallegas donde Quiroga pasó parte de su vida. Tras *La sangre* (1952), narrada por un árbol, sus siguientes novelas se han centrado en ambientes urbanos, en personajes más complejos y en temas de actualidad: *Algo pasa en la calle* (1954), *La última corrida* (1958) y *Escribo tu nombre* (1965). Desde 1984 es miembro de la Real Academia Española.

María Rafaela Quiroga, *sor Patrocinio*

QUIROGA, María de los Dolores Rafaela. Religiosa española (1809-Guadalajara, 1891). También conocida con el nombre de sor Patrocinio o por el de la Monja de las llagas. Fue muy popular en España durante el reinado de Isabel II*, a causa de algunos pretendidos milagros, entre otros, la impresión en su costado y en sus manos de las llagas de Jesús. Como consecuencia de un sumario en averiguación de estos extremos, se dispuso su alejamiento de la capital (1836), siendo desterrada a Talavera de la Reina. Vuelta años después a la corte, se captó el afecto de la reina Isabel y su esposo Francisco, sobre los que llegó a tener ascendiente y a gozar de gran influencia, llegando al punto de derribar el gobierno de Narváez y conseguir la formación del llamado «ministerio relámpago». Al encargarse del Gobierno Bravo Murillo (1851), consiguió su traslado a Roma, en donde el Papa la dispensó grandes atenciones, aumentando, si cabe, su gran prestigio. De vuelta a Madrid, se hizo construir dos conventos, uno en La Granja y otro en Aranjuez. Su influencia siguió siendo inmensa, doblegando al propio O'Donnell, pero con la revolución de 1868 se vio obligada a viajar fuera de España. Regresó ya reinando Alfonso XII, muriendo en Guadalajara.

RABUTIN-CHANTAL, Marie. V. **SÉVIGNÉ, marquesa de.**

RACHEL, Mlle. (Elizabeth Rachel Félix, llamada). Actriz francesa de origen suizo (Suiza, 1821-Le Cannet, 1858). Rachel, una de las mayores intérpretes de la tragedia francesa, debutó en 1837 en el Théâtre Gymnase, pero su primer éxito lo consiguió en la Comédie Française en 1838 interpretando a Camille en el *Horace* de Corneille. Muy elogiada por el público y la crítica, triunfó en Europa, América y Egipto. Se destacó sobre todo en la interpretación de las heroínas de Racine y Corneille. Se retiró en 1857 víctima de tuberculosis.

RACHILDE. Seudónimo de la novelista francesa Marguerite Eymery (Chaîteau-l'Évêque, 1860-París, 1953). Alumna de los Goncourt y de Huysman, su primera novela, *Monsieur Vénus* (1884), centrada en la inversión de roles sexuales, fue calificada de pornográfica y censurada en Bélgica, donde se publicó originalmente. El resto de su obra, enmarcada dentro de la narrativa francesa de *fin de siècle*, exploró la psicología humana y expresó una fascinación por aquellas formas de erotismo consideradas «perversas»: androginia, incesto, sexualidad «antinatura», etc.: *L'Heure Nature* (1897), *La haine amoureuse* (1925) y *Mon étrange plaisir* (1934). Rachilde fue una de las figuras más célebres de su época, no sólo por su valiosa producción literaria, sino también por su personalidad excéntrica: se vistió siempre de hombre y se hizo llamar «escritor». En su ensayo autobiográfico *Pourquoi je ne suis pas féministe* (1928) explica en cierto modo las razones de esta automasculinización.

RADCLIFFE, Ann. Novelista inglesa (Londres, 1764-íd., 1823). Las novelas de Radcliffe, que alcanzaron gran éxito en su época, la convirtieron en una de las máximas representantes de la narrativa gótica. *Los misterios de Udolfo* (1794), su obra más conocida, demostró su fuerza imaginativa y su habilidad en el desarrollo de asuntos sobrenaturales y terroríficos. Destacan además *Los castillos de Athlin y Dunbayne* (1789), *Novela siciliana* (1790 y *El italiano* (1797). Sus escenarios tempestuosos y sus personajes «malditos» tuvieron una notable influencia en la novelística inglesa del siglo XIX.

RADEGUNDA, santa. Reina de los francos de Soissons (521-Poitiers, 587). Casada a la fuerza con el rey Clotario I, que había hecho matar a toda su familia. El rey franco la hizo educar y bautizar, pero, cuando Clotario mandó asesinar al hermano de Radegunda, ésta obtuvo permiso para abandonar la corte y se consagró a Dios en Noyon (555), ante el obispo san Medardo. Posteriormente fundó en Poitiers un monasterio, llamado Sainte-Croix, al que dio la regla de san Cesáreo de Arlés y donde pasó el resto de sus días. Su vida fue escrita por su amigo y confesor Venancio Fortunato y continuada por una religiosa de Sainte-Croix.

RAMBERT, Marie (Cyvia Rambam, llamada). Bailarina y maestra de ballet británica de origen polaco (Varsovia, 1888-Londres, 1982). Comenzó a trabajar con Émile Jaques-Dalcroze y posteriormente en los Ballets Rusos de S. Diaghilev, donde colaboró en la coreografía *La consagración de la primavera* (Nijinski, 1913). En 1920 abrió una escuela en Londres donde se formaron los mejores bailarines y coreógrafos ingleses (P. Argyle, M. Fonteyn*, F. Ashton, etcétera). En 1930 fundó el Ballet Club, que más tarde se convirtió en el Ballet Rambert (1935) y donde la estrella indiscutible de la compañía fue A. Markova*. En 1966 se disolvió la compañía y se reconstituyó en 1967 con el nombre de New Ballet Rambert. Rambert ha sido, sin duda, una de las figuras clave del ballet moderno inglés.

RAMBOUILLET, marquesa de (Catherine Vivonne). Mujer de letras y cortesana francesa (Roma, 1588-París, 1665). Fue una de las mujeres más célebres de París en el s. XVII. Sus salones fueron lugar de reunión de la intelectualidad de su época, y los poetas la cantaron, dándole los nombres de Cleomira y Rosalinda. Entre sus adeptos se encontraban Condé, madame Lafayette*, la marquesa de Sévigné*, Corneille y Bossuet.

RAME, Franca. Actriz y dramaturga italiana (n. 1929). La mayor parte de su obra dramática ha sido producida en colaboración con su marido, Dario Fo. Rame ataca en sus piezas los pilares de la sociedad patriarcal: la familia, el Estado y la Iglesia. Recorrió los escenarios europeos interpretando las obras reunidas en *Tutto casa, letto e chiesa* (1978), centradas en las diversas estrategias empleadas por las instituciones sociales para coartar la libertad de las mujeres.

RANAVALONA III. Reina de Madagascar (1862-Argel, 1917). Prima de la II de su nombre, era viuda del príncipe Ratrima y se casó con el primer ministro Rainilaiarivony, viudo de las dos reinas anteriores, Rasoherina y Ranavalona II. Terminado el bloqueo francés sobre la isla, firmó el tratado de Tamatave (1885) por el que cedía a Francia la rada de Diego Suárez y la dirección diplomática. Prosiguiendo su política colonialista, Francia estableció el protectorado (1895) y la colonia (1896), siendo la reina destronada (1897) y deportada, primero a las islas de la Reunión y luego a Argel.

RAQUEL. Mujer de la Biblia, Según el relato del *Génesis*, era una de las hijas de Labán y esposa principal de Jacob. Jacob, sobrino de Labán, iba en busca de su tío cuando encontró a Raquel, que lo acompañó hasta su presencia, quedando prendado de su prima, Jacob concertó con su tío la boda con Raquel, pero Labán le dio a su otra hija, Lía. Después de servir siete años a Labán, éste le entregó a Raquel, de la cual Jacob tuvo a José y Benjamín, pero Raquel murió en el alumbramiento de este último. Jacob la enterró cerca de Belén.

RAQUEL. Judía toledana (s. XI). Según la leyenda recogida por Alfonso X en la *Grande e general estoria* y por Sancho IV en el *Libro de los Castigos*, fue amante del rey Alfonso VIII. Actualmente se discute su veracidad.

REA SILVIA. Princesa latina (s. VIII a. C.?). Según la leyenda transmitida por los historiadores romanos y Virgilio, era hija de Numitor, rey de Alba Longa —aunque también es considerada hija de Eneas y Labinia—. Su tío, el rey Amulio, la obligó a entrar al servicio del templo de Vesta, pero, según la tradición mitológica, Marte la poseyó y del dios tuvo a Rómulo y Remo, fundadores de Roma.

READ, Mary. Aventurera inglesa (s. XVIII). Fue educada como un muchacho y se enroló en un barco de guerra que luego abandona para alistarse como soldado en un regimiento de infantería en Flandes. Después pasó a la caballería, para más tarde abandonar el ejército, cuando se casó. Abrió una taberna en Breda. Viuda, volvió a vestirse de hombre y se enroló en la infantería holandesa, embarcando hacia América, pero el barco fue apresado por John Rackam y Mary se hizo pirata. Finalmente, se enamoró de un marinero y se casó, pero en 1720 fue apresada por los ingleses y condenada a muerte en Jamaica. Como era anciana, no se le ejecutó y murió en prisión.

REAGAN, Nancy. Ex primera dama estadounidense (Nueva York, 1921). Cursó estudios de arte dramático y posteriormente trabajó en teatro, cine (participó en 11 películas) y televisión. En 1980, tras acceder el candidato republicano, Ronald Reagan, a la presidencia de EE.UU., se convierte en la primera dama del país, cargo que ocupará durante nueve años. Durante los años que permaneció en la Casa Blanca defendió los valores tradicionales de la familia y realizó una enérgica campaña contra las drogas y a favor de la pena de muerte para los traficantes. En 1989 publicó su autobiografía titulada *Mi turno*.

REBECA. Mujer de la Biblia. Era hija de Betuel, sobrino de Abraham y fue la esposa del patriarca Isaac. El relato del *Génesis* cuenta cómo Abraham fue a Mesopotamia en busca de una mujer digna de Isaac, la encontró junto a un pozo, se la llevó a Canaán y se casó con su hijo. De Isaac tuvo a Jacob y a Esaú (*Gn*. 24). Cuando ya Isaac era viejo y ciego ayudó a Jacob a recibir la bendición paterna en lugar de Esaú (*Gn*. 27). Fue enterrada en la cueva de Makpelá, en Hebrón (*Gn*. 49, 31).

RÉCAMIER, Madame (Julie Bernard). Dama francesa (Lyon, 1777-París, 1849). Hija de un banquero de Lyon, establecido en París desde 1784, se casó muy joven con el banquero Récamier, de mucha más edad que ella. Durante la época del Consulado su salón se convirtió en el centro de reuniones de las personalidades más destacadas de París y atrajo a su alrededor un grupo cada vez más numeroso de admiradores (Adrien y Mathieu de Montmorency, Luciano Bonaparte, Moreau, Bernadotte, etc.). Debido a su amistad con madame de Staël* fue desterrada de París en 1811, regresando tres años después. Entre 1814 y 1815 se fijan sus relaciones íntimas con Benjamin Constant. Con la pérdida de los bienes por parte de su marido, en 1818, se retiró a la Abbaye-aux-Bois, monasterio donde iniciaría su unión amorosa con Chateaubriand, que mantendría prácticamente hasta la muerte de éste en 1848.

REDGRAVE, Vanessa. Actriz de cine y teatro inglesa (Londres, 1936). Hija de sir Michael Redgrave, con quien se presentó en Londres interpretando magistralmente a Shakespeare en *Otelo*, *El sueño de una noche de verano*, etc., pero donde se reveló internacionalmente fue en *Morgan, un caso clínico* (1965). Otras películas son: *Blow-up*, por la que obtuvo el premio a la mejor actriz en el Festival de Cannes, *Isadora*; *María, reina de Escocia*; *Asesinato en el Oriente Express*

Vanessa Redgrave

(1974), *Julia* (1976), *Agatha* (1978), *My Body, My Child* (1981), *Wagner* (1983), *Wetherby* (1984) y *Ábrete de orejas* (1987). Ha ejercido el activismo político dentro de la IV Internacional.

REDONDO PÉREZ, Aurora. Actriz española (Barcelona, 1905). Actuó por primera vez en 1920 en el teatro El Dorado, de Barcelona. Estuvo casada y formó compañía con el actor Valeriano León. En reconocimiento a sus méritos le fue otorgado el premio Nacional de interpretación dramática (1961-62). Es una de las más completas actrices españolas y una de las que gozan de mayor popularidad entre el público por su gracia y su talento, manifestados especialmente en la comedia, el sainete y el juguete cómico.

REINA, Juana. Cantante, bailarina y actriz cinematográfica española (Sevilla, 1925). Intérprete de tonadillas populares, con las que ha conseguido celebridad, lo mismo que con sus películas: *La blanca paloma* (1942), *Canelita en rama* (1943), *Macarena* (1944), *Serenata española* y *La Lola se va a los puertos* (1947), *Vendaval* (1949), *Gloria Mairena* y *Lola la Piconera* (1952), y *Sucedió en Sevilla* (1954). Se le considera como una de las grandes de la canción española, habiendo dejado una verdadera escuela a sus espaldas.

RÉMUSAT, condesa de (Claire Élisabeth Gravier de Vergennes). Escritora francesa, dama de honor de la emperatriz Josefina* (París, 1780-íd., 1821). Escribió largas y numerosas cartas, que fueron publicadas con el título de *Cartas de madame de Rémusat* por su nieto en 1881. También escribió algunas novelas, entre las que figuran *Cartas españolas, o El ministro* y *Carlos y Clara, o la flauta*. Su *Ensayo sobre la educación de las mujeres* fue publicado por su hijo en 1824. Por último, también su nieto publicó sus libros de *Memorias* (1879-1880), que constituyen un testimonio de primera mano de la vida durante el

Consulado y el principio del Imperio (h. 1808).

RENATA de Francia. Princesa de Este y duquesa de Ferrara (Blois, 1510-Montargis, 1575). Hija de Ana* de Bretaña y de Luis XII de Francia, se casó con Hércules II de Este. Fue discípula de Lefèvre d'Etaples, adhiriéndose a la Reforma (1536) por influencia de los nobles y escritores de su corte, entre los que figuraba Calvino. El duque, temiendo la intervención papal, se separó de ella y pidió la ayuda de Enrique II de Francia. Su ferviente adhesión al protestantismo motivó que la Inquisición la condenase a prisión perpetua y confiscación de todos sus bienes (1554), si bien recobró la libertad al poco tiempo, después de ser liberada. A la muerte de su marido (1559) volvió a Francia, donde prestó ayuda a los hugonotes.

RENAUD, Madeleine. Actriz francesa (París, 1903). Su brillante paso por el Conservatorio, donde interpretó papeles de importancia académica, la condujeron, en 1921, a la Comédie Française. Intérprete excepcional de Molière, en 1932 trabajó en *Jean de la Lune*, iniciando así una actividad paralela en el cine francés de esos años. En 1941 entró en el Comité de Administración de la Comédie, un año después de haber contraído matrimonio, en segundas nupcias, con el actor y director Jean-Louis Barrault. En 1936 abandonó la compañía Madeleine Renaud-Jean-Louis Barrault, instalada, en 1947, en el Teatro Marigny. Constan por décadas las caracterizaciones de primer rango que ha interpretado.

RENO, Janet. Fiscal estadounidense (n. 1939). Tras realizar estudios de química, ingresa en la Universidad de Harvard donde cursa la carrera de derecho. Durante 15 años ha estado al frente de la Fiscalía de Dade Country, en Florida. En 1993 el presidente de EE.UU., Bill Clinton, la nombra fiscal general. Se convierte así en la primera mujer de Estados Unidos en ocupar ese cargo tras 77 varones. Bajo su ministerio se agrupa todo el sistema judicial federal, incluido el Buró Federal de Investigaciones (FBI).

REXACH, Silvia. Compositora puertorriqueña (Santurce,1922-íd., 1961). Rexach, considerada una de las compositoras de música popular más importantes de América Latina, obtuvo su primer gran éxito con el bolero *Idilio*. Sus composiciones están centradas en el amor desgarrado. Entre ellas destacan *Y entonces*, *Alma adentro*, *Anochecer* y *Olas y arena*. Murió víctima del cáncer.

RHYS, Jean. Seudónimo de la escritora caribeña Ellen Gwendolen Rees (Dominica, 1894-Exeter, 1979). Considerada una de las figuras centrales de la literatura caribeña contemporánea en lengua inglesa, Rhys se trasladó a Inglaterra en 1907 donde comenzó trabajando como actriz en una compañía de repertorio, y posteriormente vivió en París y Viena. A esta época pertenece *The Left Bank and Other Stories* (1927), donde aparece ya el personaje arquetípico de sus narraciones: una mujer solitaria y soñadora que deambula por la vida sin rumbo fijo. La adaptación de su *Good Morning Midnight* (1939) realizada por la BBC, le dio a conocer internacionalmente. Sus raíces culturales y su experiencia de mujer criolla blanca constituyen los componentes fundamentales de su obra. En Cornualles escribió su obra maestra, *White Sargasso Sea* (1966), basada en uno de los personajes de *Jane Eyre* de Charlotte Brontë*.

RICH, Adrienne. Poeta y feminista estadounidense (Baltimore, 1929). Activa participante del movimiento feminista y defensora de los derechos humanos, Rich es considerada, junto con A. Lorde* y A. Walker*, una de las figuras más relevantes de las letras femeninas estadounidenses. Influida por E. Dickinson* y H. Doolittle*, los poemas de Rich se caracterizan por una continua experimentación lingüística y por una temática centrada en la condición femenina: *Diving into the Wreck* (1973), premiado con el National Book Award, *Your Native Land* (1986) y *An Atlas of the Difficult World* (1991). Es autora además de la colección de ensayos *On Lies, Secrets and Silence* (1979).

RICHARDSON, Dorothy. Novelista inglesa (Berkshire, 1873-Londres, 1957). Tras trabajar como maestra y periodista, trabó amistad con varios intelectuales de renombre, entre ellos H. G. Wells, cuyos valores marcadamente masculinos, que Richardson rechazaba, la impulsaron a crear una estética femenina basada en su concepción de la mujer como sujeto distinto. Fue la primera en utilizar la técnica del fluir de conciencia, que posteriormente adoptaron V. Woolf* y J. Joyce, y fue una de las figuras centrales del modernismo narrativo inglés. Entre sus obras destacan *Pilgrimage* (1915-1938), considerada su obra cumbre, *The Tunnel* (1919) y *Revolving Lights* (1923). Fue autora además del brillante ensayo sobre escritura femenina, *Women in the Arts* (1925).

RICHIER, Germaine. Escultora francesa (Grans, 1904-Montpellier, 1959). Estudió en la escuela de bellas artes de Montpellier, y en 1952 obtuvo el premio de escultura en la Bienal de São Paulo (Brasil). Una de sus obras más famosa, el *Cristo* (1950) que realizó en la iglesia de Assy, causó un gran escándalo en su época y levantó una polémica sobre los límites del artista en el terreno del arte religioso. Sus esculturas, fundamentalmente esquemáticas, muestran un expresionismo violento de corte surrealista y una vigorosa expresión y fuerza: *La tempestad* (1948), *Figura con garras* (1952), *Hombres-pájaros* (1953-1955) y *La Montagne* (1956), obra maestra que logró consagrarla internacionalmente.

RICO GODOY, Carmen. Periodista y escritora española (París, 1936). Estudió ciencias políticas en Washington, y desde 1970 colabora con la revista *Cambio 16,* consagrándose con sus artículos políticos teñidos de ironía. En 1990 publicó su primer libro, *Cómo ser mujer y no morir en el intento,* que se convirtió en un auténtico best-seller, y que posteriormente dio lugar a un filme dirigido por Ana* Belén. Es colaboradora habitual de *Diario 16,* y en 1991 publicó su segundo libro, *Cómo ser infeliz y disfrutarlo.*

RICO MARTÍNEZ, Paquita. Actriz, cantante y bailarina española (Sevilla, 1930). Debutó en el cine con la película *Brindis a Manolete* (1948), a la que siguieron *Olé, torero* (1949), *Rumbo* (1950), *Debla, la virgen gitana* (1951), *María Morena* (1952), *La alegre caravana* (1953), *La moza de cántaro* y *El relicario*

Paquita Rico en *Debla, la virgen gitana*

(1954), *Viva lo imposible*, *La Tirana*, *¿Dónde vas, Alfonso XII?*; *S.O.S., abuelita*; *Tierra brutal*, *Historia de una novela,* etc. En 1962 protagonizó en Madrid la representación teatral de *Bodas de sangre*, de García Lorca. También se ha consagrado como una de las tonadilleras más sobresalientes del mundo artístico español.

RIEFENSTAHL, Leni. Actriz y directora de cine alemana (Berlín, 1902). Estudió pintura y ballet y en 1926 debutó como actriz de cine con la película *Der heilige Berg,* dirigida por Arnold Franck y con quien luego haría varias películas centradas en el tema del alpinismo como *La Montagne sacrée* (1926) y *Tempete sur le Mont-Blanc* (1930). En 1932 debutó como realizadora con la película *Luz azul,* obteniendo un gran éxito. Riefenstahl, considerada la cineasta y productora oficial del régimen nazi, realizó monumentales películas de carácter documental exaltando los ideales estéticos de dicho régimen, entre las cuales destacan *El triunfo de la voluntad* (1936) y *Olimpiada* (1936), sobre los juegos olímpicos celebrados en Berlín. Marginada tras la segunda guerra mundial, se dedicó a la fotografía y al cine etnológico, principalmente en África. En 1987 publicó sus *Memorias.*

RIERA, Carme. Escritora española en lengua catalana (Palma de Mallorca, 1948). Profesora de literatura castellana en la Universitat Autónoma de Barcelona, a Riera se le considera una de las máximas representantes de la novelística catalana actual. Con un lenguaje en el que se entremezclan el léxico valenciano y mallorquín con la normativa catalana, la narrativa de Riera explora las pasiones que quedan inermes ante los designios del destino humano: *Te deix, amor, la mar com a penyora* (1975), *Epitelis tendríssims* (1981). El alma femenina se convierte en protagonista de narraciones de seducción e impostura como *Qüestió d'amor propi* (1987) y *Joc de miralls* (1989; premio Ramon Llull).

RIMINI, Francesca da. Dama italiana (s. XIII). Hija de Guido de Polenta, señor de Ravena. Se casó con Lanciotto de Rímini, quien, enterado más tarde de que le era infiel con su hermano Paolo, sorprendió a los dos amantes y les dio muerte. Este hecho forma un episodio del *Infierno* en la *Divina Comedia* de Dante y a él alude también Petrarca.

RINCÓN DE GAUTIER, Felisa. Política puertorriqueña (Ceiba, 1897). Felisa Rincón fue cofundadora del Partido Popular Democrático y la primera y única mujer en ocupar el cargo de alcaldesa de la capital de Puerto Rico por espacio de 23 años (1946-1969).

RÍO, Dolores del (Dolores Asúnsolo López Negrete, llamada). Actriz de cine y teatro mexicana (Durango, 1906-California, 1983). En 1925 inició su carrera con *Joanna*, película de cine

Dolores del Río y Pedro Armendáriz en *Flor silvestre*

mudo hollywoodense. *El precio de la gloria* (1926), *Resurrección* (1927) y *Ramona* (1928) la consagraron internacionalmente. Su primer filme sonoro fue *El malo* (1930). Debutó en teatro con *Historia de una mujer mala* (1948). Ha recibido en varios ocasiones el premio Ariel: *Las abandonadas* (1946), *Doña Perfecta* (1952) y *El niño y la niebla* (1954). Fue llamada «La Diosa Azteca» en sus primeros años en Hollywood.

RÍOS, Blanca de los. Escritora española (Sevilla, 1862-Madrid, 1956). Pertenecía a una familia de la que formaban parte literatos y artistas. Empezó escribiendo libros de poemas *(Esperanzas y recuerdos, ¿Vida o sueño?)* y novelas *(La niña de Sanabria, La sangre española, Madrid goyesco),* pero su principal actividad se centró en el estudio de los grandes escritores españoles del Siglo de Oro, como Calderón de la Barca, Cervantes y especialmente de la obra y vida de Tirso de Molina *(Las mujeres de Tirso,* 1910; *El enigma biográfico de Tirso de Molina,* 1928). Es autora también de trabajos sobre la mística, el romanticismo y Menéndez Pelayo, del que fue discípula. Fundó en 1919 la revista *Raza Española,* que dirigió y sostuvo durante once años, y colaboró además en diferentes publicaciones.

RITA de Casia, santa. Religiosa italiana (Roccaporena, 1381-Casia, 1457). Estuvo casada durante dieciocho años, entrando, al enviudar, en la Orden agustiniana, donde llevó una vida de sacrificio voluntario. Fue canonizada en 1900.

RIVAS CHERIF, María Dolores de. Política española (¿?, 1904-México, 1993). Ha sido una de las figuras republicanas que mayor tiempo ha pasado en el exilio. Por sus ideas republicanas tuvo que salir de España cuando se instauró la dictadura de Franco, radicándose en México por espacio de 50 años. Desde 1978, cuando retorna nuevamente la democracia, se le asigna un subsidio de viudez por haber sido la esposa de Manual Azaña, el último presidente de la República Española.

RIVELLES, Amparo. Actriz española (Madrid, 1925). De familia de actores, hija de Rafael Rivelles y María Fernanda Ladrón* de Guevara. Ha interpretado, entre otras, las películas *Eugenia de Montijo*, *La fe*, *Fuenteovejuna*, *La calle sin sol*, *La duquesa de Benamejí*, *Alba de América*, *El indiano* (1954), *La herida luminosa* (1956), *El amor que yo te di* y *Un ángel tuvo la culpa* (1958). En 1958 fijó su residencia en México, donde intervino en el cine, el teatro y la televisión. Posteriormente también ha actuado en España (*Los gozos y las sombras*, serie televisiva sobre la obra del mismo

Amparo Rivelles

nombre de G. Torrente Ballester, y *Hay que deshacer la casa*, película de José Luis García Sánchez). Fue durante los años 40 y 50 una de las actrices preferidas del público español, interpretando papeles en los que no faltaban ciertas dificultades. En la última época, trasladada su residencia de nuevo a España, se ha convertido en una de las grandes damas del teatro español.

RIVERA ENRÍQUEZ, Francisca de. V. **CHICHÓN, condesa de.**

ROBINSON, Mary. Política y abogada irlandesa (Mayo, 1944). Profesora de derecho en el Trinity College de Dublín, en 1990 fue presentada como candidata a la presidencia por los laboristas y el Partido de los Trabajadores. Bajo el lema «Tú tienes voz. Yo haré que se oiga» consiguió el voto femenino. Tras vencer en los comicios, se convirtió en la primera mujer irlandesa en acceder a la jefatura del Estado.

ROCHECHOUART DE MORTEMART, Françoise Athénais de. V. **MONTESPAN, marquesa de.**

RODOREDA, Mercè. Escritora española en lengua catalana (Barcelona, 1909-Gerona, 1983). Tras la guerra civil, se exilió primero en Burdeos y luego en Ginebra, regresando a Cataluña en los años 70. Con *Aloma* (1938) inicia una serie de retratos femeninos que perdurarán a lo largo de toda su obra, y en los que muestra, en clave psicológica, el doloroso paso de la adolescencia a la madurez en una sociedad que ofrece muy pocas alternativas a la mujer. Sus extraordinarias dotes de observación y su expresividad lúcida y precisa la convirtieron en una de las figuras más relevantes de la literatura catalana contemporánea: *Vint-i-dos contes* (1958), *La plaça del Diamant* (1962), considerada su obra maestra, *Jardí vora la mar* (1967), *Mirall trencat* (1974), en la que explora un mundo mítico de herencia simbolista, y *Quanta, quanta guerra...* (1981).

RODRIGUES, Amalia. Cantante portuguesa (Lisboa, 1920). Comenzó su carrera en 1939 y posteriormente se consagró como una de las mejores cantantes de fados, adquiriendo fama internacional. En 1990 se retiró.

RODRÍGUEZ DE ARAGÓN, Dolores. Soprano española (Cádiz, 1915-Pamplona, 1984). Especialista en la canción española, antes de 1936 inició sus conciertos, cantando las más famosas obras, desde Falla y Turina a Joaquín Rodrigo y sus contemporáneos. Entre sus discípulas están Celia Langa, Teresa Berganza* e Isabel Penagos. Sus mejores creaciones en ópera han sido en *El retablo de maese Pedro*, de Falla, y en *Las bodas de Fígaro*, de Mozart. Profesora de canto del Conservatorio Superior de Música de Madrid, fue la creadora y directora del Coro de la Escuela Superior de Canto, convertido después en Coro Nacional de España, cargo del que dimitió en 1979.

ROGERS, Ginger (Virginia Katherine McMath, llamada). Bailarina y actriz de cine estadounidense (Independence, Missouri, 1911). Comenzó su carrera artística como bailarina, de pareja con Fred Astaire, y luego actuó individualmente como actriz, circunscribiéndose en general a papeles melodramáticos o cómicos. Recibió el Oscar en 1940 por *Espejismo de amor*. Ha interpretado, además: *La alegre divorciada* (1934), *Sombrero de copa* (1935), *Ritmo loco* (1936), *Vuelve a mí*, etc., en su etapa con Fred Astaire; *Damas del Teatro* (1937), *La historia de Irene Castle* (1939), *Espejismo de amor* (1940), *Una mujer en la penumbra* (1944), *Fin de semana* (1945), *Tenías que ser tú* (1947), *Vuelve a mí* (1949) —de nuevo junto a Astaire—, *Mujer para siempre* (1954), etc. También ha participado en espectáculos musicales de Broadway, alejándose del cine (*Mame*, 1969).

Ginger Rogers con Fred Astaire

ROIG, Montserrat. Novelista española en lengua catalana (Barcelona, 1946-íd., 1993). Trabajó como periodista y comentarista televisiva, y en 1971 se inició en la literatura con el libro de relatos *Molta roba i poc sabó, i tan neta que la volen* (premio Víctor Català). Sus novelas posteriores, de carácter testimonial y periodístico, se centraron en el retrato de la pequeña burguesía catalana, y, especialmente, en el examen de la problemática femenina: *Ramona, adéu* (1972), *El temps de les cireres* (1977), *L'òpera quotidiana* (1982) y *La veu melodiosa* (1987).

ROLAND DE LA PLATIÈRE, madame (Jeanne-Marie o Manon Phlipon). Política francesa (París, 1754-íd., 1793). Casada con Jean-Marie Roland, ejerció sobre su esposo una influencia absoluta, asegurando su ascenso político dentro del partido girondino. Llegado su marido al gobierno, ella dirigió de hecho el Ministerio del Interior. Comprendida en la proscripción del 31 de mayo de 1793 contra los girondinos, se negó a huir con su marido, y condenada a muerte, subió a la guillotina con extraordinaria serenidad. En prisión escribió unas *Memorias* y un trabajo dedicado a su hijo, titulado *Mis últimos pensamientos*.

ROLDANA, La (Luisa Ignacia Roldán, llamada). Escultora española (Sevilla, 1656-Madrid, 1704). Era hija de Pedro Roldán, de quien fue discípula, ayudándole grandemente en sus trabajos, y esta práctica la llevó a la completa perfección en la escultura. Se distinguió especialmente en las estatuas de barro de pequeño tamaño. Como su progenitor, estuvo influida por el barroquismo italiano. En El Escorial, Madrid, Sevilla, Cádiz, etc., hay obras suyas.

ROMANONES, condesa de. Espía y escritora estadounidense cuyo nombre real es Aline Griffith (Nueva York, 1923). Mientras trabajaba como modelo en Nueva York, Griffith fue reclutada y entrenada como agente secreto por la Oficina de Servicios Estratégicos (OSS) de la Agencia Central de Inteligencia (CIA), y fue destinada a España durante la segunda guerra mundial. Realizando sus trabajos de espionaje conoció a su marido, el conde de Quintanilla, que posteriormente se convertiría en el conde de Romanones, y de quien ella obtuvo su actual título nobiliario. La condesa de Romanones ha pasado a ser una de las figuras más representativas de la crónica social contemporánea, tanto española como internacional. Sus libros *The Spy Wore Red, The Spy Went Dancing* y *The Spy Wore Silk* rememoran sus experiencias como espía.

ROOSEVELT, Anna Eleanor. Escritora y política estadouniden-

Eleanor Roosevelt

se (Nueva York, 1884-íd., 1962). Esposa de Franklin Delano Roosevelt y primera dama de EE.UU., a su muerte desarrolló una intensa actividad política, sobre todo en el Partido Demócrata: presidió la Comisión de Derechos Humanos de las Naciones Unidas (1947-51), y fue delegada en la Asamblea General de la misma (1946-1952). Feminista, antisegregacionista y pacifista, escribió: *It's Up to the Women* (1933), *This Is My Story* (1937), *My Days* (1938), *This I Remember* (1949) y *On My Own* (1958).

ROSA de Lima. Doncella peruana, de origen español (Lima, 1586-íd., 1617). Era llamada Isabel Flores de Oliva y el nombre de Rosa se lo puso, en sustitución de aquél, santo Toribio de Mogrovejo al administrarle la confirmación. De familia distinguida, se sometió voluntariamente, desde la infancia, a una serie de privaciones y mortificaciones. Su madre se empeñó en darle una instrucción muy superior a la corriente entre las mujeres de su tiempo; además, le proporcionó maestros de canto y arpa, cítara y vihuela. Sabiendo que una de las cosas que más la hermoseaban era su espléndida cabellera, se la cortó casi de raíz. Llevó una vida de piedad, por lo que es una de las grandes extáticas que figuran en la historia de la Iglesia. En 1606 ingresó en la Orden Dominica, tomando el nombre de Rosa de Santa María. El papa Clemente IX firmó su

Santa Rosa de Lima, por G. Vázquez de Arce y Ceballos

beatificación el 12 de febrero de 1668 y la declaró, al año siguiente, patrona de Lima y del Perú. Clemente X la declaró, en 1670, patrona principal de América, Filipinas y las Indias Occidentales, y la canonizó en 1672.

ROSS, Diana. Cantante estadounidense (Detroit, 1945). Tras darse a conocer internacionalmente con el grupo Las Supremes, continuó su carrera artística en solitario, obteniendo grandes éxitos en EE.UU. y en Europa. En 1974 interpretó a B. Holiday* en la película *Lady Sings the Blues*, por la cual fue proclamada candidata al Oscar de interpretación femenina.

ROSSANDA, Rossana. Política y periodista italiana (n. 1923). Considerada una de las protagonistas de la izquierda italiana contemporánea, Rossanda fue miembro del comité central del PCI, jefa de la sección de cultura y diputada en el Parlamento en varias ocasiones. Ha sido directora y cofundadora del periódico *Il Manifesto*, órgano más importante de la nueva izquierda italiana. Entre sus publicaciones destacan *Un viaje inútil* (1981) y *Las otras* (1982), centrada en el feminismo italiano.

ROSSI, Carmen. V. **MARTÍNEZ-BORDIÚ FRANCO, María del Carmen.**

ROSSI, Properzia de. Escultora italiana (Bolonia, 1491-íd., 1530). De su vida, es muy poco lo conocido, salvo que fue discípula de Marco Antonio Raimondo. Vasari alaba su *José y Putifar* (1520), conservada en el museo de San Petronio (Bolonia). También fue una de los autores del grupo escultórico de la portada de San Petronio de Bolonia y de otras esculturas conservadas en el Museo municipal de su ciudad natal.

ROSWITHA o HROTHSWITHA. Poeta y religiosa benedictina alemana (h. 932-después de 975). Profesó en el monasterio de Gandersheim, en Sajonia, y dejó tres obras: *Dramas*, *Poemas históricos* y *Leyendas*. La primera, en prosa, integrada por los dramas *Calímaco*, *Abraham*, *Pafnucio*, *Dulcidio*, *Sapiencia* y *Galiano*, así denominados después por el nombre del personaje principal de cada uno, está consagrada a exaltar la fe y la castidad y constituye el más antiguo teatro apologético del catolicismo; y entre sus poemas destacan los titulados: *Gestos del emperador Otón I*, de alta significación épica, y *Orígenes del monasterio de Gandersheim*.

ROUGH, Louise. Tenista estadounidense (Oklahoma City, 1923). Rough ha sido una de figuras más relevantes del tenis femenino: cuatro veces campeona del torneo de Wimbledon (1948, 1949, 1950 y 1955), Forest Hills (1947), Open de

Australia (1950). En dobles femeninos obtuvo 21 victorias en EE.UU., Francia, Inglaterra (cuatro veces) y Australia.

ROXANA. Princesa persa (m. Anfípolis, 311 a. C.). Era la esposa de Alejandro el Grande, de quien tuvo un hijo. Después de la muerte de Alejandro, Roxana trató de colocar en el trono a su hijo, pero el general Casandro hizo dar muerte a los dos.

ROXELANA o ROJELANA. Sultana turca (1505-1561). Fue la esposa favorita de Solimán II el Magnífico y madre del príncipe Selim, más tarde Selim II. Para asegurar el sultanato a su hijo, en detrimento de Mustafá, primogénito de Solimán II, hizo condenar a muerte a dos grandes visires, Ibrahim Bajá y Ahmet Bajá. En 1544 hizo nombrar gran visir a su yerno Rostam Bajá y acusó a Mustafá de estar en tratos con el shah de Persia. Solimán hizo matar a su hijo mayor.

ROY, Esperanza (Esperanza Fuentes Roy, llamada). Actriz española (n. 1935). Comenzó trabajando como bailarina en espectáculos musicales, y en 1968 comienza su carrera en el cine con *Si volvemos a vernos* (premio Sant Jordi), película que inicia su trayectoria en papeles de «señora estupenda», que alterna con proyectos más comprometidos. A principios de los 70 actúa en las obras teatrales *Una mujer para todos* y *Así que pasen cinco años*. A mediados de los 80 volvió a la revista musical con la antología *Por la calle de Alcalá*, y en 1989 obtuvo el premio Fotogramas de Plata por *Vida/perra*.

ROYAL, madame. V. **ANGULEMA, duquesa de.**

RUBINSTEIN, Helena. Esteticista y empresaria estadounidense de origen polaco (Cracovia, 1870-Nueva York, 1965). Realizó algunos estudios de medicina en Suiza, y luego partió hacia Austria donde comenzó a comercializar una receta de crema de belleza legada por su abuela y la cual bautizó con el nombre «Crème Valaze». En 1902 regresó a Europa y amplió sus conocimientos de química cosmetológica con un dermatólogo, inclinándose hacia la cirugía estética. En 1908 abrió un instituto de belleza en Londres, en 1912 otro en París y en 1915 se instaló en Nueva York. Rubinstein, pionera de los polvos de color para la cara y de la base de maquillaje, creó un imperio de institutos de belleza que la hicieron célebre en todo el mundo y le proporcionaron una inmensa fortuna. Reunió una valiosísima colección de arte y en 1965 escribió sus memorias.

RUDOLPH, Wilma. Atleta estadounidense (Tennesse, 1940). A pesar de haber sufrido poliomielitis en su infancia, en 1960 fue campeona olímpica en Roma de los 100 m, 200 m y 4 × 100 m, y ostentó el récord femenino del mundo en estas tres pruebas.

RUSS, Joanna. Escritora estadounidense (Nueva York, 1937). Estudió en las universidades de Cornell y Yale, y desde los años 70 se dedicó al cultivo de la literatura de ciencia ficción. Para ella es éste el único género que permite crear un mundo utópico en el que los personajes femeninos pueden atentar contra el chauvinismo masculino: *Alyx* (1976) y *El hombre hembra* (1975), su obra más conocida. Es autora además del ensayo crítico *How to Supress Women's Writing* (1983).

RUT o RUTH. Mujer de la Biblia. Era de origen moabita y su historia se narra en el *Libro de Rut*. Era viuda de un israelita que se había expatriado huyendo del hambre. Cuando Noemí, su suegra, regresó a Canaán, ella la siguió. En Belén, Rut enamoró al rico Booz, el cual se casó con ella y del que tuvo un hijo, Obed, abuelo de David. Se la cuenta en la genealogía de Jesucristo, según el Evangelio de San Lucas.

RUYSCH, Rachel. Pintora holandesa (Amsterdam, 1664-íd., 1750). Discípula de Willem van Aelst y esposa del también pintor Juriaen Poool, en 1708 entró al servicio de Juan Guillermo, elector palatino, fijando su residencia en Düsseldorf. A la muerte del príncipe, regresa a Amsterdam (1716). Su obra se caracteriza por la pureza de su técnica, especializándose en los motivos florales y naturalezas muertas, género en el que marca el apogeo de la escuela holandesa.

RUZICKOVÁ, Zuzana. Clavecinista checa (Pizen, 1927). Sus primeros maestros fueron Friederich Rauch y O. Krebda, en el Conservatorio de Praga (1947-1951). En 1956 comienza su carrera internacional, premiada en Munich, estudiando en París y fundando el *Ensemble de solistas de Praga*. Su repertorio incluye fundamentalmente obras de Purcell, Couperin y Bach, completado con otros autores barrocos y contemporáneos (Bartok, Martinu, Poulenc, etc.). Desde 1951 es catedrática de clave en Praga y Bratislava, dando cursos en Zurich.

RYKIEL, Sonya. Diseñadora francesa (París, 1930). Debutó como diseñadora en 1962, y a finales de los años 60 abrió su primera tienda en París. Rykiel revolucionó la moda con la creación de prendas de punto intercambiables. Sus conjuntos de punto *prêt-à-porter* de lujo se hicieron famosos en todo el mundo, siendo rebautizada en EE.UU. como la «Reina del punto». Es autora de varios libros, entre ellos *La Collection* (1989) y *Colette* et la mode* (1991).

S

SABA, reina de. Mujer de la Biblia. Según el relato del *I Libro de los Reyes* (h. 10), la reina del país de Saba fue atraída por la sabiduría de Salomón, por lo que se trasladó a Israel: después de una entrevista con el rey y un intercambio de regalos, volvió a sus tierras. El Corán le da el nombre de Balkis o Bilqis. Los abisinios dieron otra versión de la historia: la reina se llamaba Makeda y procedía de Abisinia; volvió a su país embarazada de Salomón, naciendo Menelik, que fue educado junto a Salomón y volvió a Abisinia instaurando el judaísmo como religión.

SABATINI, Gabriela. Tenista argentina (Buenos Aires, 1970). Desde 1987 se mantiene entre las cinco mejores jugadoras del tenis mundial. En 1988 ganó el Masters y la medalla de plata en los Juegos Olímpicos de Seúl, y en 1990 el open de EE.UU. En 1991 le otorgaron el premio Iberoamericano de Deporte.

SABIN, Florence Rena. Anatomista e inmunóloga estadounidense (Colorado, 1871-íd., 1953). En 1896 se convierte en una de las primeras mujeres en acceder a la Johns Hopkins Medical School, y en 1901 publica *An Atlas of Medulla and Midbrain*, donde construye un modelo tridimensional del cerebro medio e inferior, considerada una de las obras fundamentales en el campo de la medicina. En 1902 fue nombrada profesora auxiliar de anatomía en la Johns Hopkins, y en 1917 catedrática de histología, siendo la primera mujer en obtener ambos puestos, además de ser la primera mujer en presidir la American Association of Anatomists (1924-1925). Sabin fue también miembro de la Academia de Ciencias y del Rockefeller Institute. Sus trabajos de investigación arrojaron nueva luz sobre los canales linfáticos, de los que se sabía muy poco, y sobre el origen de la células sanguíneas. En 1947 fue nombrada presidenta del Interim Board of the Health and Hospital (Denver), cargo que ocupó hasta 1951.

SABINA, Julia. Emperatriz romana de origen hispano (m. 138). Fue la esposa de Adriano y acompañó al emperador en sus viajes; en 128 se le fue concedido el título de Augusta. Adriano, cuando se sintió a punto de morir, la obligó a darse muerte para que no le sobreviviese.

SABINA, santa. Dama cristiana que sufrió el martirio en Umbría, en tiempo de Adriano.

SABLÉ, marquesa de (Madeleine Souvré). Escritora francesa (1599-1678). Llegada a París en 1610, se convirtió, por su belleza e inteligencia, en dama de honor de la reina María* de Médicis. Se casó en 1614 con el marqués de Sablé y frecuentó los salones del Louvre y de la marquesa de Rambouillet*, donde conoce al duque de Montmorency en 1630, con el que tiene una aventura. Separada de Sablé, se instala con la condesa de Mauri y abre un salón al que acuden los mayores personajes de su tiempo. Antes que Rochefoucauld, ella crea un nuevo género literario, el de las *máximas filosóficas*. Mantuvo relaciones con Madame Scudéry* y la duquesa de Montpensier*, pero no participó en la Fronda. En 1655 se adhiere al jansenismo, conociendo a Pascal, sobre el que influyó grandemente. Escribió una *Instrucción para niños*, un tratado *Sobre la amistad*, una correspondencia abundante y sus *Máximas*.

SABRAN, Garsende de. Condesa de Provenza (h. 1170-d. 1240). Casada con Alfonso II de Arles, conde de Provenza, quedando viuda en 1193. Gobernó con gran prudencia durante la minoría de su hijo, Ramón Berenguer V. Fue protectora de trovadores, que cantaban al amor cortés y cultivaban la virtud. Su favorito, Elias de Barjols, compuso para ella una quincena de poemas. La condesa compuso también baladas, de las cuales sólo se conserva una. En 1240 se retiró a un convento.

SABUCO DE BARRERA, Oliva. V. **SABUCO DE NANTES, Oliva.**

SABUCO DE NANTES, Oliva. Filósofa y médica española (Alcaraz, Albacete, 1562-íd., 1588) también conocida como Oliva Sabuco de Barrera. Hija de Miguel Sabuco, que ejercía la profesión de boticario y fue elegido procurador síndico y nombrado letrado, fue considerada durante mucho tiempo la autora de la *Nueva filosofía de la naturaleza del hombre*, publicada en Madrid en 1587, y reimpresa en 1588, y de la cual se hicieron ediciones, recogidas algunas y otras expurgadas por la Inquisición. Esta obra se dice fue escrita por su padre, quien, por honrar a su hija, puso el nombre de ésta al frente de la obra; ella lo más seguro es que fuera una colaboradora de su padre. Sea quien fuere el autor, muchas de las ideas expuestas sobre medicina, higiene y filosofía demuestran una suma de conocimientos poco comunes, especialmente la teoría sobre la manera de atajar las epidemias, las observaciones sobre la circulación de la sangre, la localización del alma en el cerebro, la distinta acción de la sangre y de la sustancia nerviosa y su original estudio de las pasiones, todo con total independencia de criterio y posición lógica. Sabuco, que puede ser considerada precursora del gran médico francés M. F. Bichat, es una de las personalidades científicas españolas de mayor influjo en la renovación crítica de la filosofía, que dio origen al progreso científico.

SACHS, Nelly. Poeta y dramaturga sueca de origen alemán cuyo nombre verdadero era Leonie Sachs (Berlín, 1891-Estocolmo, 1970). De familia judía, fue ayudada por su amiga S. Lagerlöf* a escapar de la persecución nazi, refugiándose en Suecia (1940), donde permaneció hasta su muerte. Sus poesías, de gran riqueza metafórica, tuvieron como fuente de inspiración fundamental la tradición literaria judía: *En las moradas de la muerte* (1947), *Fuga y metamorfosis* (1959) y *Señas en la arena* (1962). Fue autora además de la pieza dramática *Eli, misterio sobre los sufrimientos de Israel* (1950). En 1966 recibió el premio Nobel de Literatura, compartido con el israelí S.J. Agnon.

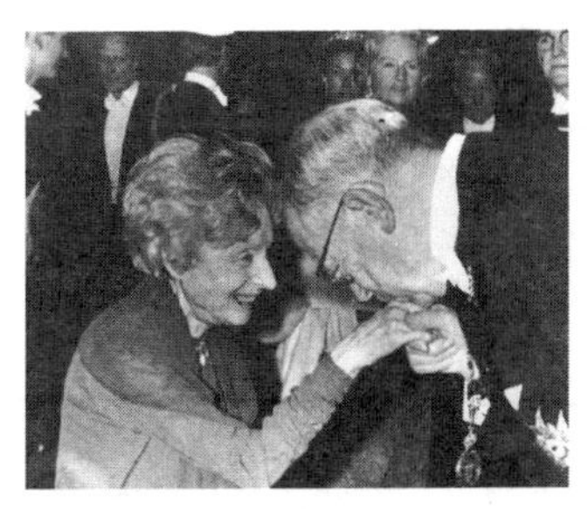

Nelly Sachs

SACKVILLE-WEST, Victoria. Escritora británica mejor conocida como *Vita* (Kent, 1892-íd., 1962). Vinculada al círculo literario de Bloomsbury, sus viajes por Oriente fueron el punto de partida de algunas de sus obras más célebres, entre ellas *Poesías de Occidente y Oriente* (1917) y *Pasajero a Teherán* (1917). Sus novelas, animadas por sutiles tensiones psicológicas y ricas en elementos autobiográficos, retrataron los ambientes aristocráticos ingleses: *The Edwardians* (1930) y *All Passion Spent* (1931). Mantuvo una estrecha relación con V. Trefusis* y una larga amistad con V. Woolf*, quien se inspiró en esta escritora para la creación del personaje principal de su novela *Orlando* (1928).

SADAWI, Nawal. Feminista y escritora egipcia (n. 1930). Sus estudios, centrados en el análisis de la problemática de la mujer musulmana, constituyen hoy, junto a los de la marroquí F. Mernissi*, una de las más valiosas aportaciones al feminismo árabe-islámico: *Mujer y sexo* (1972), *La cara oculta de Eva* (1980) y *Memorias de mujeres encarceladas* (1987). Entre sus novelas, de escaso valor literario, figuran *Dos mujeres en una* (1975) y *Ella no cabe en el Paraíso* (1991).

SÁENZ, Manuela. Patriota ecuatoriana (Quito, 1797-Perú, 1859). A comienzos de la guerra de Independencia, su madre, al verla exaltada con la política, la metió en un convento para distanciarla del furor revolucionario, del cual más tarde ella escaparía. Posteriormente se casó con el doctor J. Thorme, y en 1822 conoció a S. Bolívar, convirtiéndose en su amante y en colaboradora de todas sus campañas de liberación. En 1828 le salvó la vida, lo que le valió el apelativo de «la Libertadora del Libertador». A la muerte de Bolívar (1830), Sáenz fue desterrada a Perú. En muchas cartas de Bolívar ha quedado reflejada la relación que mantuvieron. Sáenz se ha convertido en un personaje de leyenda en América del Sur.

SAFO de Lesbos. Poeta griega (Lesbos, 620 ó 628-563 ó 568 a. C.). A causa de las vicisitudes políticas de su tiempo, tuvo que emigrar a Sicilia, regresando luego a Lesbos. Alrededor del 580, y gracias al indulto del gobernante Pitaco, se estableció en Mitilene, agrupando a su alrededor, en el culto a Afrodita y a las musas, diversas discípulas. Fue la más grande lírica de la Antigüedad, que Alceo veneró y ensalzó en sus poesías. Platón la celebró como la décima musa y Horacio aceptó para algunas de sus composiciones la medida sáfica creada por ella. En el período alejandrino proliferaron las ediciones y estudios de sus obras, siendo ejemplo para Cátulo, Horacio y Ovidio. Manifestó los más apasionados sentimientos de modo retenido, aunque no disimulado, y con uno de los más intensos lenguajes poéticos. Las más importantes obras de su producción son la oda *A Afrodita*, el canto *Al amado*, y diversas poesías que dedicó a sus alumnas y a su hermano. De sus nueve libros de poemas sólo se conservan unos 650 versos, escritos todos en el dialecto griego de su isla.

SAGAN, Françoise. Seudónimo de la escritora francesa Françoise Quoirez (Lot, 1935). En su primera novela, *Buenos días, tristeza* (1954), que obtuvo un éxito fulgurante, aparecen ya reflejados los temas que caracterizarán el resto de su obra: la conducta amorosa de las clases acomodadas y las banalidades de la vida cotidiana. Con un lenguaje sencillo y ameno, y una clara intencionalidad satírica, Sagan es autora de más de 40 títulos, calificados como literatura «frívola» por gran parte de la crítica francesa. Su personalidad extravagante y su fascinación por las drogas, el juego y los coches descapotables la han convertido en una leyenda viva. Entre sus obras posteriores destacan *¿Le gusta Brahms?* (1959), llevada al cine por A. Litvak, *La cama deshecha* (1977), *La mujer pintarrajeada* (1981) y su volumen de memorias *Con toda mi simpatía* (1993).

SAINT-DENIS, Ruth (Ruth Denis, llamada). Bailarina y coreógrafa estadounidense (Nueva Jersey, 1880-Hollywood, 1968). Saint Denis, considerada una de las mejores bailarinas estadounidenses y una de las pioneras de la danza moderna, creó un estilo de «danza libre» muy personal que contribuyó a liberar el ballet de las convenciones clásicas. Fundó, junto a su esposo y pareja de baile, Ted Shawn, la escuela de baile Denishawn (1915-1931) que se convirtió en el centro de la danza moderna del país y que formó a grandes bailarinas como M. Graham* y D. Humphrey. Posteriormente se dedicó a la composición de danzas de inspiración religiosa y fundó con La Meri (bailarina y etnóloga) la escuela de Natya (1940-1942). Entre sus coreografías destacan *Radha* (1906) y *Ritual of the Mask of Marie* (1934).

SAINT-MARTIN PERMONT, Laura. V. **ABRANTÉS, duquesa de.**

SAINT-PHALLE, Nikki de. Escultora francesa cuyo nombre real es Marie Agnès de Saint-Phalle (Neuilly-sur-Seine, 1930). En la década de los 60 fue miembro de los Nouveaux Réalistes, grupo neo-dadá de artistas europeos, y en 1970 se convirtió en precursora del arte feminista. Ofreció imágenes de la mujer que contradecían la estética formalista del *pop art*. Creó monstruosas figuras de mujer de gran tamaño que fueron seguidas por piezas de estatuaria, figuritas, juguetes, muñecas y otros objetos de desecho que mediante montaje y *collage* conjuntaba para formar caóticos cuadros. Son famosas sus «Nanas», enormes figuras de estructura metálica recubiertas por telas e hilos de alegres colores. En 1966 produjo *Hon* (Ella), monumento temporal para el Modern Musset de Estocolmo, que consistió en una escultura femenina de 24 m de largo tumbada de espaldas en el suelo, con las rodillas en alto y las plantas pegadas al suelo. Los espectadores penetraban en la figura por la vagina y se encontraban con un cuerpo de mujer que funcionaba a la vez como campo de juego, parque de atracciones y refugio.

SAINT-SAUVEUR, Lally de. Golfista francesa (n. 1921). A los seis años ya era campeona junior de Gran Bretaña, y posteriormente consiguió los títulos más prestigiosos con los que pueda soñar una golfista: campeona nacional de Francia (1939, 1943, 1944, 1946, 1949, 1950 y 1951); campeona internacional de Francia (1948, 1950, 1951 y 1952); campeona de Suiza (1949), Luxemburgo (1949), Italia (1949 y 1951), Gran Bretaña (1950), España (1951), y de Benelux tres años consecutivos. En 1964 organizó los primeros campeonatos mundiales de golf femenino. Fue presidenta de la Federación francesa de golf y capitana de los equipos femeninos de Francia.

SAKUNTALA. Reina de la India. Era hija del risi-ksatriya Vishvamitra y de la apsara Menaka y fue recogida y educada por el anacoreta Kanva. Se casó con el rey Dusmanta y fue madre de Bharata, legendario rey que dio a la India el nombre de Bharatavarsa.

SALISACHS, Mercedes. Escritora española (Barcelona, 1916). Tras graduarse como perito mercantil, desempeñó varios cargos en radio y televisión, principalmente de crítica artística y literaria. Usó los seudónimos de «A. Dan» y «María Ecín» para las novelas *Foehn* (1948) y *Primera mañana, última mañana* (1955), respectivamente, con las que se dio a conocer en el ámbito nacional, consolidándose con *Una mujer llega al pueblo* (1956; premio Ciudad de Barcelona). Su obra narrativa, de corte fundamentalmente realista, analiza la problemática existencial de personajes de la burguesía catalana: *Carretera intermedia* (1956), *La estación de las hojas amarillas* (1963), *La gangrena* (1975; premio Planeta), repaso histórico de la Barcelona contemporánea, y *La danza de los salmones* (1985).

Mercedes Salisachs

SALLÉ, Marie. Bailarina francesa (1707-París, 1756). Debutó en 1718 y actuó en la Ópera de París por primera vez con la *Fiestas venecianas*. Después marchó a Londres, para volver a París con el estreno de *Las Indias galantes* de Rameau. Se retiró en 1740 al verse eclipsada por la Barbarina*. Mujer de gran inteligencia, se ganó la amistad y admiración de Voltaire, Noverre y Garrick.

SALOMÉ. Mujer de la Biblia y princesa judía (s. I). Según los Evangelios, era la hija de Herodías* y del tetrarca Filipo, que, por instigación de su madre, después de danzar en presencia de Herodes Antipas, pidió y obtuvo de éste la cabeza del Bautista. Ha inspirado un drama de Oscar Wilde y una ópera de Strauss.

SALOMÉ, santa. Mujer de la Biblia (s. I). Según la tradición, es esposa de Zebedeo y madre de Santiago el Mayor y de san Juan Evangelista. Según otra tradición sería madre de Santiago el Menor y pariente de la Virgen María* (hermana o prima-hermana). Su nombre proviene del hebreo *shalom*, que significa paz. Es una de las Tres Marías, y también es conocida por María Salomé.

SAN FÉLIX, sor Marcela de. Poeta española (Toledo, 1605-Madrid, 1688). Era hija de Lope de Vega y de Micaela Luján y vivió con su padre hasta la edad de dieciséis años, cuando entró en el convento de Trinitarias descalzas de Madrid. Compuso varios poemas de tema sacro y estilo tradicional, conservados en un manuscrito guardado en el monasterio en que profesó.

SANCHA de León. Reina de Castilla y de León (1016-1071). Esposa de Fernando I de Castilla y heredera del trono de León a la muerte de su hermano Vermudo III, descolló por su prudencia, piedad y justicia, retirándose, al quedar viuda, al monasterio de San Isidoro de León hasta su muerte.

SÁNCHEZ VICARIO, Arantxa. Tenista española (Barcelona, 1971). Campeona de España en 1985, 1987, 1989 y 1990 y la primera tenista española en ganar el torneo de Roland Garros (1989). En 1991 fue finalista del open de EE.UU. frente a Mónica Seles*, y en 1993 ocupó el tercer puesto del tenis femenino, precedida por Steffi Graf* y Gabriela Sabatini*.

Arantxa Sánchez Vicario

Encarna Sánchez

SÁNCHEZ, Encarna. Locutora de radio española (n. 1943). En 1993 cumplió 30 años trabajando como locutora de radio de la cadena COPE con el programa *Encarna de noche*, y en 1990 dirigió y presentó para Antena 3 Televisión el programa *Y ahora, Encarna*. Ha trabajado también en México, Los Ángeles, Santo Domingo y Puerto Rico.

SAND, George. Seudónimo de la escritora francesa Aurore Dupin (París, 1804-Nohant, 1876). Educada por su abuela, de mentalidad muy abierta, en 1822 se casó con el barón Dudevant, y tras considerar la vida conjugal tremendamente opresiva, le abandonó, y se unió al poeta Jules Sandeau, con quien escribió la novela *Rose et Blanche* (1831). Su habitual atuendo masculino, sus numerosas relaciones amorosas (fue amante de P. Mérimée, A. de Musset, F. Chopin, F. Liszt, entre otros), su continuo desafío a las normas morales y sociales, y su abierto compromiso político con el socialismo convirtieron a Sand en un escándalo viviente. Amiga de Flaubert, Dumas, Gautier y de los Goncourt, en 1848 se retiró al campo, dedicándose por entero a la literatura. Sand es la más insigne escritora francesa del s. XIX, su vastísima obra sobrepasa los 200 títulos, de los cuales 143 son novelas. Sus primeras novelas, centradas en la defensa de la pasión amorosa frente a los convencionalismos morales, alcanzaron un gran éxito: *Indiana* (1831), *Valentine* (1832), *Lélia* (1833) y *Mauprat* (1837); pero lo mejor de su producción novelística está en las narraciones «campestres», en donde revela su brillante talento para la captación de

Aurore Dupin, *George Sand*

la realidad circundante: *El pantano del diablo* (1846), considerada su obra cumbre, y *Los maestros campaneros* (1853). Destacan además su libro de recuerdos *Historia de mi vida* (1855) y *Ella y él* (1859), autobiografía novelada sobre los años en que convivió con el poeta A. de Musset. Sand ha pasado a la historia no sólo por su valiosa producción literaria, sino, más aún, por haber sido una de las primeras mujeres modernas en rebelarse abiertamente contra los prejuicios sociales que condenaban a la mujer a una vida austera y subyugada.

SANDA, Dominique (Dominique Varaigne, llamada). Actriz francesa (París, 1951). Realizó su debut con su interpretación en *Une femme douce* (Bresson, 1969), pasando a ser una de las actrices preferidas por los realizadores de todas las nacionalidades durante las décadas de los 70 y 80. Son memorables sus actuaciones en *El conformista* (1970), *Primer amor* (1970), *El jardín de los Finzi-Contini* (1971), *Novecento* (1976), *La Chanson de Roland* (1978), *Guerreros y cautivos* (1989), *En una noche de claro de luna* (1989), *Yo, la peor de todas* (1990) y otras muchas.

SANGER, Margaret. Pionera del control de la natalidad estadounidense (Nueva York, 1883-Arizona, 1966). Estudió en el Smith College y en 1916 fundó en Brooklyn el primer centro de planificación familiar de EE.UU., y posteriormente dirigió el *Birth Control Review* (1917-1929). Sanger, que trabajó en áreas marginales de Nueva York, luchó incansablemente para que los anticonceptivos formaran parte de los derechos de las mujeres. En 1931 fue premiada por sus servicios y en 1948 organizó el Cheltenham Congress on World Population and World Resources in Relation to the Family. Entre sus publicaciones destacan *What Every Girl Should Know* (1916), *The Case for Birth Control* (1917), *What Every Mother Should Know* (1917) y *Woman and the New Race* (1920).

SANTA CRUZ MONTALVO, María de las Mercedes. V. **MERLÍN, condesa de.**

SANTPERE, Mary. Actriz teatral y cinematográfica española (Barcelona, 1917-Madrid, 1992). Hija de la actriz R. Hernández y del actor J. Santpere (uno de los mitos del teatro popular de los años 20 y 30), dio sus primeros pasos en el mundo del espectáculo en 1938 en la compañía de su padre. Ese mismo año intervino en la película *Paquete, el fotógrafo número uno,* la cual no llegó a estrenarse. En los años de la posguerra trabajó en películas como *Los cuatro robinsones* (1939), *El pobre rico* (1942) o *Un enredo de familias* (1943). Santpere desarrolló paralelamente al cine una intensa actividad teatral. Trabajó con las compañías de P. Martínez Soria o J. Gasa, donde permaneció veinte años. Su elevada estatura y sus dotes para la comedia la convirtieron en una de las grandes figuras cómicas de finales de los años cincuenta. En la década de los años sesenta triunfó con M. Gila en el programa televisivo *La gran parada* y en el espectáculo *Luces de Madrid,* donde actuaba caracterizada de payaso. Entre sus innumerables películas destacan *Miss Cuplé* (1959) y *Detective con faldas* (1961), en las que fue protagonista. En 1988 recibió el Premio de Honor de la Generalitat de Catalunya. Su última película, *Makinavaja, el último choriso,* la realizó el mismo año de su muerte.

SARA. Mujer de la Biblia de origen acadio (s. XXII a. C.). Esposa de Abraham. Según el relato del *Génesis*, viéndose estéril, indujo a su esposo a que se uniese con su esclava Agar*, la cual le dio un hijo que se llamó Ismael. Debido a que a la edad de noventa años Sara tuvo a Isaac, consiguió que Abraham arrojase a Agar de su casa juntamente con Ismael.

SARAN, Isabel de. Dama occitana (s. XIV). Hija de Isnard de Sabran y nieta de Guillermo II de Morea. Se casó con Fernando de Mallorca (1314), siendo madre del rey mallorquín Jaime III. A la muerte de su marido (1315), hizo valer sus derechos sobre el principado de Morea, del que se apoderó (1315-1316).

SARRAUTE, Nathalie. Escritora francesa de origen ruso (Ivanovo, 1902). Creció en Francia donde ha permanecido la mayor parte de su vida. Su primera obra *Tropismos* (1938) pasó prácticamente inadvertida, y no fue hasta la publicación de *Retrato de un desconocido* (1948) cuando el nombre de Sarraute logró penetrar definitivamente en el panorama de las letras francesas e internacionales. Con *La era de la sospecha* (1956), recopilación de ensayos sobre técnica narrativa, se convirtió en líder de la «école du regard», a la que pertenecían A. Robbe-Grillet, M. Butor, C. Simon y C. Mauriac. Sarraute es considerada una de las figuras más representativas del *nouveau roman* francés, concepción en la que el autor y los personajes se convierten en entidades marginales al hecho narrativo: *El planetario* (1959, *Los frutos de oro* (1963), cuyos personajes intentan trascender las banalidades de la vida cotidiana mediante una comunicación no-verbal, *Entre la vida y la muerte* (1968), *... dicen los imbéciles* (1976) y *Tu ne t'aimes pas* (1989). Es autora además de la pieza teatral *El silencio* (1967) y del texto autobiográfico *Infancia* (1983).

SARRAZIN, Albertine. Novelista francesa (Alger, 1937-Montpellier, 1967). Pasó sus primeros años de infancia con unos padres adoptivos elegidos por la asistencia pública, quienes la internan en una institución educativa en Marsella. En 1953, Sarrazin se escapa y huye a París, donde trabaja, primero como prostituta, y luego con una pandilla de ladrones. En 1955 es arrestada y condenada a siete años de prisión, y a los dos años, intentando escapar, se fractura un tobillo, y es reingresada en la cárcel. Muere a los treinta años, aún en prisión, como consecuencia de una operación de tobillo de la que no pudo despertar de la anestesia. Su turbulenta vida quedó reflejada en las novelas que escribió en la cárcel: *El astrágalo* (1965) y *La fuga* (1966; premio Quatre Jurys), convertida en filme por el realizador G. Casaril. Póstumamente han sido publicados sus *Poemas* (1969), las *Cartas a Julien* (1971), escritas a su marido Julien Sarrazin, y las *Cartas sobre la vida literaria* (1974).

SCHAPIRO, Miriam. Pintora estadounidense de origen canadiense (Toronto, 1923). Estudió artes plásticas en Iowa y en Nueva York, y desde 1955 se dedica a la pintura. Influida por A. Gorky, evolucionó hacia la abstracción lírica empleando para sus composiciones materiales diversos (telas, botones, papeles de colores vivos y trozos de pañuelos bordados). Su tema central son los cuerpos femeninos muy estilizados y en movimiento, que se destacan en un fondo de formas abstractas y figurativas. Comprometida con el feminismo, fundó en 1970, junto a Judy Chicago*, el Instituto Californiano de las Artes, para mujeres artistas, y en 1972 la Womanhouse, museo dedicado a obras pictóricas realizadas exclusivamente por mujeres. Su pintura más representativa es *High Steppin' Strutter* (1985).

SCHIAPARELLI, Elsa. Diseñadora de moda italiana (Roma, 1891-París, 1974). Se dio a conocer con los *pullovers* ceñidos y las faldas estrechas. Schiaparelli fue la creadora de la talla marcada, de las hombreras y del pantalón interior para mujeres. Son famosos sus vestidos sastres negros con el reverso dorado, sus colores azul plomo y rosa «shocking» y sus tejidos estampados. Creó el perfume *Shocking*. Entre sus clientes se contaban Marylin Monroe*, la duquesa de Windsor y Salvador Dalí.

SCHIFFER, Claudia. Top-model alemana (Rheinsbach, 1970). De una acomodada familia alemana, entró en contacto con el mundo de la moda por casualidad. Escogida por una importante firma de modelos americana, se ha convertido en los últimos años en la verdadera reina de la pasarela y modelo mejor pagada. En 1989 firma su contrato millonario con Revlon, junto a Cindy Crawford*, y a partir de 1990 sustituye a Inés de la Fresange* como modelo exclusiva de la casa Chanel*.

SCHINDLER, Alma Maria. V. **MAHLER, Alma Maria.**

SCHLEGEL-SCHELLING, Caroline. Escritora y figura romántica alemana (Gotinga, 1763-Maulbron, 1809). Hija de J. D. Michaelis, se casó con el Dr. Böhmer en 1784, quedando viuda a los cuatro años. En 1791 conoce a G. Foster, que la convence de las ideas revolucionarias, comenzando su lucha a favor de una República del Rhin (1793). De vuelta a Gotinga, se casó con A. W. Schlegel (1796), ayudándole en sus traducciones de Shakespeare, y publicando un escandaloso artículo bajo el título «Romeo y Julieta». Convirtió su casa en el cenáculo de los primeros románticos: Fichte, Schelling, Tiecke, etc. Saparada de su segundo marido en 1803, se casó en terceras nupcias con el filósofo Schelling. Su correspondencia posee un gran interés y se publicó en 1871 bajo el título de *Cartas del primer romanticismo*.

SCHNEIDER, Romy (Rosemarie Albach, llamada). Actriz cinematográfica y teatral alemana (Viena, 1938-París, 1982). Entre sus numerosos filmes destacan: *Sissi* y *Los jóvenes años de una reina* (1955), *Sissi, emperatriz* (1956), *La panadera y el emperador* (1958), *Kitty* (1959), etcétera. Su gran lanzamiento internacional, saliendo de los papeles de Sissi, lo hace en su intrepretación en *Boccaccio 70* (Visconti, 1961) y *El proceso* (Welles, 1962). Con *Lo importante es amar* conseguiría el Oscar en 1974 a la mejor actriz femenina, repitiendo en 1978 con *La muerte en directo*. Se suicidó a los 44 años de edad, víctima de una complicada vida sentimental, y amargada por la muerte accidental de su hijo y el acoso de una grave enfermedad.

SCHULTZ DE MONTOVANI, Fryda. Escritora argentina (Morón, 1912-Buenos Aires, 1978). Profesora en la Facultad de Filosofía y Letras de la Universidad de Buenos Aires, Schultz es recordada en Argentina como una de las más insignes cultivadoras de la literatura infantil contemporánea: *Los títeres de Maese Pedro* (1934), *Para la noche de Noel* (1938) y *El mundo poético infantil* (1944). Fue autora además de *La mujer en la vida nacional* (1961).

SCHUMANN, Clara. Pianista y compositora alemana (Leipzig, 1819-Francfort, 1896). Llamada Clara Wieck, antes de contraer matrimonio con Robert Schumann. Interpretando a Beethoven con gran virtuosismo, recorrió varios países. Fue profesora del Conservatorio de Francfort, y compuso además algunos *lieder,* preludios, fugas y un concierto para piano.

SCHURMANN, Anna Maria. Poeta y pintora alemana (Colonia, 1607-Wiewarden, 1678). Poseía una amplia cultura, dominaba la teología y las matemáticas y hablaba 15 idiomas. Fue una de las pioneras en favor de la emancipación de la mujer, y en las Casas Consistoriales de Francfort se conservan 21 retratos pintados por ella. Se hizo pietista y ofreció asilo al reformador protestante Jean Labadie, consagrando a la secta de los labadistas una obra que contiene gran parte de su historia.

SCHWARZKOPF, Elisabeth. Soprano británica de origen alemán (Jarocin, 1915). Debutó en Berlín en 1938 y dio su primer recital en 1942. A partir de 1947 recorrió los principales escenarios del mundo: Londres, Salzburgo, Scala de Milán y Metropolitan de Nueva York (1964). Su repertorio es muy amplio, desde las interpretaciones de música de cámara al escenario operístico, comprendiendo compositores del s. XVII, Mozart, posrománticos y modernos (Stravinsky o Strauss). En 1971 se retiró de la ópera y se especializó en el *lied* alemán. Su voz, junto a la de María Callas*, se impuso mundialmente, llena de musicalidad aristocrática y refinamiento expresivo.

SCHYGULLA, Hanna. Actriz alemana de origen polaco (n. 1943). Schygulla, considerada la mejor actriz de la posguerra alemana, ha traspasado las fronteras de su país alcanzando fama internacional. Ha sido la protagonista por excelencia de los polémicos filmes dirigidos por R. W. Fassbinder, con quien rodó más de 30 películas de 1968 a 1981: *Las amargas lágrimas de Petra von Kant* (1972), *El matrimonio de Maria Braun* (1978) y *Lili Marleen* (1981). Ha trabajado también en *La Nuit de Varennes* (Scola, 1982), *Passion* (Godard, 1982), *Antonietta* (Saura, 1983), *Historia de Piera* (Ferreri, 1983; premio de interpretación en Cannes), *Heller Wahn* (M. von Trotta*, 1983) y *Abraham Gold* (Graser, 1990).

SCOTTO, Renata. Soprano italiana (Savona, 1933). Cantante de coros desde los quince años, estudió en Milán con Gherardini. A los diecinueve años ganó el primer premio del conservatorio e interpretó *La Traviata* de Verdi en el Teatro Nuovo, que le valió un contrato con la Scala (1957). A partir de 1960 ha triunfado en todos los escenarios del mundo, con un variado repertorio (Bellini, Puccini, Verdi, Gounod, etc.). Está considerada como una de las mejores sopranos del momento, tanto por su lirismo como por la variedad de su fraseo e interpretación, apta para lo lírico y lo ligero.

SCUDÉRY, Madeleine de. Escritora francesa (El Havre, 1607-París, 1701). Era hermana de Georges Scudéry, y gozó de gran fama en su época; fue íntima amiga de madame de Sévigné*, quien elogiaba grandemente sus obras. Figuran entre éstas *Ibrahim*, *Artámenes o el gran Ciro*, su obra maestra, en 10 tomos, *Las mujeres ilustres*, *Conversaciones morales* y *Nuevas conversaciones morales*.

SEBERG, Jean. Actriz estadounidense (Iowa, 1938-París, 1979). En 1957 fue elegida por Otto Preminger para protagonizar la película *Saint Joan*, adaptación de una pieza teatral de George Bernard Shaw, y en 1958 alcanzó popularidad internacional por su interpretación en *Bonjour tristesse*, basada en la novela de Françoise Sagan*, y dirigida también por Preminger. Con su trabajo en la película *A bout de souffle* (Godard, 1959) logra consagrarse como una de las actrices mejor cotizadas de su época. Tras varios ataques de depresión se suicidó a los 41 años de edad.

SEGHERS, Anna. Seudónimo de la escritora alemana Netty Reiling (Maguncia, 1900-Berlín Este, 1983). Militante del partido comunista alemán desde 1927, en 1933 se exilió en Francia, y posteriormente en España y México. Se inició en la literatura con su novela documental *La rebelión de los pescadores de Santa Bárbara* (1928), dándose a conocer internacionalmente con *La séptima cruz* (1942), relato basado en los campos de concentración de la Alemania nazi. En 1947 regresó a Alemania (Berlín Oriental), y dedicó el resto de su vida al desarrollo del nuevo Estado socialista. Su obra narrativa posterior se ciñó al estricto canon del realismo socialista: *Tránsito* (1948) y *Los muertos no envejecen* (1949).

SEI SHONAGUN. Escritora japonesa (h. 965-h. 1020). Lo único que se sabe de su vida es que fue una de las mujeres más célebres de la corte de la emperatriz Fujiwara Sadako, y la autora del *Makura-no-soshi* o *El libro de la almohada*, diario que consta de 157 capítulos, escrito a finales del s. X y considerado una de las obras maestras de la literatura japonesa. En éste Shonagun reveló su profundo conocimiento de la cultura clásica oriental y una gran capacidad expresiva y psicológica.

SELES, Monica. Tenista serbia (Novi Sad, 1974). Campeona infantil de Europa en 1984, en 1989 debutó en el circuito profesional. Caracterizada por un singular revés a dos manos, causó sensación al convertirse a los dieciséis años en la ganadora más joven del Roland Garros desbancando a Arantxa Sánchez

Vicario* (1990). Ese mismo año ganó el Masters y, además, los torneos de Cayo Vizcaíno, Roma y Berlín (donde venció a Steffi Graf*). En 1991 y 1992 ganó el Roland Garros, el Masters y el Open de Australia, y en 1992 quedó finalista en Wimbledon. Seles, considerada la tenista número uno del mundo, en 1993 recibió una cuchillada de un fanático de Steffi Graf mientras disputaba un partido en Alemania, y se vio obligada a retirarse de la competición durante ese año.

SEMÍRAMIS. Reina de Asiria y Babilonia (m. en 824 a. C). Se casó con el rey Ninos, a quien hizo asesinar, y quedó dueña del poder. Entre otras ciudades, fundó la de Babilonia, y conquistó Egipto y Etiopía. Después de un reinado de cuarenta y dos años, dejó la corona a su hijo Ninias.

SEMÍRAMIS. Reina de Babilonia (m. h. 780 a. C.). Hija de Belojo, tal vez fuese la que mandó construir los famosos jardines colgantes.

SEMPRONIA. Dama romana (s. II a. C.). Era hija de Tiberio Sempronio Graco y de Cornelia*, hermana de los Gracos, Tiberio y Cayo. Se casó con Escipión Emiliano y secundó a sus hermanos en su lucha contra los patricios; fue además una brillante poeta.

SENSAT I VILÀ, Rosa. Educadora española (Barcelona, 1873-íd., 1961). Comenzó a ejercer como maestra en El Masnou (1889) y en 1892, mientras estudiaba en Madrid, conoció la Institución Libre de Enseñanza y a los profesores Giner de los Ríos y Cossío. En 1900 ejerció como profesora numeraria de Ciencias Naturales de la Escuela Normal Superior de Alicante y en 1914, por su gran prestigio como educadora, el Ayuntamiento de Barcelona la nombró organizadora y directora de L'Escola de Bosc en Montjuic, primera en su clase en toda España y posteriormente famosa en todo el mundo, siendo visitada por ilustres personalidades como Jean Piaget. Sensat participó en cursos sobre educación femenina (1916); representó al Ayuntamiento de Barcelona en el Congreso de Enseñanza en París (1922); en 1931 fue nombrada directora del grupo escolar Milà i Fontanals, uno de los puntales del patronato escolar de aquella época; en 1932 fue delegada de la Generalitat de Cataluña en el congreso de la Nueva Educación celebrado en Niza; y en 1939 se jubiló de sus tareas como pedagoga. Sus ideas pedagógicas, centradas en el acercamiento de la escuela al medio y en el desarrollo de actitudes participativas, han servido de base a la Asociación Rosa Sensat de Barcelona, orientada especialmente hacia la formación del profesorado y la organización de escuelas de verano. Entre su obra escrita destaca *Del vestit i de la seva conservació, Cómo se enseña la economía doméstica* (1927) y *Hacia la nueva escuela* (1934).

SERREAU, Coline. Cineasta francesa (n. 1948). Comenzó su carrera profesional en la televisión, incursionando posteriormente en la escena teatral. Fue guionista y actriz del filme *On c'est trompé d'histoire d'amour* (1974), y tras dirigir *Pourquoi pas?* (1978), se consagró en el cine con su célebre película *Tres hombres y un biberón* (1985).

SÉVIGNÉ, marquesa de (Marie de Rabutin-Chantal). Escritora francesa (París, 1626-castillo de Grignan, 1696). A la muerte de su marido, el marqués de Sévigné, en cuya unión no fue nada feliz, se consagró a la educación de sus hijos. Casada su hija con el conde de Grignan, en 1669, y nombrado éste teniente general en el gobierno de Provenza, la marquesa de Sévigné, para consolarse de su ausencia, escribió las famosas *Cartas* que le han dado inmortalidad. Esta correspondencia, que abarca un período de veinticinco años, está dirigida a su esposo y personas de su intimidad y es de valor desigual, aunque siempre interesante.

Marie de Rabutin-Chantal, marquesa de Sévigné

Carmen Sevilla en *Violetas imperiales*

SEVILLA, Carmen (María del Carmen García Galisteo, llamada). Tonadillera y actriz española (Sevilla, 1930). En los años 70 fue una de las actrices que iniciaron el llamado «destape», pero se retiró de la vida pública volviendo en el año 1991 a la televisión, esta vez como presentadora del programa *Telecupón*. Entre sus películas principales destacan: *Jalisco canta en Sevilla* (1948), *Cuentos de la Alhambra* (1950), *La hermana San Sulpicio* (1952), *Violetas imperiales* (1953), *La pícara molinera* (1954), *La fierecilla domada* (1956), *El balcón de la luna* (1963), *Crucero de verano* (1964), *Enseñar a un sinvergüenza* (1969), etc.

SEYMOUR, Katherine. Política inglesa, condesa de Hertford (1538-Cockfield Hall, 1568). Hermana de Juana* Grey, se casó en 1553 con Henry Herbert, duque de Pembroke, pero tras la ejecución de su hermana (1554), se anuló el matrimonio. Posteriormente K. Seymour —heredera de los derechos de su hermana al trono— se casó secretamente con el conde Hertford, Edward Seymour (1560), sin el consentimiento de Isabel I* Tudor, lo que ocasionó el encierro de la pareja en la Torre de Londres. Murió en la casa del gobernador de la Torre (Cockfield Hall), donde había sido trasladada por motivos de salud.

SFORZA RIARO, Caterina. Política italiana (1463-Florencia, 1509). Hija natural de Galeazzo Maria Sforza, se casó con Girolamo Riaro (1477), señor de Imola y Forlì. Después del asesinato de su esposo (1488), sostuvo un duro asedio en el castillo de Ravaldino, hasta que se le reconocieron sus derechos sobre el señorío de Forlì, que Caterina gobernó como regente de su hijo Ottaviano. En 1496 se casó con Juan de Médicis y en 1499 fue desposeída de sus estados por Alejandro VI, retirándose, después de intentar defenderse, a Toscana, donde murió.

SHELLEY, Mary Wollstonecraft. Escritora inglesa (Londres, 1797-íd., 1851). Hija de la feminista M. Wollstonecraft Godwin* y del filósofo racionalista W. Godwin, en 1816 se casó con el poeta P. B. Shelley. Autora de varias novelas, M. Shelley es recordada sobre todo por su primer libro, *Frankenstein o el moderno Prometeo* (1818), escrito durante una estancia estival en Ginebra, durante la cual Byron, uno de los invitados, incitó a que cada cual escribiera un cuento de terror. La famosa novela de Shelley, inspirada en el mito del hombre creador, es considerada uno de los clásicos de la literatura universal y ha servido de base a varios filmes. Fue autora además del libro de viajes *History of Six Weeks Tour* (1817), escrito con su marido, y de las novelas *El último hombre* (1826) y *Falkner* (1837).

SHERMAN, Cindy. Fotógrafa estadounidense (n. 1954). Sherman, una de las fotógrafas estadounidenses contemporáneas de mayor prestigio y originalidad, lleva realizando desde 1978 una extensa serie de autorretratos con los que ha intentado deconstruir la falsedad de los planteamientos psicoanalíticos con respecto a la feminidad: *Sin título* (1979). El contenido de sus fotografías muestra además un claro rechazo a la idea promulgada por los medios de comunicación masiva de que la mujer tiene una sensibilidad «femenina» innata.

SHORE, Jane. Dama y presunta bruja inglesa (Londres, 1445-¿?, 1527). Fue amante de Eduardo III de Inglaterra, y muerto el rey, fue acusada de brujería y encerrada en la Torre de Londres. Recobró la libertad al subir al trono Enrique VIII y murió en la oscuridad y la indigencia. Sus aventuras y vida fueron el asunto de muchos poemas, y Rowe escribió una tragedia sobre el mismo tema.

SHOWALTER, Elaine. Crítica literaria y teórica feminista estadounidense (n. 1941). Profesora en varias universidades de EE.UU., Showalter es considerada una de las máximas contribuyentes a la creación de una historia literaria centrada en la mujer escritora. Su libro *A Literature of Their Own: British Women Novelists From Brontë to Lessing* (1977) ha ejercido gran influencia sobre las diferentes vertientes de la crítica literaria feminista actual. En 1979 acuñó el término «ginocrítica» para definir las teorías críticas centradas en la experiencia de la mujer escritora/lectora. Entre sus publicaciones posteriores destacan *The New Feminist Criticism* (1986), *Speaking of Gender* (1989) y *Sexual Anarchy* (1991), en el que introduce la teoría del *finalismo* para explicar la crisis sociosexual del fin de siglo.

SIBILA. Reina de Jerusalén (1150-1190). Hija de Amalrico I y hermana de Balduino IV. Viuda de Guillermo de Montferrato, se casó en segundas nupcias con Guido de Lusignan. A la muerte de su hermano Balduino IV intentó subir al trono a expensas de su propio hijo Balduino, que acabó siendo rey con el nombre de Balduino V. Muerto éste al año siguiente (1186), Sibila ocupó el trono juntamente con su esposo, pero tras la derrota de Hattin y la pérdida de Jerusalén, fue despojada del poder.

SIBILA o SIBILLA de Fortiá. Reina de Aragón (Fortiá, ¿?-Barcelona, 1406). Se casó con Pedro IV el Ceremonioso —convirtiéndose en su cuarta esposa— en 1376, siendo coronada solemnemente en Zaragoza. Fue mujer muy inteligente, gran auxiliar de su esposo en todas las empresas. Al morir el rey, por la enemistad de sus hijastros, tuvo que refugiarse en el castillo de San Martín Sarroca, en donde la tuvieron presa; conducida al castillo de Moncada, le dieron después albergue al lado de su palacio en

Barcelona, asignándole rentas; más tarde se retiró al convento de monjas de San Francisco, en donde profesó.

SIGEA DE VELASCO, Luisa. Escritora española (Tarancón, 1530-íd., 1569). En su tiempo gozó de mucha celebridad por su belleza y saber; conocía las lenguas latina, hebrea, griega y caldea; entendía de filosofía, poesía e historia, y escribió excelentes obras, pero la mejor de todas es su poema *Cintra*, escrito en latín.

SIGNORET, Simone (Simone Kaminker, llamada). Actriz de cine francesa de origen alemán (Wiesbaden, 1921-Autheil-Authoillet, Normandía, 1985). Comenzó su carrera en París durante la ocupación alemana (1940-1944) y, al terminar la segunda guerra mundial comenzó a tener un gran reconocimiento, trabajando a menudo con sus sucesivos maridos, Yves Allegret e Yves Montand. Entre sus películas destacan: *Le couple idéal*, *Dédée de Anvers* (Allegret, 1948), *La Ronda* (Ophülls, 1950), *Theresa Raquin* (Carné, 1953), *Las diabólicas* (Clouzot, 1954), *París, bajos fondos*; *Las brujas de Salem*, *Un lugar en la cumbre* (Clayton, 1958), por la que obtuvo el premio a la mejor actriz en el Festival de Cannes y el Oscar de Hollywood (1959); *La confesión* (Costa-Gavras, 1970), *Madame Rosa* (Mizrahi, 1977), *La adolescente* (Moreau*, 1978). Publicó su autobiografía, *La nostalgia ya no es lo que era*, en 1976, siendo continuada en 1979 con la segunda parte, *Le lendemain, elle était souriante*, y por la novela *Adiós, Volodia* (1985).

Simone Signoret

SILVA, Beatriz de. V. **BEATRIZ de Silva, santa.**

SILVA, Mariana de. Pintora y literata española (Madrid, 1740-íd., 1784). Compuso excelentes versos y tradujo varias tragedias y otras obras francesas.

SILVA Y ÁLVAREZ DE TOLEDO, María Pilar Teresa Cayetana. V. **ALBA, XIII duquesa de.**

Jean Simmons

SIMMONS, Jean. Actriz de cine inglesa (Londres, 1929). Después de pequeños papeles en la pantalla, se consagró con la interpretación de Ofelia, en la película *Hamlet* (1948). Desde 1950 reside en EE.UU., donde ha interpretado *Androcles y el león* (1952), *Ivanhoe* (1953), *Desirée* (1953), *Ellos y ellas* (1955), *Horizontes de grandeza* (1958), *Elmer Gentry* (1960), *Espartaco*, *La túnica sagrada*, *El fuego y la palabra*, *La mujer sin rostro* y *El joven y la cuarentona*. Entre los galardones que ha conseguido destacan los premios a la mejor interpretación, por *Hamlet*, en el Festival de Venecia (1948), y el Emmy 1983 por su labor en *The Thorn Birds* (1982).

SIMONE, Nina (Eunice Waymon, llamada). Pianista y cantante estadounidense (Carolina del Norte, 1933). Comenzó a tocar el piano a la edad de cuatro años y debutó en 1954 en el club Atlantic City. Posteriormente comenzó a cantar, conjugando en su repertorio el *blues,* el jazz y el folclore, y obtuvo un enorme éxito con *Ne me quitte pas*, de J. Brel. Ha luchado desde los años 60 contra la segregación racial. Entre sus discografía destacan *I Love You Porgy* (1957) y *My Man's Gone Now* (1967).

SINCLAIR, May. Escritora británica (Cheshire, 1863-¿?, 1946). Considerada una de las figuras centrales del modernismo literario y heredera de la tradición literaria iniciada por las hermanas Brontë*, Sinclair se dio a conocer con su exitosa novela *El fuego divino* (1904). Fue pionera en la utilización de material psicoanálitico como recurso literario, como bien lo demuestra su novela *Tres hermanas* (1914), centrada en la lucha interna de la mujer victoriana, que se debatía entre las represiones sociales y el deseo sexual. Fue autora además de un famoso comentario a la obra *Pilgrimage* de D. Richardson*, y de las novelas *El juicio de Eva* (1907) y *Vida y muerte de Harriet Frean* (1919).

SISÍ. V. **ISABEL de Wittelsbach.**

SITWELL, Edith. Escritora británica (Yorkshire, 1887-Londres, 1964). De familia aristocrática, sus primeras colecciones de poemas *(The Mother,* 1915; *Fachada,* 1921) manifestaron una búsqueda formal que la acercaban al movimiento simbolista, en especial a la poesía de A. Rimbaud. Más adelante se centró en temas de denuncia social, que quedan reflejados en los poemas de *Gold Coast Customs* (1929), en los que critica con dureza la mecanización del mundo y la pérdida de sensibilidad humana. La segunda guerra mundial fue el eje de su última etapa poética, cuya intensidad, universalismo y depurada técnica lograron consagrar a Sitwell como una de las principales figuras de las letras inglesas de mediados de siglo. Destacan en esta última etapa *Street Songs* (1942) y *Song of the Cold* (1945). El trío literario que formó junto a sus dos hermanos, Osbert y Sacheverell, fue uno de los más famosos círculos literarios de la Inglaterra de aquella época. Fue autora además de varios libros de ensayo, de la novela *I Live Under a Black Sun* (1937) y de la obra autobiográfica *Taken Care Of,* publicada póstumamente en 1965. En 1954 fue nombrada Dama del Imperio Británico.

SMITH, Bessie. Cantante de *blues* estadounidense (Tennessee, 1894-Misisipí,1937). Debutó junto a Ma Rainey, y en 1923 grabó en Nueva York su primer disco, *Down Hearted Blues*, que se convirtió en un éxito nacional. Smith, con una intensa voz de contralto, una perfecta dicción, un *swing* lento y medido, no sólo fue una de las más grandes cantantes de *blues,* sino que marcó la transición entre el arte rural y folclórico de los años 20 y las cantantes de los 30 (E. Fitzgerald*, M. Bailey, M. Sullivan y B. Holiday*). «La emperatriz del blues», como fue llamada Smith, trabajó con las mejores orquestas y los mejores músicos de la época. Entre su discografía destacan *Saint Louis Blues* (1925), acompañada por L. Armstrong, y *Baby Won't You Please Come Home*, con C. Williams, J. Smith y F. Henderson. Tras sufrir un accidente de coche, le fue denegada la asistencia médica urgente en un hospital de blancos, muriendo posteriormente.

SMITH, Patty. Cantante y poeta estadounidense (n. 1946). Smith, conocedora de Rimbaud y Baudelaire, a partir del 1972 publica sus colecciones de poemas, y posteriormente pone música a sus textos. Su disco *Horses* (1975), cuya portada realizó el famoso fotógrafo Mapplethorpe, se convirtió en un auténtico éxito, sobre todo gracias a la versión que en él realizaba de la canción *Gloria*, de V. Morrison. Se retiró durante diez años del ambiente musical y cuando regresó no tuvo la misma acogida que en la década anterior. Entre su discografía destaca también *Easter* (1978).

SOFÍA Alexeievna. Princesa rusa (Moscú, 1657-íd., 1704). A la muerte del zar Fedor III se apoderó de la regencia y gobernó despóticamente en nombre de su hermano Pedro (el Grande), menor de edad. Proclamado zar Pedro a la edad de diecisiete años, se sacudió de la tutela de su hermana, y como ella se resistiese, la hizo encerrar en un convento.

SOFÍA CARLOTA. Reina de Prusia (Iburg, 1668-Hannover, 1705). Se casó con Federico de Brandeburgo en 1684, luego rey de Prusia con el nombre de Federico III. Protegió a Leibniz y contribuyó a la fundación de la Universidad de Berlín.

SOFÍA CARLOTA de Mecklemburgo. Reina de Inglaterra (1744-1818). Era hija de Carlos Luis de Mecklemburgo y se casó en 1761 con Jorge III de Inglaterra. Con el apoyo de Pitt el Joven, consiguió que su marido, a pesar de sus esporádicos ataques de locura, conservara la corona. En 1811, Jorge III fue apartado finalmente del gobierno y Sofía Carlota formó parte del consejo de regencia.

SOFÍA DOROTEA de Hannóver. Reina de Inglaterra (Celle, ¿?-Ahlden, 1630). Fue esposa de Jorge I de Inglaterra, quien por supuestas infidelidades la encerró en un castillo, del que no volvió a salir. Fue madre de Jorge II, rey también de Inglaterra, y de Sofía Dorotea, reina de Prusia.

S. M. la reina doña Sofía

SOFÍA de Grecia. Reina de España (Psijicó, Grecia, 1938). Hija primogénita del rey Pablo I de Grecia y de la reina Federica, el 14 de mayo de 1962 contrajo matrimonio con don Juan Carlos de Borbón y Borbón, más tarde rey de España con el nombre de Juan Carlos I, con quien ha tenido tres hijos, Elena, Cristina y Felipe. Realiza sus funciones con cuidado y corrección, sin intervenir en ningún asunto político, y dedicada especialmente a actividades de carácter filantrópico y cultural.

SOFONISBA o SOPHONISBE. Dama cartaginesa (s. III a. C.). Hija de Asdrúbal, miembro de la familia Barca. Se casó con el rey Sifax, de Numidia, y después con Masinisa, el cual, para salvarla del furor de los romanos, mandados por Escipión, le ordenó que se envenenara. Su historia ha dado pie a varias producciones dramáticas.

SOISSONS, condesa de (Olimpia Mancini). Dama italiana (Roma, 1639-Bruselas, 1708). Era sobrina del cardenal Mazarino y una de las famosas hermanas Mancini*. Se casó con Mauricio de Saboya-Carignan, para quien Mazarino rehabilitó el título de conde de Soissons. Desterrada de Francia, pasó a Madrid, donde Saint-Simon la acusó, sin fundamento, de haber envenenado a la joven reina de España María Luisa* de Orleans.

SOLANAS, Valerie. Feminista estadounidense (1936-1988). Solanas está considerada por muchos como el emblema del fracaso de la actual sociedad estadounidense y una víctima del hombre a quien ella intentó matar en 1968, el célebre A. Warhol. Solanas se inventó el rango de superestrella con su única película *I'm a Man*. Formó, además, la sociedad Cutting Up Men (SCUM), de la cual ella era su única miembro y sacó a la luz un manifiesto ultraradical feminista lleno de furia. Murió de bronconeumonía un año después de que lo hiciera Warhol.

SOLANO, Susana. Escultora española (Barcelona, 1946). Desde 1981 es profesora de escultura en la Escuela de Bellas Artes de Barcelona. Su primera exposición individual fue en la Fundación Joan Miró de Barcelona en 1980. Ha realizado exposiciones tanto a nivel nacional como internacional, y ha recibido el premio de Escultura de Cáceres (1983) y el Henry Moore National Prize for Plastic Arts (1988). Entre sus piezas, realizadas en madera, hierro y bronce, destacan *Envolvente* (1980), *Cabeza* (1982) e *Intus* (1982).

SOLÍS, Isabel de. V. **ZORAYA.**

SOMERVILLE, Mary. Científica escocesa (Jedburgh, 1780-Nápoles, 1872). De soltera Mary Fairfax, se casó dos veces; en 1804, con el capitán Samuel Graig; y en 1812, con su primo William Somerville, reuniendo con este último en su salón londinense a la elite científica de la época. Tuvo relaciones con Laplace, Humboldt, Gay-Lussac y otros. Publicó una versión de la *Mecánica celeste* de Laplace (1831) y un tratado sintético de las ciencias físicas (1834). A partir de 1832 se trasladó a Italia, donde publicó una *Geografía física*, un *Estudio sobre la forma de* *equilibrio terrestre* y un *Compendio de trabajos físicos recientes.*

SONTAG, Susan. Escritora y directora cinematográfica estadounidense (Nueva York, 1933). De ascendencia judía y vinculada a los círculos intelectuales progresistas, Sontag es considerada una de las más agudas observadoras de la cultura estadounidense actual. En su recopilación de ensayos *Contra la interpretación* (1966), se opone a toda lectura interpretativa que intente reducir el objeto artístico a su contenido; y en *Viaje a Hanoi* (1968) y *Estilos radicales* (1969), su crítica cultural adquiere un marcado carácter político. Sus novelas revelan una clara influencia de D. Barnes* y A. Nin*, y los relatos reunidos en *Yo, etcétera* (1978), retratan el mundo *pop* americano de los años setenta. La música aleatoria, el cine *underground,* la fotografía (*Sobre la fotografía*, 1977) y la pornografía han sido el punto de partida de varios de sus escritos. Entre sus obras posteriores destacan *La enfermedad y sus metáforas* (1978), *Bajo el signo de Saturno* (1981) y *El sida y sus metáforas* (1989), y los filmes *Dueto para caníbales* (1969), *Tierras prometidas* (1974) y *Gira turística sin guía* (1984).

Susan Sontag

SOONG o SUNG MEI-LING. Política china, llamada también Madame Chiang Kai-shek (n. Wench'ang, prov. de Kwangtung, 1901). Fue la segunda esposa de Chiang Kai-shek (1927), presidente de la China Nacionalista, y su mejor colaboradora. Mei-ling era hermana de Sung Ching-ling, quien se casó con Sun Yat-sen, el gran precursor de la revolución China. Se educó en EE.UU. (1908-17), convirtiéndose, a su regreso a China, en una firme propagandista de la cultura occidental. Durante la segunda guerra mundial escribió numerosos artículos sobre China en EE.UU. Ha publicado *Esta es nuestra China* y *La victoria segura,* así como dos colecciones de discursos escogidos.

SORAYA Esfandiari. Dama iraní (n. 1932). Entre 1951 y 1958 fue emperatriz del Irán por su matrimonio con el sah Muhammad Reza Pahlevi. En marzo de 1958, ante la imposibilidad de dar al país un sucesor que asegurara la continuidad de la monarquía, Soraya aceptó el divorcio por razones de Estado y salió de Irán.

SOREL, Agnès. Cortesana francesa (Fromenteau, 1422-Anneville, 1450). Formó parte del séquito de la reina y durante muchos años fue la favorita del rey Carlos VII. Ejerció una benefactora influencia en el ánimo del monarca, al que alentó hacia empresas gloriosas para Francia. Sobre su muerte, muchos historiadores han supuesto que fue envenenada por el delfín, que luego fue Luis XI.

SORIANO, Elena. Escritora española (Fuentidueña de Tajo, 1911). Comenzó estudios de Magisterio y Filosofía y Letras, interrumpidos éstos por la guerra civil. En 1951 publicó su primera novela, *Caza menor*, que obtuvo un notable éxito en el ámbito nacional, seguida de la trilogía novelesca *Mujer y hombre* (1955). La dictadura censuró algunas de sus obras y Soriano se vio condenada al ostracismo padecido por varios de los escritores del «exilio interior». No obstante, siguió cultivando, en diversos periódicos y revistas, la novela corta, el cuento y el ensayo breve. En 1969 fundó en Madrid la importante revista literaria *El Urogallo*, que editó y dirigió personalmente hasta 1976. Ha publicado además el texto autobiográfico *Testimonio materno* (1986) y el libro de relatos *La vida pequeña* (1989), centrado en la vida cotidiana de la clase media española.

SOSA, Mercedes. Cantante argentina (San Miguel de Tucumán, 1935). Sosa, dotada de una voz excepcional, está considerada una de las mejores cantantes latinoamericanas. Su primer éxito lo obtuvo con *Palomita del valle*, y en 1967 se consagró como cantante popular en el festival de Cosquín. Su repertorio está compuesto por temas de Atahualpa Yupanqui, Víctor Jara, Violeta Parra y Pablo Neruda. En su música combina ritmos como chacareras, sambas y guajiras, creando un estilo de raíz folclórica. Ha actuado en Europa, América Latina, EE.UU. y Japón. Entre sus interpretaciones destacan *Gracias a la vida* (1976), *Serenata para la tierra de uno* (1979) y *Como un pájaro libre* (1983).

SOUSA Y MELO, Beatriz de. Dramaturga española (Torres Novas, h. 1650-¿?, 1700). A Sousa y Melo se le atribuye la autoría de varios poemas religiosos y de algunas piezas teatrales de importancia, entre ellas, *La vida de Santa Elena* y *Yerros enmendados y alma arrepentida.*

SPARK, Muriel. Escritora escocesa (Edimburgo, 1918). De familia judía, en 1954 se convirtió al catolicismo. Spark vivió varios años en Rhodesia (ahora Zimbabwe), y en 1944 regresó a su país donde colaboró activamente en el movimiento antinazi. Estas experiencias han influido notablemente en su obra literaria. Tras publicar un libro de poemas y varios artículos de crítica literaria, se dedicó de lleno al cultivo de la narrativa, mostrando un estilo, muy cercano al utilizado por I. Murdoch*, en el que se combinan perfectamente el realismo y la fábula: *The Prime of Miss Jane Brodie* (1961), considerada su obra maestra, *The Abess of Crewe* (1974) y *Loitering with Intent* (1981).

SPASENIJA-CANA, Babovic. Política yugoslava (n. 1907). Spasenija-Cana, considerada una de las mujeres más populares e influyentes de la antigua Yugoslavia, se unió en 1928 al partido comunista. Bajo la ocupación alemana fue detenida en Sarajevo y torturada por la policía hitleriana, y en 1949, tras la victoria de los aliados, fue nombrada miembro del comité central del partido comunista yugoslavo. Ha ocupado las carteras ministeriales de Sanidad, Política Social y Sanidad Pública, y ha sido diputada y vicepresidenta del Gobierno serbio.

SPENCER, Lady Diana. V. **DIANA de Gales.**

SPENDER, Dale. Feminista, crítica literaria e historiadora australiana (n. 1943). Spender, fundadora de la revista *Women's Studies International Forum* y confundadora de *Pandora Press*, en los años 80 emergió como pionera de la exploración del sexismo en el lenguaje. A diferencia de G. Greer*, Spender decidió tener un protagonismo muy discreto. Su trabajo, rigurosamente académico, intenta presentar un reto político y sólido ante el patriarcado. En su libro más importante, *Man Made Language* (1980), investiga la existencia de simbolismos sexistas dentro de la religión, la política, la literatura y la vida cotidiana, y propone la creación de un conjunto de símbolos alternativos. Ha publicado además *Women of Ideas and What Men Have Done to Them* (1982), *There's Always Been a Woman's Movement* (1985) y *Two Century of Australian Women Writers* (1988).

SPERO, Nancy. Pintora estadounidense contemporánea. Formada en el Art Institute de Chicago, Spero prefirió el arte figurativo en la abstracta década de los 60, y para mostrar su rebeldía ante los convencionalismos artísticos, eligió el papel (en lugar del lienzo) como material de trabajo. Su pintura exploró en un principio temas políticos —la bomba atómica, la guerra, etc.—, evolucionando después hacia un discurso fundamentalmente femenino apoyado en los escritos de H. Cixous*. Entre sus obras destacan *Código Artaud* (1970-

1971), sobre los extremos y limitaciones del lenguaje, y *Tortura de las mujeres en Chile* (1974), donde yuxtapone fragmentos textuales sobre la represión y la tortura políticas a imágenes plásticas relacionadas con el mundo laboral femenino.

SPIVAK, Gayatri Chakravorty. Crítica literaria y traductora india (Calcuta, 1941). Se doctoró en la Universidad de Cornell (1967) y ha sido profesora en varias universidades de EE.UU. En 1976 tradujo al inglés la obra *Sobre la gramatología* (1976), del filósofo francés J. Derrida, y considerado el texto clave de la teoría de la deconstrucción. En sus escritos posteriores Spivak se ha centrado en el análisis de la mujer como entidad posicionada al margen del ordenamiento falocéntrico y en la deconstrucción de la lógica binaria en la que se apoya la diferenciación sexual. Su libro *In Other Worlds: Essays in Cultural Politics* (1987) invita a las feministas del «primer» mundo a escuchar la problemática de las mujeres del «tercer» mundo.

STAËL, madame de (Germaine Necker, baronesa de Staël-Holstein). Escritora francesa (París, 1766-íd., 1817). Era hija de Jacques Necker y se casó con el barón de Staël, de quien años después se separó. Brilló primero en la corte de Luis XVI, y después, bajo el Directorio, gozó de gran influencia; en sus salones se reunieron todas las personalidades políticas y literarias de su época. Entre las obras que le han dado mayor celebridad se cuentan: *Influencia de las pasiones en la felicidad de los individuos y de las naciones* (1796), *Delfina* (1802), *Ensayo sobre las facciones* y *Corina o Italia* (1807). Viajó por gran parte de Europa, conociendo a Goethe, Schiller y otros. Su actitud intelectual y su producción literaria son fundamentales para el desarrollo del romanticismo francés.

Madame de Staël

STANTON, Elizabeth Cady. Abolicionista, feminista y escritora estadounidense (Nueva York, 1817-íd., 1902). Considerada una de las pioneras del feminismo estadounidense, en 1848 Stanton organizó en Seneca Falls, junto a L. Mott*, el primer congreso en defensa de los derechos de la mujer. Fue presidenta de la National Women Suffrage Association, de la American Women Suffrage (1868) y de la Conferencia Internacional Femenina de Washington, además de cofundadora de la revista semanal *Revolution* (1888). Entre sus publicaciones destacan *History of Woman's Suffrage* (1881), en colaboración con Susan B. Anthony, *The Woman Bible* (1895-1898) y su autobiografía *Eighty Years and More* (1898).

STANWYCK, Barbara (Ruby Stevens, llamada). Actriz estadounidense (Brooklyn, 1907-Santa Mónica, California, 1990). Empezó a trabajar en el teatro de Broadway, pero pronto pasó a Hollywood donde intervino en pequeños papeles. En 1937 empezó su etapa de protagonista con *Stella Dallas*, seguida de otros filmes memorables como *Unión Pacífico* (De Mille, 1939), *Las tres caras de Eva* (Sturges, 1941), *Bola de fuego* (Hawks, 1942), *Perdición* (W. Wilder, 1944), *Voces de muerte* (Litvak, 1948), *La reina de Montana* (1954) y *La gata negra* (1962). Sus últimos trabajos fueron para la televisión en series como *Los intocables*, *The Big Valley* y *Los Colby*.

STARK, Freya. Exploradora y escritora británica (París, 1907-Asolo, 1993). Estudió en Londres y en la Escuela de Estudios Orientales y Africanos. Stark trabajó durante la primera guerra mundial como enfermera voluntaria de la Cruz Roja y durante la segunda guerra mundial en el Ministerio de Información británico. Fue fundadora en El Cairo de la Hermandad de la Libertad, un movimiento antifascista. Obtuvo la Cruz del Imperio Británico (1953) y el título de dama (1972). Hablaba correctamente nueve idiomas y escribió 24 libros de viajes. A los 81 años escaló y atravesó algunos pasos del Himalaya, a 5.000 m de altura.

STEIN, Édith. Filósofa alemana de origen judío (Breslau, 1891-campo de concentración de Auschwitz, 1942). Estudió en la Universidad de Göttinger, y en Friburgo de Brisgovia fue alumna y asistente de Husserl (1916-1923). En 1922 se convirtió al catolicismo, y en 1934 entró en un convento de Carmelitas donde escribió su obra capital, *Ser finito, ser infinito*, en la que intentó hacer una síntesis entre el tomismo y la fenomenología de Husserl. En 1938, a causa de la persecución nazi, se trasladó a un convento en Holanda donde escribió *Ciencia de la Cruz*, interpretación moderna de la mística de san Juan de la Cruz, y en 1942 es detenida por la Gestapo y deportada a Auschwitz, donde murió.

STEIN, Gertrude. Escritora estadounidense (Pennsylvania, 1874-Neuilly-sur-Seine, 1946). De familia judeoalemana, estudió psicología y medicina en la Universidad Johns Hopkins, y en 1903 fijó su residencia en París. Su casa parisiense se convirtió en lugar de encuentros de renombrados escritores estadounidenses (E. Hemingway, S. Fitzgerald, representantes de una generación a la que Stein definió como «perdida») y europeos (Apollinaire, Cocteau), y de artistas pertenecientes a la vanguardia europea (Braque, Matisse, Gris, Picasso). Ella y su hermano Leo lograron reunir una importante colección de cuadros de artistas que, en aquel momento, eran desconocidos (Rousseau, Cézanne, Renoir). La obra de Stein, caracterizada por un lenguaje rupturista que intenta acortar las distancias entre literatura y artes plásticas, se adscribe al experimentalismo de los movimientos de vanguardia: *Ser norteamericanos* (1925), *Cómo escribir* (1931), *Autobiografía de Alice B. Toklas* (1932), basada en la larga relación mantenida con su compañera sentimental Alice Toklas, e *Historia geográfica de América* (1936), monólogo surreal en forma de tratado filosófico-histórico. Entre sus libros posteriores destacan *París, Francia* (1940), *Las guerras que he visto* (1945), y *Las cosas como son*, publicado póstumamente en 1950.

STEINEM, Gloria. Feminista y editora estadounidense (n. 1934). Steinem se da a conocer como periodista en 1963 con un artículo titulado «I Was a Playboy Bunny» (basado en las dos semanas que estuvo trabajando clandestinamente como «conejita» en un club nocturno), y por sus campañas a favor de los derechos humanos. En el 1971 creó la asociación Women's Action Alliance, y en 1972 fundó y dirigió la famosa revista *Ms* en la que Steinem ha defendido sus principales ideales feministas: defensa del aborto, incorporación de las mujeres a la acción política, oposición al matrimonio y la concepción del acto sexual como una simple vía de comunicación. Entre sus publicaciones destacan *Outrageous Acts and Everybody Rebellions* y *Revolution From Within* (1992).

STERN, Daniel. V. **FLAVIGNY, Marie de (condesa de Agoult).**

STOPES, Marie Carmichael. Paleontóloga inglesa y pionera del control de natalidad (1880-1958). Doctora por las universidades de Londres y Munich, en 1904 Stopes se convirtió en la primera mujer inglesa en ser miembro de una facultad de ciencias naturales (primero en Manchester y luego en Londres), y en 1907 impartió clases en la Universidad de Tokio. En 1921 fundó una clínica de maternidad para la práctica del control de natalidad. Entre sus publicaciones destacan *Married Love* (1918), sobre el matrimonio y el sexo, y *Wise Parenthood* (1918), en el que describió varios métodos para el control de natalidad.

STORNI, Alfonsina. Poeta argentina de origen suizo (Sala Capriasca, 1892-Mar del Plata, 1938). Ejerció el magisterio en Rosario y Buenos Aires, y colaboró en los principales periódicos y revistas, haciendo famoso el seudónimo de *Tao-Lao*. En 1916 publicó su primer libro de versos, *La inquietud del rosal*, que la reveló como uno de los máximos valores de la poesía hispanoamericana. Su condición de mujer se afirma con solidez y sensualidad melancólica en los poemas reunidos en *Languidez* (1920) y *Ocre* (1926), dedicado por entero al mar. En *Mundo de siete pozos* (1934) y *Mascarilla y trébol* (1938), su poesía, influida por las vanguardias europeas, se hace más hermética y menos espontánea. Enferma de cáncer, decidió poner fin a su vida ahogándose en las aguas de Mar del Plata; su último poema, «Quiero dormir», fue publicado en *La Nación* al día siguiente.

STOWE, Harriet Beecher. Escritora estadounidense (Connecticut, 1811-íd., 1896). Hija de un ministro calvinista, se trasladó con su familia a Cincinnati en 1832, donde vivió de cerca el problema de la esclavitud. Sus impresiones de esos años sirvieron de trasfondo a *La cabaña del Tío Tom*, novela que se publicó por entregas en 1851, y que obtuvo un gran éxito. Si bien el «tío Tom», negro esclavo que protagoniza esta novela, fue criticado por la comunidad afroamericana por ser un fiel ejemplo del negro «integrado», también es cierto que el libro de Stowe cumplió una importante función histórica y social al convertirse en un poderoso medio de propaganda abolicionista.

STREEP, Meryl (Mary Louise Streep, llamada). Actriz estadounidense (Nueva Jersey, 1949). Después de realizar estudios de arte dramático, hace su debut en *Julia* (1977) y es nominada al Oscar (primera de las nueve veces) por *El cazador* (1978). Gana este galardón, por primera vez, en 1978 por *Kramer contra Kramer*. Entre sus trabajos posteriores, destaca *Manhattan* (1979), *La mujer del teniente francés* (1981), *La decisión de Sophie* (1982) —por la que logró su segundo Oscar—, *Silkwood* (1983), *Enamorarse* (1984), *Memorias de África* (1985), *Se acabó el pastel* (1986), *Un grito en la oscuridad* (1988), *Vida y amores de una diablesa* (1989), *Postales desde el filo* (1990) y *Defending Your Life* (1991).

STREISAND, Barbra. Cantante, actriz y directora de cine estadounidense (Brooklyn, 1942). Comenzó su carrera en el cabaret y como cantante, hasta su memorable interpretación de *Funny Girl* en Broadway, que la llevaría al estrellato. Volvió a interpretar esta obra en la pantalla, obteniendo el Oscar de 1968 a la mejor actriz, compartido con Katharine Hepburn*. Dentro de la comedia participó exitosamente en *Hello Dolly* (Kelly, 1969), *¿Qué me pasa, doctor?* (Bogdanovich, 1971), *Tal como éramos* (Pollack, 1972), *¿Qué diablos pasa aquí?* (1973), *Funny Lady* (Ross, 1975). En 1976 fundó su propia productora, First Artist, de la que nacen sus filmes *Ha nacido una estrella* (Pierson, 1977) y *Combate de fondo* (Zieff, 1979). Su debut como directora lo hizo con *Yentl* (1982), en la que también era protagonista, coguionista y compositora. En 1987 interpretó *Loca* (de M. Ritt) y en 1991 dirigió e interpretó *El príncipe de las mareas*.

Barbra Streisand

STUART, Arabella. Pretendiente al trono de Inglaterra (1575-Londres, 1615). Era hija de Charles Stuart, conde de Lennox y sus derechos al trono inglés venían directamente de Jacobo VI de Escocia: éstos la convirtieron en centro de muchas intrigas. Por ello, tanto Isabel I* Tudor como Jacobo I Estuardo intentaron imponerle el celibato. Pero en 1610 se casó secretamente con William Seymour. Al conocerse el hecho, los esposos fueron detenidos y Arabella murió en la Torre de Londres.

SUBH o AURORA. Política andalusí (s. x). Era una esclava navarra, preferida del califa al-Hakam II y *umm wallad* (madre del heredero) de Hixem II. Tuvo gran influencia política en la corte de al-Hakam, en donde consiguió el nombramiento de jefe del ejército para Almanzor. Fue regente —caso único en al-Ándalus— durante la minoría de su hijo Hixem II.

SUBIRATS, Marina. Socióloga y teórica feminista española (n. en Barcelona). Obtuvo su doctorado en Filosofía y Letras en la Universidad de Barcelona y es catedrática de Sociología de la Universidad Autónoma de dicha ciudad. En 1993 tomó posesión del cargo de directora del Instituto de la Mujer, dependiente del Ministerio de Asuntos Sociales. Subirats es autora de numerosos estudios sobre el análisis de los comportamientos sexistas en las aulas, así como del sistema educativo y la presencia en él de la mujer. Entre sus ensayos destacan *Las licenciadas y su pequeña diferencia* (1981) y *Rosa y Azul. La transmisión de los géneros en la escuela mixta* (1988).

SUN YAT-SEN. Política china (Shangai, 1890-Pekín, 1981) cuyo nombre de nacimiento fue Sung Ching-ling. Sun Yat-sen, hermana mayor de May-ling Chang Kai-chek (esposa del «padre» de la China moderna), siguió tendencias opuestas a las de su hermana. En 1915 se casó con Sun Yat-sen, fundador del Kuomintang (movimiento revolucionario destinado a preparar el advenimiento de la républica y la liberación de China), y trabajó activamente en esta opción revolucionaria junto a su marido. En 1926 fue miembro del comité central del Kuomintang, exiliándose posteriormente a la URSS, y en 1939 a su regreso a China reemprendió la lucha junto a Mao Zedong. En 1949 fue elegida vicepresidenta de la República Popular de China, siendo reelegida en 1959. En 1950 recibió el premio Stalin de la Paz. Fue además la autora de numerosos escritos políticos.

SUNG CHING-LING. V. **SUN YAT-SEN.**

SUSANA. Mujer de la Biblia (s. VII a. C.). Joven judía que habitaba con su marido en Judá cuando dos viejos jueces, que la sorprendieron un día en el baño, le hicieron proposiciones deshonestas. Susana los rechazó, y entonces ellos, en venganza, la acusaron de adulterio y la hicieron condenar a muerte. Marchaba ya la joven a la muerte, cuando el profeta Daniel pidió un segundo juicio, y, probando la falsedad de la acusación, logró que los jueces fueran condenados y que se proclamase la inocencia de Susana.

SUTHERLAND, Joan. Soprano australiana (Sydney, 1926). Educada en el Real Colegio de Música de Londres, Sutherland posee gran riqueza vocal, extraordinaria pureza de timbre en los tonos medios, gran seguridad en los sobreagudos y dominio de la técnica. Su inicial repertorio melodramático (*Lucia di Lammermoor*, de Donizetti; *Norma*, de Bellini) fue ampliándose hacia obras barrocas (Haëndel, Mozart).

SUTTNER, Berta von. Escritora y pacifista austriaca (Praga, 1843-Viena, 1914). A partir de 1887 luchó contra el gobierno autoritario, el militarismo y los abusos sociales, abogando por las reformas sociales y el arbitraje internacional. Es recordada principalmente por su obra *Abajo las armas* (1885) que le valió el premio Nobel de la Paz en 1905. Afiliada a la asociación internacional por la paz, fundó en 1891 el Comité Austriaco por la Paz. Entre sus obras destacan *Inventario de un alma* (1883), *Solo y pobre* (1896) y *La edad antigua de la máquina* (1899).

SVETÁIEVA, Marina Inanovna. Poeta rusa (Moscú, 1894-Yelábuga, 1941). Se inició en la literatura en 1910 con *Álbum de noche*, pero no fue hasta la publicación de *Viorsti* (1922) cuando logró adquirir fama internacional. Frente a la poesía de A. Akmátova*, identificada con el sentir del pueblo ruso, la voz de Svetáieva aparece marcada por el experimentalismo y la androginia. Mantuvo una intensa relación con la poeta rusa Sofia Párnok, y en 1922 se exilió en Praga, y posteriormente en París, regresando a Rusia en 1939, donde se suicidó. Fue autora además del poemario *Después de Rusia* (1928).

SVÊTLA, Karolina. Seudónimo de la escritora checa Johanna Murzaková (Praga, 1830-íd., 1899). Figura clave del realismo literario checo del s. XIX, su obra, centrada en la problemática religiosa y moral, retrató con brillantez la vida del campesinado y de las clases burguesas de Praga: *La cruz en el arroyo* (1868) y *Una historia campesina* (1869), considerada su obra cumbre. Activa militante del movimiento feminista checo, en 1871 fundó el Club de la Mujer Trabajadora Checa.

Gloria Swanson

SWANSON, Gloria. Actriz y productora de cine estadounidense (Chicago, 1899-Nueva York, 1983). Se reveló en las películas cómicas de Mack Sennett, y fue una de las artistas más destacadas del cine de los años 20, trabajando con los dos grandes directores del momento, Cecil B. De Mille (*No cambie su marido*, 1919; *Abnegación*, 1919; *El admirable Crichton*, 1919; etc.) y Erik von Stroheim. Con éste rodó su última producción muda, *La reina*

Kelly (1928). Su fama declinó con la llegada del cine sonoro, interviniendo en *El crepúsculo de los dioses* (*Sunset boulevard*, 1950) del director Billy Wilder, después de veinticinco años de alejamiento de las tareas cinematográficas y obteniendo un triunfo resonante. En 1980 publicó la obra de carácter autobiográfico *Swanson por Swanson*.

SYBILLA. Diseñadora de moda española (Nueva York, 1963). Hija de padre hispanoargentino y madre polaca, se afincó en Madrid tras una breve estancia parisiense. Presentó su primera colección en 1983 y fue considerada como la gran esperanza de la moda española. De inspiración muy «decó», es muy original, innovadora y geométrica, introduciendo en sus diseños elementos técnicos inusuales. Su trabajo fuera de España y su proyección al exterior, especialmente Italia, hacen de ella la más internacional de las diseñadoras españolas. Actualmente desarrolla casi toda su actividad en el área de la moda milanesa.

T

TAEUBER-ARP, Sophie. Pintora suiza (Davos, 1889-Zurich, 1943). Se especializó en tejidos en las escuelas de artes aplicadas de Saint-Gallen y Hamburgo, y fue profesora de diseño textil y técnicas en la Escuela de Artes Aplicadas de Zürich (1916 a 1929). Desde la fundación del Cabaret Voltaire (1916) participó activamente en el grupo dadá, y con Jean Arp, quien posteriormente se convirtió en su marido, produjo cuadros, collages, bordados y tejidos. Taeuber-Arp, con un estilo geométrico abstracto, exploró la relación del color con la forma como bien lo demuestra su *Composición vertical-horizontal* (1916-1918). En 1990 el Museo de Arte Moderno de la Villa de París organizó una retrospectiva de su obra.

TAGLIONI, Maria. Bailarina sueca de ascendencia italiana (Estocolmo, 1804-Marsella, 1884). Perteneciente a una familia de famosos bailarines y coreógrafos italianos, la forma de bailar de Taglioni se convirtió en el estilo emblemático de la danza romántica. En 1828 entró en la Ópera de París, donde creó *Roberto el Diablo* (1831) y *La sílfide* (1832), considerada esta última una de las obras clave del ballet romántico. Tras una larga carrera, se retiró de la escena en 1858, dedicándose por entero a la enseñanza.

TAIS o THAIS. Cortesana griega (Atenas, s. IV a. C). Alejandro Magno, rey de Macedonia, prendado de su belleza, la llevó con él a sus campañas de Asia, diciéndose que Tais puso en sus manos la antorcha encendida con que pegó fuego a Persépolis. Después de la muerte de Alejandro, la cortesana se casó con Tolomeo, rey de Egipto. El poeta Menandro, que fue uno de sus amantes, dio el nombre de Tais a una de sus obras.

TALBOT, Elisabeth. Mujer de negocios inglesa (1518-1608). Representa, por todas sus actividades, el poder de la mujer en la aristocracia de la era Tudor: concibió, diseñó y mandó a construir las mansiones en las que vivió con sus dos maridos sucesivos; fue prestamista de plata, latifundista y comerciante en plomo, carbón y madera. Era poseedora de numerosos títulos y una inmensa fortuna, haciéndose llamar «condesa de Shrewsbury» o Bess de Hardwicke.

TALLCHIEF, Maria. Bailarina estadounidense (Oklahoma, 1925). Inició la carrera de danza con Bronislava Nijinska*, y en 1944 fue solista del Ballet Ruso de Montecarlo, interpretando numerosas coreografías de G. Balanchine, con quien se casó en 1946. Considerada una de los pilares de la danza clásica contemporánea, Tallchief ha trabajado en la ópera de París, en el New York City Ballet (donde Balanchine creó para ella *El pájaro de fuego* y *El hijo pródigo*) y en el American Ballet Theatre.

TALLIEN, madame de (Teresa Cabarrús Gelabert, llamada). Revolucionaria española (Carabanchel Alto, 1773-Chimay, 1835). Hija de Francisco de Cabarrús, fue célebre por su belleza, su talento y sus aventuras. Divorciada del marqués de Fontenay, con quien se había casado a la edad de dieciséis años, y detenida durante el Terror, fue salvada por Tallien, con quien se casó después, y gracias

Teresa Cabarrús, madame de Tallien

a la influencia que ejerció sobre él salvó a muchas víctimas de la guillotina. Fue llamada Nuestra Señora de Termidor, por deberse a su iniciativa el golpe que acabó con Robespierre. Se casó en terceras nupcias con el conde de Caraman, que poco después de su matrimonio pasó a ser príncipe de Chimay.

TAMARA. Reina de Georgia (1160-1212). Sucedió a su padre Jorge III en 1184. Se casó con el príncipe ruso Jorge Bogolioubski y luego, divorciada de éste, con el príncipe georgiano David Soslane. El reinado de Tamara fue próspero para Georgia.

TARDIEU d'ESCLAVELLES, Louise V. **ÉPINAY, madame d'.**

Liz Taylor con Richard Burton en *La mujer indomable*

TAYLOR, Elizabeth o Liz. Actriz cinematográfica estadounidense de origen británico (Londres, 1932). Al principio de la segunda guerra mundial, se trasladó con sus padres a EE.UU. Debutó con diez años en *Cadenas rotas* (1942), siguiendo una carrera de actriz juvenil. Posteriormente siguió, ya como actriz madura, popularizándose con la película *Fuego de juventud*. Entre sus filmes destacan *Un lugar en el sol* (Stevens, 1951), *El árbol de la vida*, *Ivanhoe* (Thorpe, 1952), *Gigante* (Stevens, 1956), *La gata sobre el tejado de cinc* (Brooks, 1958), *De repente, el último verano*; *Una mujer marcada*, por la que obtuvo el Oscar a la mejor actriz (1960); *Cleopatra* (Mankiewicz, 1963), *¿Quién teme a Virginia Woolf?* (Nichols, 1966), por la que obtuvo el Oscar a la mejor actriz (1967); *La mujer indomable* (Zeffirelli, 1967), *El pájaro azul* (Cukor, 1976), *Victoria en Entebe* (1976) y *El espejo roto* (1981). Es famosa su relación sentimental y artística con el actor Richard Burton. Actualmente dedica gran parte de sus actividades a promocionar la lucha contra el sida.

TE KANAWA, Kiri. Soprano neozelandesa (Gisborne, 1944). De padre mahorí y madre irlandesa, fue enseñada a cantar por una religiosa. En 1966 obtiene una beca para estudiar en el London Opera Center, tomando clases de Vera Rosza. Su gran debut lo realiza en el Covent Garden con *Las bodas de Fígaro*, de Mozart, y con *Otello* de Verdi, en el Metropolitan Opera House de Nueva York. Ha sido consagrada por la prensa especializada como la *prima donna assoluta*, por la belleza de su voz, su expresividad y saber hacer en el escenario. Su repertorio es amplísimo, teniendo especial debilidad por las obras de Mozart. Fue nombrada comendadora del Imperio británico en 1982.

TEBALDI, Renata. Soprano italiana (Pesaro, 1922). Actuó por primera vez como actriz profesional en Rovigo, interpretando

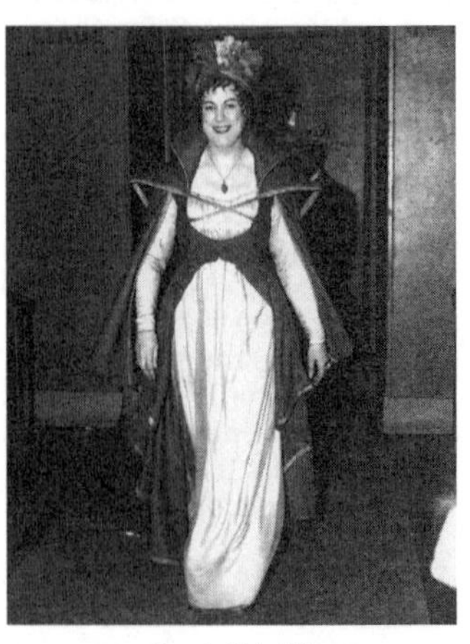

Renata Tebaldi

el personaje Elena, de la ópera *Mefistófeles*, y en la Scala de Milán cantó por primera vez con motivo de su reapertura después de la segunda guerra mundial (1946). Posee un perfecto dominio vocal y son famosos sus *pianissimos.*

TECLA, santa. Virgen cristiana (s. I, m. en Iconio). Las actas legendarias de esta santa, muy famosas en la Antigüedad, contaban que Tecla, a la edad de dieciocho años, hizo voto de castidad, tras oír las predicaciones de san Pablo. A partir de la reforma de 1968, santa Tecla fue excluida del santoral debido a los problemas históricos que presenta su biografía.

TELLADO, Corín. Escritora española cuyo nombre real es María del Socorro Tellado (Gijón, 1926). Trasladada con su familia a Bilbao y, más tarde, a Cádiz, desde muy joven se inició en la redacción de narraciones cortas que consiguieron en seguida una gran aceptación. Dotada de una gran imaginación, sus miles de títulos, encuadrados generalmente en el campo de la *novela rosa*, gozan de una gran popularidad, tanto en el ámbito español como hispanoamericano. Es autora además de varias fotonovelas y de libros infatiles.

TELO NÚÑEZ, María. Abogada y feminista española (Cáceres, 1915). Fundadora de la Asociación de Mujeres Juristas de España, Telo Núñez ocupó el cargo de secretaria de la Asociación Internacional de Mujeres Juristas para los países de habla hispana. Entre sus publicaciones destacan *La mujer en el derecho civil* (1969), *Derechos que no tiene la mujer* (1973), *La evolución de la mujer española en el campo jurídico* (1982) y *La mujer en la gestación y vida del código civil* (1989).

TEMPLE, Shirley. Actriz estadounidense (Santa Mónica, 1928). Desde 1932 protagonizó un gran número de filmes convirtiéndose en la niña prodigio del cine estadounidense. Es recordada por su precoz talento para la canción y el baile. Debutó con la película *Baby Burlesk* y entre sus principales películas de esta época hay que destacar *Stand Up and Cheer* (1934), *Little Miss Marker* (1934), *Baby Take a Bow* (1934), *Ojos cariñosos* (1934), *La pequeña coronela* (1935) y *La pequeña princesa* (1939). Desapareció de las pantallas durante los años de su adolescencia, volviendo a ellas cuando ya era una joven: *El solterón y la menor* (1947), *Fort Apache* (1948), etc., pero no tuvo éxito y pasó a la televisión (1957-59), presentando allí el programa para niños *Shirley Temple Storybook*. Retirada definitivamente del mundo artístico, empezó a interesarse por la política, convirtiéndose en uno de los miembros más activos del Partido Republicano. Ha ocupado diversos cargos diplomáticos, entre ellos el de embajadora de EE.UU. ante la ONU.

TENA, Lucero (María de la Luz Tena Álvarez, llamada). Bailarina y concertista de castañuelas española de origen mexicano (Ciudad de México, 1939). Interpreta magistralmente las más variadas manifestaciones de la danza clásica y del baile flamenco y está considerada como la primera solista de castañuelas. Estrenó el *Concierto para castañuela y orquesta*, de Joaquín Rodrigo.

TENCIN, marquesa de (Claudine Alexandrine Gérin). Cortesana, escritora y mecenas francesa (Grenoble, 1685-París, 1749). Hermana de Pierre Gérin, fue célebre por sus intrigas y aventuras amorosas. Tuvo uno de los primeros salones literarios del siglo, que frecuentaron, entre otros, Montesquieu, Fontenelle y Mairan. Compuso varias obras que no se dignó firmar: *El sitio de Calais*, *La princesa de Cleves* y *Anécdotas de Eduardo III*. Fue amante, sucesivamente, de Felipe de Orleans, de Mathieu, de Fontenelle y de Argenson.

TEODORA. Dama romana (s. X). En unión de sus dos hijas, Marocia y Teodora, ejerció en Roma una influencia sin límites, interviniendo decisivamente en la elección consecutiva de ocho papas.

La emperatriz Teodora y su séquito en los mosaicos de San Vital (Rávena)

TEODORA. Emperatriz bizantina (h. 995-1056). Hija de Constantino VIII, fue encerrada a su muerte en un convento por su cuñado Romano III, marido de Zoé*, la princesa heredera. Fue sacada de su encierro por Miguel V, tras el golpe de Estado de 1042, en el que destronó a los macedónicos, pasando a compartir el trono con Zoé y Miguel. La relaciones entre las hermanas fueron imposibles y Teodora fue de nuevo extrañada tras el matrimonio de Zoé con Constantino IX Monómaco (junio de 1042). A la muerte de este último, volvió a ocupar el trono (1055), designando como heredero a Miguel VI. Con ella acabó la dinastía de Macedonia.

TEODORA. Emperatriz bizantina (Constantinopla, 501-íd., 548). Era hija de un guardián del hipódromo y fue bailarina y cortesana en su juventud, casándose después con Justiniano, con quien subió al trono en el año 527. Salvó con su energía y su serenidad el trono de su marido, cuando la sedición de Nika (532), y gobernó luego como dueña absoluta hasta 548. Con su política desplazó a los grandes del Imperio (Belisario, Juan de Capadocia) y mantuvo a personajes más manejables (Narsés, Virgilio, Barsimes). En la legislación justinianea, influyó grandemente en lo referente al ámbito femenino y familiar. Los papas Virgilio y Agapito la condenaron como hereje, ya que, a partir de 530, hizo importantes concesiones a los monofisitas. Su imagen está muy unida a la del emperador Justiniano, del que fue su más directa colaboradora.

TEÓFANO o TEOFANÍA. Emperatriz de Alemania (958-991). Era hija del emperador bizantino Romano II y se casó en 972 con Otón, hijo del sacroemperador alemán Otón I. Subió al trono con su marido en 975, ejerciendo gran influencia en la corte. Tuvo un papel fundamental en la educación de su hijo Otón III, el más ilustrado de los emperadores altomedievales.

TERECHKOVA, Valentina Vladimirovna. Cosmonauta soviética (Jaroslav, 1937). Terechkova es recordada principalmente por haber sido la primera mujer cosmonauta. Tras trabajar como obrera en fábricas de neumáticos e hilados, se aficionó al paracaidismo (1959), pasando luego a la escuela de cosmonautas, en la que obtuvo el grado de teniente (1962). En 1963 fue lanzada al espacio en el Vostok VI, dando 48 vueltas a la Tierra durante 70 horas y 50 minutos de vuelo. Fue condecorada con la medalla de oro de la Orden de Lenin, la insignia de piloto cosmonauta y la «Estrella de Oro», y recibió el título de «Heroína de la Unión Soviética».

TERESA DE CALCUTA, madre (Agnes Gonxha Bojaxhiu, en religión). Religiosa macedonia (Skopje, 1910). Ingresó como novicia en las Hermanas de Nuestra Señora de Loreto en 1928. Al año siguiente fue enviada a la India para cumplir su noviciado en Darjeeling. Una vez emitidos los votos, habiendo seguido la carrera de magisterio, ejerció la docencia en el St. Mary's High School de Calcuta. En 1946 decidió dedicarse por entero al servicio de los más desamparados. En 1948 abriría su primera escuela al aire libre para niños necesitados de aprender higiene antes que el alfabeto. En octubre de 1950 fundaba en Calcuta la Congregación de las Misioneras de la Caridad; éstas añaden a los tres votos tradicionales el de entregarse de por vida y con carácter exclusivo a los pobres más pobres sin por ello aceptar jamás ninguna recompensa. En 1979 recibió el premio Nobel de la Paz por su obra en favor de los enfermos y los pobres de los arrabales de Calcuta. Había recibido, además, de manos del papa Pablo VI, el premio Internacional de la Paz Juan XXIII, y el premio Buen Samaritano, en Boston, ambos en 1971.

La madre Teresa de Calcuta

TERESA de Jesús o de Ávila, santa. Religiosa y escritora española, cuyo nombre en el siglo fue Teresa de Cepeda y Ahumada (Ávila, 1515-Alba de Tormes, 1582). Perteneció a una noble familia castellana. En su infancia fue muy aficionada a las lecturas, especialmente de los libros de caballería; a la edad de diecinueve años, impulsada por su vocación religiosa, entró en un

Santa Teresa de Jesús

convento de carmelitas, donde hizo una vida de ejemplar austeridad llegando a éxtasis durante los cuales creía ver y hablar a su Divino Esposo. En 1562 se propuso reformar la Orden y, seguida de unas cuantas compañeras, fundó en Ávila el nuevo convento de San José, de monjas descalzas. Más tarde fundó otros, reformando la Orden con la aprobación del Papa, no sin innumerables obstáculos, que tuvo que vencer con la constancia y el ardor de su fe. Eficaz colaborador en esta empresa fue san Juan de la Cruz. Como escritora mística, el maestro fray Luis de León dijo de ella: «En la alteza de las cosas que trata, y en la delicadeza y claridad con que las trata, excede a muchos ingenios; y en la form del decir, y en pureza y facilida del estilo, y en la gracia y buen compostura de las palabras, y e una elegancia desafeitada qu deleita en extremo, dudo yo qu haya en nuestra lengua escritur que con ellos se iguale.» Entr sus producciones figuran: *E camino de perfección*, *Libro d las fundaciones*, *Castillo interio* o *Las moradas*, su obra maestra escrita en plena madurez espiri tual y cuando parecía dueña d todos los secretos de la vida con templativa. Esta obra señala l culminación de la mística cristia na. Dejó también una interesant autobiografía, el *Libro de m vida*, poesías y una copiosa magnífica correspondencia epis tolar. Es una de las figuras d más fina espiritualidad y su alt magisterio está reconocido y aca tado por la Iglesia universal. S filosofía es la del buen sentido es como el Séneca del pensa miento místico español. Fue bea tificada por Pablo V en 1614 canonizada por Gregorio XV e 1922 y declarada Doctora de l Iglesia en 1970 por Pablo VI que la declaró también patrona d los escritores españoles en 1965.

TERESA del Niño Jesús o d Lisieux, santa. Religiosa car melita y escritora francesa, cuy nombre en el siglo fue Thérès Martin (Alençon, 1873-Lisieux 1897). Desde la infancia se dis tinguió por su dulzura de carácte y extraordinaria piedad, siend ya en vida venerada como santa. Escribió *Historia de un alma* (1898) y *Novíssima verba* (1926). Fue canonizada el 17 de mayo de 1925. Su fiesta, el 1 de octubre. Es patrona de las misiones.

TERESA de Portugal. Condesa de Portugal (h. 1078-Galicia, 1130). Era hija bastarda de Alfonso VI de Castilla y de Jimena Núñez. Se casó con Enrique de Borgoña (1095) y su padre entregó al matrimonio el territio portugués con el título de condado. Ambos intervinieron en las luchas civiles leonesas a la muerte de Alfonso VI, entre Alfonso el Batallador y la reina doña Urraca*. Al morir su marido (1114), Teresa ejerció la regencia en nombre de su hijo Alfonso Enríquez, de tres años. Prosiguió las luchas contra su medio hermana Urraca, pero en 1121 tuvo que reconocer la soberanía leonesa. Muerta Urraca, Alfonso VII el Emperador firmó con la portuguesa el tratado de Ricobayo (1126), dando cierta independencia a su gobierno. En 1128 su hijo Alfonso, apoyado por muchos nobles, se sublevó contra Teresa, que mantenía relaciones con el noble gallego Fernão Peres. Los amantes huyeron a Galicia, donde la condesa murió, siendo enterrada posteriormente en Braga.

TERESA de Portugal, santa. Reina de León (h. 1117-Lorbaño, Portugal, 1250). Hija del rey de Portugal Sancho I y de doña Dulce. Se casó con su primo Alfonso IX de León (1230) y tuvo tres hijos, pero al ser anulado su matrimonio por consanguinidad, se separó de su marido e ingresó en el convento cisterciense de Villabuena y más tarde se trasladó al de Lorbaño, en Portugal. Mantuvo relaciones diplomáticas con la reina Berenguela* de Castilla, cediendo los derechos de sus hijas, Sancha y Dulce, al trono de León a san Fernando, con lo que quedaron unidas de nuevo las coronas castellana y leonesa.

THARP, Twyla. Bailarina y coreógrafa estadounidense (Indiana, 1942). Fue alumna de M. Graham*, M. Cunningham y P. Taylor. En 1963 ingresó en la compañía de P. Taylor, y en 1965 creó su propia compañía, la Twyla Tharp Dance Company. Tharp, una de las figuras más relevantes de la danza contemporánea, ha realizado obras de gran originalidad y solidez coreográfica, para las que ha utilizado música de Mozart, P. Glass y C. Berry. Es mundialmente conocida por su coreografía de la película *Hair* (1979) y por su pieza *Push Comes to Shove* (1976), interpretada por Baryshnikov en el American Ballet Theatre. Ha coreografiado para el cine *Ragtime* (1981) y *Amadeus* (1984), y en Broadway *Singing in the Rain*. En 1981 obtuvo el Dance Magazine Award.

Margaret Thatcher

THATCHER, Margaret Hilda. Política inglesa (Grantham, Lincolnshire, 1925). Doctora en Ciencias Químicas por el Sommerville de Oxford, inicia su trayectoria política en 1950 al presentarse a las elecciones parlamentarias, y en 1959 fue elegida diputada y secretaria parlamentaria adjunta del Ministerio de Pensiones y Seguridad Social (1961). Tras ejercer como portavoz del Partido Conservador en cuestiones de enseñanza (1969-1970) y ministra de educación (1970-1974), en 1975 fue elegida líder de los conservadores, y encabezando las listas de este partido, ganó las elecciones generales de mayo de 1979, siendo reelegida en 1983 y en 1987. Thatcher, «la Dama de Hierro», adoptó una política neoliberal que propició la privatización de empresas estatales (British Petroleum, 1979; British Aerospace, 1981) así como las áreas de sanidad y de educación pública (1988). Rechazó además el diálogo con los sindicatos y cualquier tipo de compromiso con Irlanda del Norte. En el exterior mantuvo una postura intransigente y belicista que se reflejó principalmente en el conflicto de las Malvinas (1982). El resultado adverso de las elecciones municipales celebradas en 1990, causado, fundamentalmente, por la implantación forzosa del impuesto denominado *poll-tax* y una votación parlamentaria negativa por parte de sus propios compañeros, los *tories*, le llevó a presentar su dimisión como primera ministra, siendo sustituida por J. Major, de su misma línea política.

THERBUSCH DE LIESIEWSKA, Anna Dorothea. Pintora alemana de origen polaco (Berlín, 1721-íd., 1782). Fue discípula de su padre, el retratista Georg Liesiewski, y esposa del pintor Therbusch (1741). En su carrera pictórica es de destacar lo siguiente: la decoración de la Galería de los Espejos del palacio de Stuttgart, encargada por el duque de Wurtemberg (1761); su traslado a París (1763), donde es nombrada miembro de la Academia de pintura; su estancia parisiense (1765-1767), cuando es nombrada «pintora del Rey de Francia»; y, por fin, la decoración del palacio de Sans-Souci en Potsdam, encargada por Federico el Grande de Prusia. Su pintura puede dividirse en dos períodos: antes de su marcha a París, eminentemente de influencia holandesa, y después de París, cuando se deja influir por el estilo de Watteau y Pesne, ofreciendo una pintura netamente realista.

THÉROIGNE DE MÉRICOURT. Revolucionaria francesa cuyo nombre real fue Anne Josephe Terwagne (Bélgica, 1762-París, 1817). Cantante en Londres hasta 1785, abrió en París un salón literario que frecuentaron Mirabeau, Danton, Camille, Brissot y otros cabecillas de la Revolución. La llamada «Amazona de la libertad» se comprometió con la Revolución desde 1789 cuando tomó parte en el ataque a la Bastilla. En 1790 fundó el Club de las Amigas de la Ley, y en 1792 pronunció un discurso en la Sociedad Fraternal de los Mínimos. T. de Méricourt, que reivindicó el derecho de las mujeres a hacer la guerra, fue atacada y azotada públicamente por las republicanas revolucionarias a causa de su fidelidad a Brissot. Murió loca en Salpetrière.

THULIN, Ingrid. Actriz sueca (Solleftea, 1929). Fue una de las actrices favoritas del realizador I. Bergman, alcanzando fama con *Fresas salvajes* (1957) y *El umbral de la vida* (1958; premio de interpretación en el Festival de Cannes). Con *El rostro* (1958), también de Bergman, se convirtió en una celebridad internacional. Thulin ha trabajado además con cineastas como Visconti, Minnelli y Renais, y desde 1960 pertenece a la compañía del teatro municipal de Estocolmo. Entre su filmografía destacan *El silencio* (1963), *La hora del lobo* (1967), *El rito* (1968) y *Gritos y susurros* (1972).

THYSSEN-BORNEMISZA, baronesa von (Carmen Cervera). Mecenas española (Barcelona, 1943). Procedente de una familia de clase media, se dio a conocer al ganar el concurso Miss España 1961. Trabajó como actriz en España, EE.UU. y México, casándose sucesivamente con Lex Barker (del que enviudó) y Espartaco Santoni (matrimonio anulado por bigamia del marido). En agosto de 1985 contrajo matrimonio con el industrial y más grande coleccionista de arte privado, barón Heinrich Thyssen-Bornemisza. Personalmente contribuyó al traslado del grueso de la colección de pintura de su marido a España en régimen de alquiler —participando en el acondicionamiento del museo y la creación de la Fundación Thyssen— y ha sido pieza fundamental para que la familia Thyssen accediera a la venta de dicho legado al Estado español (protocolo firmado en junio de 1993).

TIERNEY, Gene. Actriz cinematográfica estadounidense (Brooklyn, Nueva York, 1920). Después de papeles mediocres, se reveló en la película *La ruta del tabaco* (1941), que la situó entre las más cotizadas artistas de su país. A partir de este momento interpretó papeles de gran calidad, como en *Cuando nace el día* (1941), *El hijo de la furia* (1942), *Infierno en la tierra* (1942), *El diablo dijo no* (1943), *Laura* (1944), *La campana de la libertad* (1945), *Que el cielo la juzgue* (1946), *El filo de la navaja* (1946), *El fantasma y la Sra. Muir* (1947), *Al borde del peligro* (1950), *No me abandones* (1953), *Sinuhé el egipcio* (1955), *La mano izquierda de Dios* (1955), etc. En 1960 se casó con el millonario W. Howard Lee, regresando al cine para pequeñas colaboraciones.

TING LING. Seudónimo de la escritora china Chian Ping-shih (Hunan, 1904). Comenzó colaborando en revistas literarias, y en 1930 publicó su primera novela *Wei Hu*, centrada en la problemática de la mujer china politizada. Se afilió al partido comunista en 1932, y posteriormente trabajó en la reforma agraria, período que rememora en su novela más conocida *El sol brilla sobre el río Sankhan* (1948). En 1957, acusada de desviacionismo burgués, fue expulsada del partido. Entre sus obras destacan además *Inundación* (1932), sobre las deplorables condiciones de vida del campesinado chino, y *Mu-Chin* (1940).

TIRANA, La (María del Rosario Fernández, llamada). Actriz española (Sevilla, 1775-Madrid, 1803). Empezó su brillante carrera en los Reales Sitios, donde representó obras de Calderón, Rojas, Zorrilla, Comella, Racine, Corneille y Molière; interpretó con igual acierto la tragedia y la comedia, alcanzando gran fama y popularidad. Goya le hizo varios retratos, uno de cuerpo entero, que se conserva en la Academia de San Fernando (Madrid).

TIYI. Reina de Egipto (ss. XIII-XIV a. C.). Procedente de una familia media de la ciudad de Ajmim, fue la esposa favorita del faraón Amenofis III (din. XVIII). Según los documentos encontrados en Tell el-Amarna, los príncipes exranjeros se dirigían a ella para lograr sus proyectos, gracias a la gran influencia que ejercía sobre su marido.

TODA Aznar. Reina de Navarra (m. d. 958). Fue esposa de Sancho Garcés I y, a la muerte de éste (925), se encargó de la regencia durante la minoría de su hijo García Sánchez I, asistida por su cuñado Gimeno Garcés. Por su gran temple y energía, llevó las riendas del gobierno y, aun después de que García cumpliera la mayoría de edad, prolongó su intervención cuanto pudo en los asuntos públicos, dando pruebas de gran talento político.

TOMIRIS. Reina de los escitas (s. VI a. C.). Venció a Ciro, rey de los persas, que había dado muerte a uno de los hijos de la soberana, lo hizo degollar y metió su cabeza en un cubo lleno de sangre, para que saciase su sed de ella. En esta leyenda se inspiró Rubens para uno de sus cuadros.

TORRE, Amelia de la. Actriz de teatro y cine española (Guadalajara, 1905-Madrid, 1987). Torre, considerada una de las grandes figuras del teatro español, comenzó su carrera profesional en la compañía de Margarita Xirgu*. En 1936, en una gira por América con esta compañía, recibió la noticia de la guerra civil española, y decidió radicarse en Argentina, donde creó una compañía de teatro junto a su esposo, E. Diosdado. A principios de los años cincuenta regresó a España y formó una nueva compañía de teatro. Con un potente timbre vocal, Torre cosechó grandes éxitos en el teatro con obras como *Dulce pájaro de juventud, Madre Coraje, La loca de Chaillot, Las amargas lágrimas de Petra von Kant,* y también realizó una importante labor cinematográfica con 14 títulos en su haber, entre los que destacan *La Celestina* (1968) de C. F. Ardavín; *Plácido* (1961), de L. Berlanga; *Tormento* (1974), de P. Olea (premio del Sindicato Nacional del Espectáculo), y *Padre nuestro* (1985) de F. Regueiro.

TORRE GUTIÉRREZ, Matilde de. Política española (Santander, 1884-Cuernavaca, México, 1947). De formación autodidacta, Torre Gutiérrez llegó a adquirir una amplia cultura literaria, histórica y musical. Fue militante del PSOE y diputada en la Cortes por la región asturiana durante la Segunda República. Colaboró en varias publicaciones socialistas y en la revista *Mujeres*, y tras la guerra civil, se exilió en México. Fue además la autora de la colección de ensayos *Don Quijote, rey de España* (1928), y de la novela *Banquete de Saturno* (1932).

TORRES, Maruja. Periodista y novelista española (Barcelona, 1943). Comenzó trabajando en Barcelona donde compaginó el periodismo cinematográfico y de espectáculos con la prensa del corazón. En los años 80 se traslada a Madrid, colaborando en *Diario 16* y posteriormente en *El País*. En 1990 ganó el premio de periodismo Cuco Cerecedo, instituido por la sección española de la Asociación de Periodistas Europeos. Torres, que ha viajado por numerosos países y recogido en sus escritos la miseria y la injusticia humana, está considerada como una de la mejores periodistas de la prensa española. Entre su narrativa destacan *¡Oh, es él!* (1986), *Ceguera de amor:*

Culebrón del V Centenario (1991) y *Amor América* (1993).

TORRES ACOSTA, María Soledad. V. **MARÍA SOLEDAD Torres Acosta, santa.**

TOUR DU PIL, Louise Eléonore de La. V. **WARENS, baronesa de.**

TOYEN, Maria. Pintora checa cuyo nombre real era Maria Cerminova (Praga, 1902-París, 1980). Comenzó con el cubismo evolucionando hacia una pintura de extrema abstracción en *Vaisseau englouti* (1927) y *Maris* (1928) y posteriormente se orientó hacia el surrealismo (1930). Participó en todas las manifestaciones del grupo surrealista. Su obra está marcada por un clima extraño, fantástico, onírico y a veces con un matiz erótico. Toyen, durante y después de la segunda guerra mundial presentó la naturaleza como una poderosa metáfora de inhumanidad. Entre sus principales obras destacan *A la table verte* (1945), *Au château La Coste* (1946) y *Mythe de la lumière* (1946). Realizó también dibujos y grabados.

TRABA, Marta. Crítica de arte y escritora argentina (Buenos Aires, 1930-Madrid, 1983). Estudió historia del arte en la Universidad de Buenos Aires, y pasó la mayor parte de su vida en Colombia, donde fundó la revista *Prisma*, y en 1965 el Museo de Arte Moderno de Bogotá. Inició su carrera literaria con el libro de poemas *Historia natural de la alegría* (1951), y en 1966 su novela *Las ceremonias del verano* obtuvo el premio Casa de las Américas. *Homérica Latina* (1979), su obra más conocida, denunció la represión ejercida por los gobiernos latinoamericanos, convirtiéndose Traba en una de las primeras mujeres latinoamericanas en criticar abiertamente las torturas a la que eran sometidos los prisioneros políticos. Dejó inconclusa una trilogía a la que pertenecen *Conversaciones al sur* (1981) y *En cualquier lugar*, publicada póstumamente en 1984. Fue autora además de numerosos artículos sobre el arte contemporáneo europeo, estadounidense y latinoamericano. Murió en un accidente de avión cerca de Madrid.

TREFUSIS, Violet. Novelista británica (1894-1972). Tras mantener una intensa relación sentimental con la escritora V. Sackville-West*, se radicó en París, donde publicó las novelas *Sortie de secours* (1929) y *Eco* (1931), en las que retrató la vida de las clases burguesas inglesas. Al finalizar la segunda guerra mundial, regresó a Inglaterra y allí publicó su autobiografía *Don't Look Round* (1952).

TRÉMOUILLE, Marie Anne de La. V. **URSINOS, princesa de los.**

TRIOLET, Elsa. Escritora francesa de origen ruso (Moscú, 1896-París, 1970). Triolet fue el apellido de su primer marido, pero desde 1939 estuvo casada con el poeta francés Louis Aragon. Tras realizar estudios en arquitectura, consagró su vida a la literatura. Entre sus obras, enmarcadas dentro del realismo social y adscritas a la estética ortodoxa comunista, destacan *Bonsoir Thérèse* (1938), *Le premier accroc coûte deux cents francs* (1945; premio Goncourt), *Le rendez-vous des étrangers* (1956), y la trilogía *L'âge de nylon* (1959-63). Es autora además de numerosas traducciones de autores rusos.

TRISTAN, Flora. Feminista y socialista revolucionaria francesa (París, 1803-Burdeos, 1844). A partir de 1835 participó en el socialismo y en los grupos feministas de París, y en 1838 escribió su primer libro, *Peregrinaciones de un paria*, donde defendió la emancipación de la mujer y criticó violentamente su esclavitud. En 1840 publicó *Paseos en Londres*, y en 1843 *La unión obrera*, un colosal libro teórico que analizó las maneras de cómo debía organizarse la clase obrera para conseguir su emancipación. Tristan, considerada una de las «madres» del feminismo mundial, ligó la liberación de la mujer a la de todo el proletariado y abogó por su igualdad intelectual y profesional.

TROTTA, Margarethe von. Actriz, directora y guionista de cine alemana (Berlín, 1942). Von Trotta, considerada una de las directoras más conocidas del nuevo cine alemán, comenzó su carrera como actriz de teatro y a finales de los años 60 apareció en las películas de R. W. Fassbinder y V. Schlöndorff (con quien se casó). Ha sido guionista de *The Sudden Wealth of the Poor People* (Schlöndorff, 1971) y codirectora de *El honor perdido de Katherina Blum* (Schlöndorff, 1975), y en 1977 debutó como directora con *El segundo despertar de Christa Klages*, donde revela una aguda atención a los problemas femeninos. Entre su filmografía destacan además *Hermanas o El balance de la felicidad* (1979), *Rosa Luxemburgo* (1985) y *La mujer africana* (1990).

TRÓTULA o TROTA. Médica italiana (m. Salerno, 1085). Estudió medicina, especializándose en las enfermedades de las mujeres. Se le atribuye el descubrimiento de la perineografía y es autora de dos tratados: *De aegritudinum curatione* y *De passionibus mulierum*. Tuvo gran fama como cirujano, siendo una de las primeras en realizar la clasificación de las enfermedades en congénitas, contagiosas y otras.

TS'E-HI o TZEU-HSI. Emperatriz de la China (1834-1908). Fue concubina del emperador Hien-fong (1851), al que dio un hijo

(1856) que fue declarado heredero con el nombre de T'ong-che (1861). A la muerte de Hien-fong, y de acuerdo con la emperatriz, se reservó la dirección del gobierno, que su hijo, mayor de edad desde 1870, abandonó en sus manos. A la muerte de éste (1875), hizo proclamar emperador a Kuang-siu, de tres años, del que fue regente tras la muerte de la emperatriz (1881), envenenada. Sus colaboradores en el gobierno fueron Kong (1861-1884 y 1894-1898) y Li Hong-chang (1884-1894). Kuang-siu la apartó del poder (1898), pero ella se recuperó rápidamente y en el mismo año el emperador y sus colaboradores fueron encarcelados y ejecutados. Suspendió todas las reformas y favoreció las sociedades secretas que produjeron la revolución xenófoba de 1900. Después del tratado de Pekín (1901), comprendió la necesidad de reformas, llamó a los partidarios de la Nueva China y anunció en 1908 un programa reformador en nueve años que culminaría con la elección de una asamblea nacional.

TUDÓ, Pepita. Dama española, condesa de Castillo Fiel (m. 1869). Fue la amante de Manuel Godoy, de quien tuvo dos hijos. Éste la siguió frecuentando pese a su matrimonio con la condesa de Chinchón*, de tal manera que llegó a hablarse de un matrimonio secreto. Al enviudar Godoy, se casó con ella (1828), pero pronto se separaron.

TURNER, Lana (Julia Jean Turner, llamada). Actriz de cine estadounidense (Idaho, 1921). Debutó en el cine en 1937, donde se impuso como una excelente mujer fatal, especialmente en papeles de corte melodramático. Fue uno de los grandes *sex-simbols* de los años 40. Entre sus películas destacan: *El extraño caso del doctor Jekyll* (1941), *Fin de semana en el Waldorf* (1947), *La viuda alegre* (1952), *Cautivos del mal* (1952), *Las lluvias de Ranchipur* (1958), *Soltero en el paraíso* (1961), etc.

TURNER, Tina (Annie Mae Bullock, llamada). Cantante estadounidense (Brownsville, 1938). En 1960 alcanzó gran éxito con

Tina Turner en concierto

a canción *«soul» River Deep, Mountain High*, junto con el grupo Kings of Rhythm, dirigido por su marido Ike Turner. Tras su divorcio, inició una brillante carrera individual, avalada por su potente voz e imagen, que la convertirían en una de las principales estrellas del rock mundial. En su discografía destacan *Private dancer* (1982), *What's Love Get to Do With It* (1984) y *Foreign Affair* (1989). Turner ha intervenido además en varias películas, tales como *Tommy* (1974), opereta rock dirigida por K. Russell, en la que interpretó a «Acid Queen», y en *Mad Max*.

TUSQUETS, Esther. Editora y novelista española (Barcelona, 1936). Ha sido directora de la editorial Tusquets, y posteriormente de la editorial Lumen. Entre sus publicaciones destacan *El mismo mar de todos los veranos* (1978), *Varada tras el último naufragio* (1980), centrada en la problemática de la identidad sexual, y *Para no volver* (1985). Es autora además de la colección de relatos *Siete miradas en un mismo paisaje* (1981).

TYLER, Anne. Novelista estadounidense (Minnesota, 1941). Sus novelas exploran las tensiones que suscitan el control de la vida familiar y la reafirmación del mundo individual: *Celestial Navigation* (1974), *Dinner at the Homesick Restaurant* (1982) y *El turista accidental* (1985), sobre las múltiples posibilidades con las que se enfrentan las personas a lo largo de sus vidas. Es autora además de *Breaking Lessons* (1989) y *Saint Maybe* (1991).

JLANOVA, Galina Ser- guéievna. Bailarina soviética San Petersburgo, 1910). Ulano- 'a, hija de unos bailarines del Teatro Marinsky (S. Ulánov y M. Románovna), estudió en el nstituto de Ballet de Leningrado 1928), y tras ser solista del Teatro Kirov, en 1944 pasó a ser miembro permanente del Bolshoi de Moscú. Bailó en numerosos países de Europa y en EE.UU., y en 1962 se dedicó a la enseñanza en la escuela de baile del Bolshoi. Está considerada una de las más destacadas representantes del ballet clásico ruso. Entre sus piezas destacan *El jinete de bronce* (Zajárov, 1949), *La amapola roja* (Lavroski, 1949) y *La flor de piedra* (Lavroski, 1954).

Galina Serguéievna Ulanova

ULIANOVA, Anna Iljinichna. Revolucionaria rusa (1864-1935). Hermana de Lenin, ejerció como profesora en la universidad femenina de San Petersburgo (1883). Detenida en 1887 por el atentado cometido por su otro hermano, A. I. Ulianov, contra el zar Alejandro III, se exilió de Rusia en 1900. A su regreso ostentó varios cargos directivos del partido comunista y en 1916 fue desterrada a Astrakán. Colaboró activamente en la Revolución de octubre y posteriormente fue directora de la sección de protección infantil en el Comisariado de Instrucción Popular.

ULLMANN, Liv. Actriz noruega (Tokio, 1938). Comenzó trabajando en el teatro en Londres y en Oslo, convirtiéndose posteriormente en una de las actrices preferidas del director I. Bergman: *Persona* (1965), *La vergüenza* (1968), *Pasión* (1969), *Gritos y susurros* (1972), *Secretos de un matrimonio* (1973), *Cara a cara al desnudo* (1976), *El huevo de la serpiente* (1977) y *Sonata de Otoño* (1978). Con otros directores ha participado en *Los emigrantes* (1969), *La nueva tierra* (1972) y *La esposa comprada* (1974), de J. Troell; *Un puente lejano* (Attenborough, 1977), *Las cosas de Richard* (Harvey, 1980), *Gaby, una historia verdadera* (Mandoki, 1987) o *Mindwalk* (B. Capra, 1990). Son importantes también sus actuaciones teatrales y en televisión. Es además la autora de *Senderos* (1977), libro de memorias.

UNDSET, Sigrid. Escritora noruega de origen danés (Kallundorg, 1882-Lillehamer, 1949). Sus primeras novelas se centraron en los problemas de la mujer trabajadora (*La señora Marta Ulia*, 1907; *Jenny*, 1911; *Las mujeres sabias*, 1914), pero su gran popularidad se debió sobre todo a las novelas históricas, muchas de ellas ambientadas en la Noruega medieval en donde hombres y mujeres se debatían entre el amor carnal y el amor divino: *Kristin Lavransdatter* (1920-1922) y *Olaf Audunssön* (1925-1927). En 1928 le fue concedido el premio Nobel de Literatura, y en 1940 se exilió en EE.UU., donde colaboró activamente con el movimiento antinazi. Tras regresar a su país (1945), redactó la biografía de Catalina de Siena, publicada póstumamente en 1951.

URAIB. Poeta y cantante árabe (Bagdad, s. IX). Perteneciente a la clase de las *jawari* (jóvenes concubinas), se convirtió en una de las mujeres más célebres del reinado de los Abasidas, gracias a una de sus composiciones musicales en la que Uraib aseguraba ser una de las descendientes directas del profeta Mahoma.

URBANO, Pilar. Periodista española contemporánea. Cursó estudios en la Escuela Oficial de Periodismo en Madrid. Ha trabajado en los periódicos *Nuevo Diario*, *Las Provincias*, *ABC* y *Arriba*; en las revistas *La Actualidad Española*, *Sábado Gráfico*, *Gaceta Ilustrada* y *Telva*; en las emisoras de radio RNE, SER y COPE. Desde el 1975 escribe para el periódico *Ya* y en el presente trabaja para la revista *Época* y colabora con el periódico *El Mundo*.

UREÑA DE HENRÍQUEZ, Salomé. Poeta y pedagoga dominicana (Santo Domingo, 1850-íd.,1897). Estudió filosofía, historia, inglés y francés, y mostró una preocupación constante por la libertad y el progreso de su país. Considerada una de las figuras más relevantes de su época, Ureña de Henríquez luchó arduamente por elevar el nivel educativo de las mujeres de su país. Entre sus poesías destacan *La fe en el porvenir*, *La gloria del progreso*, *Ruinas*, *Mi ofrenda patria* y *Sombras* (1881), en la que manifiesta su descontento ante la realidad política de su país.

URRACA de Castilla. Reina de Navarra (m. 1189). Casada en 1144 con García Ramírez, era hija bastarda del rey de Castilla, Alfonso VII. A la muerte de su esposo, en 1150, su padre la nombró gobernadora de Asturias, hasta contraer segundas nupcias con el caballero palentino Álvaro Rodríguez. Fue enterrada en Palencia, conservándose su cuerpo incorrupto en la catedral.

URRACA de Castilla. Reina de Castilla y de León (¿?, 1077-Saldaña, 1126). Comenzó a reinar siendo viuda del conde Ramón de Borgoña, en 1109; contrajo segundas nupcias con el rey de Aragón Alfonso I el Batallador, lo que produjo general descontento en castellanos y leoneses; se arrepintió luego la reina, lo que ocasionó larga serie de guerras, venciendo el aragonés en las célebres batallas de Camp de Espina y de Viadangos. En las Cortes de Castilla y de León se declaró nulo el matrimonio, pero siguieron las discordias, fomentadas las de Galicia por el obispo Diego Gelmírez, que defendía los derechos del hijo, Alfonso Raimúndez. Reinó juntamente con su hijo Alfonso VII, al llegar éste a su mayor edad, hasta su muerte.

URRACA Fernández de Castilla. Infanta castellana (c. 1033-1101). Hija de Fernando de Castilla y Sancha I de León. Urraca sentía gran predilección por su hermano Alfonso VI y le apoyó en las luchas civiles que le enfrentaron con sus hermanos Sancho II y García I de Castilla. Al parecer también intervino en el asesinato de su hermano Sancho II. Al iniciar Alfonso VI su reinado concedió a su hermana el gobierno de Zamora (1056) con el título de reina y durante los primeros años de su reinado Urraca participó activamente en los asuntos de gobierno (1090-95). Vivió los últimos años de su vida en un monasterio. Su figura ha sido recogida por la literatura española en varias y notables obras.

URRACA López. Reina de León (m. 1226). Hija del señor de Vizcaya, Lope Díaz de Haro, desde 1180 fue la amante del rey leonés Fernando II. Estas relaciones se formalizaron en boda (1187), lo que favoreció la privanza de los Haro en el reino leonés. El nacimiento de su hijo Sancho la enemistó con su hijastro Alfonso IX. A la muerte de su marido (1188) trató de formar un partido que llevara a su hijo al trono, pero Alfonso IX lo impidió, pasando Urraca a refugiarse en Castilla. En 1202, Alfonso IX la despojó de las fortalezas que seguía manteniendo en León, como cesión de su marido.

URSINOS, princesa de los (Marie Anne de La Trémouille). Cortesana y política francesa (París, 1642-Roma, 1722). Hija de Louis de La Trémouille, estuvo casada en primeras nupcias (1657) con el príncipe de Chalais, viviendo en España largas temporadas, y en segundas (1675) con el duque de Braciano, príncipe de Orsini, de donde derivaron los españoles la denominación de princesa de los Ursinos, con que es más conocida. Con este último estuvo en Roma, donde conoció al cardenal Portocarrero. Viuda en 1698, volvió a Francia y, gracias a madame de Maintenon*, acompañó a España, como camarera mayor, a María Luisa Gabriela* de Saboya, primera esposa de Felipe V. Ejerció sobre ambos esposos una gran influencia hasta el punto que Luis XIV le ordenó volver a Francia (1704). Pero pronto regresó a la Península, convirtiendo a su amante Orry en uno de los grandes de la política española. Se enfrentó a Luis XIV (1708-1711) durante la guerra de Sucesión, aconsejando a Felipe V e interviniendo en la redacción de los tratados de Utrecht (1713) y Rastadt (1714). Sin embargo, su actuación política resultó beneficiosa para el país y contribuyó a la consolidación en el trono del nuevo rey. Viudo Felipe V y casado en segundas nupcias con Isabel* de Farnesio (elegida por ella), la princesa fue expulsada bruscamente de España, de donde hubo de salir sin servidumbre y sin dinero en pleno invierno. Se retiró a Holanda, Génova y más tarde a Roma (1716).

Marie Anne de La Trémouille, princesa de los Ursinos

UTTMANN, Barbara. Encajera e industrial alemana (Elterlein, 1514-Annaberg, 1575). Esposa de un rico industrial, Christian Uttman, cuando quedó viuda se dedicó a enseñar el arte del encaje, haciendo venir a su palacio de Annaberg, en 1561, a obreros de Flandes. Mujer con un gran sentido para los negocios, hizo que esta industria textil diera prosperidad a la montañas de Hertz.

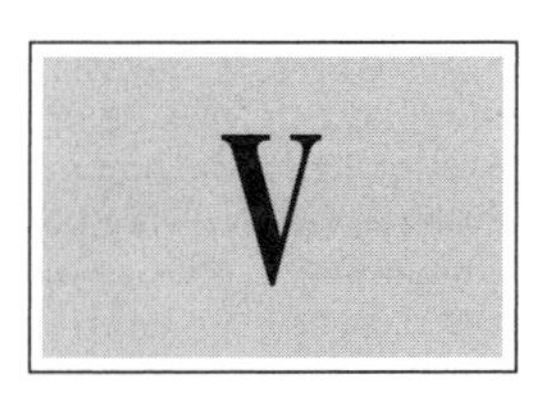

VALANDON, Susan. Pintora francesa (Bessines-sur-Gartempe, 1865-París, 1938). Valandon, hija natural de una lavandera, fue modelo, a comienzos de la década de 1880, de Puvis de Chavannes, Toulouse-Lautrec, Renoir y Degas, convirtiéndose posteriormente en pintora. Está considerada, junto a P. Modersohn-Becker*, como la primera artista que trabajó a fondo el desnudo femenino. Sus desnudos de cuerpo entero, pesados y rollizos, y colocados con frecuencia en escenarios domésticos concretos, combinan la observación con un conocimiento del cuerpo femenino basado en su experiencia como modelo. Pintó además paisajes y bodegones, y participó en la bohemia de París de comienzos del siglo XX. Entre sus obras, expuestas en los mejores museos del mundo, figuran *Abuela y muchacha entrando a la bañera* (h. 1908) y *El dormitorio azul* (1923).

VALCÁRCEL, Amelia Díaz. Filósofa y teórica feminista española (Madrid, 1950). Obtuvo su doctorado en Filosofía en la Universidad de Valencia y trabaja como profesora de Filosofía Moral y Política en la Universidad de Oviedo. Considerada una de las principales representantes españolas del feminismo «de la igualdad», Valcárcel es autora de varios artículos sobre las relaciones entre filosofía moral y política. Ha dirigido y coordinado diversos seminarios, y participado como ponente y conferenciante en numerosos cursos, jornadas, encuentros y congresos. Es colaboradora habitual del Consejo Superior de Investigaciones Científicas, de la Universidad Complutense de Madrid, y asesora de varias revistas y colecciones editoriales. Entre sus libros destacan *Hegel y la Ética, sobre la superación de la «mera moral»* (1988; finalista del premio Nacional de Ensayo) y *Sexo y filosofía* (1991).

VALENZUELA, Luisa. Escritora argentina (Buenos Aires, 1938).

Comenzó colaborando en varios periódicos, y fue la editora de la revista *Crisis*. En 1976 se radicó en EE.UU., donde fue directora del Instituto para las Humanidades y Escritores residentes de la Universidad de Columbia. Su literatura se ha centrado fundamentalmente en la denuncia de la represión y la violencia de los regímenes políticos y en el rechazo de las prejuiciadas estructuras sociales y morales que atentan contra la libertad de la mujer: *El gato eficaz* (1972), *Cola de lagartija* (1983) y *Novela negra con argentinos* (1990). Es autora además de los libros de relatos *Los heréticos* (1967), *Aquí pasan cosas raras* (1975) y *Donde viven las águilas* (1983).

VALLIERE, duquesa de la (Louise de la Baume le Blanch). Cortesana francesa (Tours, 1644-París, 1710). Fue favorita de Luis XIV, que tuvo de ella cuatro hijos, de los cuales sólo le vivieron dos, que fueron más tarde reconocidos por el monarca. Suplantada en el favor real por madame de Montespan*, se retiró a un convento, con el nombre de sor Luisa de la Misericordia.

VANDERBILT, Gloria. Empresaria estadounidense (Nueva York, 1924). Vanderbilt está considerada una de las empresarias más activas de EE.UU. Ha actuado en obras de teatro *(The Swan)*, publicado poesías *(Love Poems)* y novelas *(Había una vez)*, además de dedicarse a la pintura, la decoración y el periodismo. Es célebre por su perfume «Vanderbilt», uno de los más vendidos en los EE.UU.

VARDA, Ágnes. Directora de cine belga (Bruselas, 1928). Fue fotógrafa del Théâtre National Populaire y periodista gráfica internacional. En 1954, con su película *La pointe courte*, Varda se adelanta a las técnicas desarrolladas por la *nouvelle vague*. Su filmografía mezcla aspectos documentales y ficcionales: *La felicidad* (1965), *Una canta, la otra no* (1966), *Sin techo ni ley* (1985), en la que reconstruye la vida de una joven vagabunda, y *Jacquot de Nantes* (1991). Entre sus trabajos exclusivamente documentales destacan *O saisons, O Chateaux* (1956), *Black Panthers* (1968), *Mur, murs* (1981) y *Kung-fu Maters* (1987).

VARGAS, Chavela. Cantante mexicana (n. 1919). Es la intérprete de canciones como *La macorina*, *La llorona*, *Volver, volver*, *Que te vaya bien*. *La macorina*, su canción insignia, escrita para ella por el español Alfonso Camín, ha recorrido todo el mundo y llegó a convertirse en el estandarte de la guerrilla latinoamericana. Por espacio de 15 años estuvo aislada en una finca en Cuernavaca a causa del alcohol. En 1993 revive con éxito su arte en Madrid, donde graba un nuevo disco con el título *Volver, volver*.

VARO, Remedios. Pintora española (Barcelona, 1913-Ciudad de México, 1963). Cursó estudios en la Academia de San Fernando, en Madrid. Radicada en México desde 1942, su obra pictórica retrata una naturaleza fantástica, poética y miniaturista. Entre sus pinturas destacan *Armonía* (1956), *Vagabundo* (1958) y *Mimetismo* (1960).

VAUGHAN, Sarah Lois. Cantante de jazz estadounidense (Newark, 1924-Los Ángeles, 1990). Estudió piano y órgano, y en 1943 fue contratada por E. Hines como cantante y pianista, trabajando además con B. Eckstine y G. Treadwell. En 1946 inició su carrera como solista, convirtiéndose en la cantante preferida de los músicos del estilo «be-bop» y colaborando con músicos de jazz de la talla de D. Gillespie, C. Basie, C. Parker y M. Davis. Entre su discografía destacan *Interlude* (1944), *Lover Man* (1945), *Black Coffee* (1949), *How to High the Moon* (1955), *Sassy's Blues* (1963) y *Autumn Leaves* (1982).

VEGA, Ana Lydia. Escritora puertorriqueña (San Juan, 1946). Estudió literatura en Puerto Rico y Francia, y fue fundadora de la revista *Reintegro*. Su primer libro de relatos, *Vírgenes y mártires* (1981), escrito en colaboración con C. Lugo Filippi y centrado en la problemática social de la mujer caribeña, se convirtió en un auténtico éxito editorial. El discurso narrativo de Vega emplea el lenguaje coloquial puertorriqueño como recurso literario primario y analiza la realidad social desde una perspectiva caribeña: *Encancaranublado* (1982; premio Casa de las Américas), *Pasión de historia* (1987), enmarcado dentro del género policiaco y de horror, y *Falsas crónicas del sur* (1991).

VEIL, Simone. Abogada y política francesa (Niza, 1927). Diplomada en Derecho por el Instituto de Estudios Políticos de París, ingresó en la magistratura en 1956 y ha sido secretaria del Consejo Superior de la Magistratura (1970-1974), ministra de

Simone Veil

Sanidad (1974-1977), de Sanidad y Seguridad Social (1977-1978) y de Sanidad y Asuntos Familiares (1978-1979). Durante su gestión promovió la ley del aborto. Miembro del Parlamento Europeo desde 1979 —que presidió de 1979 a 1981—, en las elecciones a esta Cámara celebradas en 1984 mantuvo su escaño como cabeza de lista de la coalición francesa de oposición (U.D.F.R.P.R) y en 1989 fue reelegida como líder de la candidatura centrista. En 1981 se le concedió el premio Internacional Carlomagno.

VELASCO, Concha (Concepción Velasco Varona, llamada). Actriz española de teatro y cine (Valladolid, 1939). Debutó en la revista y la comedia musical (*Te espero en Eslava*, 1957), llegando al cine a finales de los 50. Desde esa época se hizo actriz habitual en las pantallas con películas como *Las chicas de la Cruz Roja* (Salvia, 1958), *El día de los enamorados* (Palacios, 1958) e *Historias de la televisión* (Sáenz de Heredia, 1959). Posteriormente continuó su carrera teatral con obras como *Las que tienen que servir* (1962), *Llegada de los dioses* (1971), *Las arrecogías del beaterío de Santa María Egipcíaca* (1977), *Filomena Marturano* (1979) y *Buenas noches, madre* (1984). El mayor cambio en su carrera ocurrió a mediados de los 70, pasando a interpretar en cine papeles más complejos: *Tormento* (Olea, 1974), *Las largas vacaciones del 36* (Camino, 1976), *La hora bruja* (Armiñán, 1985) y *Esquilache* (J. Molina, 1988); así como en la serie sobre *Santa Teresa* (J. Molina, 1984). Entre sus actuaciones en el teatro, hay que destacar su interpretación en *Carmen, Carmen* (1990), comedia musical con texto de A. Gala. Actualmente se dedica al espectáculo televisivo, especialmente en las cadenas privadas.

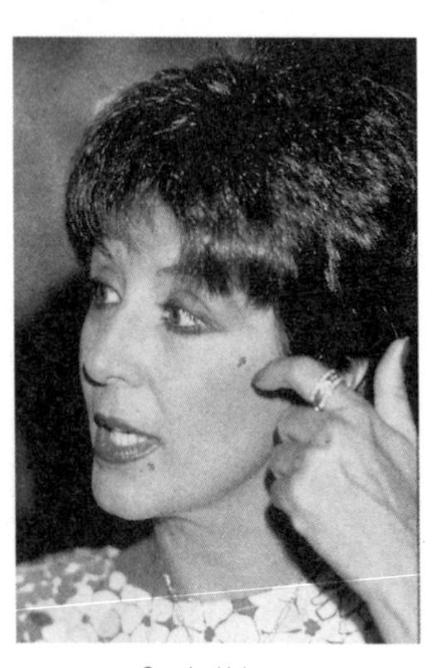

Concha Velasco

VÉLEZ, Lupe (Guadalupe Villalobos, llamada). Actriz mexicana (San Luis de Potosí, 1906-Beverly Hills, California, 1944). Estuvo casada sucesivamente con Gary Cooper y Johnny Weismuller. Sobresalió principalmente interpretando el tipo dinámico de aventurera, donde su fogoso temperamento artístico quedó patente. Entre sus numerosas películas destacan: *El Gaucho* (Fairbanks, 1927), *Dinamita* (1930), *The Squaw Man* (1931), etc. Se despidió de la escena con la comedia musical *You Never Know* (1938), suicidándose en su casa de Beverly Hills (1944).

VELLEDA. Profetisa y patriota germana (s. I). Tomó parte en la insurrección de los bátavos mandados por Civilis contra Roma el año 70. Después de la sumisión de Civilis, continuó ella al frente de la insurrección; pero, vencida, fue conducida a Roma, donde figuró en el triunfo de Domiciano.

VERÓNICA, santa. Piadosa matrona romana que, según la tradición, enjugó el sudor del rostro de Jesús cuando, agobiado por el peso de la Cruz, subía al monte Calvario.

VETSERA, Maria. Baronesa austriaca (Viena, 1871-pabellón de caza de Mayerling, al SO de Viena, 1889). Pertenecía a una familia rica pero de condición nobiliaria reciente, lo cual retrasaría hasta 1886 su presentación ante la rígida corte de Viena. Un año después conoció al archiduque y príncipe heredero Rodolfo, casado desde 1881 con Stephanie, hija de Leopoldo II de Bélgica. El príncipe despertó inmediatamente en la romántica baronesa una pasión desesperada. Rodolfo estaba menos enamorado pero era infeliz en su matrimonio y, por otra parte, había visto frustrado su deseo de ser coronado rey de una Hungría independiente. El miedo a que la relación fuese descubierta y un creciente desequilibrio mental llevaron a Rodolfo a proponer a la baronesa un suicidio conjunto, que ella aceptó. Los intentos por parte del emperador Francisco José y de sus consejeros de ocultar el suceso desataron las peores especulaciones y una abundante literatura.

VIARDOT, La (Micaela Paulina García de Viardot, llamada). Mezzosoprano y compositora española (París, 1821-íd., 1910). Fue hija del tenor español Manuel del Popolo Vicente García y hermana de María García Malibrán* y de Manuel Vicente García. Discípula de su padre, gozó de gran fama y recorrió los principales países de Europa, inaugurando su tipología vocal —mezzo— como protagonista. Contrajo matrimonio con su empresario, el escritor francés Louis Viardot (1841), y poco después de 1859 se retiró de la escena y se consagró a la enseñanza del canto. Compuso numerosas melodías vocales y tres operetas. Educó a sus tres hijos en la práctica de diversas disciplinas artísticas, llegando todos a ser grandes artistas (madame Chamerot —pintora—, Paul Viardot —violinista y director de orquesta— y madame Duvernoy —pianista—).

VICENTE, Paula. Actriz y dramaturga española (h. 1600-1660). Actuó en varias de las obras teatrales escritas por su padre, Gil Vicente, y fue alabada por su dotes musicales. Fue autora de algunas piezas teatrales y del manual léxico *Arte de las lenguas inglesa y holandesa.*

VICTORIA de Sajonia-Coburgo. Emperatriz de Alemania y reina de Prusia (Buckingham Palace, 1840-Friedrichshof, 1901). Era hija de la reina Victoria* de Inglaterra y del príncipe consorte Alberto de Sajonia-Coburgo. Contrajo matrimonio en 1858 con Federico Guillermo, príncipe heredero de Prusia, quien murió al día siguiente de su elevación al trono en 1888. Las malas relaciones con su hijo Guillermo II obligaron a Victoria a terminar sus días alejada de la corte.

VICTORIA I. Reina de la Gran Bretaña e Irlanda y emperatriz de la India (Londres, 1819-isla de Wight, 1901). Era hija de Eduardo, duque de Kent, y de Luisa Victoria, princesa de Sajonia-Coburgo. Subió al trono en 1837, a la muerte de su tío Guillermo IV, y se casó con su primo hermano el príncipe Alberto de Sajonia-Coburgo. El largo reinado de esta soberana —sesenta y tres años— fue sumamente próspero para su país. Victoria se atuvo estrictamente al régimen constitucional y siempre se hizo eco de los dictados de la opinión pública, conociéndose como la «Época victoriana». Entre sus colaboradores se encontraron grandes políticos, como lord Melbourne —quien guió sus primeros años de reinado—, lord Palmerston —con quien mantuvo difíciles relaciones, hasta la guerra de Crimea—, Gladstone, Disraeli —jefe de los conservadores y el más fiel de sus ministros, que consiguió la adquisición de las acciones del Canal de Suez y el nombramiento de Emperatriz de la India para su soberana (1876)—. De su marido, muerto en 1861, tuvo nueve hijos, a través de quienes emparentó con las principales casas reinantes europeas —Alemania, Rusia, España, etc.

La reina Victoria de Inglaterra

VICTORIA DE LOS ÁNGELES (Victoria de los Ángeles López García de Magriñá, llamada). Soprano española (Barcelona, 1924). Obtuvo el primer premio en el Concurso Internacional de Arte Lírico celebrado en Ginebra en 1947. Ha dado audiciones con éxito extraordinario en las principales salas de Europa. En noviembre de 1950 actuó en Nueva York y causó la admiración de aquel público por la brillantez de su voz y lo refinado de su técnica. Desde 1951 ha cantado en los teatros de ópera y salas de concierto más importantes del mundo, siempre con éxito, e intervino en las primeras audiciones de *La Atlántida*, de Falla (1960). En su repertorio destaca la perfección a la que llega en la interpretación de lieders románticos y obras de Fauré y Debussy. En 1991 se le concedió el premio Príncipe de Asturias de las Artes.

Victoria Eugenia de Battenberg

VICTORIA EUGENIA de Battenberg. Reina de España (Balmoral, 1887-Lausana, 1969). Era hija del príncipe Enrique Mauricio de Battenberg y de la princesa Beatriz, hija menor de la reina Victoria* de Inglaterra. Contrajo matrimonio, en 1906, con Alfonso XIII. Durante su permanencia en España se distinguió por su gran altruismo, y fue la organizadora de la Fiesta de la Flor, para obtener recursos con que combatir la tuberculosis. Al proclamarse la República el 14 de abril de 1931, marchó al extranjero. Retornó a España en 1967 para asistir al bautizo de su nieto Felipe. En abril de 1985 fueron trasladados sus restos mortales, procedentes de Ginebra, a España y enterrados en el Panteón de Reyes del Monasterio de San Lorenzo de El Escorial.

VIEBIG, Clara. Escritora alemana (Tréveris, 1860-Berlín, 1952). De tendencia naturalista, Viebig describió y analizó la vida de los marginados sociales y dio especial atención al tema de la mujer trabajadora. Se la recuerda como una de las escritoras alemanas del período de entresiglos de mayor aceptación popular: *Hijos de Eifel* (1897), donde describe el ambiente social de esta región prusiana; *La aldea de las mujeres* (1900), considerada su mejor obra, y *La guardia del Rhin* (1902).

VIEIRA DA SILVA, Maria Elena. Pintora francesa de origen portugués (Lisboa, 1908-París, 1992). Estudió en la Escuela de Bellas Artes de Lisboa y en 1928 se radicó en París, realizando su primera exposición en la Galería Jeanne Bucher (1933). Durante la segunda guerra mundial abandonó París y se radicó en Brasil (1940-1947). Su obra se mueve entre la figuración y la abstracción con un peculiar interés por el espacio de la composición que le permitió replantear la perspectiva desde una dimensión cuasi-laberíntica. En 1961 recibió el gran premio de la Bienal de São Paulo, y en 1966 el gran premio Nacional de las Artes. Entre sus obras destacan *Solitude des Losanges* (1939), *La habitación gris* (1950), *Pont Transbordeur* (1951), considerada su pintura más representativa, y *La imagen del viento* (1966).

VIENTÓS GASTÓN, Nilita. Abogada, publicista e intelectual puertorriqueña (San Sebastián, 1908-íd., 1989). Estudió Derecho en la Universidad de Puerto Rico y fue la primera mujer en ejercer como abogada en el Departamento de Justicia de Puerto Rico, y en ocupar la presidencia del Ateneo Puertorriqueño. Considerada como una de las principales defensoras de la cultura literaria hispanoamericana, adquirió renombre internacional como fundadora y directora de la prestigiosa revista literaria *Asomante* y posteriormente de la revista *Sin Nombre* (1969).

VIGÉE-LEBRUN, Louise Elisabeth. Pintora francesa (París, 1755-íd., 1842). Vigée-Lebrun, pintora retratista, adquirió casi toda su formación de manera independiente y fue la pintora favorita de la reina María Antonieta. Obtuvo un gran renombre entre la aristocracia parisina, sobre todo con el retrato que hizo de María Antonieta en 1779, considerado una de sus mejores obras. En 1782 hizo su primera exposición en el Salón de La Correspondance, y en 1783 fue nombrada miembro de la Académie Royale. A raíz de la Revolución francesa se vio obligada a exiliarse de Francia, viajando por numerosos países europeos donde dejó testimonio de sus obras, entre ellas los retratos de siete soberanas. Destacan además sus retratos *Príncipe de Gales*, *Lord Byron*, *Autorretratos* y *Madame de Staël*. Entre 1835 y 1837 publicó sus memorias bajo el título de *Recuerdos*.

VIGRI, Catalina. V. **CATALINA de Bolonia, santa.**

VILLAR, Isabel. Pintora española (Salamanca, 1943). Estudió en la Escuela de Bellas Artes de San Eloy de Salamanca (1948) y posteriormente en la de San Fernando, en Madrid. Su pintura se mueve en el espacio que queda entre los límites del *pop,* el hiperrealismo, el realismo, el ingenuismo y el *naïf,* aunque no se la puede incluir en ninguna orientación estilística determinada. La obra de Villar plasma escenas de la realidad cotidiana y la imaginería popular: desde las corridas de toros hasta el paseo por el parque, paisajes, gitanos, familias, jardines y, recientemente, ángeles acompañados de animales salvajes que se sitúan en playas o jardines de refinados detalles naturalistas. Entre sus obras destaca *Las amigas de la novia* (1987). Su obra aparece expuesta en varios museos nacionales.

VILLARS, marquesa de (Marie Gigault de Belfonds). Escritora epistolar francesa (1624-1709). Desde Madrid, donde su marido, el consejero Pierre de Villars, había sido destinado como embajador de Francia, escribió entre 1679 y 1681 sus famosas *Cartas*, de las que nos han llegado treinta y cinco. Estaban dirigidas a madame de Sévigné* y a madame de Coulanges y constituyen un valioso documento para el estudio de la vida en la corte de Carlos II de España.

VILLEGAS, Micaela. V. **PERRICHOLI, La.**

VILLENA, sor Isabel de. Escritora española, cuyo nombre real era Leonor de Villena (Valencia, h. 1430-íd., 1490). Era hija natural del infante don Enrique de Villena y profesó por voluntad propia en el convento de la Santísima Trinidad de las clarisas de Valencia. Entre 1463 y 1490 gobernó este monasterio como abadesa y para sus monjas escribió en catalán una vida de Jesucristo, *Vita Christi*, llena de citas de clásicos, y otros textos. El relato está lleno de frescas descripciones realistas y de ingenuidad, dando una visión elegante y fresca de las costumbres de la aristocracia contemporánea. Junto a los personajes evangélicos, sor Isabel crea una serie de personificaciones de la Pureza, la Humildad y la Contemplación, que aumentan el carácter humanista del relato. El texto también contesta, por su gran tinte femenino, a la misoginia del *Espejo* de Jaume Roig, autor al que conoció.

VIOLANTE de Aragón. Reina de Castilla (m. h. 1300). Hija de Jaime I y de Violante* de Hungría, se casó en Valladolid (1246) con Alfonso X el Sabio, rey de Castilla. Estuvo a punto de ser repudiada por esterilidad (llamamiento de Cristina de Noruega), pero en 1254 dio a luz a Berenguela, su primogénita. Después tuvo diez hijos, entre ellos Alfonso de la Cerda y Sancho IV. A la muerte de su marido, fue partidaria de los infantes de la Cerda, sus nietos, frente a Sancho IV, proclamado rey. Por ello se trasladó a Aragón, luchando incansablemente contra su hijo. No se sabe ciertamente que interviniera en asuntos de Estado, pero es la primera consorte que aparece habitualmente como consentiente en la documentación real castellana.

VIOLANTE de Bar. Reina de Aragón (1363-Barcelona, 1431). Hija de Roberto de Bar, se casó con el futuro rey Juan I (1379) y se enfrentó a Pedro el Grande y a Sibila* de Fortià. A la muerte de su suegro, don Pedro (1787), emprendió duras persecuciones contra el partido de Sibila e intervino activamente en los asuntos de gobierno, acrecentando el gusto de Juan I por el refinamiento, convertida la corte aragonesa en una de las más florecientes de Europa y provocando la indignación de las Cortes (Monzón, 1383 y 1388) por el despilfarro realizado. A la muerte de su marido (1396), se opuso al nombramiento de Martín el Humano, alegando estar encinta. Muerto también Martín (1410), presentó al trono aragonés la candidatura de su nieto Luis de Calabria.

VIOLANTE de Hungría. Reina de Aragón (m. Huesca, 1251). Hija de Andrés II de Hungría, fue la segunda esposa de Jaime I el Conquistador, de quien tuvo a Pedro el Grande y a Jaime de Mallorca. Doña Violante intervino activamente en asuntos de gobierno y fomentó las tareas de la reconquista de Valencia (1236), con la intención de lograr un patrimonio para sus hijos: de hecho, Jaime I les dona Baleares, Montpellier, las tierras reconquistadas en Valencia y otros territorios. Esta política de Jaime I, avivada por la intervención de Violante, lo enemistó con su primogénito Alfonso, hijo de Leonor* de Castilla.

VIRGINIA. Dama romana (m. Roma, 449 ó 441 a. C.). Su historia se inscribe en la segunda sedición de la plebe al Aventino. era hija de un centurión y fue deseada por el decenviro Apio Claudio, que intentó utilizar su posición para lograrla; su padre la mató para evitar que fuera deshonrada y se refugió con los soldados y la plebe en el Aventino hasta la caída del Decenvirato.

VISCONTI, Valentina. Política italiana (1366-Blois, 1408). Era hija del duque de Milán Gian Galeazzo Visconti. Por orden de su padre se casó con Luis de Orleans, logrando así el apoyo de los franceses para vencer a la liga florentina (1387).

VITIELLO, Elena. V. **CARTIER, condesa de.**

VITTI, Mónica (Maria Luisa Ceciarelli, llamada). Actriz de cine italiana (Roma, 1933). Comenzó a trabajar en el teatro

(1952), donde mostró singulares dotes para la comedia, y en 1956 hizo su aparición en el cine con *El abrigo de visón*, destacando poco después como primera figura, a las órdenes de Antonioni, por su temperamento extraordinariamente sensible y una gran riqueza de matices y recursos expresivos (*La aventura*, 1959; *La noche*, 1961; *El eclipse*, 1962 y *El desierto rojo*, 1964). Posteriormente se ha dedicado en su mayoría a la comedia: *El cinturón de castidad* (Festa Campanille, 1966), *Modesty Blaise* (Losey, 1966), *Teresa, la ladrona* (Di Palma, 1973) y otras muchas. También ha debutado como directora cinematográfica con *Scandalo segreto* (1990).

VIVONNE, Catherine. V. **RAMBOUILLET, marquesa de.**

VOISIN, La (Catherine Deshayes, llamada). Criminal francesa (París, h. 1640-íd., 1680). Era comadrona y practicaba el aborto, teniendo una gran clientela entre la aristocracia francesa. También era echadora de cartas y aprendió brujería por influencia del mago Lesage, interviniendo en las misas negras del abate Guibourg. Denunciada, fue detenida por varios crímenes de envenenamiento, siendo quemada viva.

VON TROTTA, Margarethe. V. **TROTTA, Margarethe von.**

WAGNER, Cosima. Dama alemana (Bellagio, 1837-Bayreuth, 1930). Hija de Franz Liszt, se casó con el virtuoso pianista Hans von Bülow en 1857. Algunos años más tarde conoció a Richard Wagner, naciendo entre ambos una gran pasión. Abandona a su marido en 1865 y se traslada a vivir con Wagner, al que nunca dejará. Libres ya los dos, él viudo y ella divorciada, contrajeron matrimonio en 1869, habiendo tenido ya tres hijos (Isolda, Eva y Sigfried). Siguió a Wagner en sus periplos y destierros, siendo la inspiración de la época más fecunda del compositor (la *Tetralogía*, *Los maestros cantores*, etc.). A la muerte de su marido (1883), se dedicó a la organización del festival de Bayreuth, para la difusión de la obra wagneriana. Escribió *Recuerdos sobre mi padre* (1911) y su *Diario* fue publicado en 1974.

WALEWSKA, condesa (María Laczynska). Dama polaca (1739-París, 1817). Desde 1802, esposa de Anastase Colonna, conde Walewski, y, en segundas nupcias (1816), del mariscal D'Ornano. En Varsovia conoció a Napoleón, del que fue amante y de quien tuvo un hijo, llamado Alexandre Joseph Colonna, conde Walewski. Acompañó a Bonaparte en sus campañas y fue una de las pocas personas que lo visitaron en su retiro de Elba.

WALKER, Alice. Escritora afroamericana (Georgia, 1944). Pasó su infancia en un barrio de negros del Sur de EE.UU., realizó estudios en Atlanta, y en 1964 emigró a África en busca de sus raíces espirituales y culturales. Tras regresar a su país, Walker publicó en 1973 el poemario *Petunias revolucionarias* y la novela *La tercera vida de Grange Copeland*. Su obra se ha centrado en la defensa de los derechos de los negros y en la denuncia de la represión sexual padecida por las mujeres afroamericanas: *Amores y afanes: historias de mujeres negras*

(1973), libro de relatos, y *El color púrpura* (1981; premio Pulitzer), novela que ha sido considerada su obra cumbre y que fue llevada a la pantalla en 1985 por S. Spielberg. Es autora además de *The Temple of My Familiar* (1989) y *En posesión del secreto de la alegría* (1992).

WALPURGIS o WALBURGA, santa. Religiosa benedictina inglesa (Sussex, h. 710-Heidenheim, 779). Fue abadesa del convento de Heidenheim, que su hermano Wunibaldo había fundado. Posteriormente fue llamada por san Bonificacio para ayudarle en la evangelización de Alemania. En el s. IX el cuerpo de Walpurgis fue trasladado a Elchstatt, coincidiendo con las fiestas paganas de primavera, lo que dio origen a la famosa leyenda de que en la noche de Walpurgis las brujas se paseaban por los campos y los campesinos se defendían con cruces.

WALSH, María Elena. Escritora argentina (Ramos Mejía, 1930). Estudió en la Escuela de Bellas Artes y es autora de *Otoño imperdonable* (1947), *Apenas viaje* (1948), *Baladas con ángel* (1951), *Casi milagro* (1958), *Hecho a mano* (1965) y *Cancionero contra el mal de ojo* (1976). En 1968 dirigió y actúo en su obra de teatro *Juguemos en el mundo.*

WARD, Elizabeth Stuart Phelps. Escritora estadounidense cuyo verdadero nombre fue Mary Gray Phelps (Massachusetts, 1844-íd., 1911). Su novela *The Gates Ajar* (1868) se convirtió en un aunténtico best-seller en su época, pero fueron, sin embargo, sus novelas posteriores, centradas en personajes femeninos opuestos a los convencionalismos sociales, las que hicieron de Ward una escritora memorable: *The Silent Partner* (1871) y *Dr. Zay* (1882). Fue además la autora de la autobiografía *Chapters from a Life* (1896).

WARENS, baronesa de (Louise Eléonore de La Tour du Pil). Dama aristocrática francesa (Vevey, 1700-Chambéry, 1762). Fue muy amiga de Rousseau, quien la celebró en sus *Confesiones* y amante del pensador, pero una enfermedad le obligó a alejarse de ella y al volver se encontró con que ésta estaba enamorada de un tal Wintzenried. El primer encuentro entre Rousseau y la Warens está narrado en el último de los *Sueños de un paseante solitario.*

WARREN, Mercy Otis. Escritora y revolucionaria estadounidense (Barnstable, 1728-Plymouth, 1814). Hermana del famoso jurisconsulto y político James Otis, en 1745 se casó con James Warren, líder de la Independencia. Simpatizante de las ideas revolucionarias, Mercy O. Warren fue colaboradora de Abigail, Samuel y John Adams, y apoyó a Thomas Jefferson escribiendo un relato en tres volúmenes sobre la Revolución que publicó en 1805. Fue además una de las poetas más importantes de la época y autora de varias piezas teatrales, entre las que destacan *El adulador* (1773) y *El Grupo* (1775).

WARWICK, Dionne. Cantante de jazz estadounidense (Nueva Jersey, 1941). Comenzó cantando en la iglesia, y fue lanzada a la fama por B. Bacharach. Sus primeras canciones, *Don't Make Me Over*, *Walk on By* y *Anyone Who Had a Heart*, la consagraron en el mundo del jazz. Warwick, de una belleza excepcional y con una voz soberbia, se ha dado a conocer internacionalmente con canciones como *That's What Friends Are You*, *Whispers in the Dark*, *Any all Time of Day* y *Put Yourself in my Place*.

WASHINGTON, Dinah (Ruth Lee Jones, llamada). Cantante de *blues* estadounidense (Alabama, 1924-Michigan, 1963). Considerada la rival de Ella Fitzgerald* y Sarah Vaughan*, Washington hizo una rápida y brillante carrera en EE.UU. La «Reina del blues», que poseía un estilo enérgico, un *swing* vigoroso y un timbre de gran riqueza, cantó con la orquesta de L. Hampton durante cuatro años y grabó con figuras destacadas del jazz como H. Land, P. Quinichette, W. Kelly y C. Brown. Murió a la edad de 39 años víctima de una fuerte ingestión de somníferos y alcohol.

WEAVER, Sigourney. Actriz estadounidense (1949). Habiendo interpretado algunos papeles secundarios, su gran lanzamiento se realizó al protagonizar el filme *Alien, el octavo pasajero* (R. Scott, 1979), confirmando sus dotes de actriz polifacética y de gran carácter en *El año que vivimos peligrosamente* (1982) y *Gorilas en la niebla* (1988), donde interpretó el papel de Diane Fossey*. Otras películas: *Armas de mujer* (Nichols, 1982), *1492: La aventura del Descubrimiento* (R. Scott, 1992); y la saga *Alien* (*Aliens II, el regreso*, 1986; y *Alien III*, 1991).

WEBER, Helene. Política y feminista alemana (Elberfeld, 1881-Bonn, 1962). Estudió francés, historia y economía en Bonn y en Grenoble, y más adelante fue profesora en Grenoble, Bochum y Colonia. Militó a favor de los derechos de la mujer (1905-1916), y desde 1917 dirigió la Escuela Social para la Mujer fundada por ella en Colonia, y más tarde en Aquisgrán. De 1918 a 1933 ejerció como inspectora de escuelas y consejera ministerial en Berlín, en 1921 fue miembro de la Cámara de Prusia, y en 1924 entró a formar parte del Partido del centro en el Reichstag. En 1948 fue nombrada miembro del consejo parlamentario del nuevo Gobierno de Bonn, y al año siguiente, del Congreso y del Consejo Alemán del Movimiento Europeo. Weber luchó toda su vida por lograr una mejor educación para las mujeres.

WEIL, Simone. Filósofa y escritora francesa (París, 1909-Kent, 1943). Weil, considerada una de las figuras más relevantes de la esfera filosófico-política francesa de principios de siglo, estudió filosofía en la École Normale,donde posteriormente trabajó como profesora (1931). En 1934, interesada por los problemas políticos y sociales, abandonó la enseñanza y se convirtió en operaria de la fábrica Renault, experiencia que sirvió de base a su libro *Diario de una fábrica*, en el que Weil analizó la condición de la clase obrera a la luz del humanismo marxista. Fue además una ferviente activista política, y en 1936 participó en la guerra civil española a favor de la causa republicana. Sus escritos, recopilados después de su muerte, anticiparon muchas de las ideas de los años 40 y 50: *Gravedad y Gracia* (1952), *Esperando a Dios* (1951) y *Opresión y libertad* (1958).

WELCH, Raquel. Actriz de cine estadounidense (Illinois, 1942). Apareció por primera vez en el cine en *Roustabout* (1964), creciendo después su popularidad en diversas películas: *Viaje alucinante* y *Hace un millón de años* (1965), *Raquel y sus bribones*, *Dispara fuerte, más fuerte... no lo entiendo* y *Guapa, intrépida y espía* (1966), *Bedazzled* (1967), *La mujer de cemento* (1968), *Myra Breckinridge* (1969), *Ana Coulder*, *L'Animal* (1979) y *Walks for Women* (1981).

WERTMULLER, Lina. Directora de cine italiana (Roma, 1928). Estudió teatro y posteriormente trabajó en la producción de la película *8 1/2* (1962) de F. Fellini. Su «opera prima» fue *The Lizards* (1963), pero no fue hasta *La seducción de Mimi* (1972; premio a la mejor dirección en Cannes) cuando logró darse a conocer internacionalmente, sobre todo por el tratamiento grotesco y cómico de la vida política, social y sexual. Con *Amor y anarquía* (1973), protagonizada por Giancarlo Giannini (su actor insignia), Wertmuller consolidó su fama como directora. Ha sido muy criticada por el tratamiento peyorativo de los personajes femeninos. Entre su filmografía destacan además *Swept Away* (1974), *Seven Beauties* (1975) y *Summer Night* (1986).

WEST, Mae. Actriz cinematográfica, productora y guionista estadounidense (Brooklyn, Nueva York, 1893-Los Ángeles, 1980). Inició su carrera artística en revistas y, más tarde, pasó al teatro, donde obtuvo resonantes éxitos con *Sexo* y *Pecadora constante*. Sus películas más famosas son: *Lady Lou*, *Night After Night* (1932), *Going to Town*, *Every Day's a Holiday*, *My Little Chic-*

Mae West en *No soy ningún ángel*

kadee (1940), *Myra Breckinridge* (1970) y *Sextette* (1977), esta última un excelente documento sobre su vida e ideas.

WEST, Rebecca. Seudónimo de la escritora, periodista y activista inglesa Cecily Fairfield (County Kerry, 1892-Londres, 1983). Tuvo una activa participación en la lucha por el voto de la mujer y colaboró asiduamente en la prensa inglesa de izquierda. Se dio a conocer con la novela *El retorno del soldado* (1918), centrada en la problemática de la mujer moderna, destacando posteriormente por sus obras de implicación política e histórica: *El significado de la traición* (1949; revisada en 1965), y *El tren del poder* (1955), sobre el juicio de Nuremberg.

WESTWOOD, Vivienne. Diseñadora de moda inglesa (n. 1941). Westwood, defensora de la moda *punk*, popularizó lo que podría denominarse la antiestética, la antimoda o el antidiseño, mediante el uso de la goma y yuxtaposiciones extravagantes de tartán y chifón, y sombreros estilo Sherlock Holmes. Sus diseños poseen además una gran carga sexual y ha sido una de las primeras en promover la ropa interior como ropa exterior.

WHARTON, Edith. Novelista estadounidense cuyo nombre de soltera fue Edith Newbold Jones

(Nueva York, 1862-Saint-Brice, 1937). Tras colaborar en importantes periódicos y revistas, en 1913 se radicó definitivamente en Francia, donde fue discípula de Henry James. La obra de Wharton retrató con gran ironía la sociedad americana de aquella época: *Ethan Frome* (1911) y *La edad de la inocencia* (1920; premio Pulitzer). Fue miembro de la Academia americana y del Instituto Nacional de Artes y Letras. El Gobierno francés le otorgó la cruz de la Legión de Honor, y el de EE.UU., la medalla de oro del Instituto Nacional de Artes y Letras, convirtiéndose en la primera mujer en alcanzar tal distinción. Fue autora además de *The Writing of Fiction* (1925), libro de ensayos centrado en la estética literaria.

WIGMAN, Mary. Coreógrafa y bailarina alemana (Hannover, 1886-1973). Discípula de Dalcroze y de Laban, se inició en la danza al concluir la primera guerra mundial. Creó el nuevo tipo de la danza moderna con su interpretación simbólica de ideas. Fundó en Dresde una escuela de danza y desarrolló una interesante y personal labor coreográfica. Escribió *Die sieben Tänze des Lebens*, con música del maestro H. Pringsheim.

WILDING-DAVIDSON, Emily. Sufragista inglesa (1878-1913). Wilding-Davidson, considerada una mártir de la causa feminista, durante la carrera de caballos Derby de Epson, y con el fin de llamar la atención sobre la desigualdad de la mujer en la sociedad, se lanzó bajo las patas del caballo «Anmer». Murió a consecuencia de las heridas recibidas y toda Inglaterra quedó consternada por este gesto heroico, siendo su entierro motivo de una manifestación masiva de numerosos partidos políticos.

WILLIAMS, Betty. Pacifista irlandesa (Belfast, 1943). Católica y pacifista, Williams fundó, junto con M. Corrigan*, el Women's Peace Movement de Irlanda del Norte, que intentó erradicar la violencia que existía entre católicos y protestantes. En 1976 fue galardonada con el premio Nobel de la Paz.

WILLIAMS, Esther. Nadadora y actriz estadounidense (Los Ángeles, 1923). Generalmente sus películas se han adaptado para exhibir sus grandes facultades de nadadora. Entre las más importantes citaremos: *Fiesta brava*, *Escuela de sirenas*, *La hija de Neptuno*, *La reina del Carnaval*, *En una isla contigo*, *La linda dictadora*, *La fuente mágica*, etc. Su labor artístico-deportiva ha ayudado al nacimiento de un nuevo deporte, la natación sincronizada.

WILLS, Helen. Tenista estadounidense (California, 1905). Posee el palmarés más brillante de la historia mundial del tenis, superior incluso al de Suzanne Lenglen*. Ganó siete veces el open de EE.UU. (1923, 1924, 1925, 1927, 1928, 1929 y 1931); ocho veces el torneo Wimbledon (1927, 1928, 1929, 1930, 1932, 1933, 1935 y 1938); cuatro veces el Roland Garros (1928, 1929, 1930 y 1932); fue campeona olímpica en 1924 y nueve veces campeona del mundo (1927, 1928, 1929, 1930, 1931, 1932, 1933, 1935 y 1938). Después de retirarse se dedicó a la pintura.

WINTERS, Shelley (Shirley Schrift, llamada). Actriz de cine estadounidense (San Luis, 1922). Obtuvo su primer éxito con *Oklahoma* en 1948, y posteriormente trabajó en numerosos filmes, entre los cuales destacan *El tesoro de Pancho Villa*, *Un lugar en el sol* (1951), *Una casa no es un hogar*, *El diario de Ana Frank* (1958), por el que fue galardonada con el Oscar a la mejor interpretación secundaria; *Un retazo de azul*, película que le valió el mismo premio en 1966; *Alfie*, *Confidencias de mujer*, *Lolita* (1962), *La aventura del Poseidón* (1972), *Cleopatra Jones* (1973) y *S. O. B.* (1981).

WOLF, Christa. Escritora alemana (Lansberg, 1929). Estudió en Jena y Leipzig, fue editora de la revista *Neue Deutsche Literatur*, órgano principal de la Unión de Escritores Alemanes, y miembro de la Academia de Artes de la antigua RDA. Se dio a conocer con la novela *El cielo dividido* (1963; premio Nacional), centrada en la problemática de una pareja separada por el muro de Berlín. Su obra, influida por el estilo narrativo de K. Mansfield*, y en un principio muy marcada por la realidad histórica de la Alemania nazi y por sus experiencias como mujer del «Este», se caracteriza, en su madurez, por una búsqueda subjetiva a través de la memoria, generalmente de personajes femeninos, de la auténtica condición humana. Wolf es considerada una de las figuras clave de las letras alemanas contemporáneas: *Noticias sobre Christa T.* (1968), *Muestra de infancia* (1976) y *Kassandra* (1983). Además es autora de una conversación ficticia entre los poetas H. V. Kleist y Karoline von Günderode* titulada *En ningún lugar. En parte alguna* (1982), de la polémica novela *Lo que queda* (1990) y de varios guiones cinematográficos.

WOLLSTONECRAFT, Mary. V. **GODWIN, Mary Wollstonecraft.**

WOOD, Natalie (Natacha Nicholas Gurdin, llamada). Actriz de cine estadounidense (San Francisco, 1938-cerca de la isla de Sta. Catalina, 1981). Se destacó como excelente actriz desde su infancia, siendo de las pocas profesionales que supieron desarrollar su carrera al paso de los años. Entre sus actuaciones infantiles destacan *Mañana es vivir* (1946), *Chicken every Sunday* (1948) y *De ilusión también se vive* (1950). Pero su entrada en el universo de estrellas hollywoodense fue a través de heroínas juveniles de diverso talante, como las que interpreta en las legendarias *Rebelde sin causa* (1955), *Centauros del desierto* (1955), *West Side Story* (1962) y *Esplendor en la yerba* (1962), que le supuso una nominación al Oscar. Posteriormente realizó papeles con mayor madurez, como los desarrollados en *La reina del vaudeville* (Gypsy, 1962), *La pícara soltera* (1964) y *Bob y Carol y Ted y Alice* (1969), entre las más destacadas. Retirada del cine interpretó algunos papeles en TV, volviendo a los platós de Hollywood con *Meteoro* (1978) y *La última pareja de casados* (1979). En el momento de su misteriosa muerte —ahogada— estaba rodando *Brainstorm* (1981). Estuvo propuesta en tres ocasiones para el Oscar.

WOOLF, Virginia. Novelista inglesa (Londres, 1882-Lewes, 1941). Hija de un distinguido crítico e historiador, creció en un ambiente frecuentado por los literatos, artistas e intelectuales de la época. Tras la muerte de su padre (1904), se estableció junto a su hermana, Vanessa Bell, en el barrio de Bloomsbury, donde años más tarde su casa se convirtió en el centro del llamado *Bloomsbury Set*, compuesto por el grupo de intelectuales que dominó la vida cultural inglesa a lo largo de tres décadas, y del que V. Woolf fue uno de los miembros más destacados. En 1912 se casó con L. Woolf, con quien fundó en 1917 la célebre editorial Hogarth Press, que editó las obras de importantes escritores coetáneos (T. S. Eliot, K. Mansfield*, E. M. Forster, y de la propia V. Woolf). Sus primeras novelas *Viaje de ida* (1915) y *Noche y día* (1919) pasaron prácticamente inadvertidas, y no fue hasta la publicación de *El cuarto de Jacob* (1922), *La señora Dalloway* (1925) y *Al faro* (1927) cuando su originalidad literaria comenzó a ser elogiada por la crítica. Sus novelas posteriores (*Orlando*, 1928; *Las olas*, 1931;

Virginia Woolf, por Francis Dood

y *Entre actos*, 1941) la consagraron finalmente como una de las figuras más representativas de la novelística inglesa experimental y de la narrativa moderna mundial. En ellas la autora exhibe su excelente dominio de la técnica del «fluir de conciencia» y su preocupación por la temporalidad humana. Influida por M. Proust, y comparada con J. Joyce, Woolf consiguió establecer un lenguaje narrativo en el que se equilibran perfectamente los universos racional e irracional humanos. En sus ensayos prevalece una temática centrada en la condición femenina, entre la cual destacan la opresión sexual, la construcción social de la identidad femenina y el rol de la mujer escritora: *Una habitación propia* (1929), libro emblemático de la crítica literaria feminista actual, y *Tres guineas* (1938). Mantuvo una estrecha relación con la escritora V. Sackville-West*, a quien dedicó su novela *Orlando*, basada en su cuestionamiento sobre el sujeto andrógino y la diferenciación sociosexual. Tras sufrir varias crisis nerviosas, Woolf se suicidó en 1941.

WYMAN, Jane (Sarah Jane Folks, llamada). Actriz de cine estadounidense (Saint Joseph, Missouri, 1914). Su paso por Hollywood hizo de ella una actriz versátil y comodín para cualquier reparto, destacando en sus papeles dramáticos. En su extensa filmografía podemos destacar *Días sin huella* (1945), *Belinda,* donde se consagró definitivamente y por la que obtuvo el Oscar en 1948; *El zoo de cristal* (1950), *El despertar* (1952), *Trigo y esmeralda* (1952), *Obsesión* (1954), *Sólo el cielo lo sabe* (1954), *Orgullo contra orgullo* (1955) y *Los conflictos de papá* (1962). Decrecida su fama, se retiró poco a poco de los platós de Hollywood, volviendo a recuperarla en la serie televisiva *Falcon Crest,* descomunal éxito de masas desde su primer capítulo en 1983 hasta el último en 1991.

XIRGU, Margarita. Actriz española (Molins de Rey, 1888-Montevideo, 1969). Se dio a conocer en el teatro catalán y después se dedicó exclusivamente al español, en el que obtuvo grandes triunfos, sobre todo como intérprete de los autores contemporáneos. De un talento artístico polifacético, abarcó lo cómico y lo trágico, contándose como uno de sus más grandes éxitos la representación de *Medea* en el teatro romano de Mérida. En el año 1945 estrenó en Argentina la obra póstuma de García Lorca *La casa de Bernarda Alba*. En Montevideo dirigió la Compañía Nacional y creó la Escuela de Arte Dramático.

Margarita Xirgu

YALOW, Rosalyn Sussman. Física nuclear estadounidense (Nueva York, 1921). Tras doctorarse en física nuclear, Yalow comenzó a trabajar con el departamento de radioisótopos del hospital de veteranos del Bronx, de cuyo servicio fue nombrada jefa en 1970. En 1977 le fue concedido el premio Nobel de Medicina por sus investigaciones relacionadas con las hormonas peptídicas y por sus avances en el diagnóstico y tratamiento de enfermedades de la tiroides, diabetes, anomalías de crecimiento, tensión alta y esterilidad. Desarrolló la técnica de ensayo radioinmunológico en colaboración con el médico S. Berson, quien murió cinco años antes de la entrega del premio. Yalow es la tercera estadounidense en obtener un premio Nobel.

YANG KOUEI-FEI. Emperatriz china de la dinastía Tang (h. 720-756). Miembro de la familia Yang, fue concubina de uno de los hijos del emperador Hiuan-tsong y fue elevada por éste a la dignidad de Kouei-fei (esposa imperial). Ejerció gran influencia durante el reinado de este monarca. Colocó en los principales puestos de la corte imperial a sus parientes, destacando su primo Yang Kouo-tchong, de siniestra memoria. Después de una rebelión militar, la favorita fue encarcelada y liberada después por el emperador. Terminó su vida suicidándose.

YOKO ONO. V. **ONO, Yoko.**

YOLANDA. V. **VIOLANTE de Hungría.**

YOURCENAR, Marguerite. Seudónimo de la escritora francesa de origen belga Marguerite Cleenewerck de Crayencour (Bruselas, 1903-Maine, EE.UU., 1987). Tras educarse en Francia e Inglaterra, viajó por varios países europeos, y en 1950 se radicó definitivamente en EE.UU. Considerada una de las figuras clave de las letras francesas contemporáneas, Yourcenar es recordada

Marguerite Yourcenar

además por haber sido la primera mujer en ser elegida miembro de la Academia Francesa (1980). Su obra, ambientada fundamentalmente en la Roma clásica y el Renacimiento, se centró en una temática que con frecuencia resultó polémica: homosexualidad, androginia, la lucha entre la racionalidad e irracionalidad humanas, la mística oriental y la búsqueda de la verdad universal. Entre su vastísima producción destacan las novelas *Alexis o el tratado del inútil combate* (1929), *Memorias de Adriano* (1951), considerada su obra cumbre, y *Opus Nigrum* (1968); los libros de relatos *Cuentos orientales* (1938) y *Tiro de gracia* (1939); los poemas recogidos en *Fuegos* (1936) y *Las Caridades de Alcipo* (1956); la trilogía autobiográfica *El laberinto del mundo* (1973-1988), y varias traducciones del griego y el latín. Pasó los últimos años de su vida en una isla de Maine, a la que Yourcenar rebautizó «Petite Plaisance», junto a su traductora y compañera sentimental G. Fricks.

YUN JING. Seudónimo de la escritora china Tham Yew Chin (n. 1950). Trabajó como profesora, y tras colaborar en varios periódicos de Shanghai, Singapur y Taiwan, Y. Jing se ha convertido en una de las escritoras más populares de la China contemporánea: *Tai Yang Bu Ken Hui Jai Qu*, *Mi Shi De Yu Ji*, *Vida exquisita* y *Vida y amores*. Sus escritos, fundamentalmente humorísticos, han permitido a los lectores chinos conocer la realidad exterior.

Z

ZAIDA. Reina de Castilla (ss. XI-XII). Era princesa musulmana, hija del rey de Sevilla Abenabeth, que al hacerse cristiana y tomando el nombre de Isabel, se casó en 1097 con el rey de Castilla Alfonso VI, al que trajo en dote las plazas de Cuenca, Huete, Consuegra, Ocaña, Vélez, Alarcón y otros castillos. Murió de parto, dejando un hijo, el príncipe don Sancho, que pereció muy joven en la batalla de Uclés. Hay historiadores que niegan tal matrimonio y consideran a Zaida como favorita.

ZAMBRANO DE RODRÍGUEZ, María. Escritora y filósofa española (Vélez-Málaga, 1907-Madrid, 1991). Licenciada en Filosofía y Letras, fue profesora de la Universidad de Madrid. Poco antes de finalizar la guerra civil marchó al exilio, dedicándose a la docencia en las Universidades de Morelia (México), La Habana y Puerto Rico. En 1964 se trasladó a Francia y posteriormente se instaló en Suiza, donde residió hasta su regreso a España en 1984. Discípula de Ortega y Zubiri, destacó en la relación entre vida filosófica y vida poética. Característica del último pensamiento de M. Zambrano es la contemplación de la filosofía como un acontecimiento trascendental de la vida humana:

María Zambrano

en la línea de G. Marcel, «misterio» y no «problemas». Fue colaboradora de las más importantes publicaciones españolas e hispanoamericanas y demostró su sensibilidad y su cultura en obras como: *Horizonte del liberalismo* (1930), *Pensamiento y poesía de la vida española* y *Filosofía y poesía* (1939), *El pensamiento vivo de Séneca* (1944), *La agonía de Europa* (1945), *Hacia un saber sobre el alma* (1950), *El hombre y lo divino* (1955), *Persona o democracia* (1957), *La España de Galdós* (1961), *El sueño creador* y *España, sueño y verdad* (1965), *La tumba de Antígona* (1967), *Los intelectuales en el drama de España* (1977), *Claros del bosque* (1978), *Dos escritos autobiográficos* (1981), *De la aurora* (1986), *Senderos* (1986) y *Delirio y destino* (1989). En 1981 le fue concedido el premio Príncipe de Asturias a la comunicación social, y en 1989 el premio Cervantes.

ZAMUDIO, Adela. Escritora boliviana (Cochabamba, 1854-íd., 1928). Considerada una de las pioneras de la escritura femenina boliviana, Zamudio es además una de las figuras clave de la literatura sudamericana decimonónica. Entre sus obras destacan *Ensayos poéticos* (1887), sobre la discrimación sociopolítica de la mujer boliviana, y sus novelas cortas recogidas en *Íntimas* (1913) y *Peregrinando*, publicada póstumamente en 1943.

ZAODITU, Judith. Emperatriz etíope (Addis-Abeba, 1876-íd., 1930). Destronado en 1916 su sobrino, el emperador Li-Yasu, fue coronada emperatriz en el año 1917. La sucedió el ras Taffari, su sobrino, ya regente en 1928, con el nombre de Haile Selassie I. Trabajó por la modernización del país.

ZARAGOZA Y DOMÉNECH, Agustina. Heroína española de la guerra de la Independencia, más conocida por Agustina de Aragón (Barcelona, 1786-Ceuta, 1857). Durante los sitios de Zaragoza mostró su temple valeroso y arrojado, distinguiéndose por su heroísmo en la puerta del Portillo, en que ante los furiosos ataques del enemigo, decaído el

Agustina Zaragoza y Doménech, Agustina de Aragón, por M. Miranda

ánimo de los defensores, aclaradas sus filas por la muerte, al ver adelantar a los franceses, muy decididos a apoderarse de aquella posición, arrancó de las manos de un moribundo la mecha encendida, se adelantó a la batería y puso fuego a una pieza, con cuyo acto se reanimaron los decaídos ánimos, obligando con su fuego a retirarse al sitiador. Premiada con una renta vitalicia de 1.200 reales anuales por el rey Fernando VII, se casó con un defensor de Zaragoza.

ZAYAS Y SOTOMAYOR, María de. Escritora española (Madrid, 1590-íd., 1660). Hija de un noble al servicio del virrey de Nápoles, Zayas y Sotomayor, que vivió parte de su vida en Zaragoza, escribió poesías y una comedia titulada *La traición de la amistad*, pero su obra fue fundamentalmente narrativa y muy cercana a la estructura formal del *Decamerón* de Boccaccio: *Novelas amorosas y exemplares* (1635), reunión en donde galanes y damas narran novelísticos sucesos para entretener a la enferma Lisis, y *Desengaños amorosos* (1647), donde se muestra una clara mediación del punto de vista, dependiendo del sexo del narrador. Su obra presenta un mundo de crueldad, lascivia, traición, odio, guerra y, sobre todo, desengaño, siendo el tema central de su narrativa el conflicto entre hombres y mujeres. Afirmó en sus relatos la igualdad de la mujer y su capacidad intelectual, y una de sus aportaciones principales fue la introducción de personajes aristocráticos dentro del género de la picaresca. M. de Zayas es un fiel ejemplo de las dificultades con las que se enfrentaron las escritoras del siglo de oro para ser reconocidas como tales.

ZEB-UN-NISSAR. Mística y poeta sufí indo-persa (1639-1702). Era hija de Aurangzeb, último de los Grandes Mogoles de la India. Se separó de la ortodoxia islámica de su padre y fue hecha prisionera en Salimgarth durante veinte años. En su poesía, cargada de un intenso dolor, ella intenta unir elementos del islamismo, hinduismo y zoroastrismo. Su obra más importante es *El Diván de Zeb-un-Nissar*.

ZENOBIA, Septimia. Reina de Palmira (m. Tibur, h. 274). Era esposa de Odenat, jefe de las tribus del desierto de Palmira. A su muerte (266) reinó en nombre de su hijo Vaballat. No aceptó la dominación romana y extendió su reino del Éufrates al Mediterráneo, interviniendo en Siria, Egipto y Asia Menor. Su corte fue un crisol de la simplicidad de costumbres árabes, la cultura griega y la ciencia militar romana, reuniendo a poetas y retóricos (entre ellos Longino) y a cristianos perseguidos. Durante su reinado, Palmira se convirtió en la capital de Oriente. El emperador

Aureliano, después de varias tentativas, venció a Zenobia cerca de Emesa (272) y sitió y tomó Palmira. La reina fue hecha prisionera y fue incluida en el desfile triunfal del emperador.

ZETKIN, Clara. Política y feminista alemana (Sajonia, 1857-Moscú, 1933). Ardiente militante de la clase obrera alemana fue, al igual que R. Luxemburgo*, fundadora del partido comunista alemán (1918) y representante de éste en el Parlamento hasta 1932. Zetkin, considerada una de las principales ideólogas del feminismo socialista, fue jefa del sector femenino de la socialdemocracia alemana, editora y directora del periódico *La Igualdad*, órgano de las feministas socialistas alemanas, y fundadora del movimiento revolucionario espartaquista (1918-1919). En 1907 presentó un proyecto favorable al voto femenino en el Congreso de Stuttgart y en 1915 se pronunció contra la guerra en la Conferencia internacional de mujeres, en Berna. Estuvo muy unida a R. Luxemburgo y a sus tesis políticas, y tras asumir Hitler el poder, emigró a Rusia, donde fue presidenta de la Internacional de las Mujeres. Entre sus obras destaca *Lenin* (1929).

ZETTERLING, Mai. Directora de teatro y cine sueca (Vasteràs, 1925). Debuta en teatro a los seis años, estudia arte dramático y durante la segunda mitad de los 40 actúa en el Teatro Real de Estocolmo. Al mismo tiempo comienza una carrera en el cine que la lleva a trabajar con directores de la talla de Ingmar Bergman. A principios de los 60 dirige cortometrajes y documentales para la televisión. En 1963 recibe el León de Oro en el Festival de Venecia por su documental *War Game*. Entre su filmografía se pueden destacar *Loving Couples* (1964), *The Girls* (1968), *Love* (1982), *Amorosa* (1986). Zetterling también ha escrito varios libros.

ZHANG JIE. Escritora china (Pekín, 1937). Estudió economía, y tras la revolución cultural china (1966-1976), se dedicó de lleno a la literatura. Su novela *El arca* (1982) denunció la discriminación sexual en su país y ha sido considerada la primera obra de narrativa feminista china. Entre sus obras destacan además la novela *Esmeralda* (1984) y el libro de relatos *Si nada pasa, nada pasará* (1986).

ZHUO WENJUN. Escritora china (s. I a. C.). Vivió bajo el poder de la dinastía Han del Oeste. Casada desde muy joven, se enamoró de ella Sima Xianru, un invitado de su padre. Para advertirla, le mandaba mensajes en forma de canción, hasta que ella se enamoró también. Ambos vivieron en la pobreza hasta que ella recuperó sus posesiones, pero Sima la abandonó posteriormente. El escrito más famoso de Zhuo Wenjun es el *Bai Tou Yin* (Canción del pelo cano), que es una protesta ante la inconstancia masculina.

ZIA, Khaleda. Política bangladesí (Bangladesh, 1945). Desde 1991 ocupa el cargo de jefa del Gobierno de Bangladesh. Curiosamente han sido ya varias las mujeres que han tratado de ocupar este mismo cargo en un país como Bangladesh, donde el 86% de la población practica el islamismo.

ZINÓVEVA-ANNIBAL, Lidia Dmitrievna. Escritora rusa (1866-1907). Regentó junto a su marido, el poeta V. Ivanov, uno de los salones literarios más importantes de la Rusia de finales del s. XIX, en el que todos los martes estaban dedicados exclusivamente a las mujeres. Sus primeras incursiones en la literatura —el drama poético *Anillos* (1904) y su novela en forma de diario *Treinta y tres abominaciones* (1907)— fueron calificadas en su época como literatura frívola y censuradas por tratar temas como el incesto y el lesbianismo. Entre sus obras posteriores destacan *La relación trágica* (1907), colección de relatos autobiográficos, y *¡No!*, publicado póstumamente en 1918.

ZITA de Borbón-Parma. Última emperatriz de Austria (Pianore, c. Viareggio, 1892-Zizers, 1989). Era hija del duque Roberto de Borbón y de su segunda esposa, la duquesa María Antonia de Parma. En 1911 se casó con Carlos Francisco José, entonces príncipe imperial y archiduque de Austria, que en 1916 sucedió a su tío abuelo, el emperador Francisco José, con el nombre de Carlos I. Poco después de la muerte de su esposo (1922) se trasladó a Lequeitio, donde residió hasta el advenimiento de la República. En 1950 ingresó en un convento de clausura.

La emperatriz Zita de Borbón-Parma

ZIYADAH, May. Escritora palestina (Líbano, 1886-El Cairo, 1941). Se radicó en El Cairo en 1908, donde posteriormente regentó uno de los salones literarios de mayor renombre, frecuentado por los principales políticos, periodistas y escritores del mundo árabe de aquella época, quienes consideraron a Zidayah su musa intelectual. Tras editar la famosa obra *Alas rotas* (1912), del poeta libanés K. Gibran, mantuvo con él una larga correspondencia amorosa que fue publicada póstumamente bajo el título de *La voz alada*. Su valiosa obra poética ha convertido a esta escritora en una de las pioneras de la escritura femenina en lengua árabe.

ZOÉ Porfirogeneta. Emperatriz bizantina (978-1050). Hija de Constantino VIII, a quien sucedió en el año 1024. Casada con Romano III Árgiro, heredaron conjuntamente el trono, pero el matrimonio se odiaba. Ella se hizo amante de Miguel IV Paflagónico, quien mató a Romano y se casó con Zoé, reinando con ella (h. 1041). Adoptó como heredero al trono al sobrino de Miguel, reconocido como Miguel V. Éste intentó recluir a Zoé en un convento, pero la revuelta de Constantinopla de 1042 depuso a Miguel y reinstauró a Zoé y a su hermana Teodora* conjuntamente. Al surgir problemas entre las hermanas, Zoé se casó con Constantino IX Monómaco y reinó con él hasta su muerte.

ZORAYA (Isabel de Solís, llamada). Mujer castellana (s. XV). Era hija del comendador Sancho Jiménez de Solís y fue hecha cautiva por los nazaríes granadinos en una algara por tierras cristianas. Se convirtió al islamismo con el nombre de Zoraya (Lucero del Alba) y fue esposa del rey Abul Hasan, llamado también Muley Hacén, lo que fue motivo de desavenencias dentro del harén, por su rivalidad con A'isha, madre de Boabdil. Estas discordias contribuyeron a la caída del reino de Granada. La torre de la Cautiva, en el recinto de la Alhambra, lleva este nombre en recuerdo de Isabel de Solís.

ZUBAYDA. Princesa abbasí (¿?, 762-Bagdad, 831). Era nieta de al-Mansur y se casó con Harum al-Rashid en el 781, dando a luz en el 787 a al-Amín. Fue célebre por su generosidad, aplicada principalmente en el abastecimiento de agua de la capital califal. Era el personaje narrador de *Las mil y una noches*.

ZUBIAGA DE GAMARRA, Francisca. Dama peruana, también conocida por «la Mariscala» (Huacarcay, c. Cuzco, 1802-Valparaíso, 1835). Esposa del general Agustín Gamarra, con el que colaboró activamente. Tomó la plaza de Paria en la campaña del Alto Perú. Dirigió la retirada de las tropas leales a Bermúdez, frente a las del presidente Orbegozo. En Arequipa fue sorprendida por un motín, y disfrazada de hombre pudo embarcarse rumbo a Chile, donde falleció.